A-Z NEWCASTLE upon TYNE Deluxe

G000300509

CONTENTS

REFERENCE

Motorway	**A1(M)**
A Road	A1
Under Construction	
Proposed	
B Road	B1288
Dual Carriageway	
Tunnel	A19
One Way Street	
Traffic flow on A Roads is indicated by a heavy line on the driver's left.	
Large Scale Pages Only	→
Pedestrianized Road	
Restricted Access	
Track	
Footpath	
Residential Walkway	
Railway	Level Crossing / Private Sta. / Station
Metro Network Stations	**M**
Local Authority Boundary	
Postcode Boundary	
Washington District Boundary	
Built Up Area	MILL ST.

Map Continuation **54** / Large Scale City Centre **4**	
Car Park	P
Church or Chapel	†
Fire Station	■
Hospital	H
House Numbers Selected Roads	13 / 8 / 4
Information Centre	𝒊
National Grid Reference	420
Police Station	▲
Post Office	★
Toilet	▽
With Facilities for the Disabled	♿
Educational Establishment	
Hospital or Health Centre	
Industrial Building	
Leisure or Recreational Facility	
Place of Interest	
Public Building	
Shopping Centre or Market	
Other Selected Buildings	

SCALE

Map Pages 6-163			Map Pages 4-5		
1:13233 approx. 4¾ inches to 1 mile			1:6617 approx. 9½ inches to 1 mile		
0	¼	½ Mile	0	⅛	¼ Mile
0 250 500 750 Metres			0 100 200 300 Metres		
7.56cm to 1km	12.16cm to 1 mile		15.11cm to 1km	24.32cm to 1 mile	

Geographers' A-Z Map Company Ltd.

Head Office:
Fairfield Road, Borough Green, Sevenoaks, Kent, TN15 8PP
Telephone 01732 781000

Showrooms:
44 Gray's Inn Road, London, WC1X 8HX
Telephone 0171 440 9500

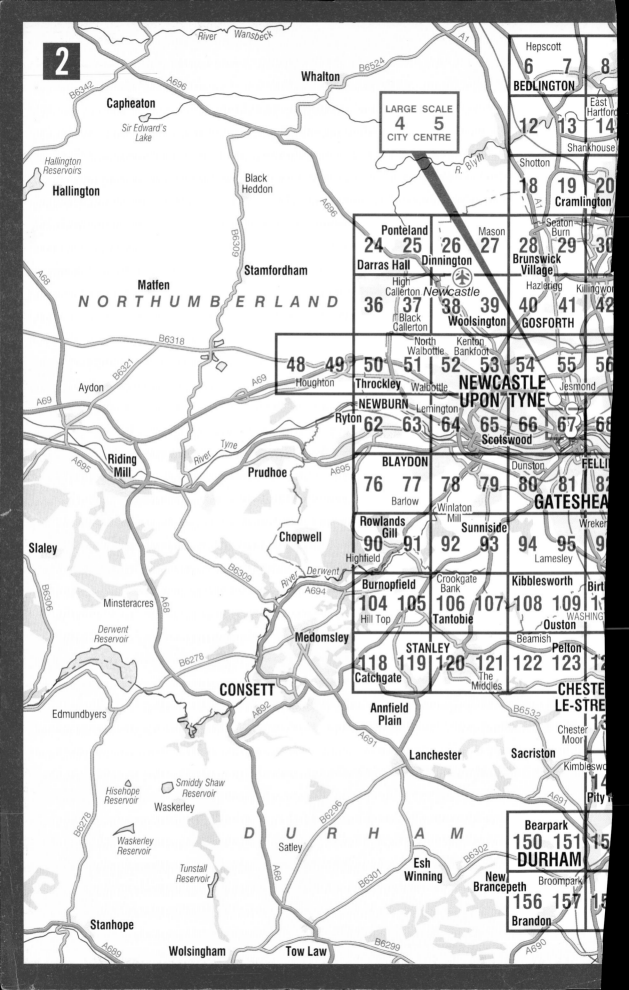

KEY TO MAP PAGES

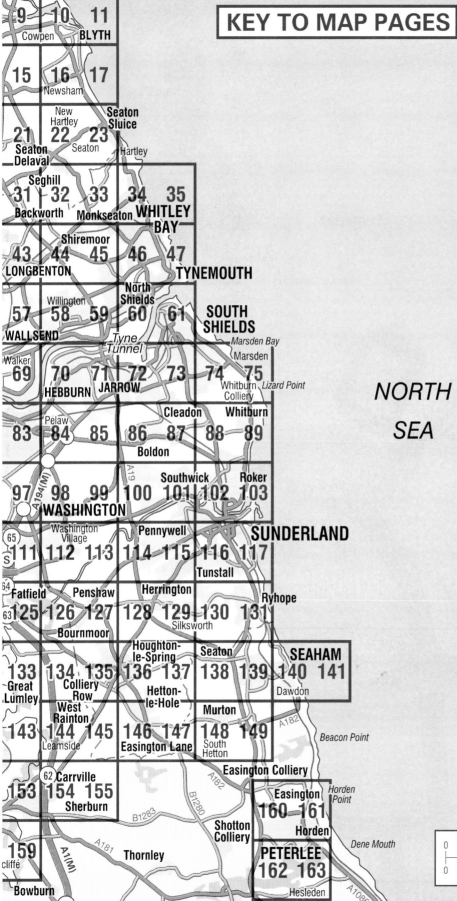

Cambois
9 10 11 BLYTH
Cowpen

15 16 17
Newsham

New Seaton
Hartley Sluice
21 22 23
Seaton Seaton Hartley
Delaval

Seghill
31 32 33 34 35
Backworth Monkseaton WHITLEY
BAY

Shiremoor
43 44 45 46 47
LONGBENTON TYNEMOUTH

North
Shields
57 58 59 60 61 SOUTH
Willington SHIELDS
WALLSEND Tyne Marsden Bay
Tunnel Marsden

Walker
69 70 71 72 73 74 75
HEBBURN JARROW Whitburn Lizard Point
Colliery

Cleadon Whitburn
83 84 85 86 87 88 89
Pelaw Boldon

A19 Southwick Roker
97 98 99 100 101 102 103
WASHINGTON

Washington Pennywell SUNDERLAND
Village
111 112 113 114 115 116 117
S Tunstall

Fatfield Penshaw Herrington Ryhope
125 126 127 128 129 130 131
Bournmoor Silksworth

Houghton- Seaton SEAHAM
le-Spring
133 134 135 136 137 138 139 140 141
Great Colliery Dawdon
Lumley Row Hetton-
West le-Hole
Rainton Murton
143 144 145 146 147 148 149
Leamside Easington Lane South A182
Hetton Beacon Point

Carrville Easington Colliery
153 154 155 Easington Horden
Sherburn Point
B1283 B1280 160 161
Shotton Horden
Colliery
159 Dene Mouth
cliffe A1(M) A181 Thornley PETERLEE
162 163
Bowburn Hesleden A1086

NORTH

SEA

0   1   2 Miles
0   1   2   3 Kilometres

NEWCASTLE UPON TYNE

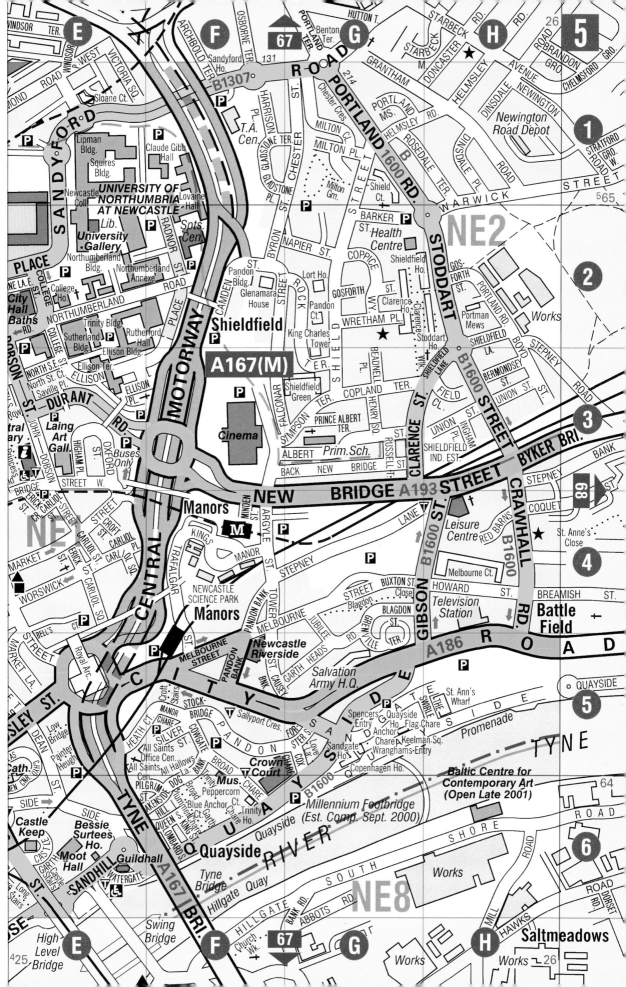

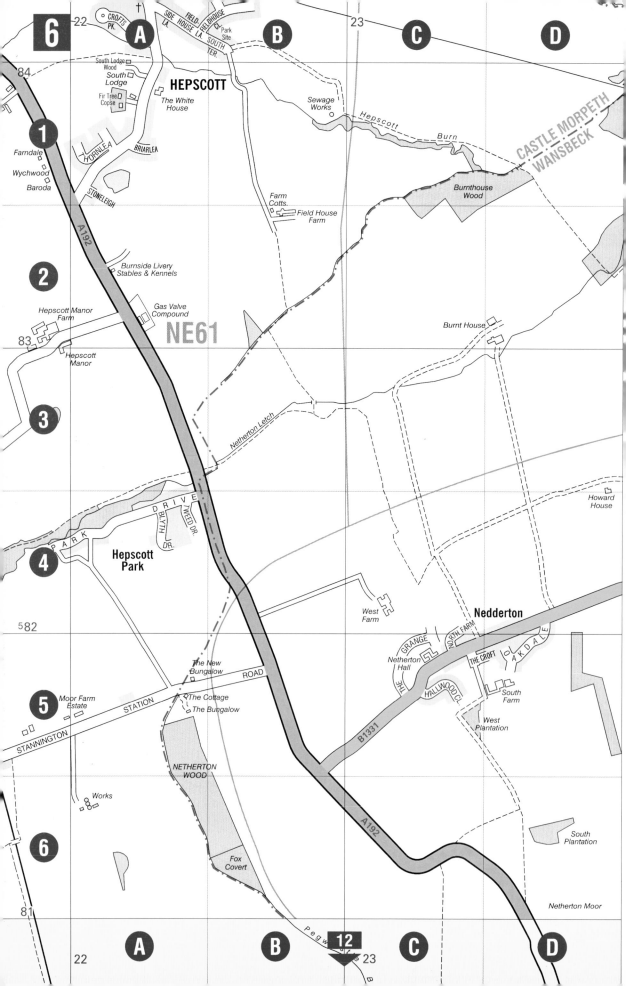

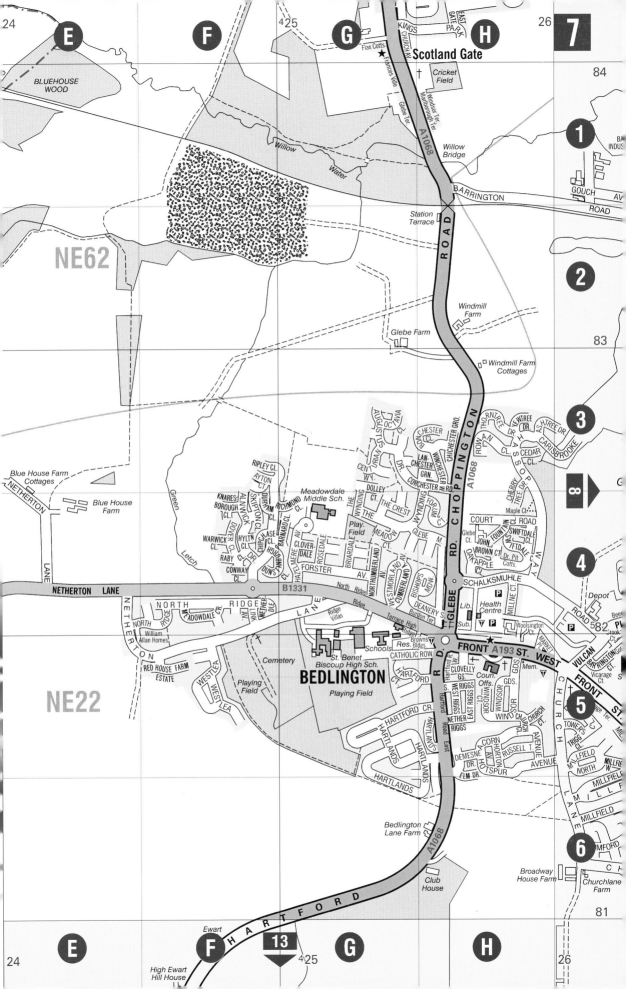

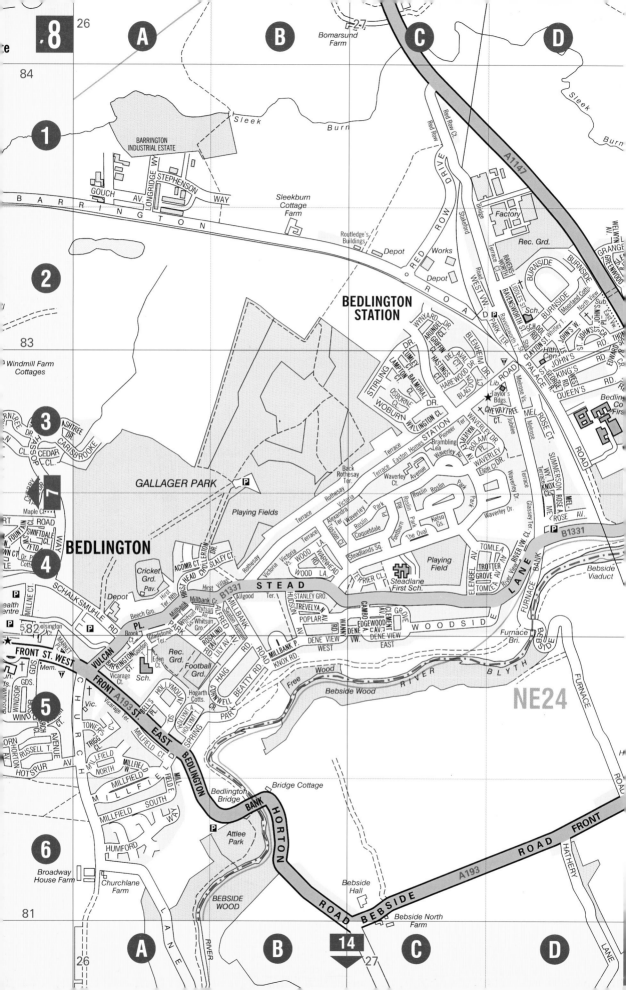

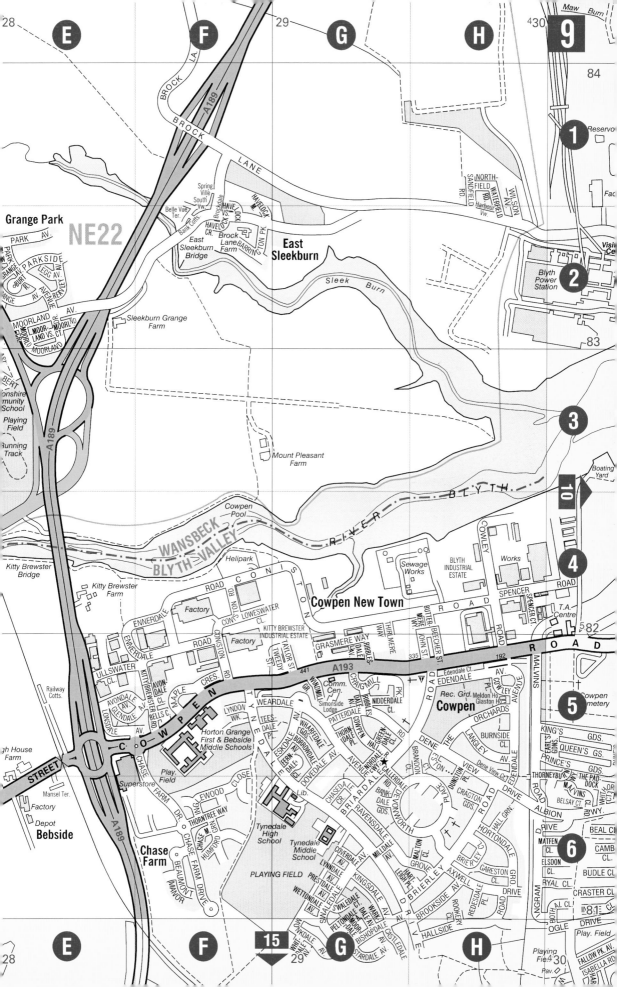

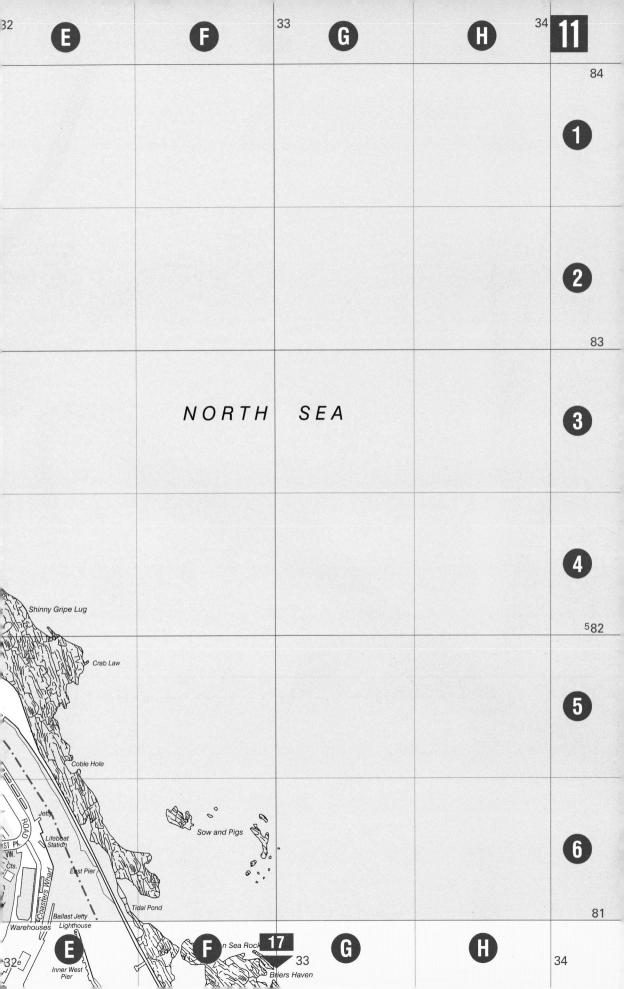

84

1

2

83

N O R T H   S E A

3

4

Shinny Gripe Lug

5 82

Crab Law

5

Coble Hole

Jetty

Sow and Pigs

Lifeboat
Station

6

East Pier

Tidal Pond

81

Ballast Jetty

Warehouses   Lighthouse

32e   Inner West
                 Pier   33   34

Briers Haven

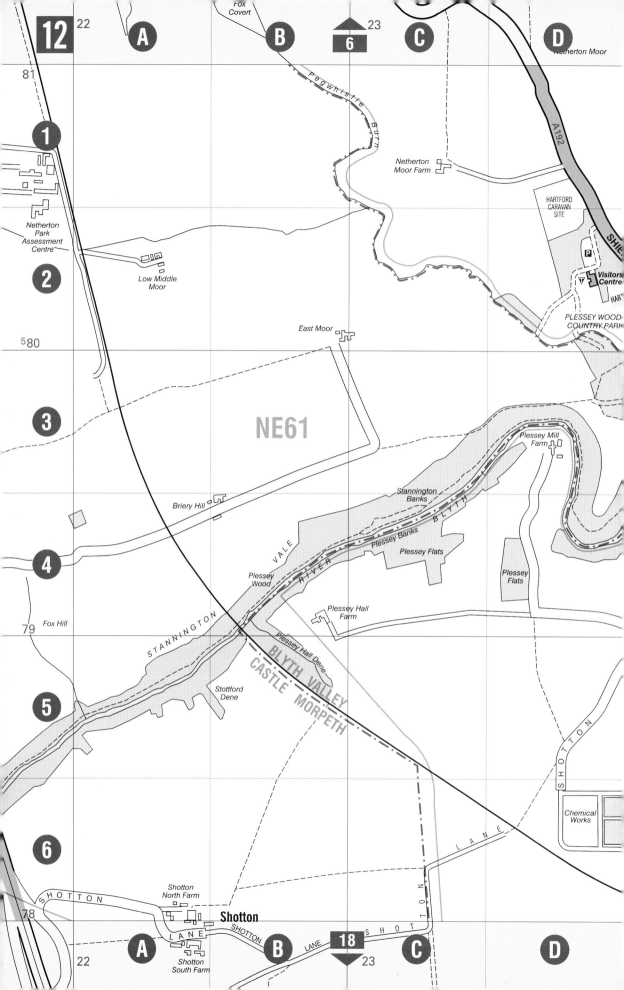

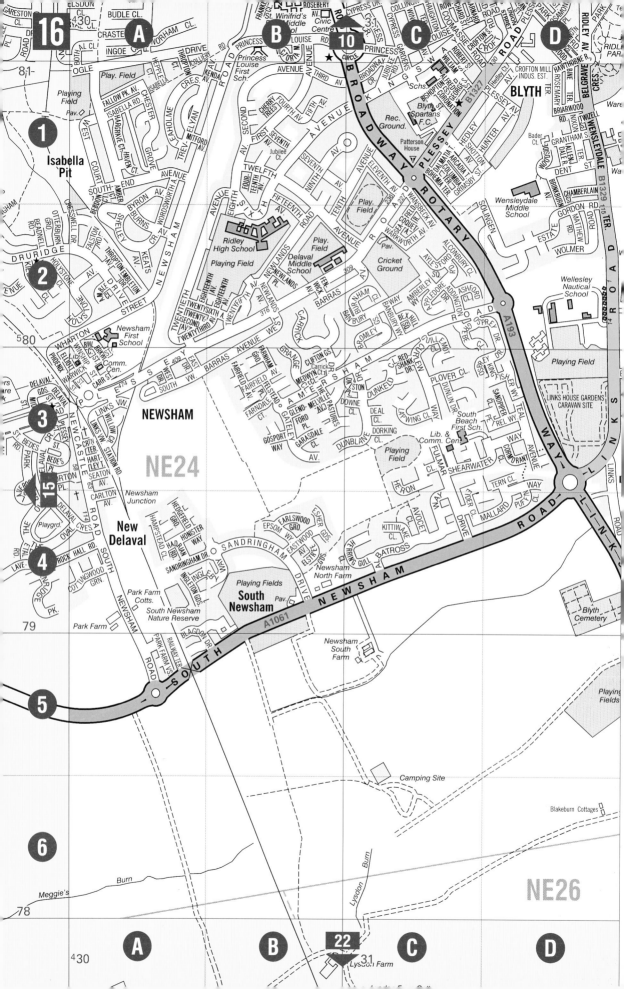

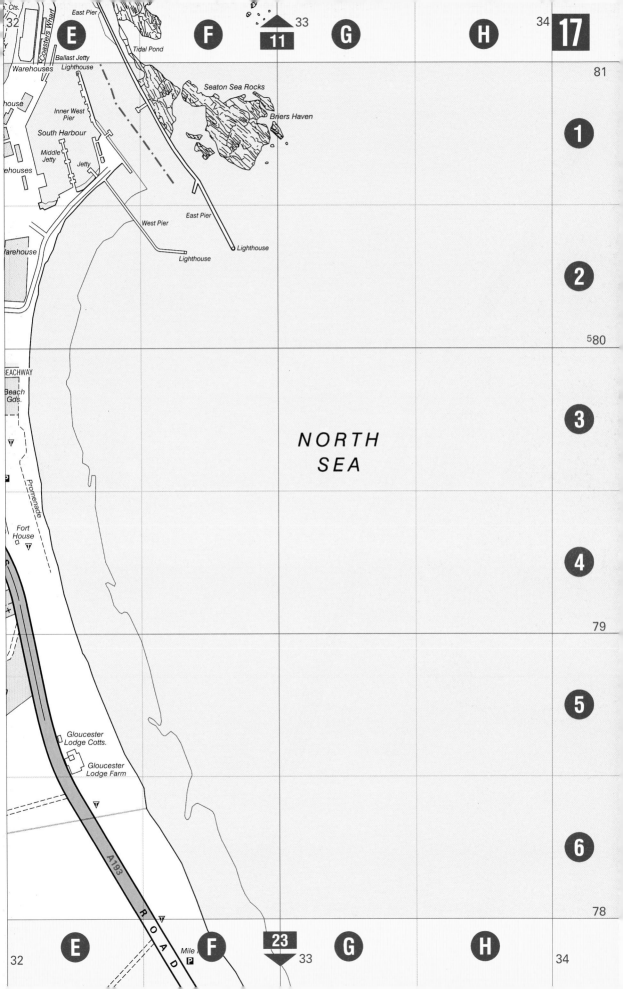

SHOTTON

A

Shotton North Farm

B 23
12

C

D

Shotton

NE61

LANE

SHOTTON

LANE

78

Shotton South Farm

1

Cale Cross

North Lodge

Coal Wood

Down Hill

2

North Wood

A1

77

Weir

Smithy Plantation

Snitter Burn

Fusilier Plantation

Plessey North Moor Farm

Moor Plantation

Bog Plantation

Pav.

LEGGES DR

3

SOUTH

Shotton Edge

North Wood

NE13

BLAGDON PARK

CASTLE MORPETH

BLYTH VALLEY

FISHER

FISHER

Thornhill Cottage

DRIVE

South Lodge

4

Park House

Kennels

Shotton Grange

Harehill Plantation

Jubilee Wood

Princess Royal Plantation

76

CASTLE MORPETH

NEWCASTLE UPON TYNE

LANE

Waterloo Plantation

Moor Farm Cottages

5

HOYS WOOD

Plessey South Moor Farm

New Jubilee Plantation

Sir Jasper's Plantation

A1068

New Sally Nanny Plantation

A1

6 Brenkley

North Farm

FISHER

East Brenkley Farm

Crow Wood

Seven Mile House Farm

A

B **28**
23

C

Hotel

D

ARC

FISHER

22

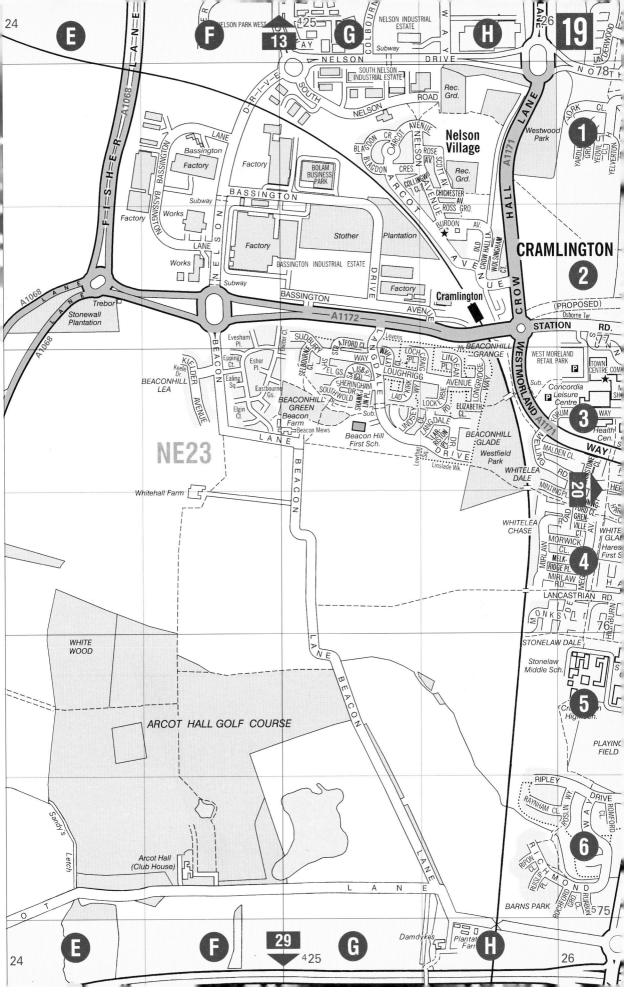

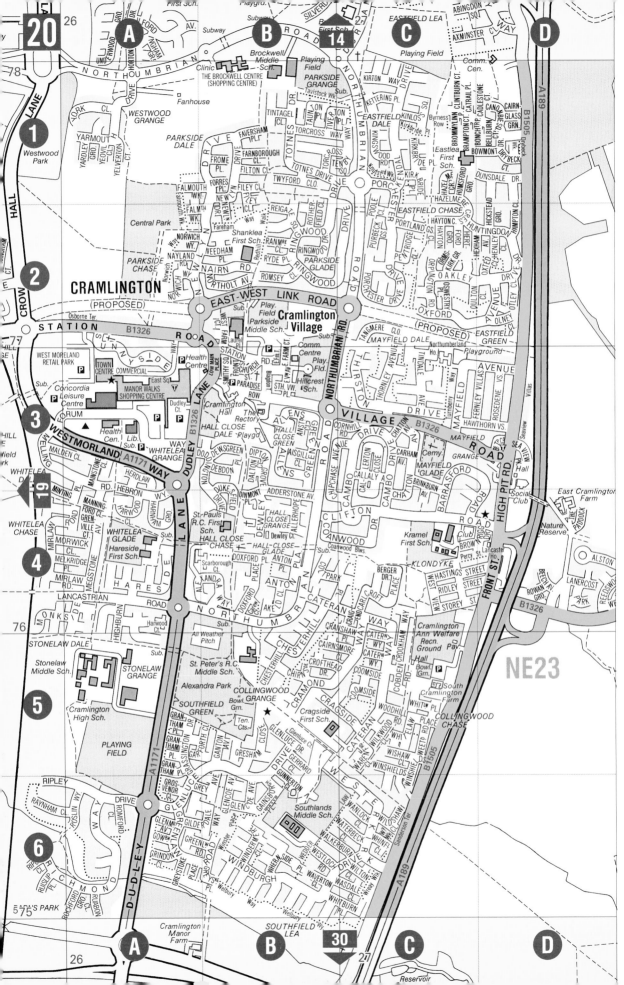

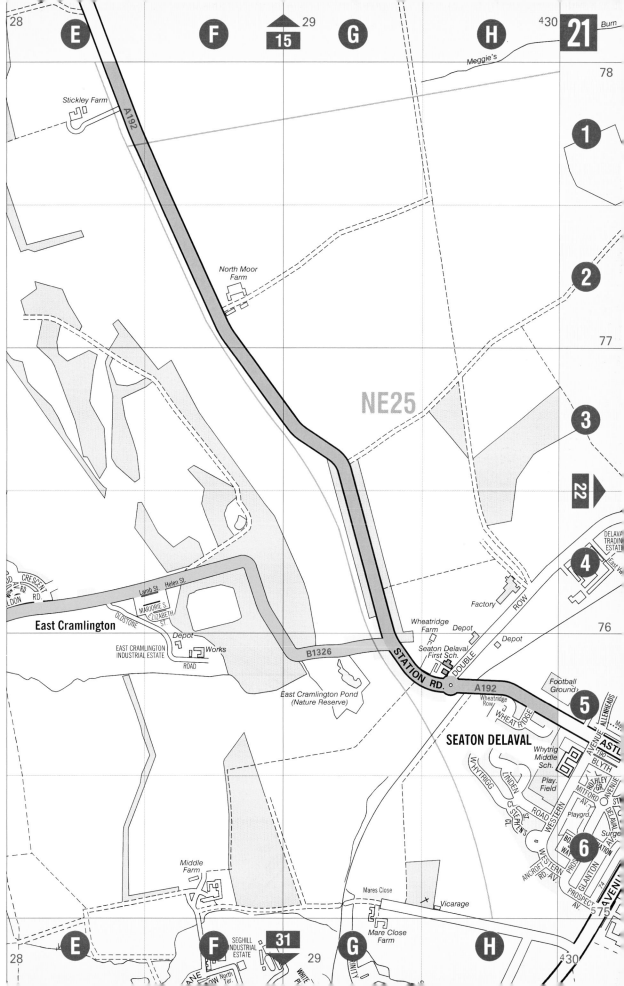

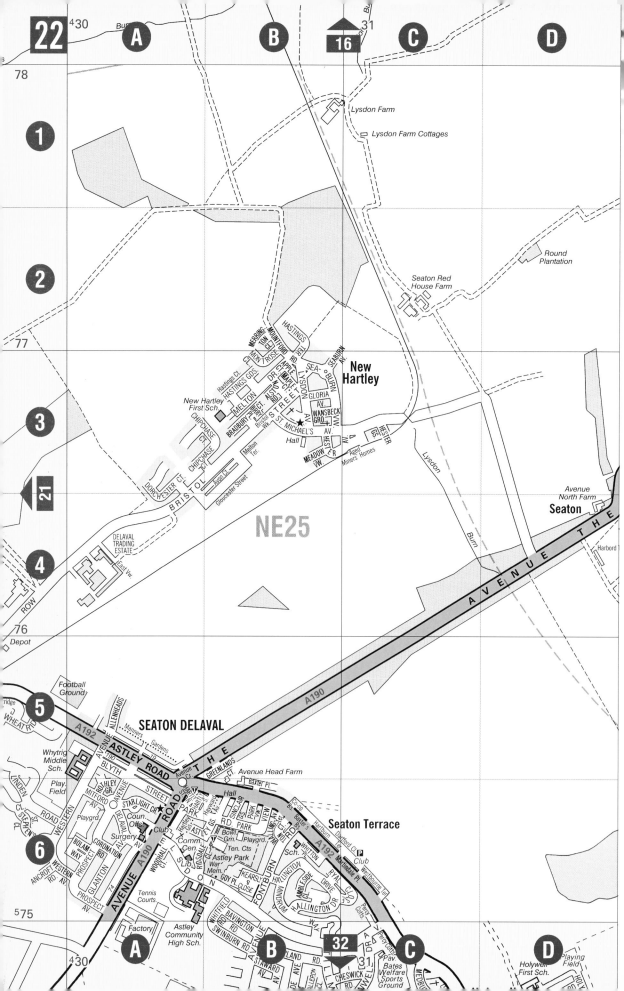

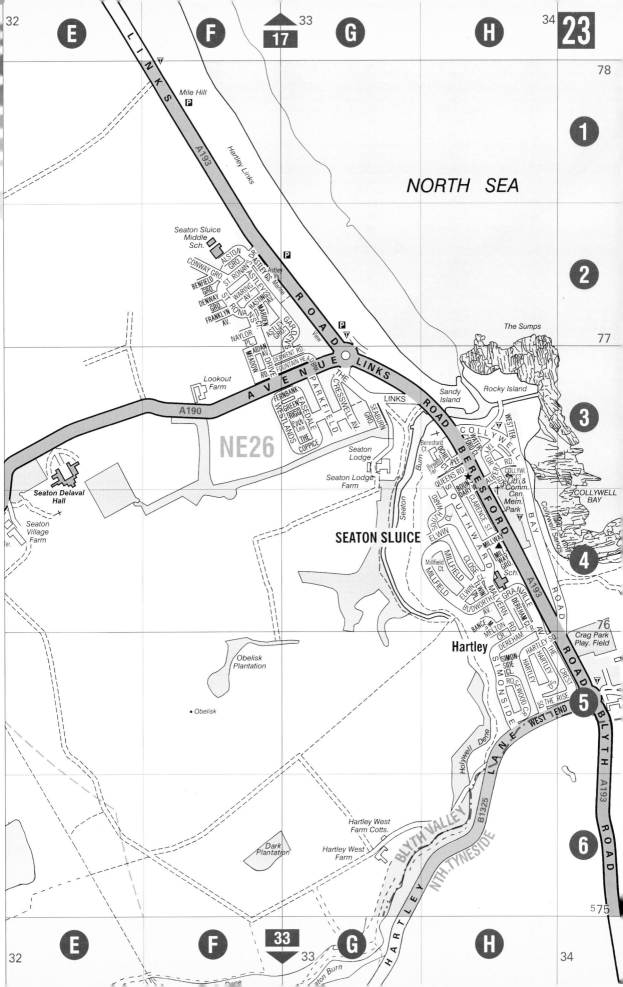

14

A   B   415   C   East Coldcotes   D

575

Ebhor Cottage

Coldcoats   Burn

Ecklindale

Middle Coldcoats

Smallburn

1

West Coldcoats Bridge

A696

Smallburr Lodge

Smallburn Burn

Shortridge

2

Woodside
Milbourne Lodge

Small

East Smallburn Bridge

74

NORTH R.

West Smallburn Bridge

South Coldcoates

NORTHUMBRIA POLICE HEADQUARTERS

3

Coldcoats Moor

Burn

Keepers Cottage

West Farm

NE20

4

Small

LIMESTONE   LANE

Collingwood Cotts

LADYWELL

LADYWELL

SIMONSIDE VW

WAY

73

Eastfield House

Woodside Farm

ROTHLEY CL

FORSTER'S PLANTATION

THE BEECHES   WE

5

West Houses

FOX

COVERT

RUNNYMEDE

THE GRE

Long Plantation

LANE

EASTERN

River   Pont

ROAD

6

Coat Hill

72

RICHMOND WAY

Richmond Fields

PEMBROKE DR.

REGENCY WY.

WESTERN WAY

PEMBROKE DRIVE

COTE HILL DR.

RUNNYMEDE

KING JOHN'S CT.

SANDRINGHAM

DARRAS HALL

TUDOR CT.

D'WOOD DR.

D   A   R   R   A   S

OAK-LANDS

OAKLAN

COLLINGWOOD

LADYRIGG

SYC

CRES

14

A   B   36   415   C   D

575

FOX COVERT

1

Blackpool   Drain

2

Blackpool   Drain

74

CARR PLANTATION

3 Prestwick Mill

PRESTWICK   CARR

25

4

NEWCASTLE UPON TYNE
CASTLE MORPETH

73

Moory Spot

5

Close House

Prestwick Whins

Hawthorn Cottage

NE20

Prestwick

West Farm   East Farm   The Martins

Prestwick Hall

Carr View

MONTROSSO

The Square

Prestwick Hall Farm

6

Garden Centre

72

Street Houses

Cemy

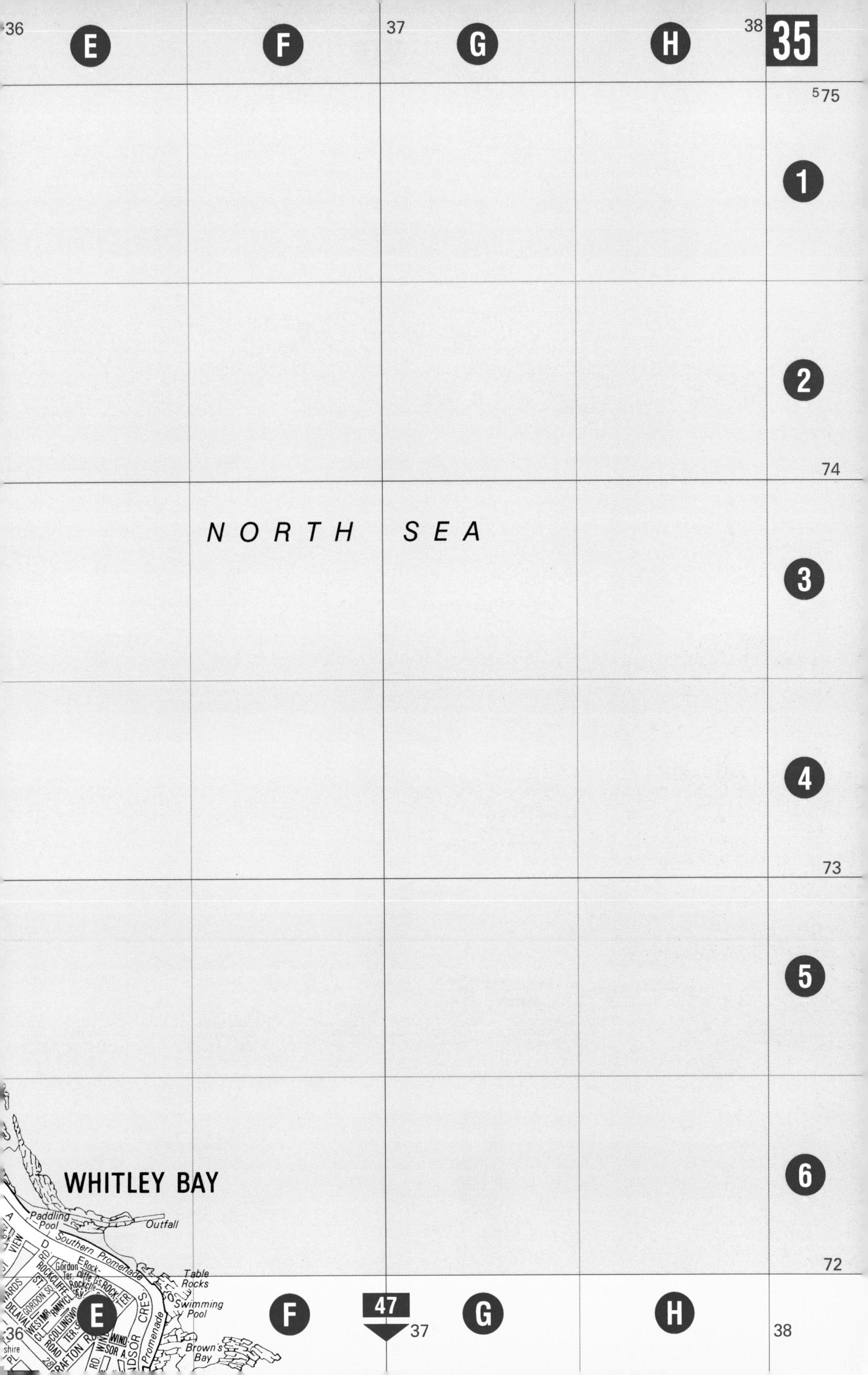

⁵75

1

2

74

N O R T H   S E A

3

4

73

5

WHITLEY BAY

6

Paddling
Pool   Outfall

Southern Promenade

Table
Rocks

Swimming
Pool

72

Brown's
Bay

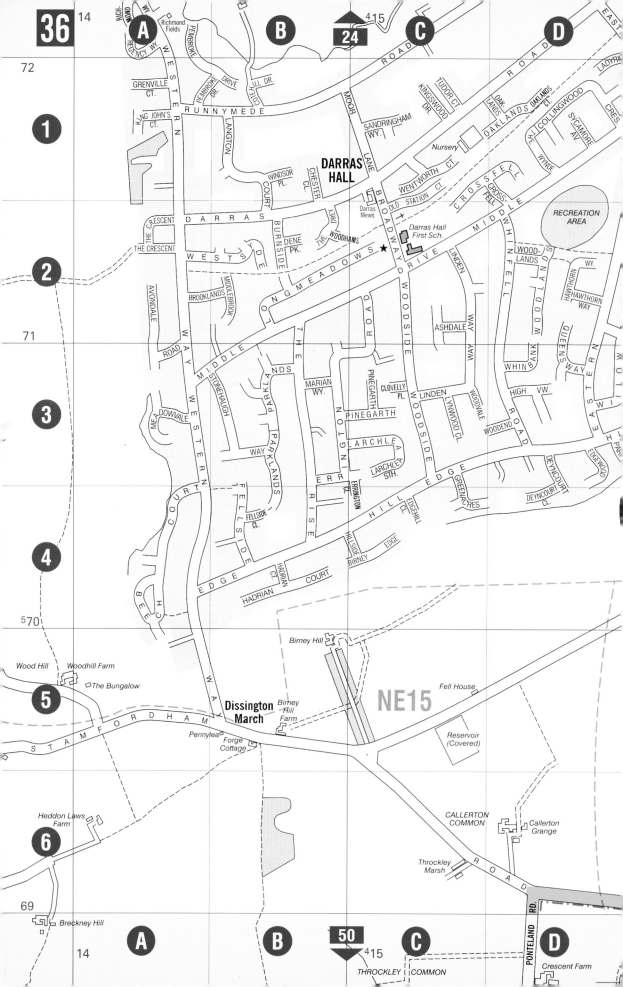

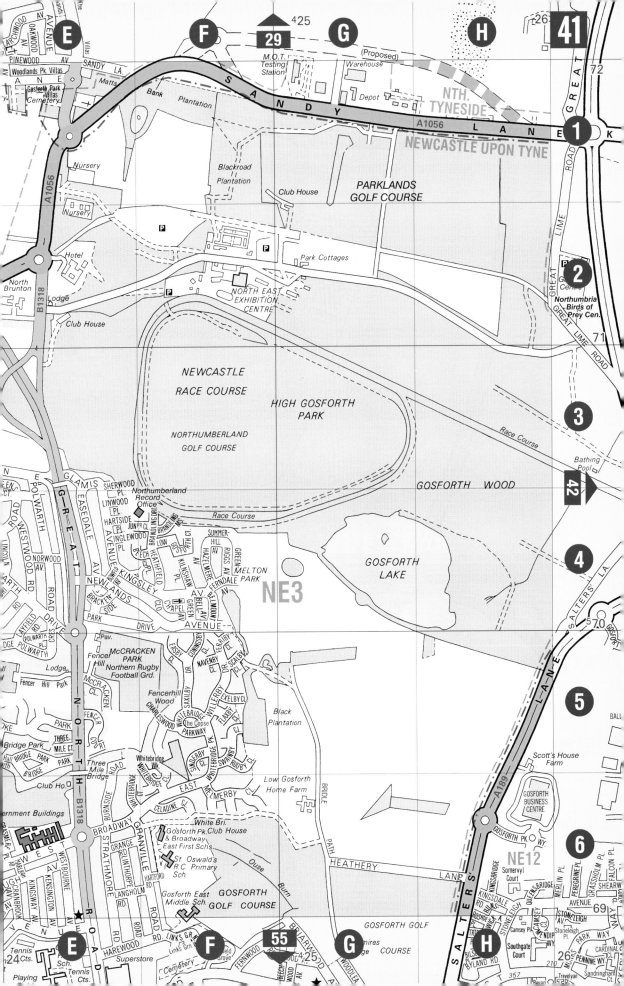

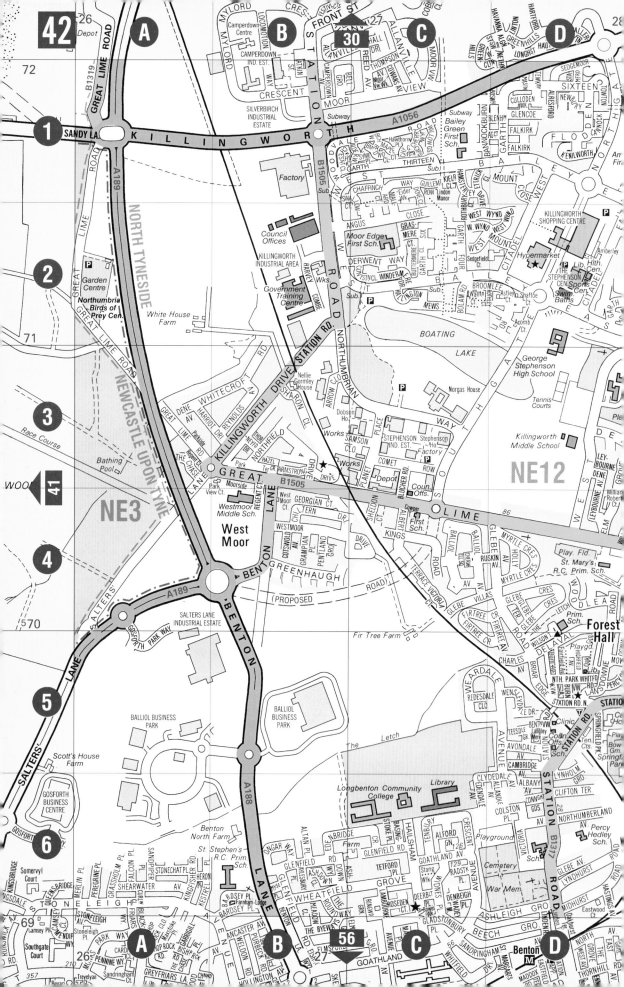

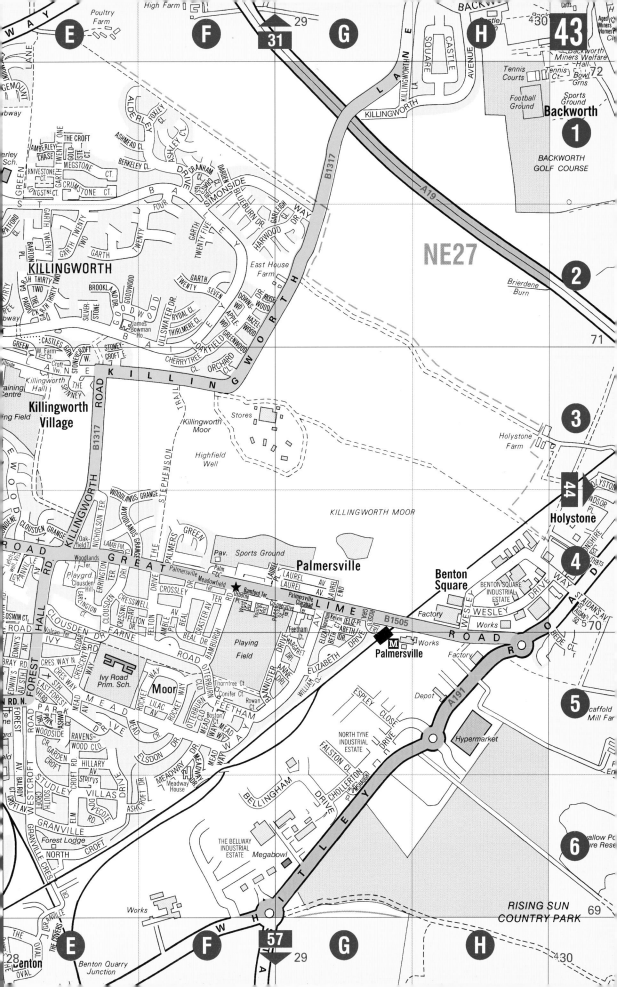

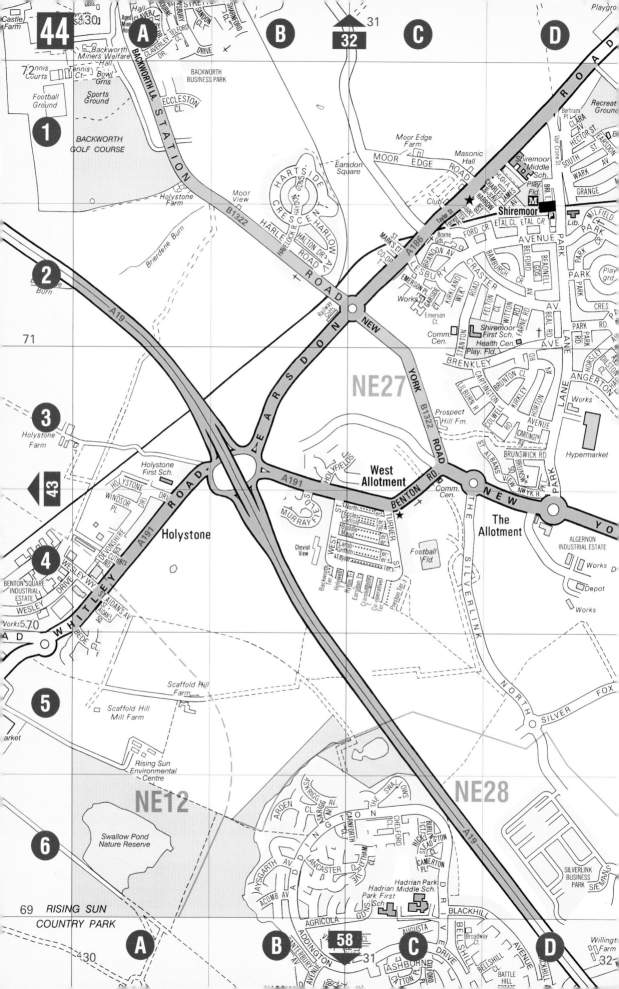

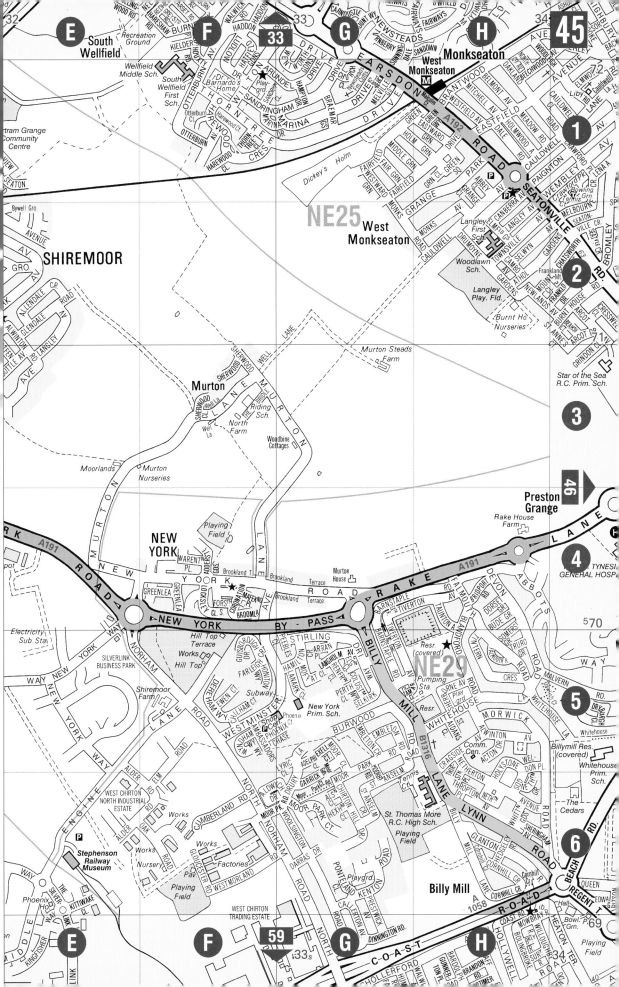

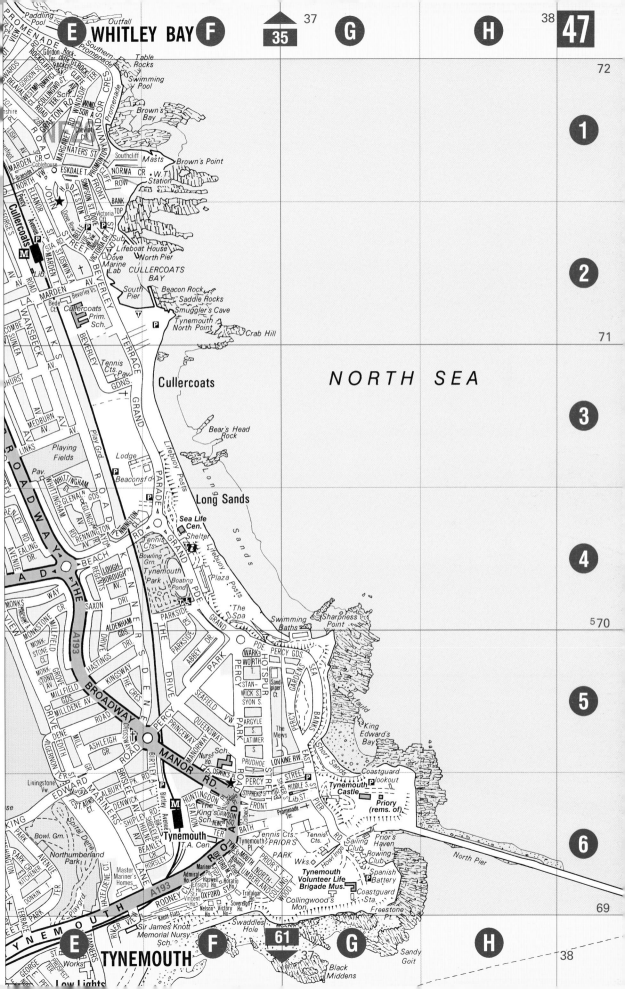

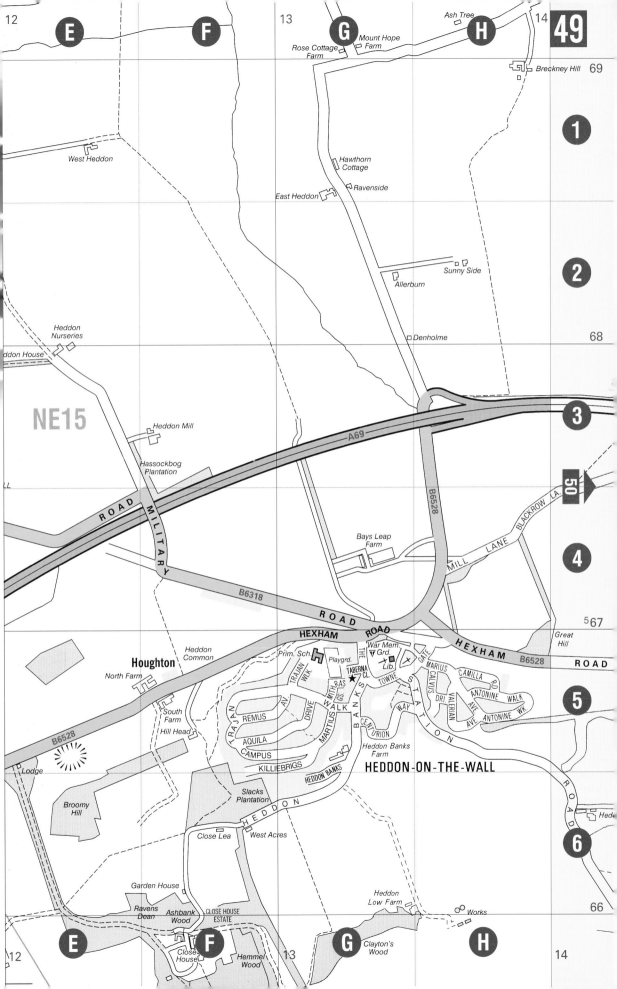

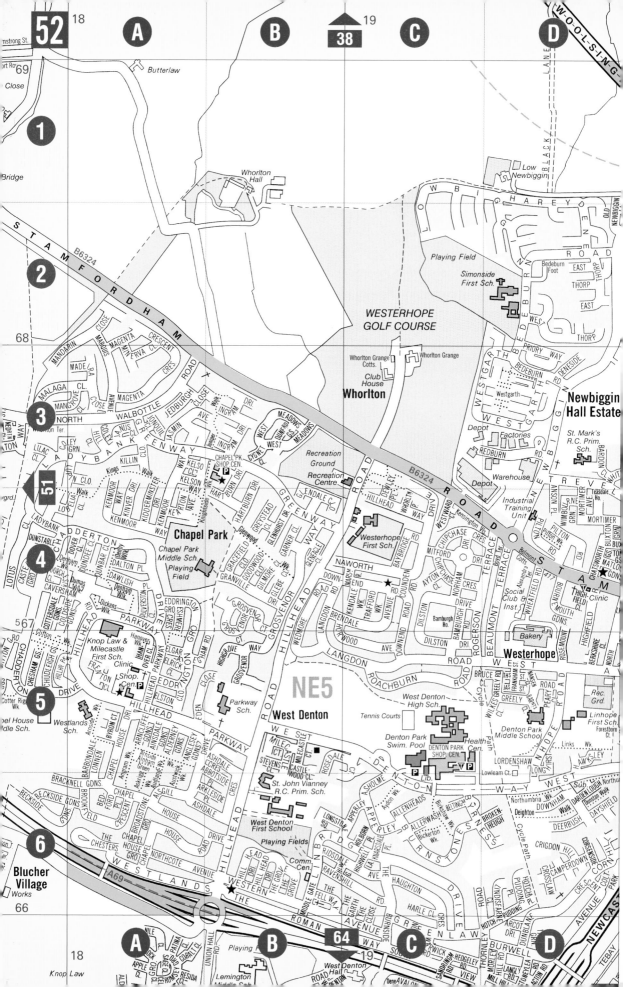

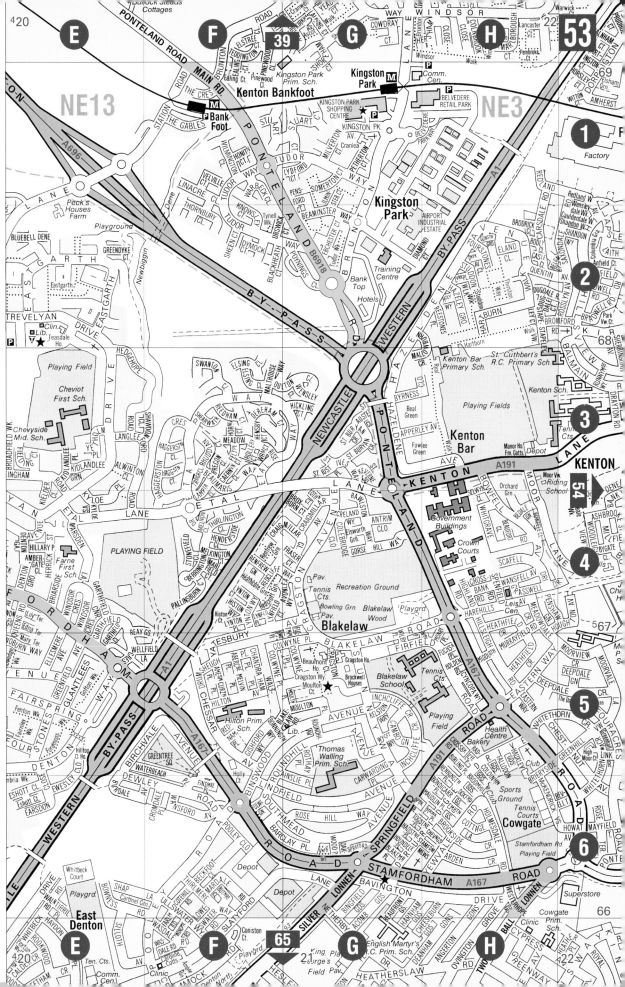

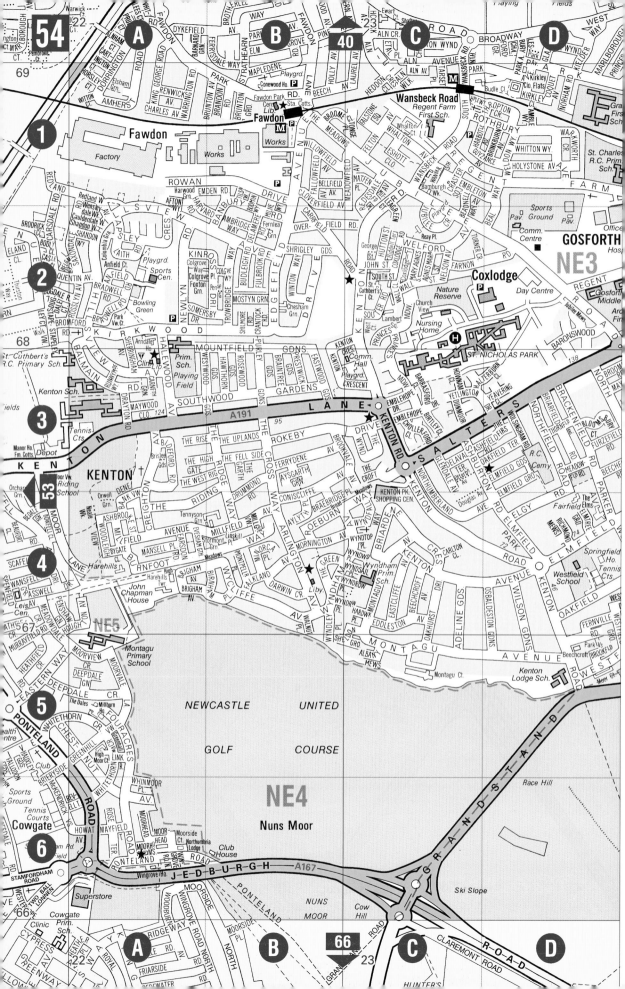

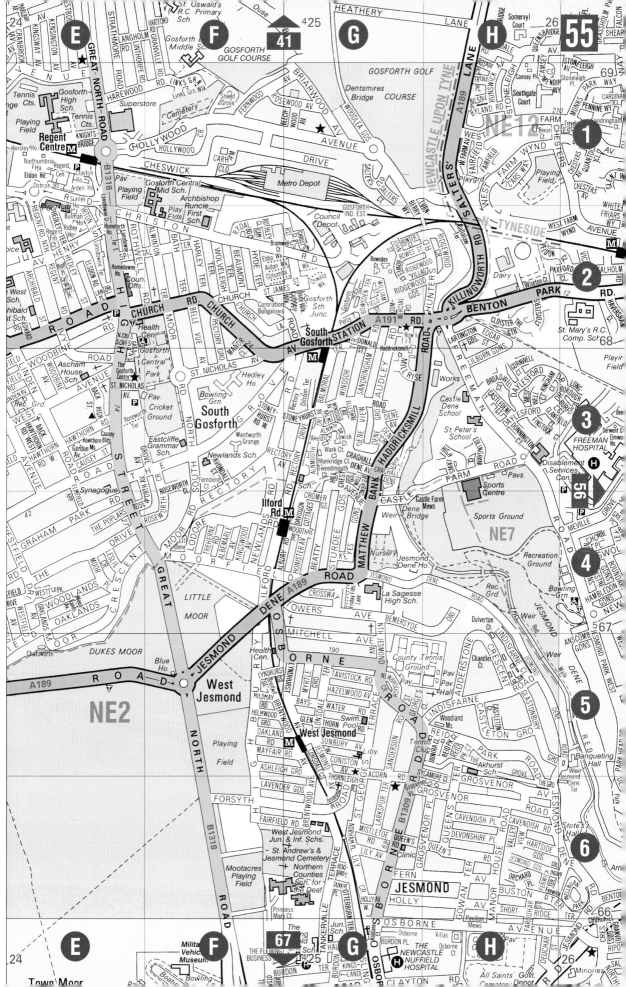

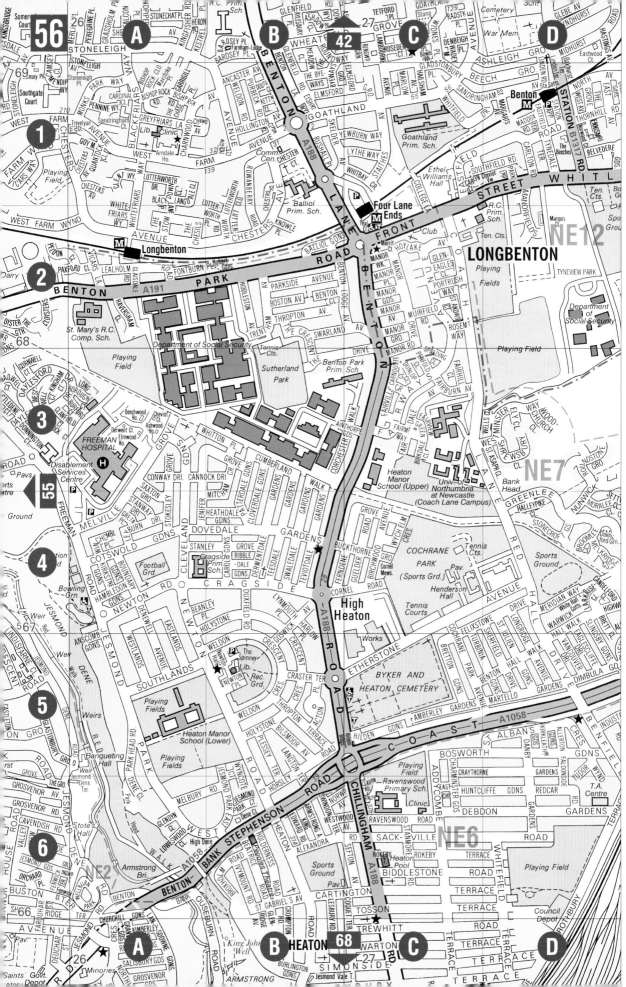

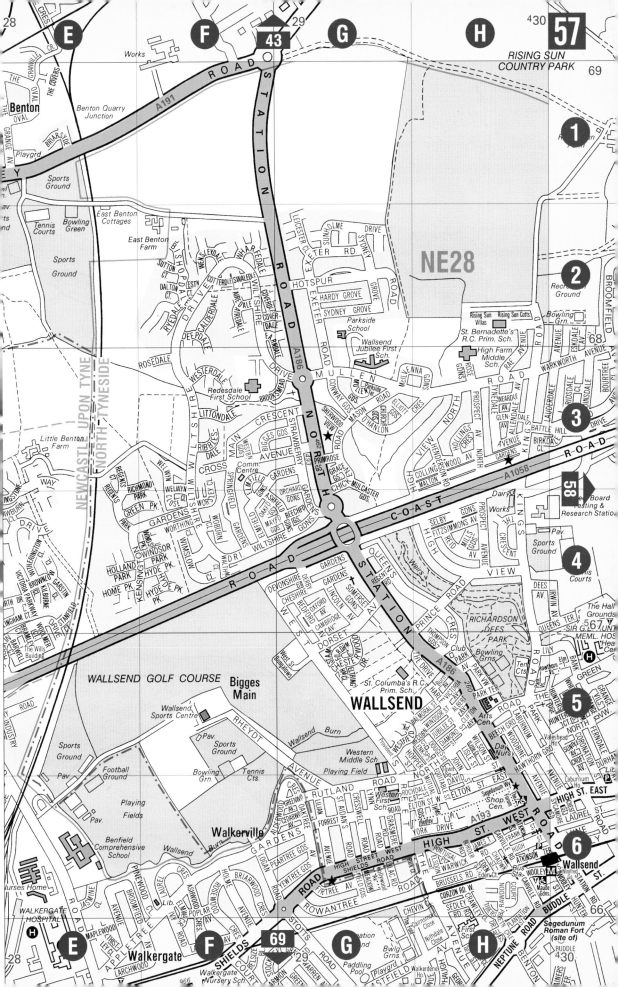

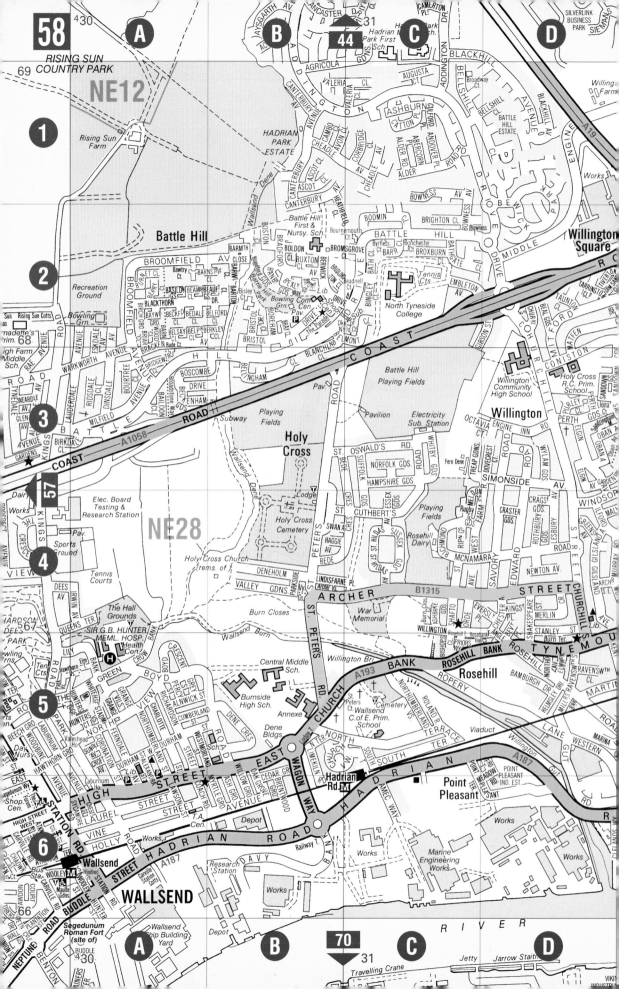

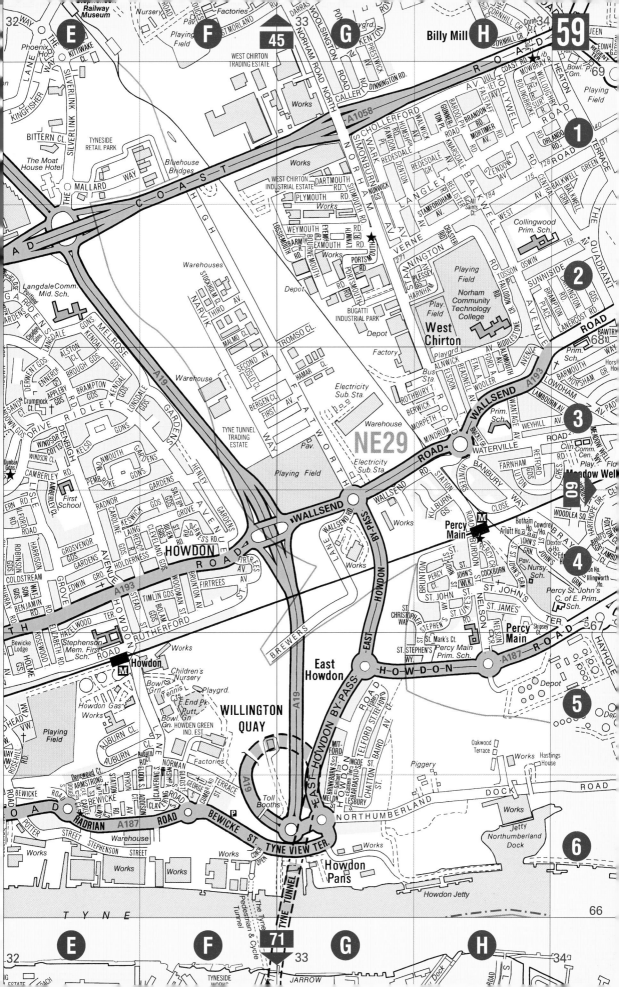

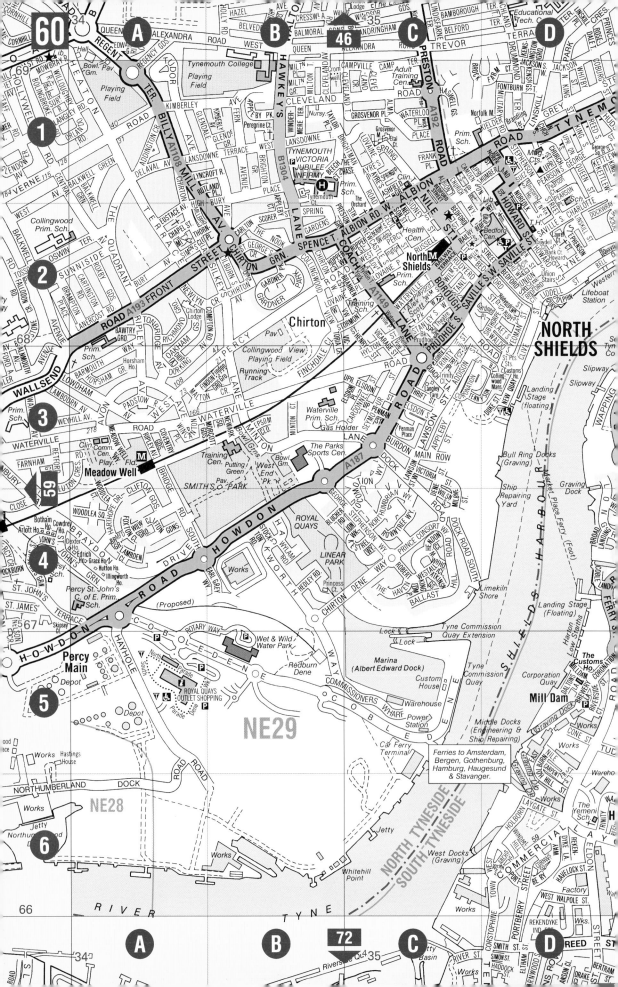

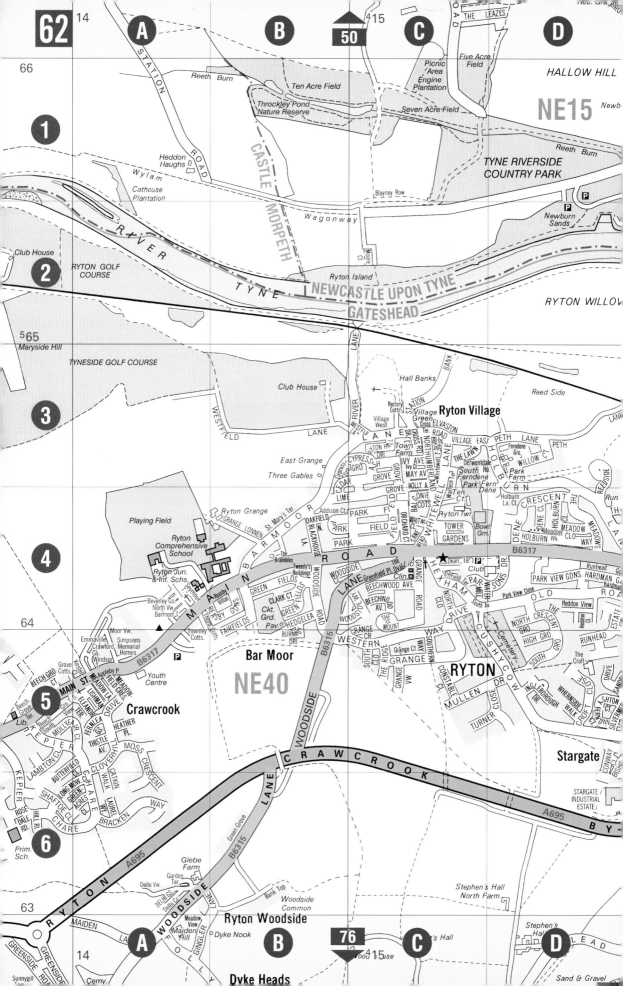

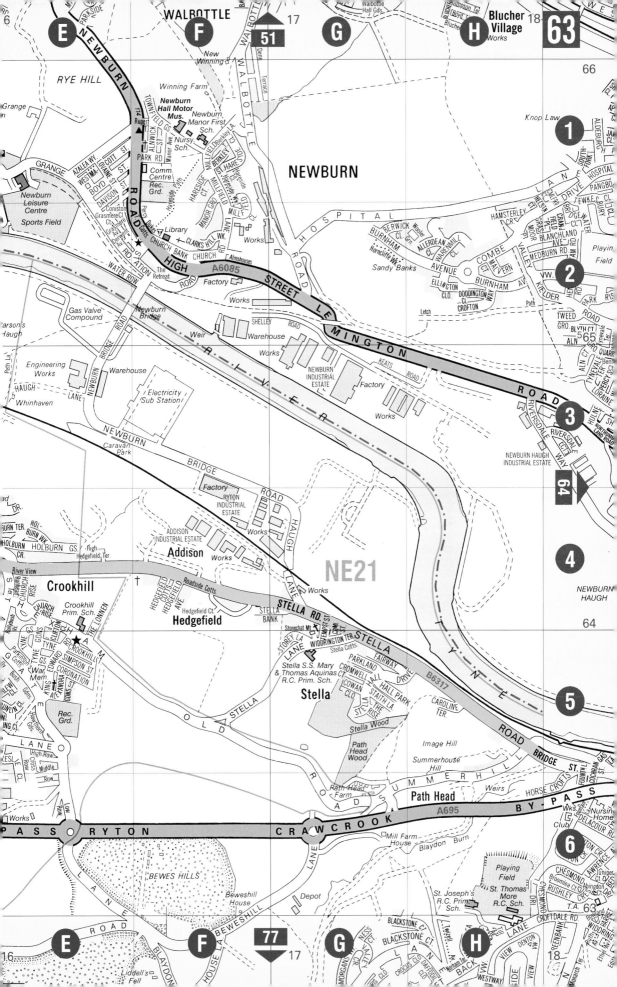

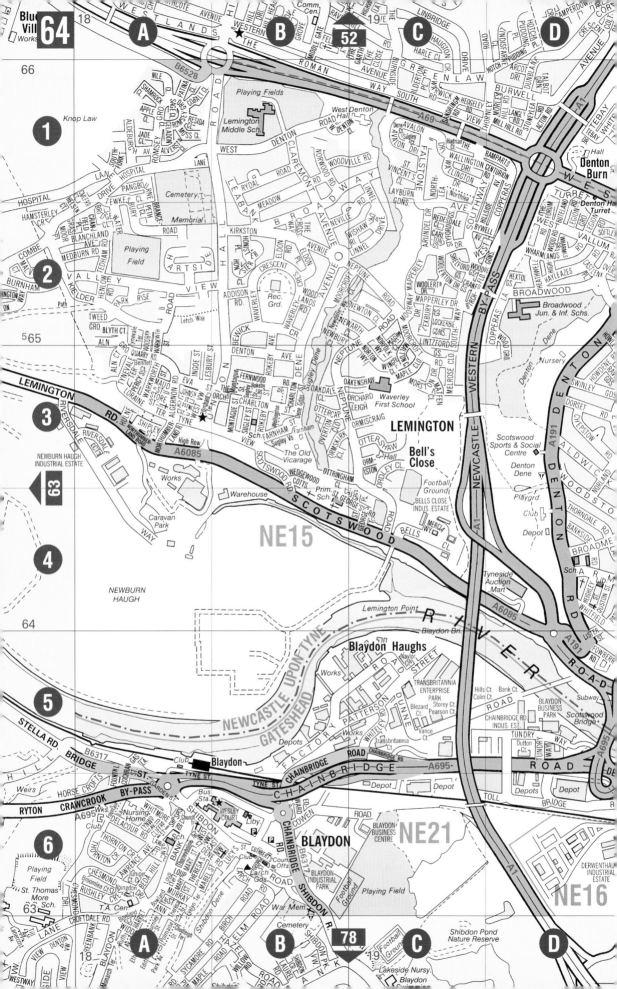

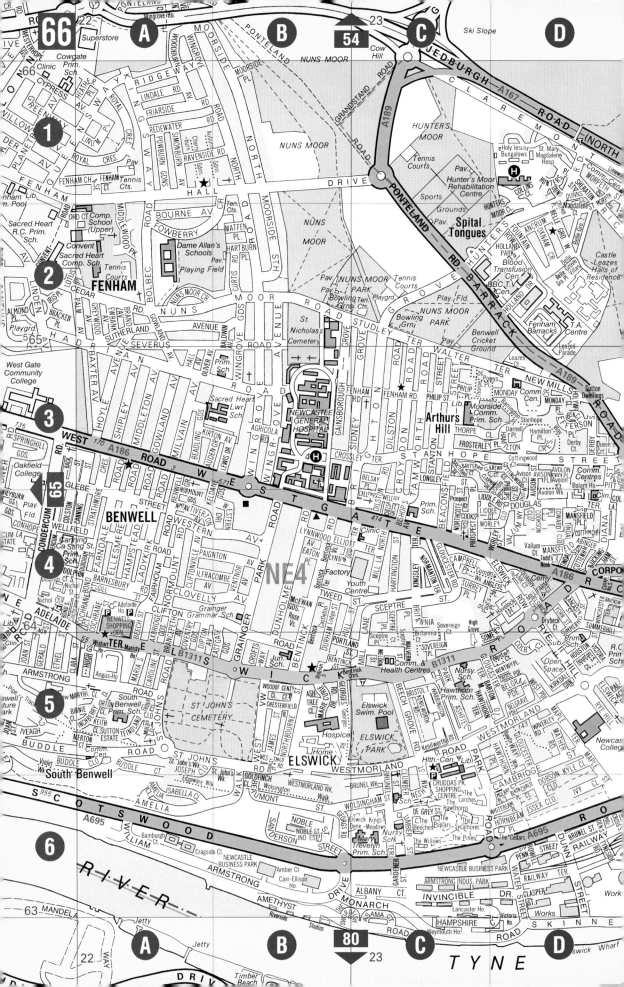

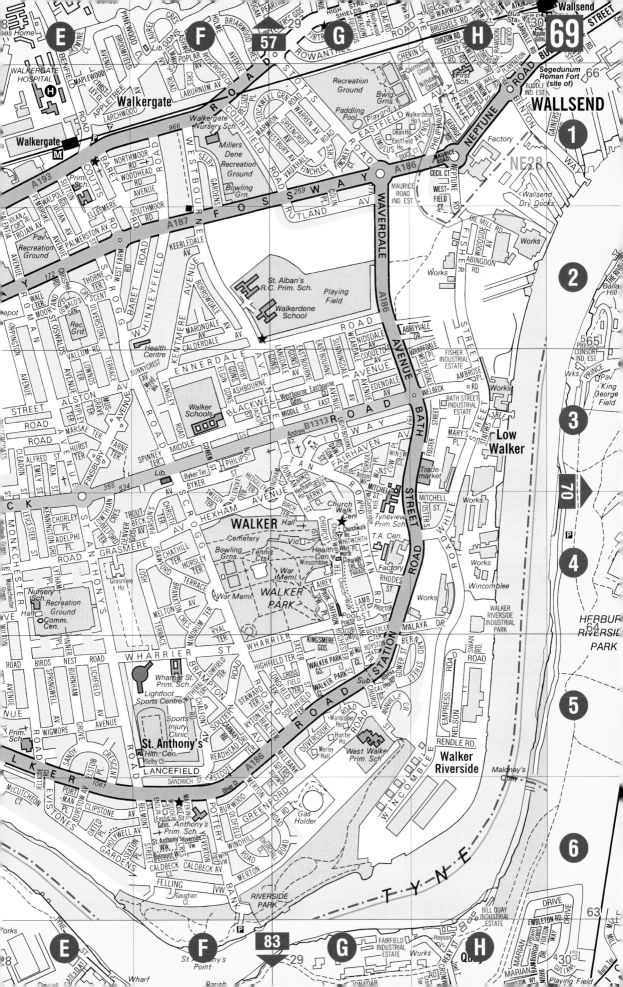

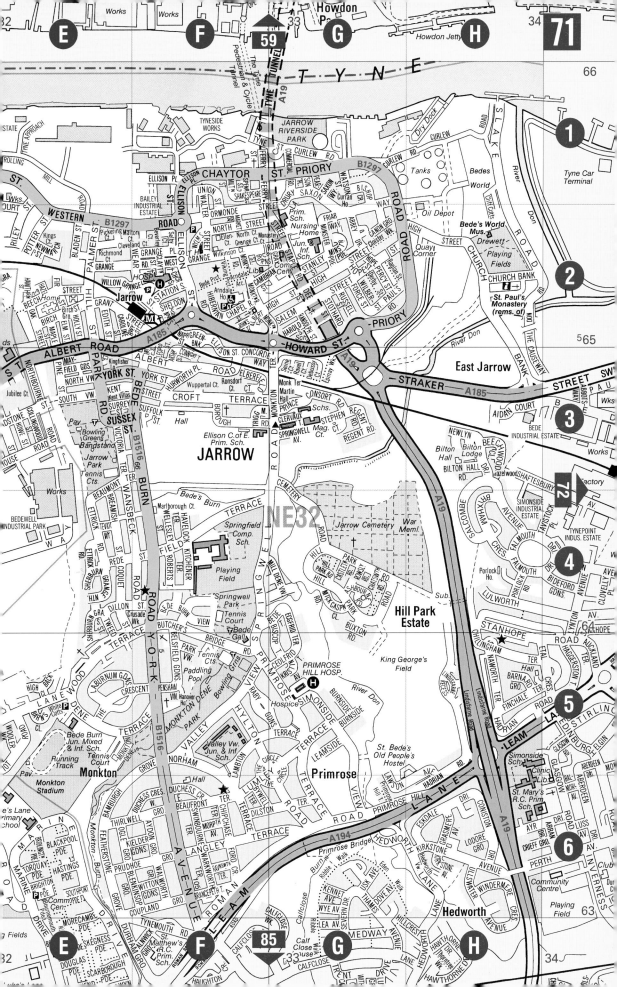

66

1

2

5 65

E

Natural Arch

Marsden Rock

Smugglers' Cave

N O R T H   S E A

3

A183

Hob & Joan Orchard

h Lizard ttages

North Lizard iding School

Reservoirs

P

Lizard Point

4

Club House

Marsden Quarries

Toll House

Souter Point Lighthouse

Lighthouse View

64

Byer's Hole

ARTHUR ST.

5

KITCHENER   RD.

Potter's Hole

ROAD MILL LANE

SR6

A183

Lizards Farm

WHITE   S H E A R W A T E R   ROCKS   GROVE

6

Arthur Ter
South Vw.

Marsden Primary Sch.

Majster Av

LILAC AV
CRESCENT

Playing Field

MAY GROV

AVENUE

Whitburn Colliery

63

Whitburn Colliery

Lizard View
View

FAIRFIELD

WHEATALL   DR.

Millfield Ter

MARSDEN AVENUE

ROSE CR.

Play grd

SOUTER

WHEATALL

AVENUE

41

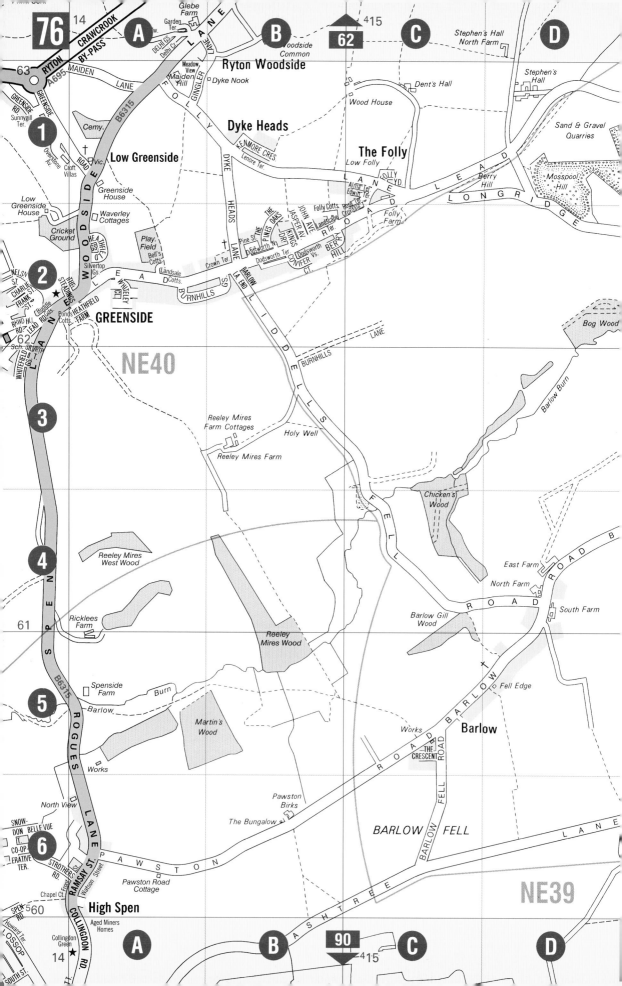

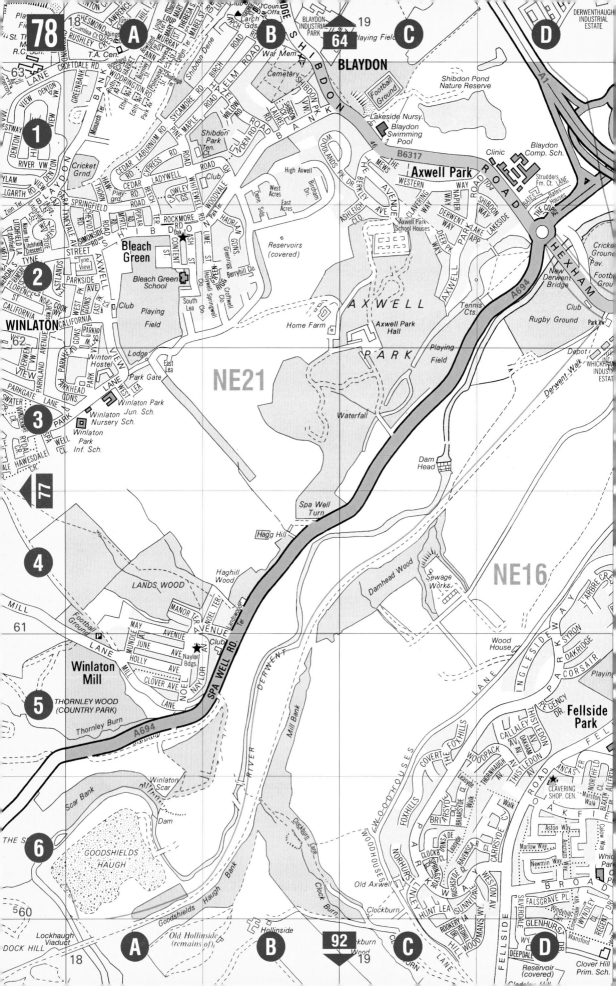

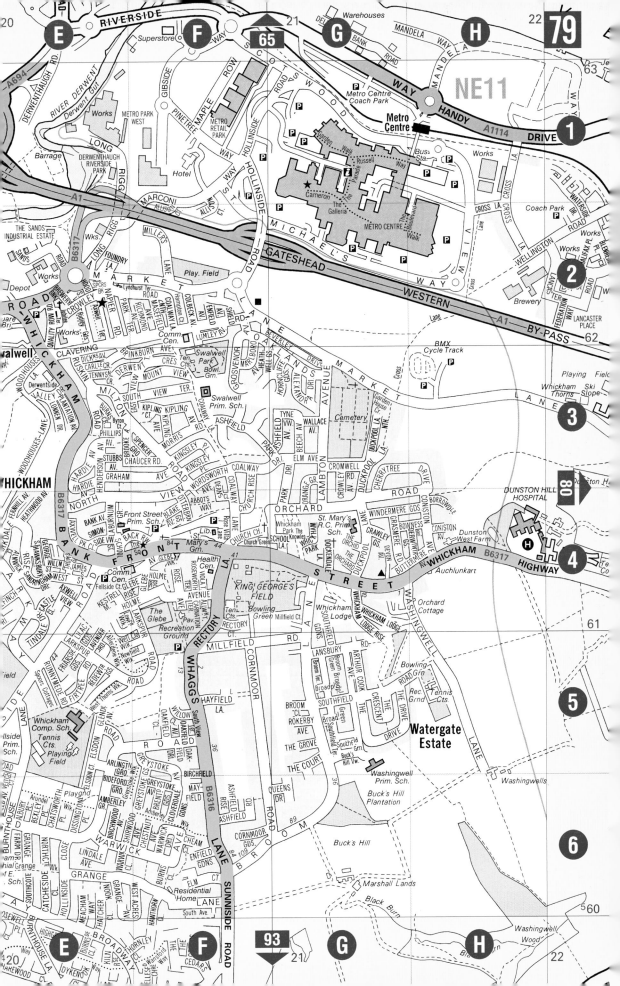

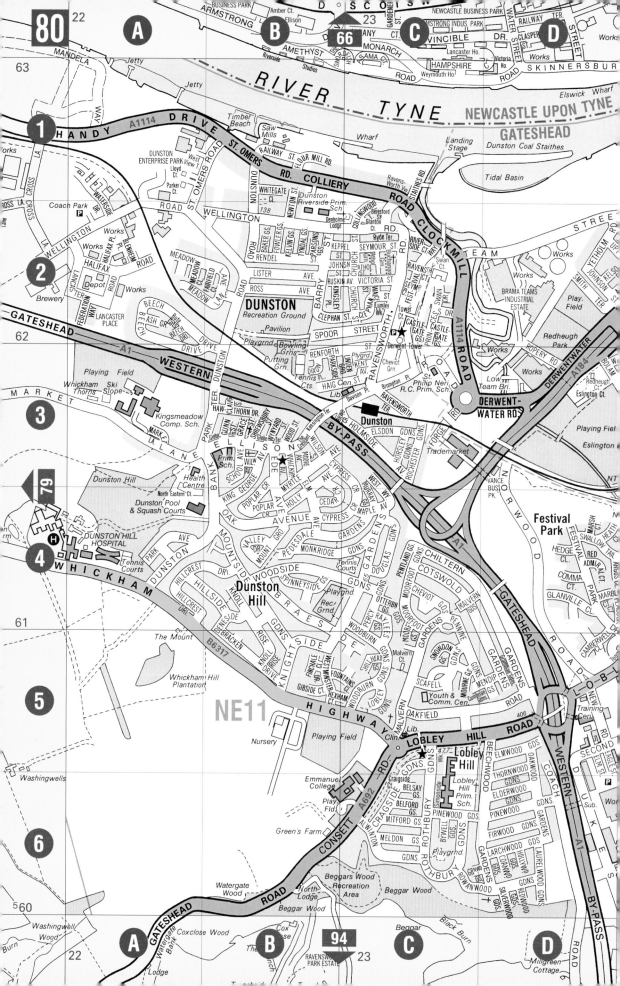

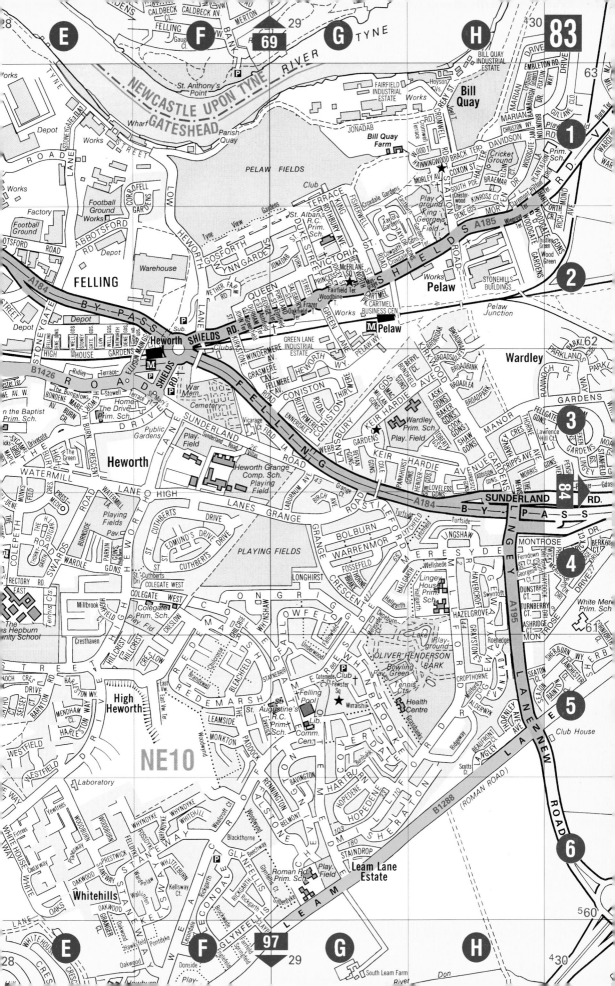

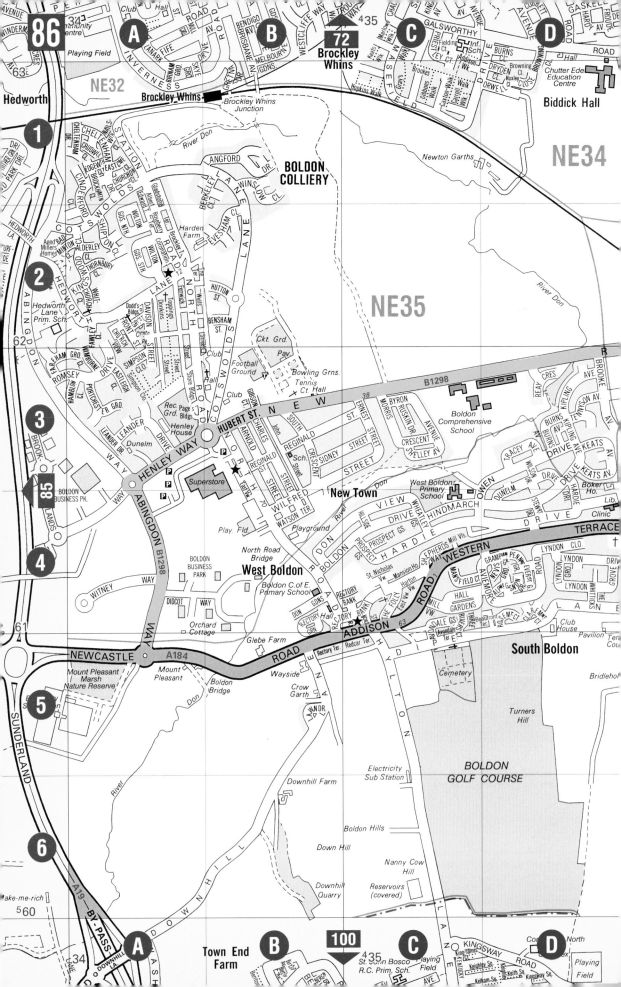

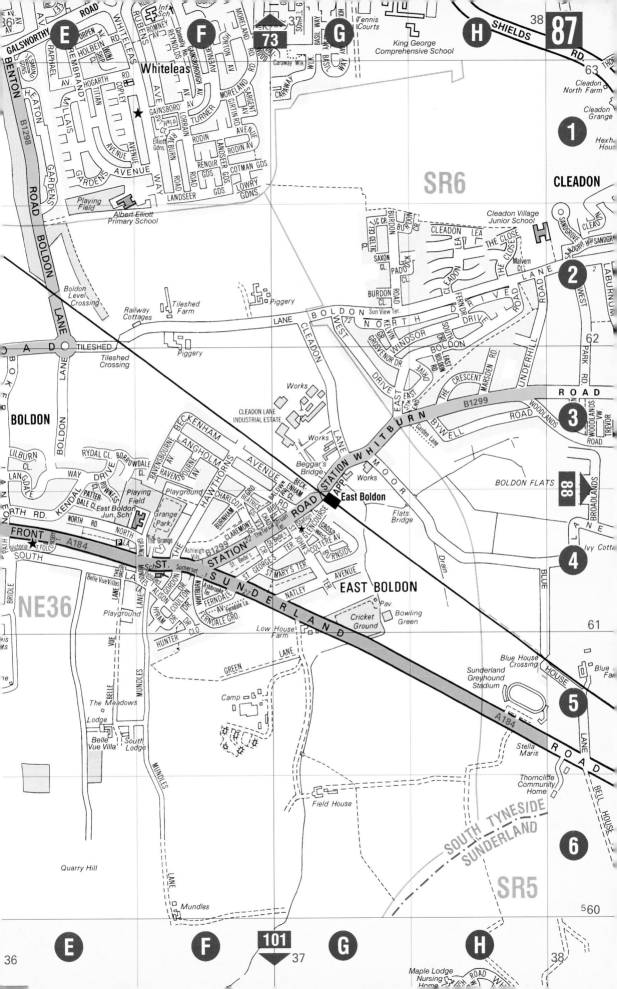

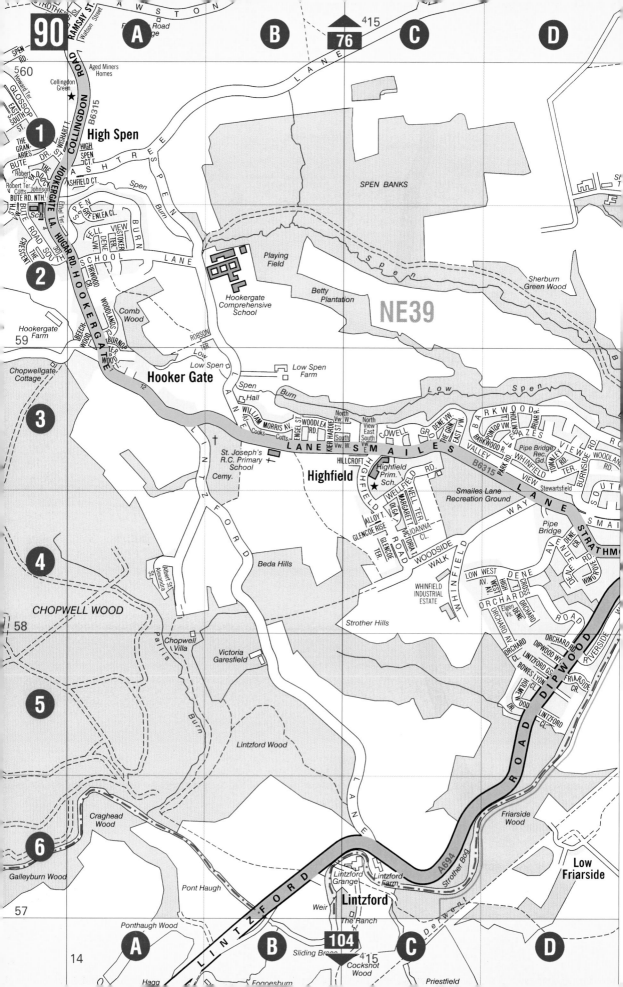

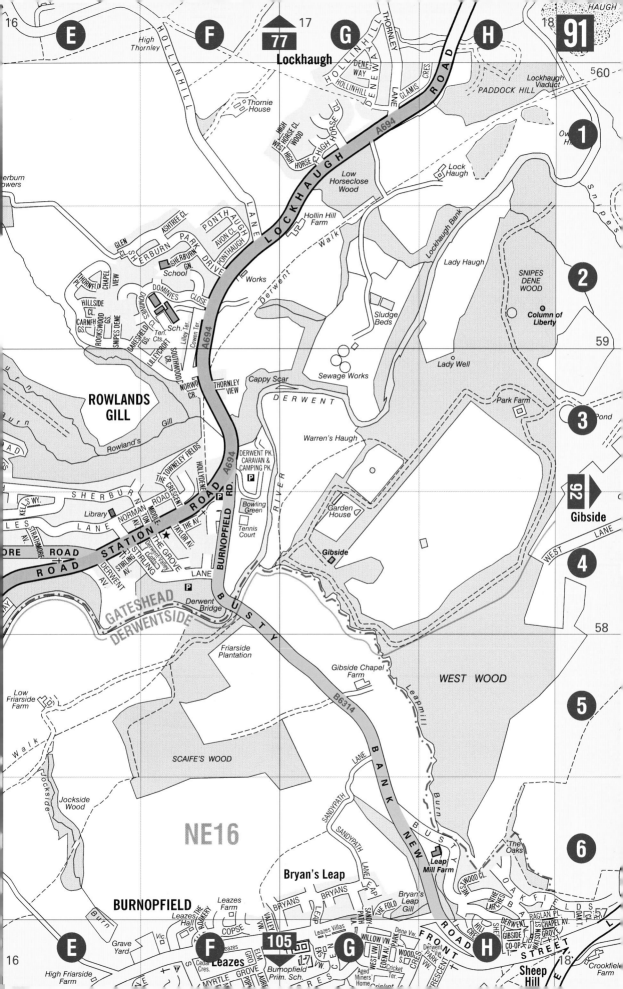

16 17 18 560

ROWLANDS GILL

Lockhaugh Viaduct

PADDOCK HILL

Owen Hill

High Thornley

Thornie House

Thornley Lane

DENE WAY

HOLLINHILL

HOLLINHILL LANE

GLAMIS CRES

HIGH HORSE CL

WEST HIGH WOOD

HORSE CL

HIGH HORSE CL

Low Horseclose Wood

Lock Haugh

Hollin Hill Farm

Derwent Walk

Lockhaugh Bank

Lady Haugh

1

SNIPES DENE WOOD

Column of Liberty

2

59

Snipes

Sherburn Towers

GLEN CL

SHERBURN

ASHTREE CL

PONTHAUGH

AVON CL

PARK DRIVE

PONTHAUGH

LANE

A694

Works

Derwent

Sludge Beds

Lady Well

THORNFLD

CHAPEL

VIEW

SHERBURN GN.

School

DOMINIES

CLOSE

Sch. Ter.

Lilley Ter.

Cowen Ter.

Sewage Works

HILLSIDE CL.

CARNFLD GS.

ROOKSWOOD GS.

SNIPES DENE

GATESFIELD

SOUTHWOOD GS.

LILLEYCROFT

Tenn. Cts.

Cappy Scar

Thornley View

DERWENT

Park Farm

3

Pond

ROWLANDS GILL

Gill

Rowland's

NORWOOD CR.

A694

Warren's Haugh

RIVER

DERWENT

92 Gibside

WEST LANE

92 **Gibside**

4

58

KELL'S WY.

SHERBURN

LANE

THE CRESCENT

TOWNELEY FIELDS

HOLYOAKE

A694

BURNOPFIELD RD.

Derwent Pk. Caravan & Camping Pk.

Bowling Green

Tennis Court

Garden House

Gibside

STRATHMORE AV.

MOORE ROAD

STATION ROAD

NORMAN

MIDDLE

TAYLOR AV.

THE GROVE

THE AV.

STIRLING AV.

DERWENT AV.

Library

Derwent Bridge

Derwent Valley Railway

GATESHEAD

DERWENTSIDE

BUSTY

Friarside Plantation

Gibside Chapel Farm

WEST WOOD

5

Low Friarside Farm

Walk

Jockside

Jockside Wood

SCAIFE'S WOOD

B6314

LANE

BANK

NEW

BUSTY

Leapmill Burn

Leap Mill Farm

The Oaks

WEST

WOOD CL.

OAKFIELDS

6

NE16

SANDYPATH

SANDYPATH

LANE

LEAP

SANDY PATH

Bryan's Leap Gill

FRONT ROAD

OAK T.

Bryan's Leap

BURNOPFIELD

Leazes Farm

Leazes Hall

THE ROOKERY

VALLEY VW.

ELM GRO.

BRYANS

BRYANS

LEAP VW.

THE FOLD

Dene Vw.

WILLOW VW.

Bryan's Leap

DERWENT VW.

PARK CRES.

WATSON GRO.

RAGLAN PL.

CHAPEL AV.

GIBSIDE T.

SHEEP HILL

CO-OP.

THE LARCHES

DERWENT VW.

57

16 **BURNOPFIELD** 18

High Friarside Farm

Grave Yard

Vic.

Leazes

Cedar Cres.

MYRTLE GROVE

Burnopfield Prim. Sch.

Leazes Villas

CRESCENT

Aged Miners' Home

Cricket Ter.

WEST VW.

EDEN AV.

WOOD S.

GREG

Sheep Hill

Crookfield Farm

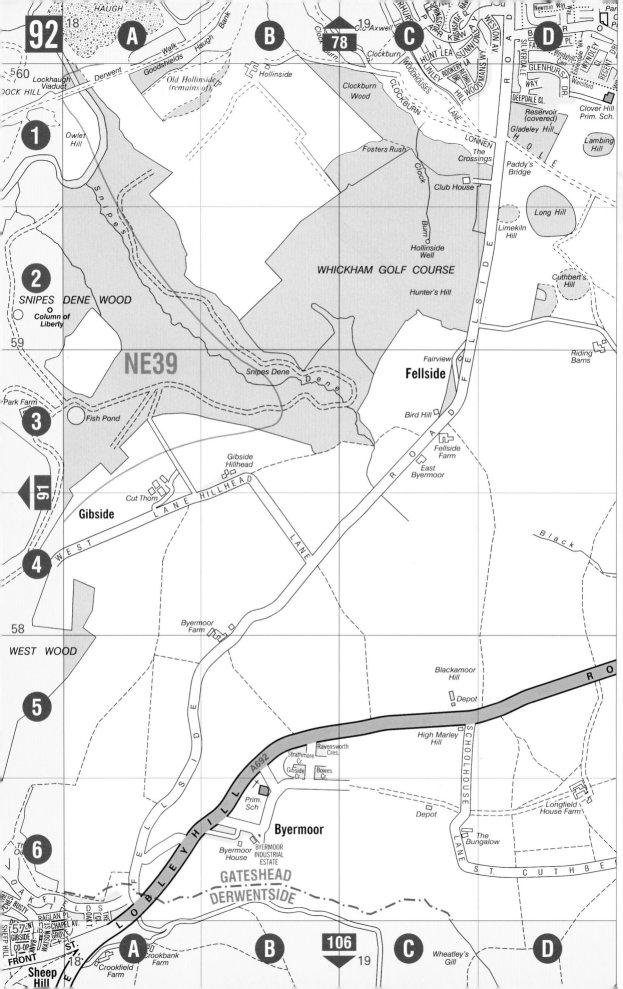

A **B** 80 **C** **D**

1

2

59

3

93

NE16

4

58

5

6

57

Birkheads

23

560 Washingwell Wood

Burn

GATESHEAD ROAD A692

Watergate Wood

Watergate Bank

Coxclose Wood

North Lodge

Beggar Wood

Recreation

Cox Close

The Trench

RAVENSWORTH PARK ESTATE

Beggar Bank

Black Burn

Beggar Wood

GOTHBURY ROWANWOOD

GDNS

GRNWD

REDWOOD

SILVERWOOD EGGS.

LLWYD GDNS

GATESHEAD A1

Millgreen Cottage

Fugar Bar

Lodge

Fugarfield Wood

Bar ges

Arboretum

Fish Pond

HILL HEAD WOOD

Mary's Well

Trenchside Cottage

Trench Hall

CROSS LANE

Lodge

WESTERN

Ravensworth Castle

THE PARK

Shanks Wood

South Lodge

Penny Fine

FELL

Hill Head

HIGH PARK WOOD

Greenhouse Walks

Millers Park

Robin's Wood

Park Farm Plantation

Hillcrest Stables

Ravensworth Park Farm

Oak Plantation

Silverhill Well

Blackman's Wood

Silverhill Wood

Silverhills

Holly Cottage

BANESLEY LANE

Banesley Lane Farm

Banesley Lane Plantation

The Peak

Cheviot Wood

HAGGS

Old Ravensworth Farm

Chapel Banks

BIRKLAND LANE

BIRKHEADS LANE

Mitcheson's Gill Wood

Strandy

Mitcheson's Gill

Briar Dene

Ravensworth Grange

Birkheads Cottages 22

OUSL

High Hills

rt-s-p-o-o

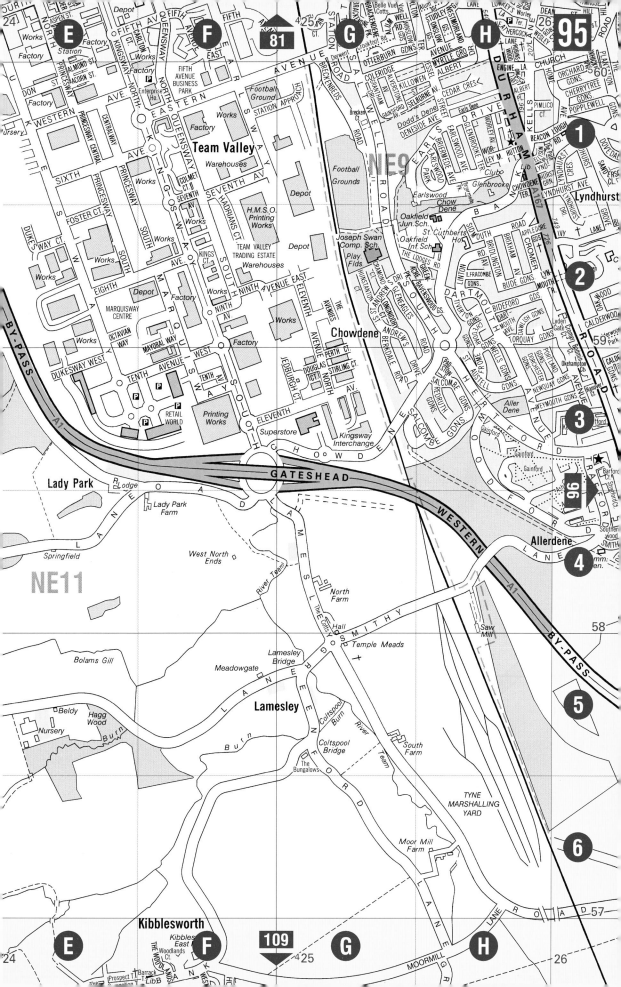

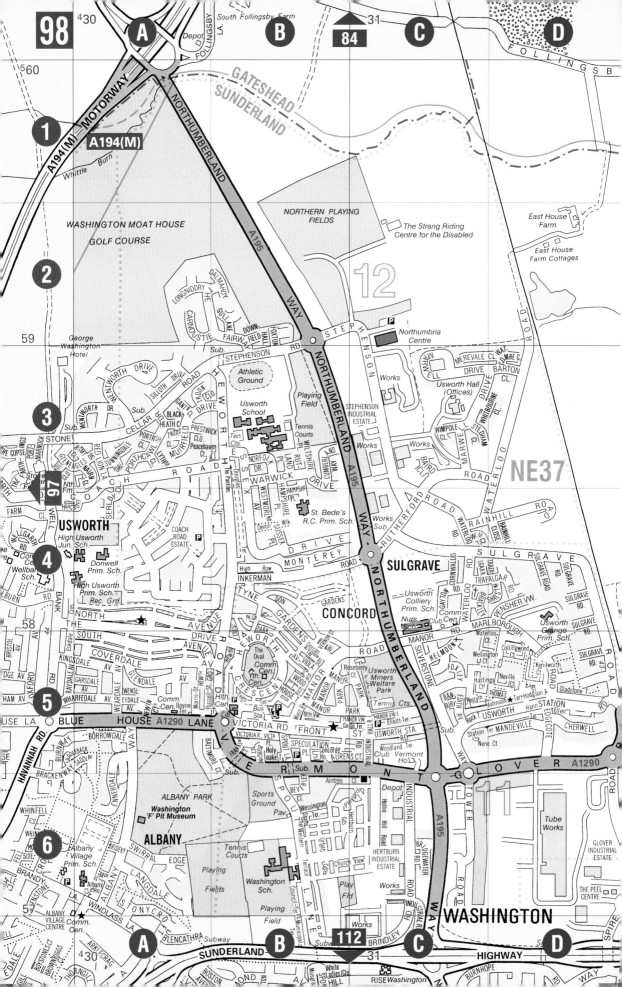

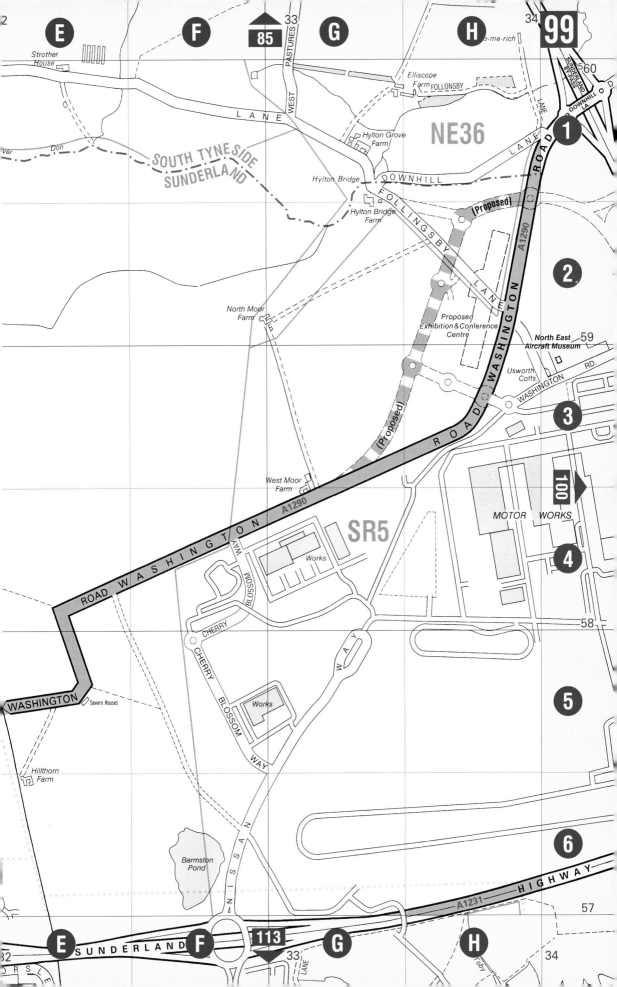

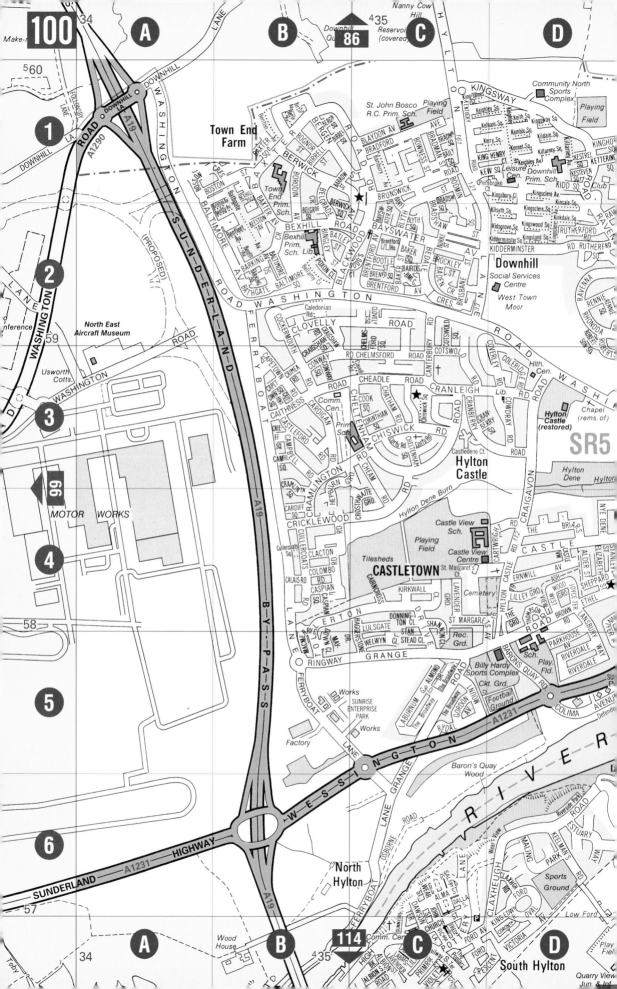

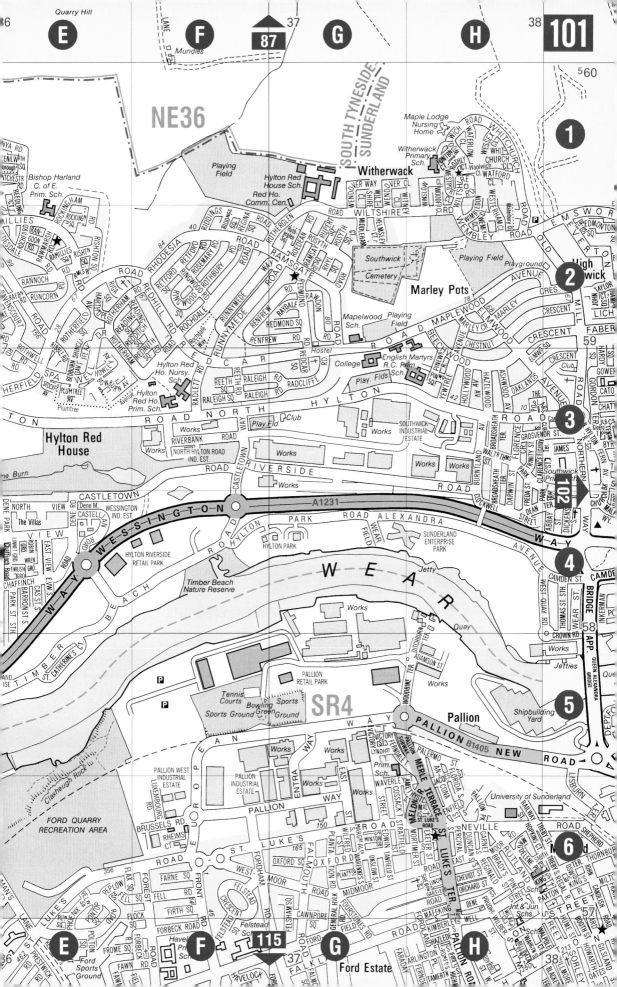

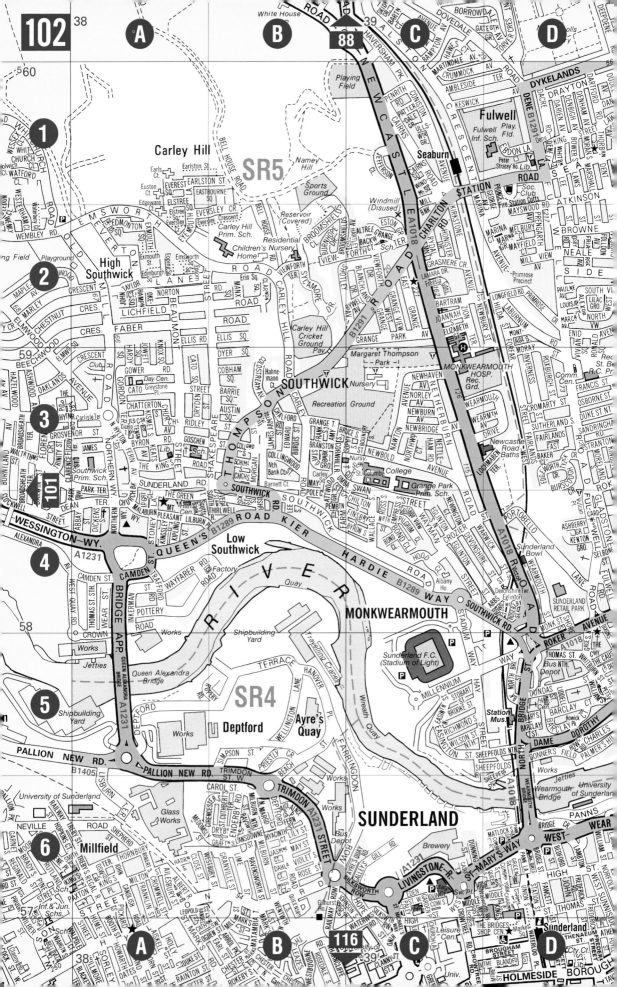

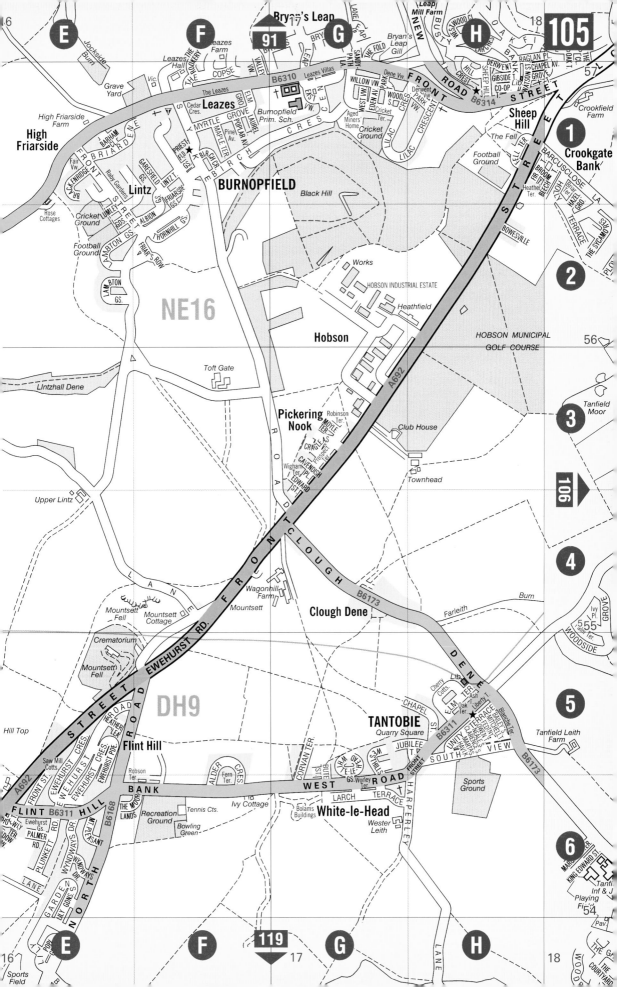

E   F   G   H

Bryan's Leap

91

High Friarside

High Friarside Farm

Jockside Burn

Grave Yard

Vic.

Cedar Cres.

The Leazes

Leazes

Leazes Hall

Leazes Farm

THE ROOKERY

VALLEY VW.

B6310

Leazes Villas

BURNOPFIELD

PRIEST RD.

BIRCH CL.

BARHAM

BRIARDENE

FRONT

Fair Vw.

BLACK CLOSE

CAVENDISH GS.

Raby Gardens

GARESFIELD GS.

LINTZ

LINTZ

FRIARSDE. GS.

ALBION

Lintz

LUMLEY

HORNHILL GS.

Cricket Ground

LAMBTON GS.

Friar's Row

AMBTON GS.

LAMBTON GS.

Football Ground

Rose Cottages

NE16

MYRTLE

GROVE

MAPLE GROVE

LAUREL

Pine Av.

POPLAR AVE.

Burnopfield Prim. Sch.

WILLOW VW.

ELM VW.

WOOD S.

EDEN AV.

Cricket Ter.

Aged Miners' Home

Cricket Ground

Dene Vw.

PARK

Derwent Vw.

WOOD S.

PARK

LILAC

CRESCENT

FRONT

ROAD

NEW

Bryan's Leap Gill

THE FOLD

LANE

LEAP

SANDY PATH

BRYANS

LEAP LA.

HILL CREST

DERWENT

SHEEP HILL

GIBSIDE

GROVE

CHAPEL AV.

CO-OP.

RAGLAN PL.

WATSON ST.

B6314

Sheep Hill

The Fell

STREET

FELL TER.

BARCUSCLOSE

BROOM

HOLLY

HEATHER TER.

BROOM

FIR

BEECH

HAZEL GRO.

Crookfield Farm

Crookgate Bank

HAVEL LA.

THE SYCAMORE

TERRACE

57

1

Football Ground

BOWESVILLE

2

Black Hill

Works

Heathfield

HOBSON INDUSTRIAL ESTATE

Hobson

HOBSON MUNICIPAL GOLF COURSE

56

3

Tanfield Moor

Toft Gate

Lintzhall Dene

Upper Lintz

Pickering Nook

Robinson Ter.

MOYLE TER.

CRAGLEA

PROSPECT

Wigham Ter.

CAVENDISH Ter.

EDWARD ST.

Club House

Townhead

106

4

A692

ROAD

FRONT

CLOUGH

DENE

Wagonhill Farm

Mountsett

Mountsett Fell

Mountsett Cottage

Crematorium

Mountsett Fell

DH9

Hill Top

Flint Hill

Saw Mill Cotts.

Front St.

EWEHURST GS.

HEATHER LEA

EWEHURST CRES.

EWEHURST PDE.

EWEHURST CRES.

B6173

Clough Dene

Farleith

Burn

WOODSIDE

IVY PL.

Fair Ter.

555

GROVE

5

ELM TER.

OAK TER.

Cherry Cotts.

Lib.

Ash T.

Liberty T.

BAILEY ST.

MITCHELL ST.

FERRY ST.

HARRIS ST.

BLANCHE TER.

TANTOBIE

Quarry Square

UNITY TERRACE

MARKET

B6311

Tanfield Leith Farm

HARPERLEY

SOUTH VIEW

B6173

Robson Ter.

Fern Ter.

ALDER CRES.

CORVAN TER.

BUTE ST.

GS.

JUBILEE TER.

THE WHIN

H.K.M.

OV.H.

E-LE.

FRONT

STREET

HARPERLEY

Sports Ground

Wester Leith

6

Flint Hill

BANK

B6311

B6168

THE MOOR LANDS

Recreation Ground

Bowling Green

Tennis Cts.

Ivy Cottage

WEST

ROAD

LARCH

WORLEY ST.

TERRACE

Bolams Buildings

White-le-Head

54

PALMER RD.

PLUNKETT RD.

WYNDWAYS DR.

WYNDWAYS DR.

GARDEN

NORTH

GDNS. ST.

Ewehurst GS.

Mt. PLEASANT

WILLOW TER.

LANE

A692

FLINT

HILL

Sports Field

E   F   G   H

119

16   17   18

6

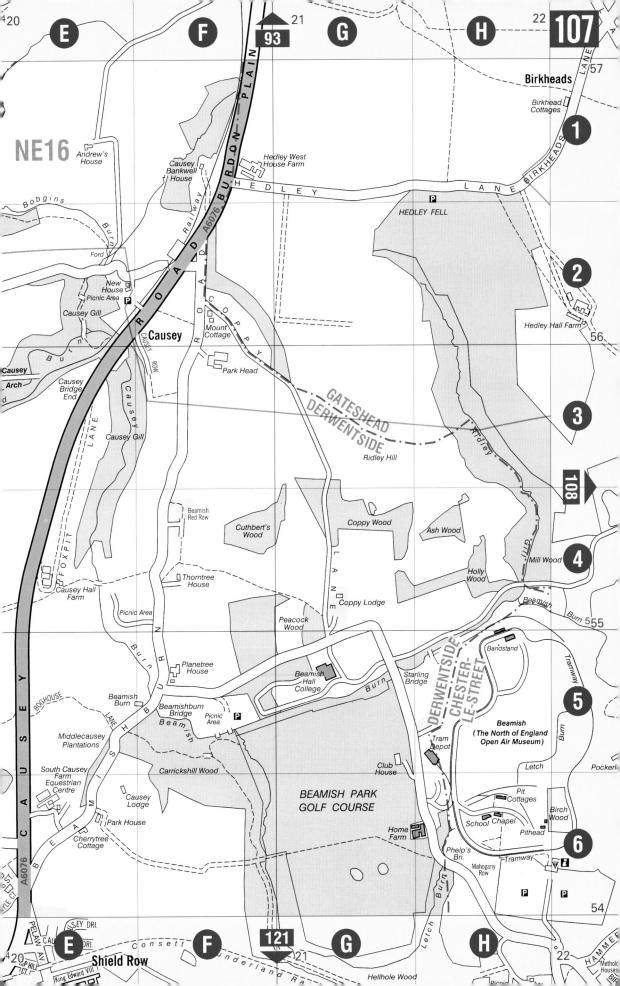

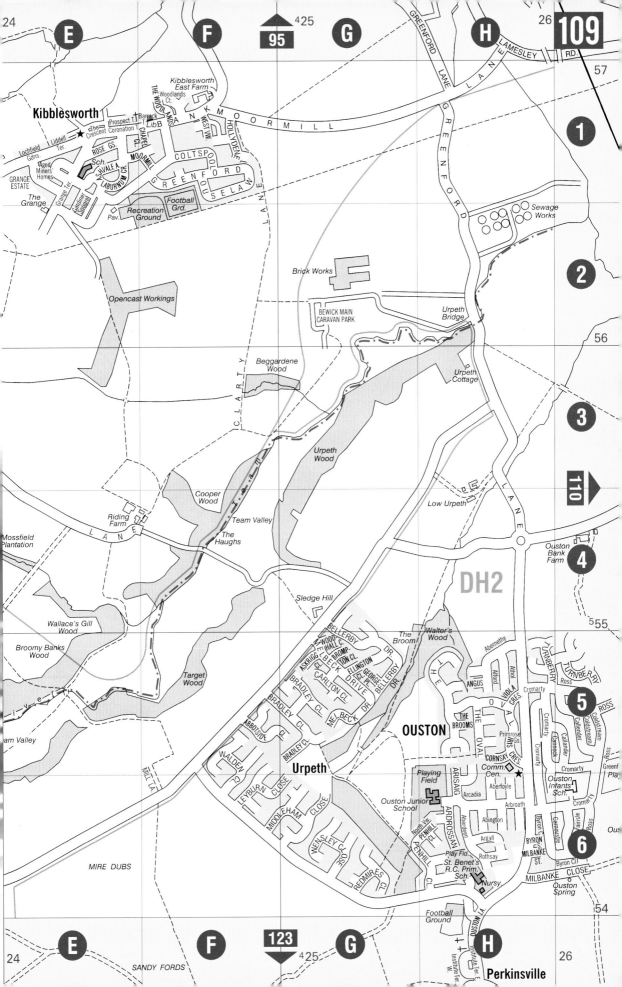

Kibblesworth

Kibblesworth East Farm

The Woodlands Ct.

Barrack
Prospect T.
The Crescent
Coronation T.
Lib B

Liddell Ter.
Lochfield Gdns.

ROSE GS.
Sch.

GRANGE ESTATE

Aged Miners Homes

The Grange
Grange Ter.

Gardiner Square

Pav.

Recreation Ground

Football Grd.

COLTSPOOL

SWALEA
LABURNUM CR.

MOORMILL

HOLLYDENE

GREENFORD LANE

MOORMILL

GREENFORD LANE

LAMESLEY
RD.

57

1

Sewage Works

Brick Works

2

Urpeth Bridge

Bewick Main Caravan Park

Opencast Workings

Beggardene Wood

Urpeth Cottage

56

Urpeth Wood

3

Cooper Wood

Low Urpeth

Ouston Bank Farm

110

4

Mossfield Plantation

Riding Farm

Team Valley

The Haughs

Sledge Hill

DH2

555

Wallace's Gill Wood

Broomy Banks Wood

Target Wood

Walter's Wood
The Broom

BELLERBY
WOOD
HALL C.
ASKRIGG CL.
MELBECK
BROMPTON CL.
ELLINGTON CL.
GEORGE PL.
BELLERBY DR.
BELLERBY DR.
CARLTON CL.

BRADLEY CL.

MEL BECK

DRIVE

Abernethy

Alford
Athol

Angus

VIOLA CRES.

ANGUS

THE BROOMS

THE OVAL

Primrose Gs.
IRIS GS.

CORNSAY

Comm. Cen.

Arcadia

Aberfoyle

TURNBERRY

Ross

Cromarty
Callander
Cranmore
Coldstream

Callander

ROSS

Cromarty

Cromarty

OUSTON

Ouston Infants Sch.

5

am Valley

ABBOTSIDE CL.

BRADLEY CL.

Urpeth

WALDEN CL.

LEYBURN CLOSE

MIDDLEHAM CLOSE

WENSLEY CLOSE

REDMIRES CT.

MILL LA.

MIRE DUBS

Playing Field

Ouston Junior School

North Vw.
PENHILL TCL.

PENHILL

ARISAIG

ARDROSSAN

Aberdeen

Argyll

Play Fld.

St. Benet's R.C. Prim. Sch.

Nursy.

Football Ground

OUSTON LA.

Abington

Arbroath

Rothsay

BYRON GS.
MILBANKE ST.

MILBANKE CLOSE

Byron Ct.

Ouston Spring

Cranmore
Camustie

Carnoustie

Byron CL.

Ross

Greenf. Pla.

Ous

6

554

26

SANDY FORDS

Institute Ter. E.
Institute Ter. W.

Perkinsville

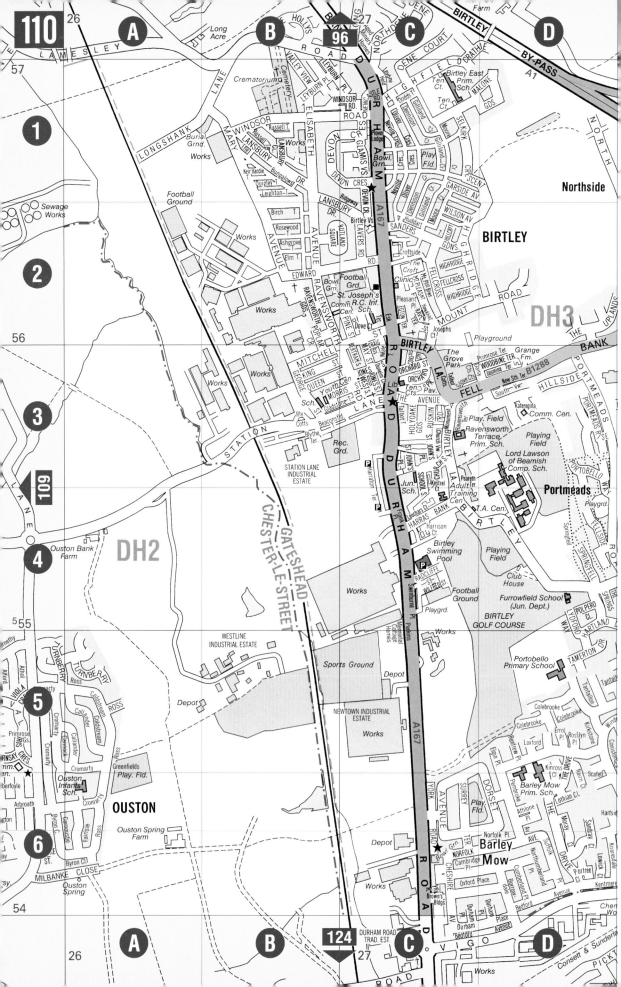

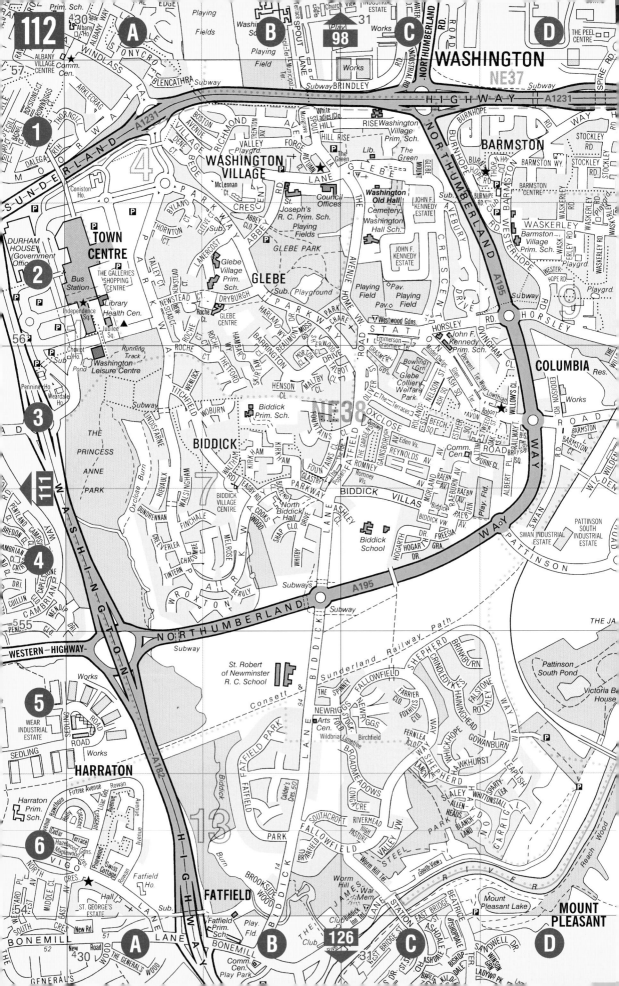

E F 99 33 G H 34 113

57

1
Offerton Haugh

SUNDERLAND A1231 HIGHWAY

Works
PATTINSON INDUSTRIAL ESTATE
Warehouse
Riverside Riding Sch.

ALSTON ROAD
Middle Barmston Farm
Spring Gill

2

56

Pattinson NORTH INDUSTRIAL ESTATE
Pumping Station Sub.
Weardale

Ponds

WASHINGTON WILDFOWL & WETLANDS CENTRE
Ponds

15

KIMBERLEY
GOSSINGTON
FALGARTH
WEARSIDE GOLF COURSE

3

114

Sewage Works

8

Washington Staithes
Subway
BARMSTON FRY.
Waterside
Wood House Farm
Club House
SR4

4

555

Depot
Glebe House Farm
Cox Green
Alice Well Villas
Coxgreen Gill
Ayton's Wood

Jubilee Ter.
STEEL PARK

Low Lambton
Grimestone Banks

Dawson's Plantation (National Trust)

5

Penshaw North House Farm
Penshaw Wood (National Trust)

Flinton Hill Farm

Victoria Viaduct
Bore Hole
DH4
PENSHAW HILL
Earl of Durham Monument (N.T.)
Penshaw Hill House

A183 ROAD

CARR HILL

6

Low Lambton Farm

54

Railway Cottages
East Barnwell Farm

E 32 F 127 33 G H 34
Penshaw Social Club
The Limes
The Cedars
Penshaw Hill Farm
CHESTER ROAD

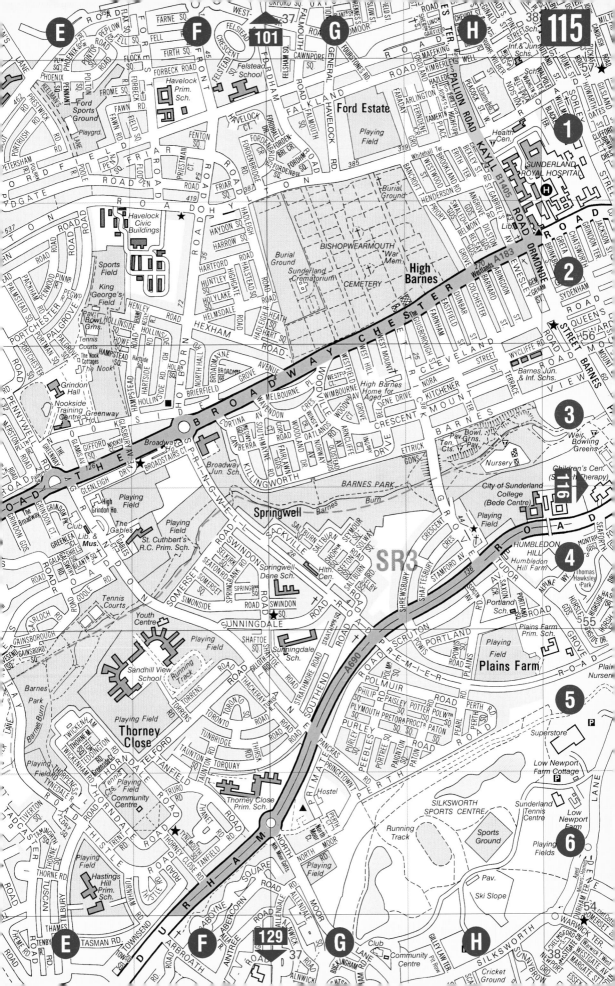

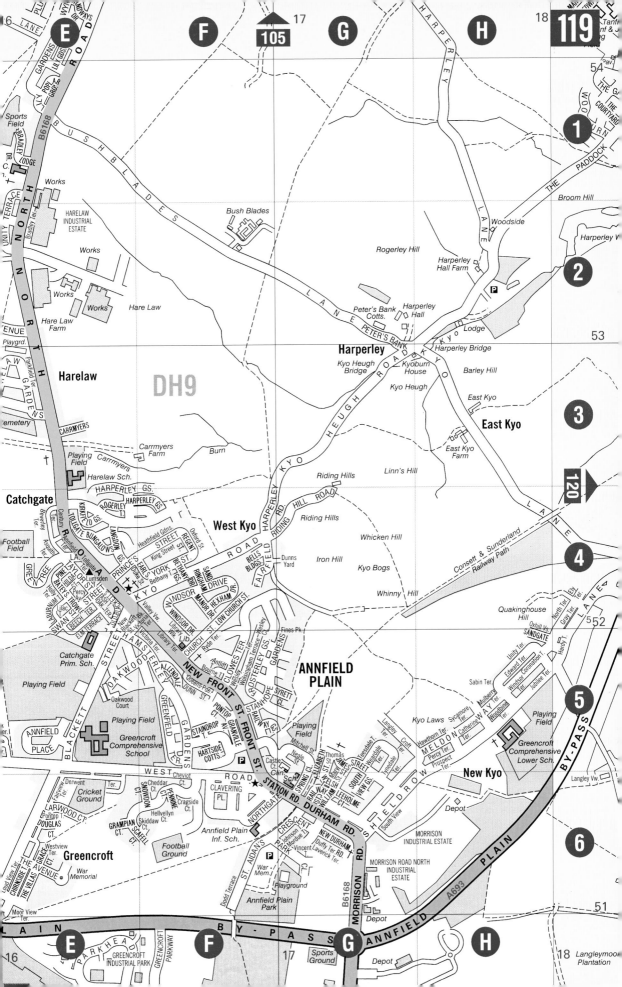

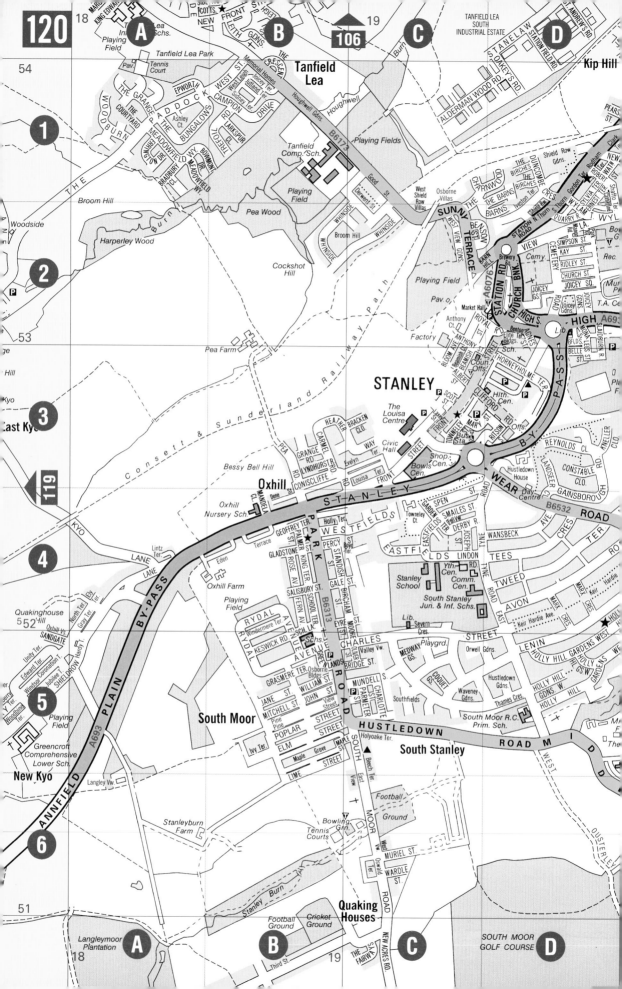

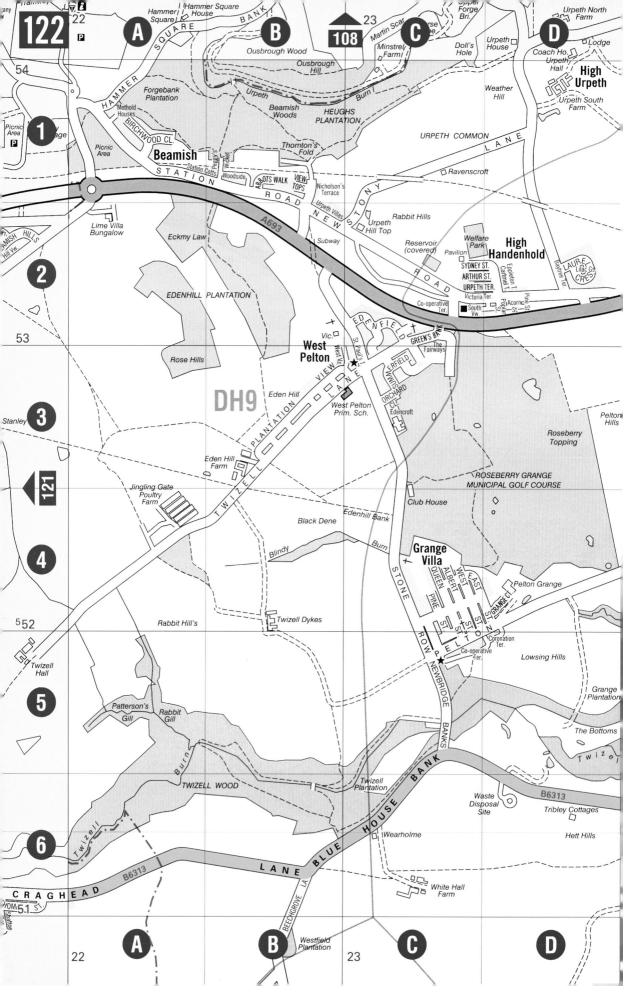

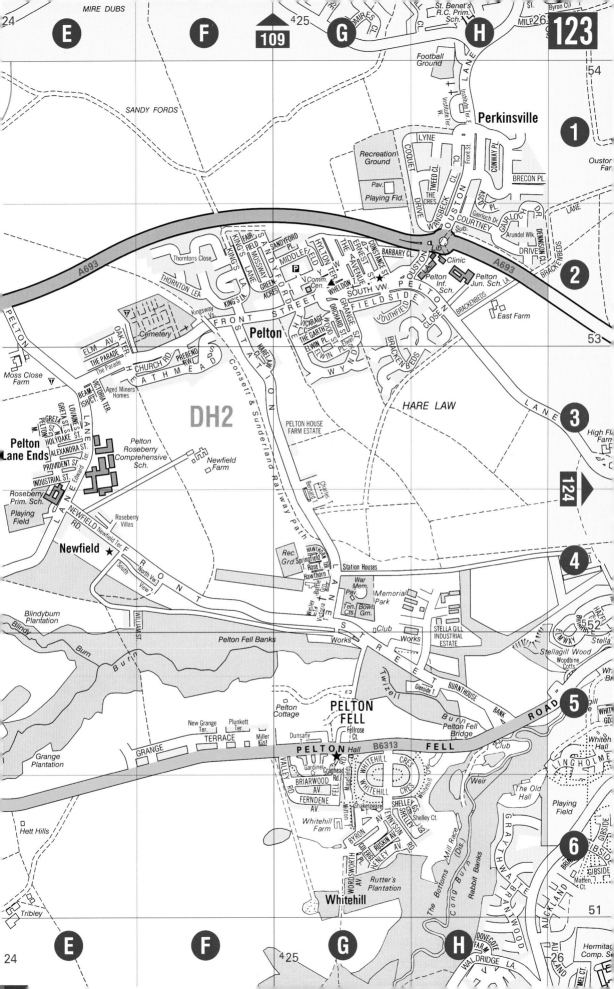

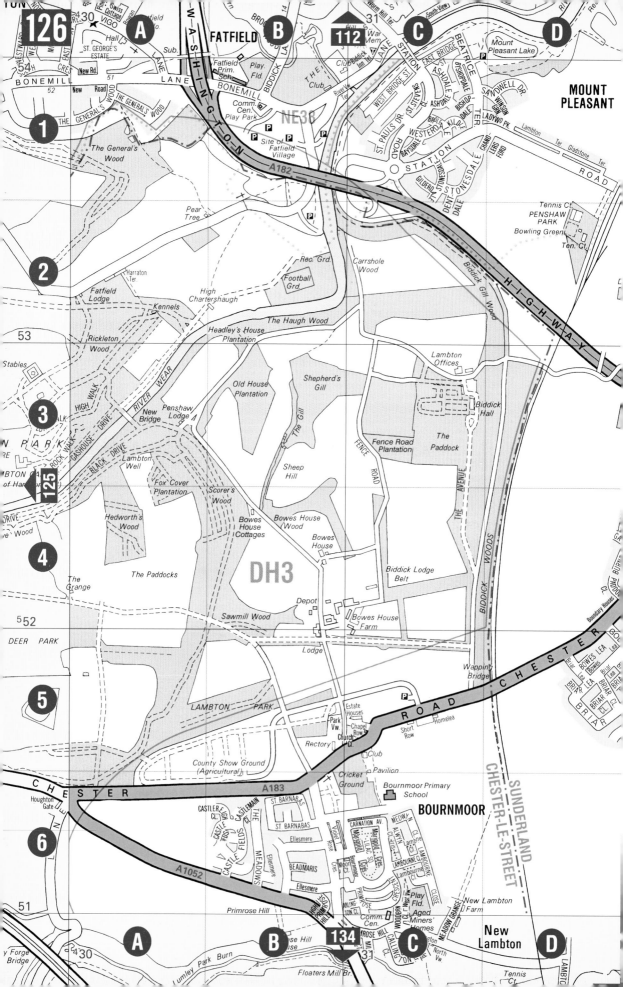

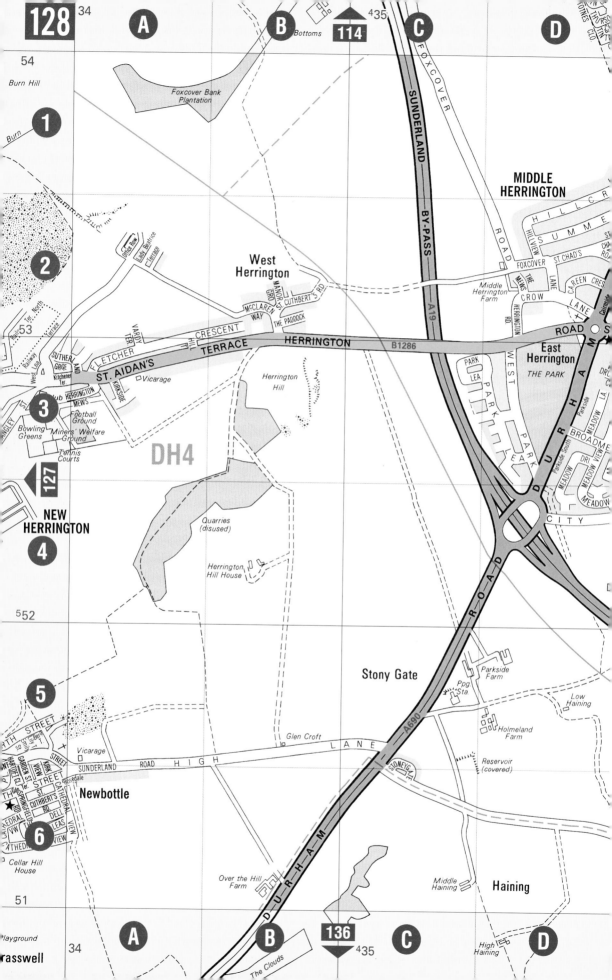

A   B   C   D

54

Burn Hill

Burn

1

2

53

3

DH4

127

NEW HERRINGTON

4

552

5

Foxcover Bank Plantation

114

Bottoms 435

FOXCOVER

SUNDERLAND BY-PASS

A19

West Herrington

MANOR ST
GROVE
CUTHBERT'S RD.
McCLAREN WAY
THE PADDOCK
CRESCENT
Office Row
Lady Beatrice Terrace
VARDY TER
HILL TERRACE   HERRINGTON   B1286
FLETCHER
ST. AIDAN'S
Railway Ter. North
West Leigh
Railway Ter
SUTHERLAND GRGE
Kitchener Ter.
Vicarage
KIRKSIDE
HERRINGTON MEWS
Club
Football Ground
Miners' Welfare Ground
Bowling Greens
Tennis Courts
LANGLEY ST
ST

Herrington Hill

Quarries (disused)

Herrington Hill House

MIDDLE HERRINGTON

HILLCR
HILLVIEW
SUMME
FOXCOVER
ST. CHAD'S
THE MEWS
CROW
CAREEN CRES
HERRINGTON RD.
Middle Herrington Farm
ROAD
East Herrington
THE PARK
PARK LEA
WEST PARK
PARK LEA
DURHAM
CITY
BROADME
Parkside
MEADOW
MEADOW VIEW
MEADOW
DRI
MEADOW
Parkside South

Stony Gate

Parkside Farm
Ppg. Sta.
ROAD
A690
Holmeland Farm
Low Haining
Reservoir (covered)

Glen Croft

Vicarage
SUNDERLAND   ROAD   HIGH   LANE
STREET
KIRK VIEW
GARDEN ST
CATHEDRAL
SPRINGFIELD
CUTHBERT'S RD
DELL
VW
LEAS
CATHEDRAL VIEW
Rosedale
Newbottle

STONEYGATE
Stoneygate

6

Cellar Hill House

51

Playground

asswell

Over the Hill Farm

DURHAM

The Clouds

136 435

Middle Haining

Haining

High Haining

A   B   C   D
34   435

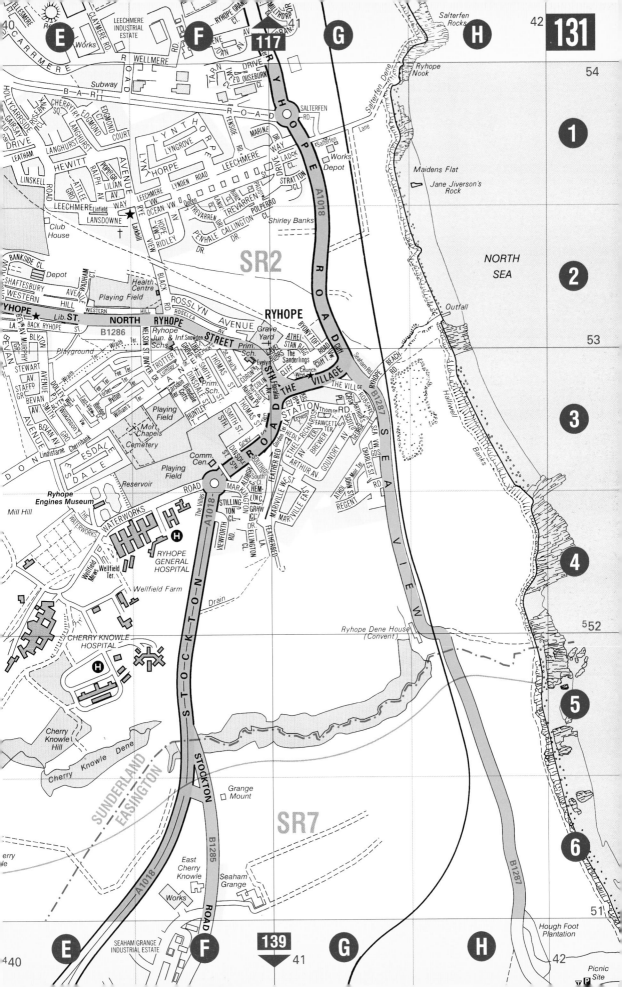

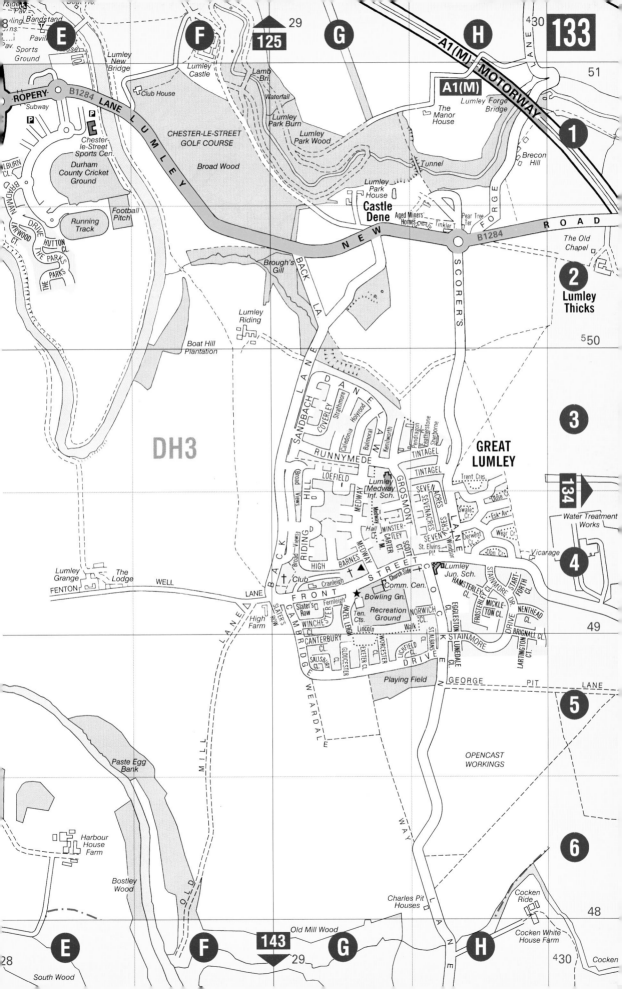

51

ROPERY
B1284 LANE LUMLEY
Lumley New Bridge
Lumley Castle
Club House
Lamb Bri
Waterfall
A1(M)
Lumley Forge Bridge
The Manor House

1

Subway
P
P
Chester-le-Street Sports Cen.
Durham County Cricket Ground
CHESTER-LE-STREET GOLF COURSE
Broad Wood
Lumley Park Burn
Lumley Park Wood
Brecon Hill
Tunnel

BURN CL.
LBURN CL.
ARWOOD CT
DRIVE
HUTTON CL.
THE PARKS
PARKS
THE
Running Track
Football Pitch
Lumley Park House
Castle Dene
Aged Miners' Homes
Tinkler T
Pear Tree Ter.
SCORERS LANE
FORGE
ROAD
B1284
The Old Chapel

2

Lumley Thicks

Brough's Gill
BACK LANE
NEW
5 50

Lumley Riding
Boat Hill Plantation
SANDBACH
DANE LAW
Strathmore
Hoywood
Coverley
Caledonia
Balmoral
Kenilworth
Pendragon
Featherstone
Starborne
Sherborne
TINTAGEL

3

DH3

RUNNYMEDE
Broad Views
HILL
RIDING
Loefield
MEDWAY
GROSMONT
Lumley [Medway] Inf. Sch.
Medway
TINTAGEL
SEVEN ACRES
SEVENACRES
Swale Cr.
Trent Cres.
Ouse Cr.
Esk. Av.
Wear Cr.
Derwent Cl.
Don Cr.
Vicarage

134
Water Treatment Works

4

Lumley Grange
The Lodge
WELL
FENTON
LANE
High Farm
BACK LANE
High
Broad Views
Club
Cranleigh
D
Fernleigh
MEDWAY
BARNES
St. Elvins Pl.
St. Elvins
Lumley Jun. Sch.
STAINMORE DR.
START CL.
FORTH CL.
NENTHEAD CL.
MICKLE-TON CL.
HAMSTERLEY CL.
FROSTERLEY CL.
BRIGNALL CL.
LARTINGTON CT.
49

Slater's Row
WINCHESTER
HAZEL LEIGH
Ten. Cts.
Hall
MINSTER-CARTER
T.M.
FRONT
STREET
Comm. Cen.
Church-Side
Bowling Gn.
Recreation Ground
Lincoln
Walk
NORWICH CL.
ST. ALBANS CL.
EGGLESTON CL.
LUNEDALE CL.
STAINMORE DRIVE
CANTERBURY CL.
CAMBRIDGE
SALISBURY
GLOUCESTER CL.
EXETER CL.
WORCESTER CL.
CHFIELD CL.
DRIVE
Playing Field
GEORGE
PIT
LANE

5

Paste Egg Bank
MILL LANE
WEARDALE
OPENCAST WORKINGS

WAY

6

Harbour House Farm
Bostley Wood
OLD
Charles Pit Houses
Cocken Ride
Cocken White House Farm
48
Cocken

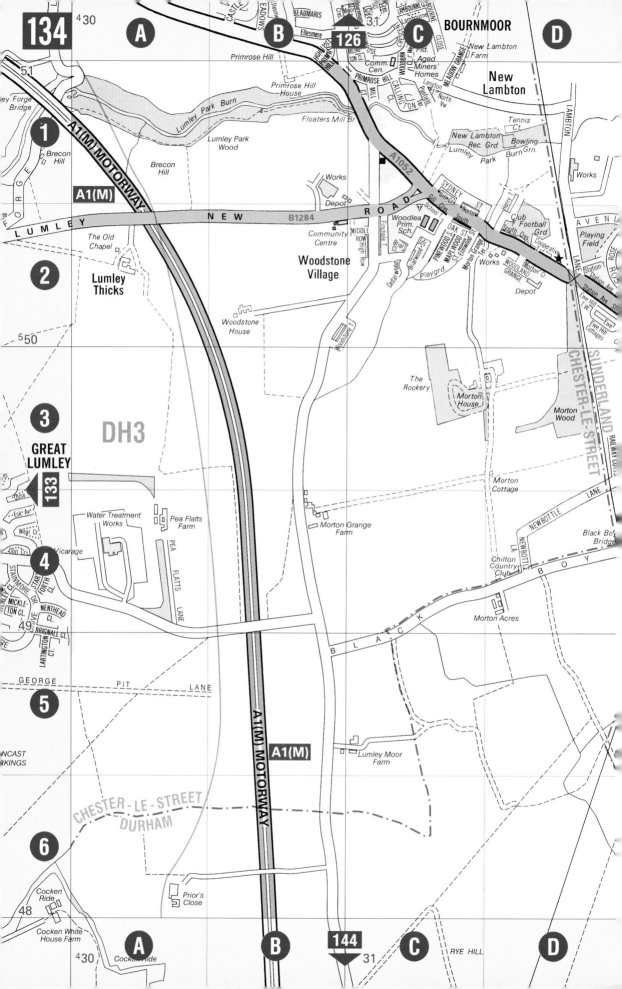

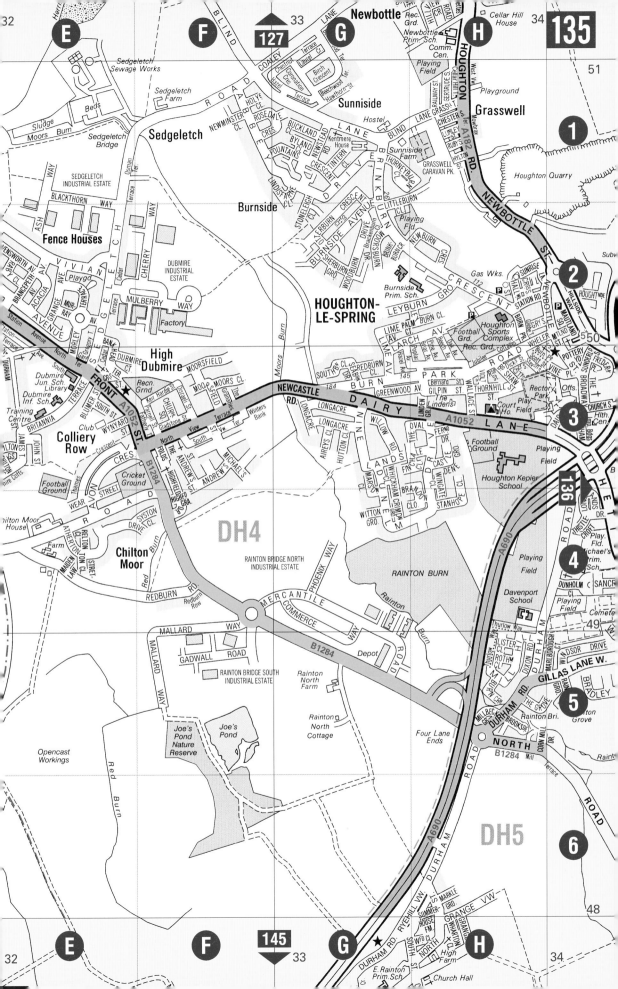

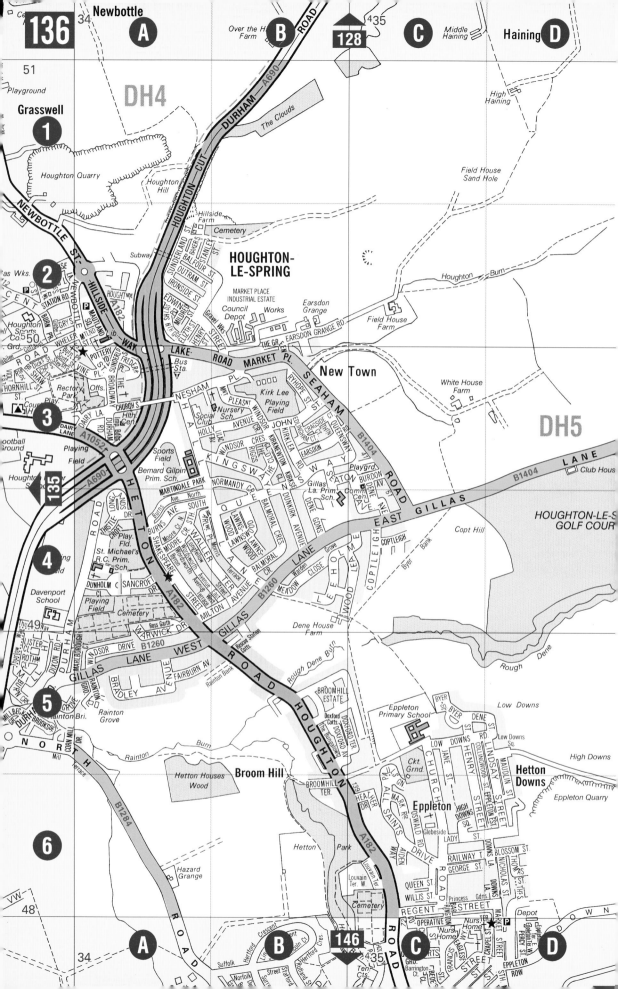

THE
MOORS

Old Burdon
Farm

1

Sludge
Bed

Warden Law
North Farm

HANGMANS

High
Moors

2

B1404

S
A
L
T
E
R
S

5 50

Warden Law

SUNDERLAND

Sharpley Burn

EASINGTON

Warden
Law

3

The
Cottage

LOW
MOORS

138 ▶

NG

Rough Dene Burn

High
Sharpley

4

eaton Mo
House

THE
MOORS

SR7

L
A
N
E

Sharpley
Plantations

49

GREEN LANE

S
A
L
T
E
R
S

South
Sharpley

5

WINDMILL HILL

NORTH

LANE

Slingley Hill
West

6

Slingley
South

P
I
T   L
A
N
E

Great Eppleton

CARRHOUSE

LANE

L
A
N
E

48

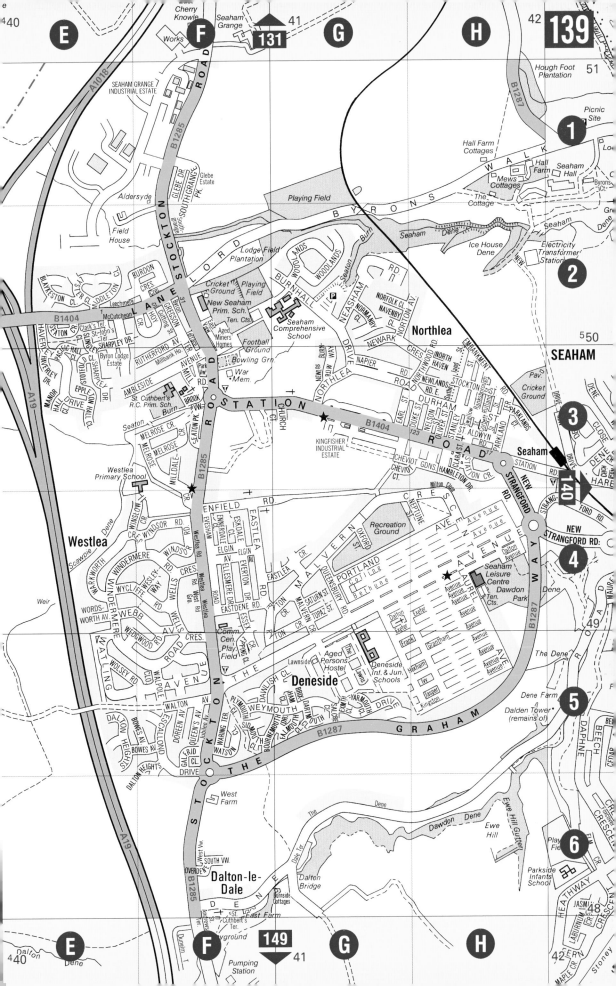

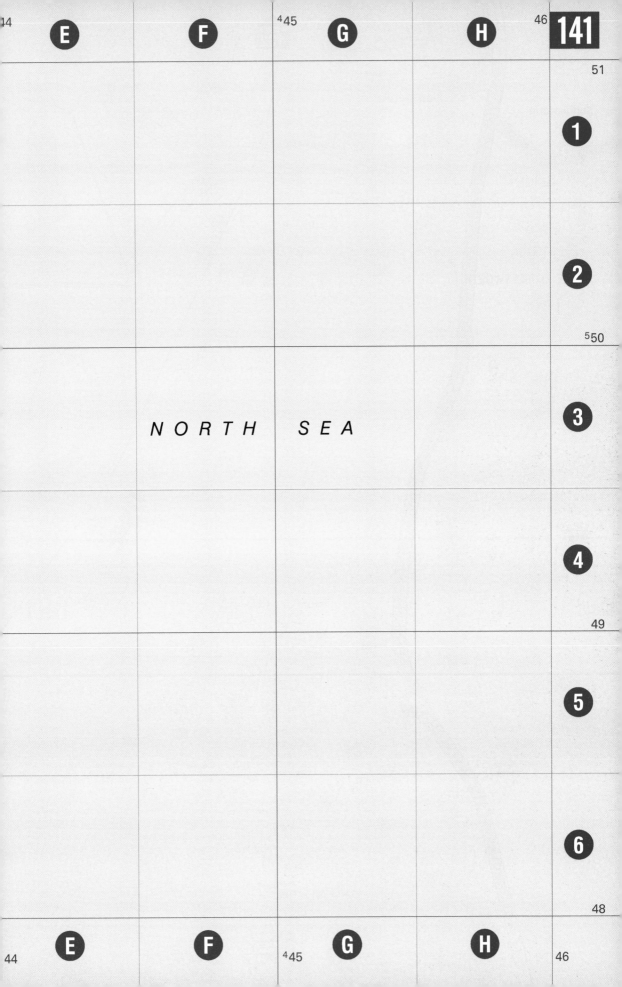

1

2

⁵50

N O R T H   S E A

3

4

49

5

6

48

Old Mill Wood

South Wood

BOWBURN WOOD

Cocken White House Farm

Cocken

48

1

DH3

Tibby's Gill

WEAR

DAIRY WOOD

Cocken House

Cocken Rock

Cocken Wood

Cocken Cottage

Toll

COCKEN LANE ROAD

2

47

Low Cocken Farm

Terrace Wood

Finchale Wood

Finchale Priory

Finchale Banks

Camping Site

3

Finchale Wood

Redhouse

REDHOUSE WOOD

Works

Works

144 ▶

4

Raintor

Gill

Sewage Works

The Bungalow

East Moor Leazes

46

Works

ROWAN DRIVE

ROWAN DRI.

Brasside

ROWAN DRI.

Playground

Green Acres

AVENUE

Union Hall

5

ROAD FINCHALE

BEECH CLO.

FINCHALE AV.

FINCHALE AV.

H.M. Remand Centre Low Newton

H.M. PRISON FRANKLAND

WEAR

SALISBURY RD.

YORK CRES.

CRES.

SALISBURY

BEECH CLO.

Low Newton Farm

RIVER

Woodwell House

6

YORK CRES.

SD.

Finchale Inf. & Jun. Schools

WINCHESTER RD.

CHESTER RD.

BRECON RD.

ENTRY

CARLISLE RD.

PETERBOROUGH RD.

FRANKLAND LANE

FRANKLAND WOOD

Belmont Viaduct

5 45

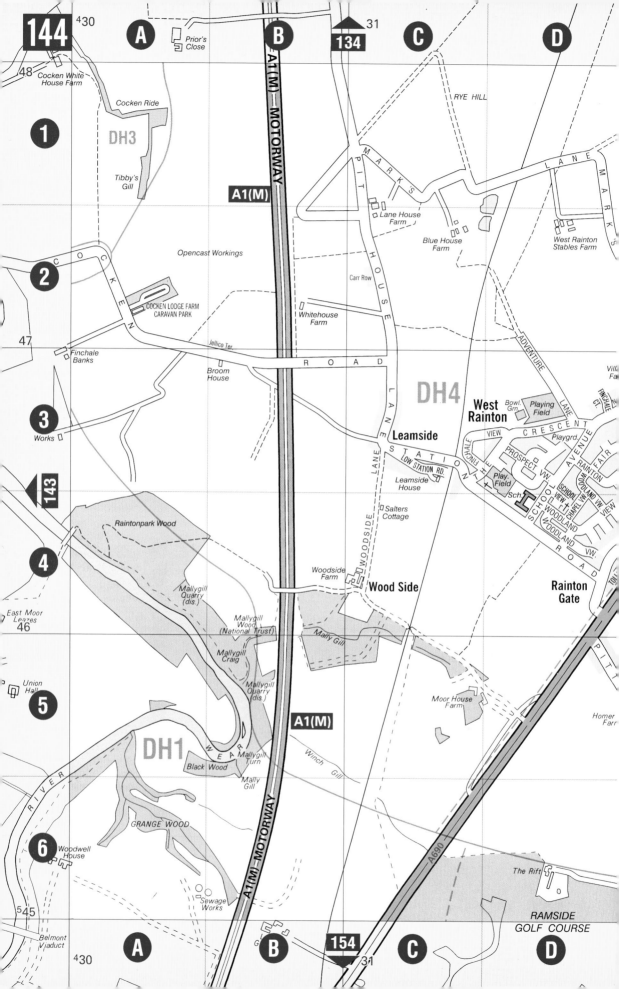

32 33

1

East
Rainton

*The Old
Vicarage*

Church Hall

E. Rainton
Prim. Sch.

*High
Farm*

HAZARD LANE

2

Benridge Bank

**Middle
Rainton**

*Grange
Farm*

47

Rectory

THE DENE

THE MEAD

RONAN M.

SUNDERLAND

DURHAM

DH5

3

146 Co

Robin House

*Playing
Field*

*Woodland
View*

4

Greengables

*Moorsley
Banks*

Valley View

*Field House
Farm*

High Moorsley

46

*Pitfield
House*

Pittington Bank

5

*High Moorsley
Farm*

*Reservoir
(covered)*

*Quarry
(disused)*

Pittington

6

*Pittington
Crossing*

DH6

5 45

**Low
Pittington**

*Glenmoor
Farm*

FRONT STREET

HIGH STREET

32 33 34

*Hillside
Farm*

PITTINGTON HILL

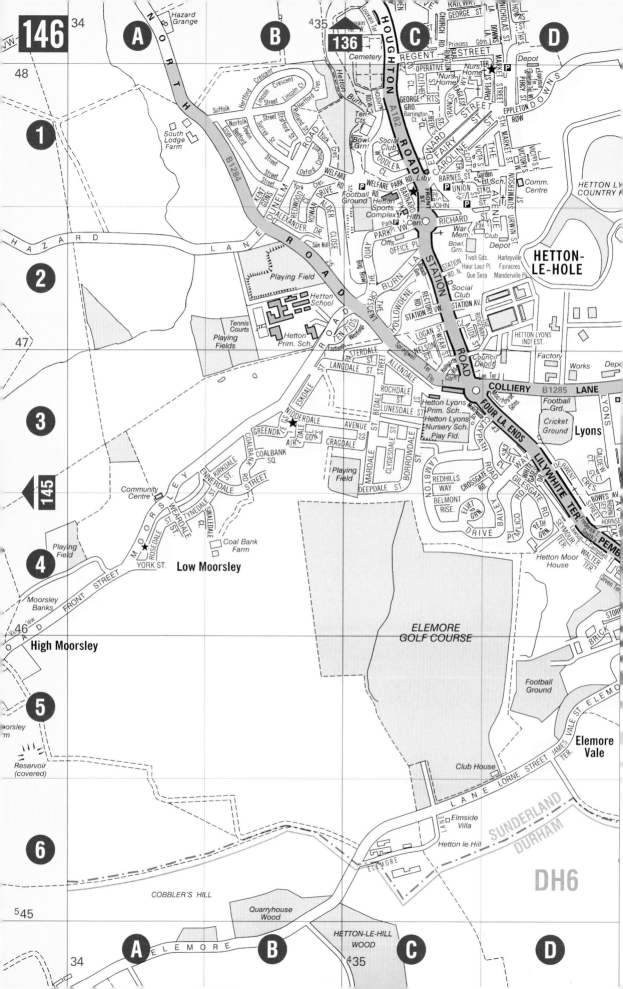

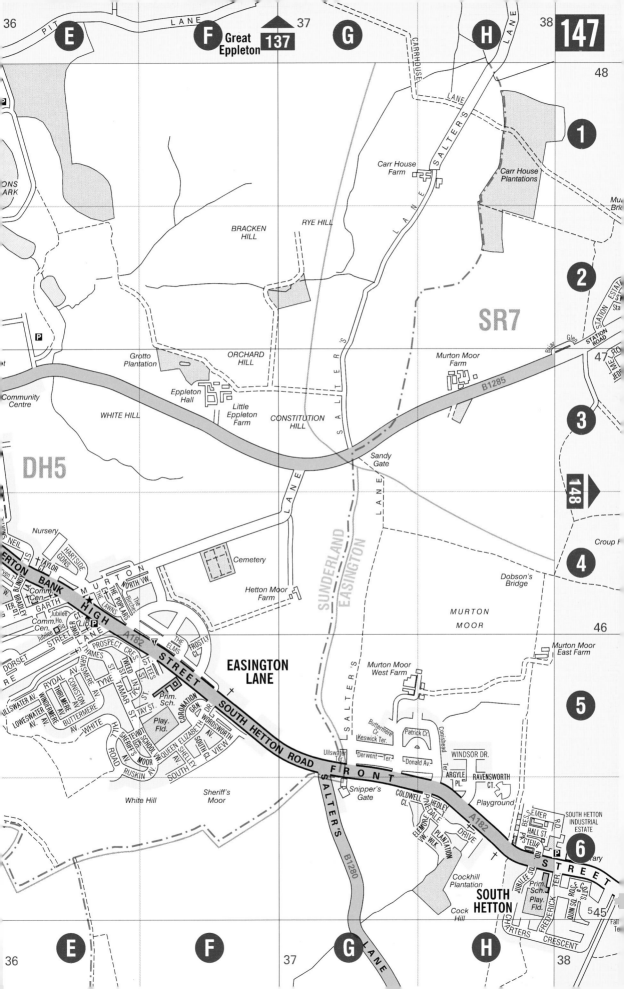

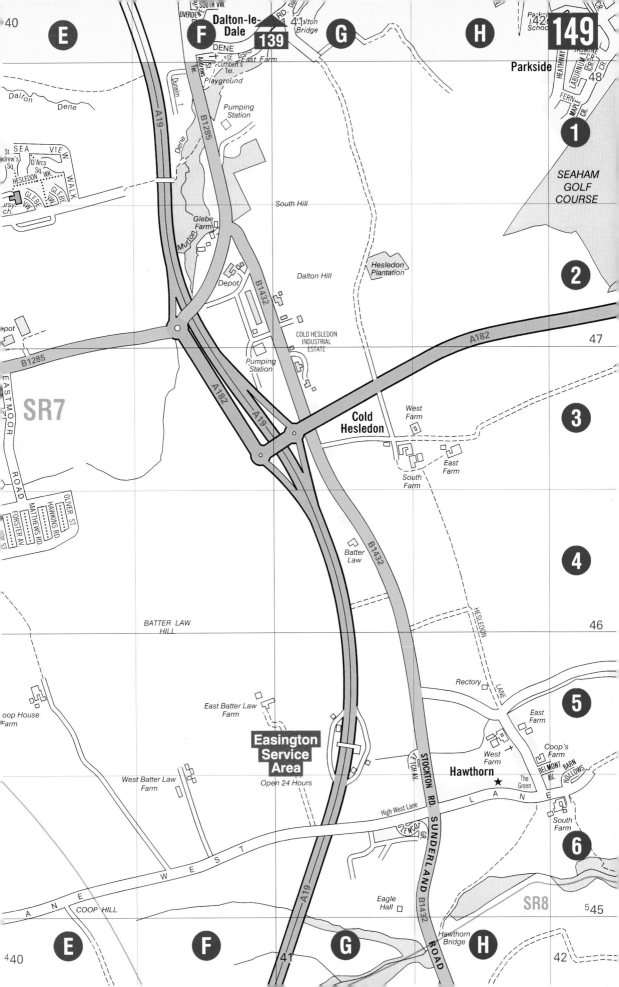

425

EARLS HOUSE
HOSPITAL

Half-Way
Houses

TROUT'S LA.

F L A N C H E S T E R

Lodge

Sniperley
Hall

The
Cottage

Sniperley
Farm

B6532

(GREAT NORTH ROAD) BY-PASS

545

Playing
Field

1

New
College
Durham

WITTON · GILPIN · B6302

A167

Sniperley
Park

Sniperley
Grove

PITY-ME

2

WESTCOTT
WESTCOTT
RD.

MAINS CT.

Dryburn Park

DRYBURN

Hostel

44

Dryburn
Hosp.

Bearpark
Hall Farm

River

Lanchester Valley Walk

N-E-W-C-A-S-T-L-E

Aden
Cottage

3

ST.
NICHOLAS DR.

LONG · GARTH

AYKLEY · GRN.

AYKLEY

Western
Lodge

AYKLEY
HEADS

So.
Ho.

DH1

Stotgate
Farm

LONG GARTH

152

Whitesmocks

BEECHWAYS

WHITESMOCKS
AV.

SPRINGWELL

Browney

CLUB
LANE

Fernhill

SPRINGFIELD

SPRINGFIELD
PK.

4

Sewage
Works

Moorsley
Banks

43

Frienside

Aldin Grange Ter.

DURHAM ROAD

Institute T.

TAYLOR AV.

AUTON DR.

FIELD

AUTON

AVENUE

orge Ter.

ALDIN RISE

AULTON

RD.

Aldin Grange
Farm

Aldin Grange
Hall

Aldin Grange
Bridge

R O A D

Old Arbour
House

Arbour
House

Moorsley Banks
Farm

Moor Edge

Scotts Cotts.

Crossgate Moor Cotts.

(GT. NORTH RD.)

Playing
Field

Durham Johnston
School (Upper)

5

Running
Track

Crossgate
Moor

REDHILLS

Neville

PRIORS

OAKHURST DR.

SURTEES DR.

ST. AIDAN'S LA.

LANE

Weir

TOLL HOUSE ROAD

LYNDHURST
DR.

ST. MONICA

NEVILLE DENE

ST. BEDES

Works

A167

ST. JOHN

ST. GEORGE

Quarry
House

Baxter
Wood

QUARRY HOUSE LA.

6

BROOM HALL

WOOLEY
DR.

BRANCEPETH
CL.

CASTLE VW.

HALL DR.

STOCKLEY
CT.

DERDENE CL.

Rec. Grd.

Railway
Cotts.

Viaduct

Laundry

Neville's Cross
Prim. Sch.

Relley
Mill

ROAD

42

RELLY PTH.

West Broom
Farm

Broom Farm

Broome
Court

LANE

STREET

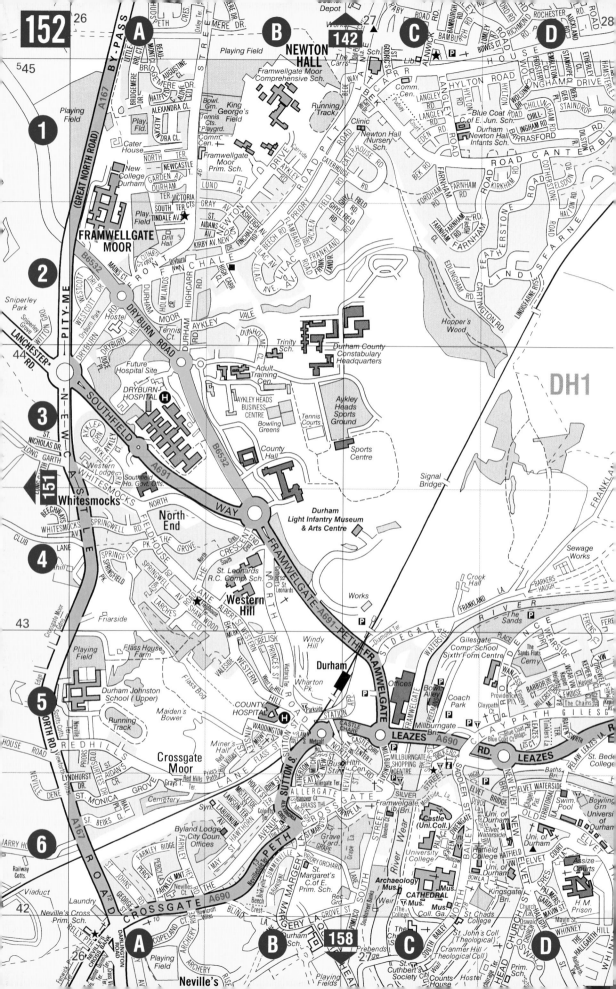

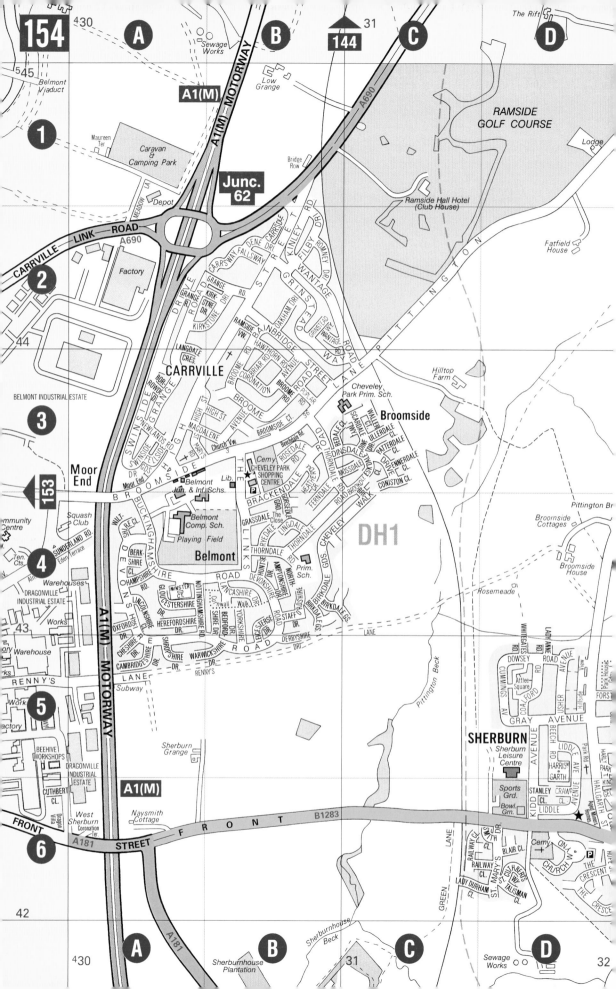

MOOR   ROAD   Crossing

LANE

STATION RD.

LADYS

PIECE

LANE

Low Pittington

Glenmoor Farm

FRONT STREET   HIGH   STREET

Coronation Crescent

Pump House

Town Farm

ST JOHN'S

Hillside Gro.

ELEMORE ST.

WELLINGS

ST. LAWRENCE

LAWRENCE RD.

LAWRENC CL.

Playing Field

Glens Flats

Graham

ELEMORE   LANE

PITTINGTON HILL

Hillside Farm

1

Beck

Willow Garth

2

The Moor

High Pittington

PRIORS

ROAD

Haughton

S.

NEWBY

Hall

COALFORD

44

Pittington Beck

GRANGE

Play. Fld.

Prim Sch.

HALLGARTH

SOUTH END

Manor Vw.

CHURCH

VALE

COALFORD

Coalford

Coalford Bridge

Littletown Bank

Cricket Ground

3

Moor Cottages

CROSS ST.

LANE

Hallgarth Farm

Sewage Works

DH6

Hallgarth

Hallgarth House

Beck

Littletown Farm Cottages

Littletown Farm

Littletown House

PLANTATION AV.

Littletown

4

43

Coalford

Stand Bridge

LANE

LITTLETOWN

5

FORSTER AV.

AV

R

Park Ho.

House

Playing Field

Sherburn Primary School

HOLD

Cook's Hold Farm

Saw Mill

Depot

Gardens

DR.

MITFORD DR.

WHALTON CL.

CHASE CT.

MELDON

AV.

MELDON

Alston Wk.

KINNOCK

CL.

HALL GARTH

VS.

Broadview Villas

KELL CRESCENT

NORTH VIEW

SOUTH VIEW

East View

JUBILEE CR.

Jubilee Crescent

THE CROFT

Sherburn Hill

Sherburn Hill Prim. Sch.

High House Farm

6

PARK

HALL

CL.

CHAPEL CT.

B1283   STREET

New South St.

Sherburnhouse   Bank

LOCAL

AVENUE

AV.

Bannerman Ter.

West Vw.

Wesley Vw.

FRONT

Aged Miners Homes

Hall

PINDERS WY.

STREET

Cooperative Villas

Brighton Ter.

DURHAM   **LANE**   **B1283**

42

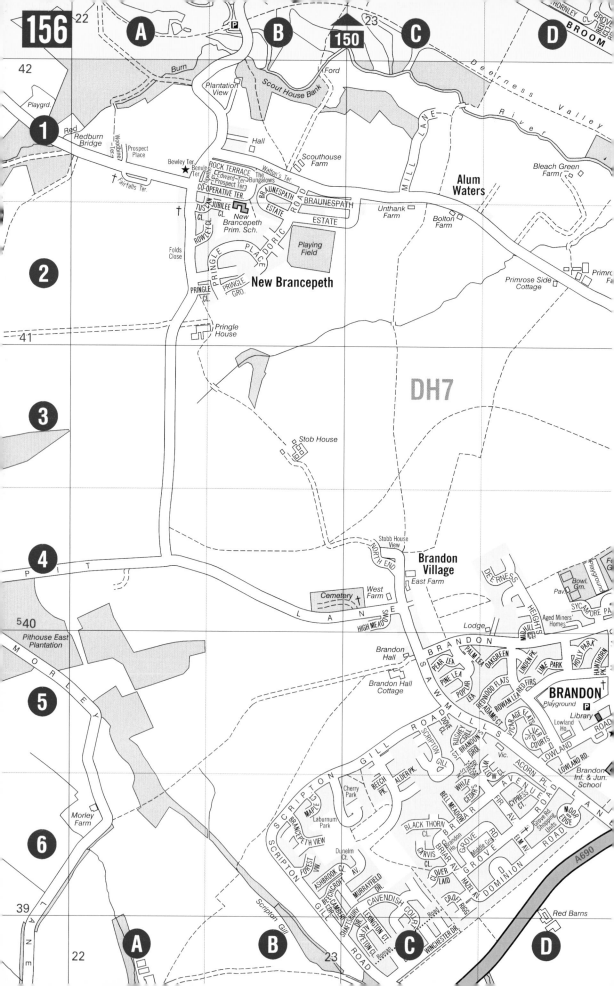

A B C D

22 23

42

1

2

41

3

4

5 40

5

6

39

22 23

DH7

New Brancepeth

Burn

Playgrd.

Red
Redburn
Bridge

Woodbine Ter.

Prospect Place

Plantation View

Scout House Bank

Ford

Hall

Scouthouse Farm

Mill Lane

Alum Waters

Bleach Green Farm

Bewley Ter.
Benvie Ter.
ROCK TERRACE
Edward Ter.
Prospect Ter.
Walton's Ter.

Fairfalls Ter.

CO-OPERATIVE TER.

TUSCAN CL.
JUBILEE CL.
ROWLEY CL.

New Brancepeth Prim. Sch.

Folds Close

BRAUNESPATH ESTATE

BRAUNESPATH ESTATE

DORIC ROAD

Unthank Farm

Bolton Farm

The Bungalows

Playing Field

PRINGLE PLACE

PRINGLE CL.

PRINGLE GRO.

Pringle House

Primrose Side Cottage

Primrose Fa

Stob House

Stobb House View

Brandon Village

East Farm

North End

DEERNESS

Bowl. Grn.

Pav

SYCAMORE PA

Aged Miners' Homes

PIT   LANE

Cemetery

West Farm

HIGH MEADOWS

Pithouse East Plantation

MORLEY LANE

Brandon Hall

Brandon Hall Cottage

Morley Farm

SCRIPTON GILL

SCRIPTON GILL ROAD

SAWMILLS ROAD

BRANDON

Lodge

MILL HILL

HEIGHTS

MOLLY PARK

HAWTHORN PK.

LINDEN PK.

LIME PARK

PEAR LEA
PINE LEA
POPLAR LEA
REDWOOD FLATS
ROWAN LEA
OAKGREEN
ADAMS CT.

BRANDON

Playground

Library

Lowland Ho.

Lowland

LOWLAND RD.

Brandon Inf. & Jun. School

Vic.

SCRIPTON GILL

ST. BRANDON'S GRO.

RUSHEY

WHITE CEDARS

WIDOW CL.

ACORN PL.

AVENUE ROAD

VICARAGE FLATS

CAIRNS COURTS

FIR AV.

CYPRESS CT.

BRANCEPETH VIEW

Cherry Park

Laburnum Park

Dunelm Ct.

MAPLE

BEECH PK.

ALDER PK.

BELL MEADOWS

BLACK THORN CL.

Brandon Ho.

GROVE

Middle Gr.

Grove Rd. Shopping Units

ELM AV.

MOOR EDGE

DOVE CL.

BRIAR AV.

FOREST VW.

ASHBROOK CL.

BEECHCROFT AV.

CAMBRIDGE DR.

SHAFTSBURY DR.

LYNGTON CT.

ALFRETON CL.

CARVIS CL.

MURRAYFIELD DR.

CLOVER LAID

HAZEL AV.

CAVENDISH COURT

CROFT RIGG

Royal

WINCHESTER DR.

DOMINION ROAD

BROOM

Deerness Valley

River

A690

Red Barns

150

P

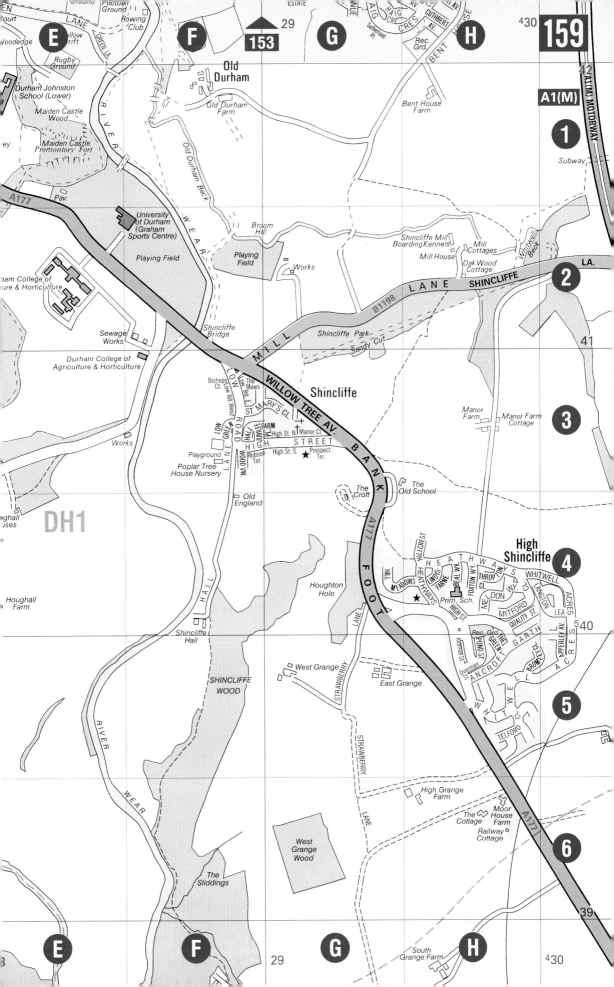

A1(M) MOTORWAY
A1(M)

1

Subway

2

LA.

41

3

4

High Shincliffe

540

5

6

39

DH1

E   F   29   G   H   430

Labels on map

Ground Football Ground
Rowing Club
LANE
GREEN LA
Woodedge
Willow Drift
Rugby Ground
Durham Johnston School (Lower)
Maiden Castle Wood
Maiden Castle Promontory Fort
RIVER
A177
Pav.
WEAR
Old Durham
Old Durham Farm
Old Durham Beck
University of Durham (Graham Sports Centre)
Playing Field
Playing Field
Broom Hill
Works
ham College of ure & Horticulture
Sewage Works
Durham College of Agriculture & Horticulture
Shincliffe Bridge
MILL LANE
B1198
SHINCLIFFE
Shincliffe Park
Sandy Cut
Works
LOW GREEN LANE ROAD WEST
Bishops Ct.
The Mews
Low Rd. E.
ST. MARY'S CL.
FARM
High St. N.
Manor Cl.
HIGH STREET
Playground
LOW GREEN LANE
HIGH WOOD W.
Robson Ter.
High St. S.
Prospect Ter.
★
Poplar Tree House Nursery
Old England
Shincliffe
WILLOW TREE AV.
BANK
The Croft
The Old School
Shincliffe Mill Boarding Kennels
Mill House
Mill Cottages
Oak Wood Cottage
Whitwell Beck
Manor Farm
Manor Farm Cottage
Houghton Hole
FOOT
A177
WILLCREST
HILL MEADOWS
HEATHWAYS
LINDI'S
FARNE
BEAL WK.
FOXTON WY.
THROPTON CL.
MELDON WY.
WHITWELL
LANGTON
WHITWELL ACRES
LEA
MITFORD
QUALITY ST.
Prim. Sch.
★
HIGH ST.
ME DON
GARTH
APPERLEY AV.
CRES.
Rec. Grd.
PONDS
THE GREEN
Artemus St.
Overman St.
ANCROFT ACRES
BROMPTON CL.
WHITWELL CL.
TELFORD CL.
540
Houghall Farm
HALL
Shincliffe Hall
SHINCLIFFE WOOD
West Grange
STRAWBERRY LANE
East Grange
High Grange Farm
The Cottage
Moor House Farm
Railway Cottage
RIVER WEAR
The Sliddings
West Grange Wood
STRAWBERRY LANE
South Grange Farm
ESTATE
AIG
HIG
CRES.
CUTHBERT AV.
AV.
Sutherland Pl.
Rec. Grd.
BENT HOUSE
Bent House Farm
430
42
430

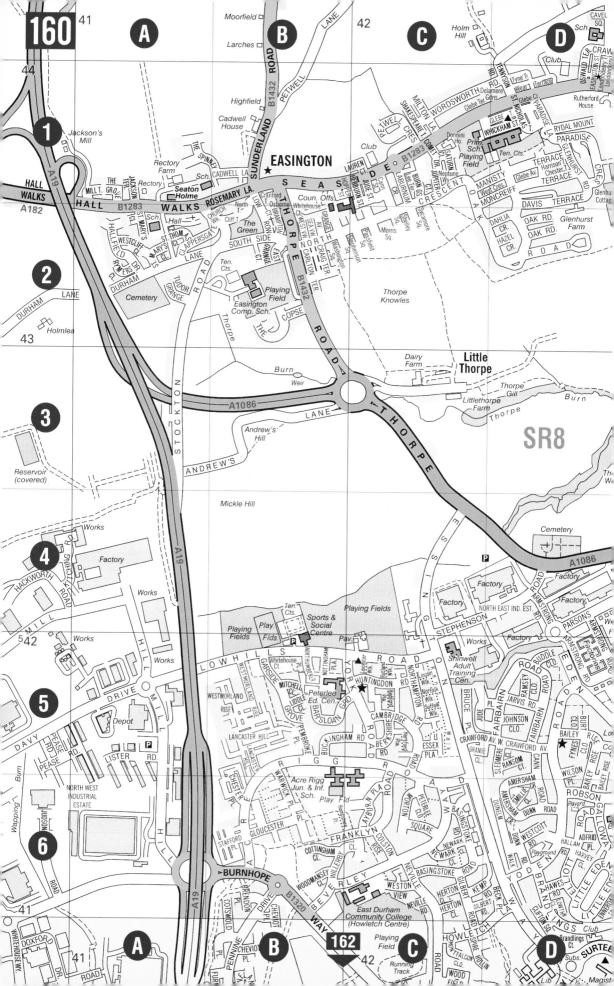

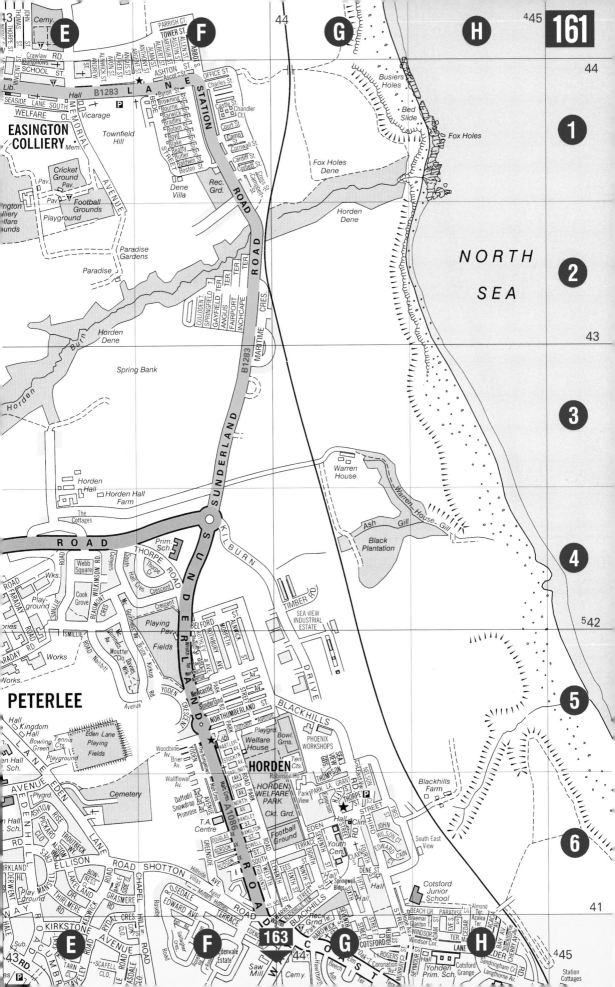

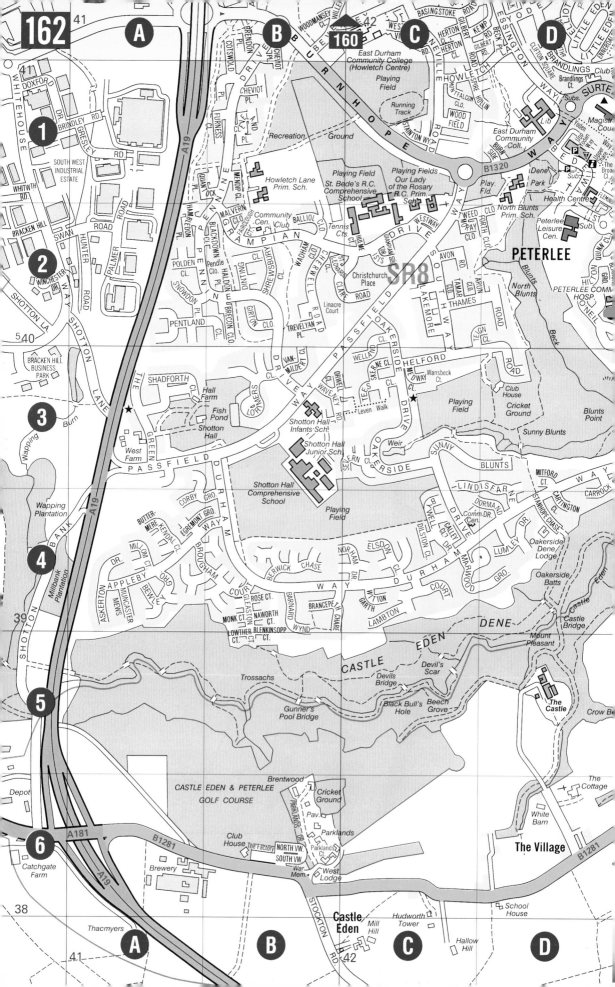

INDEX

Including Streets, Places & Areas, Industrial Estates,
Selected Subsidiary Addresses and Selected Tourist Information.

HOW TO USE THIS INDEX

1. Each street name is followed by its Posttown or Postal Locality and then by its map reference; e.g. Abbey Dri. *Hou S* —1F **135** is in the Houghton le Spring Posttown and is to be found in square 1F on page **135**. The page number being shown in bold type.
 A strict alphabetical order is followed in which Av., Rd., St., etc. (though abbreviated) are read in full and as part of the street name; e.g. Alderdene Clo. appears after Alder Cres. but before Alder Gro.

2. Streets and a selection of Subsidiary names not shown on the Maps, appear in the index in *Italics* with the thoroughfare to which it is connected shown in brackets; e.g. *Aged Miners Homes. Bla T* —4G *63 (off Stella Rd.)*

3. Places and areas are shown in the index in **bold type**, the map reference referring to the actual map square in which the town or area is located and not to the place name; e.g. **Addison.** —4F 63

4. Map references shown in brackets; e.g. Abbots Rd. *Gate* —5H **67** (6G **5**) refer to entries that also appear on the large scale pages 4-5.

5. With the now general usage of Postcodes for addressing mail, it is not recommended that this index is used for such a purpose.

GENERAL ABBREVIATIONS

All : Alley	Circ : Circle	Gth : Garth	Mkt : Market	Shop : Shopping
App : Approach	Cir : Circus	Ga : Gate	Mdw : Meadow	S : South
Arc : Arcade	Clo : Close	Gt : Great	M : Mews	Sq : Square
Av : Avenue	Comn : Common	Grn : Green	Mt : Mount	Sta : Station
Bk : Back	Cotts : Cottages	Gro : Grove	N : North	St : Street
Boulevd : Boulevard	Ct : Court	Ho : House	Pal : Palace	Ter : Terrace
Bri : Bridge	Cres : Crescent	Ind : Industrial	Pde : Parade	Trad : Trading
B'way : Broadway	Cft : Croft	Junct : Junction	Pk : Park	Up : Upper
Bldgs : Buildings	Dri : Drive	La : Lane	Pas : Passage	Va : Vale
Bus : Business	E : East	Lit : Little	Pl : Place	Vw : View
Cvn : Caravan	Embkmt : Embankment	Lwr : Lower	Quad : Quadrant	Vs : Villas
Cen : Centre	Est : Estate	Mc : Mac	Res : Residential	Wlk : Walk
Chu : Church	Fld : Field	Mnr : Manor	Ri : Rise	W : West
Chyd : Churchyard	Gdns : Gardens	Mans : Mansions	Rd : Road	Yd : Yard

POSTTOWN AND POSTAL LOCALITY ABBREVIATIONS

Ann P : Annfield Plain	*Cwthr* : Crowther	*H Cal* : High Callerton	*New L* : New Lambton	*S Het* : South Hetton
Ann : Annitsford	*Cul* : Cullercoats	*Highf* : Highfield	*New P* : New Penshaw	*S Hyl* : South Hylton
Arm : Armstrong	*Dal D* : Dalton-le-Dale	*H Hea* : High Heaton	*News* : Newsham	*S Moor* : South Moor
Art H : Arthurs Hill	*Dec* : Deckham	*H Pitt* : High Pittington	*New S* : New Silksworth	*S New* : South Newsham
Ayk H : Aykley Heads	*Den B* : Denton Burn	*H Ric* : High Rickleton	*N Har* : New Hartley	*S Shi* : South Shields
Back : Backworth	*Din* : Dinnington	*H Shin* : High Shincliffe	*N Her* : New Herrington	*S Well* : South Wellfield
Bar : Barlow	*Dip* : Dipton	*H Spen* : High Spen	*N East* : North East Ind. Est.	*S West* : South West Ind. Est.
B'mr : Barmoor	*Dox I* : Doxford International	*Hob* : Hobson	*N Gos* : North Gosforth	*S'wck* : Southwick
Beam : Beamish	Bus. Pk.	*Hol* : Holystone	*N Shi* : North Shields	*Spi T* : Spital Tongues
Bear : Bearpark	*Drag* : Dragonville	*H'well* : Holywell	*N Wal* : North Walbottle	*Spri* : Springwell
Beb : Bebside	*Dub* : Dubmire	*H'dn* : Horden	*N West* : North West Ind. Est.	*S'ley* : Stanley
Bed : Bedlington	*Dud* : Dudley	*Hou* : Houghall	*O Pen* : Old Penshaw	*Stan* : Stannington
Ben : Bensham	*Dun* : Dunston	*Hou S* : Houghton le Spring	*O Pit* : Old Pit	*Ste I* : Stephenson Ind. Est.
Bent : Benton	*Dur* : Durham	*Jar* : Jarrow	*Ous* : Ouston	*Sund* : Sunderland
B'wl : Benwell	*Ear* : Earsdon	*Jes* : Jesmond	*Oxh* : Oxhill	*Sund E* : Sunderland Enterprise Pk.
Bill Q : Bill Quay	*Eas* : Easington	*Ken* : Kenton	*Par I* : Parsons Ind. Est.	*Sun* : Sunniside
Bir : Birtley	*Eas C* : Easington Colliery	*Ken F* : Kenton Bank Foot	*Pat I* : Pattinson Ind. Est.	*Swa* : Swalwell
B Col : Blackhall Colliery	*Eas L* : Easington Lane	*Kib* : Kibblesworth	*Pel* : Pelaw	*Tan* : Tanfield
Blak : Blakelaw	*Eas V* : Easington Village	*Kil* : Killingworth	*Pelt* : Pelton	*Tan L* : Tanfield Lea
Bla B : Blaydon Burn	*E Bol* : East Boldon	*Kil V* : Killingworth Village	*Pelt F* : Pelton Fell	*Tan H* : Tan Hills
Bla T : Blaydon-on-Tyne	*E Den* : East Denton	*Kim* : Kimblesworth	*Pen* : Penshaw	*Tant* : Tantobie
Blu : Blucher	*E Har* : East Hartford	*King P* : Kingston Park	*Per M* : Percy Main	*Team T* : Team Valley Trad. Est.
Bly : Blyth	*E Her* : East Herrington	*Kit I* : Kitty Brewster Ind. Est.	*Pet* : Peterlee	*Thro* : Throckley
Bol C : Boldon Colliery	*E Rai* : East Rainton	*Lam P* : Lambton Park	*Phil* : Philadelphia	*Tyn* : Tynemouth
B'don : Brandon	*E Sle* : East Sleekburn	*Lam* : Lamesley	*Pick* : Picktree	*Tyn T* : Tyne Tunnel Trad. Est.
Bras : Brasside	*Eig B* : Eighton Banks	*Lang M* : Langley Moor	*Pity Me* : Pity Me	*Ush M* : Ushaw Moor
B'pk : Broompark	*Els* : Elswick	*Leam* : Leamside	*Plaw* : Plawsworth	*Vic G* : Victoria Garesfield
Brow : Browney	*Fat* : Fatfield	*Lee* : Leechmere	*Plaw G* : Plawsworth Gate	*Walb* : Walbottle
Bru V : Brunswick Village	*Faw* : Fawdon	*Lee I* : Leechmere Ind. Est.	*Pon* : Ponteland	*Walk* : Walker
Bru B : Brunton Bridge	*Fel* : Felling	*Lem* : Lemington	*Pre* : Preston	*Walkg* : Walkergate
B'mr : Burnmoor	*Fenc* : Fencehouses	*L Grn* : Lintz Green	*Pres* : Prestwick	*Walkv* : Walkerville
Burn : Burnopfield	*Fenh* : Fenham	*L'ton* : Littletown	*Rain G* : Rainton Gate	*W'snd* : Wallsend
Burr : Burradon	*For H* : Forest Hall	*Lob H* : Lobley Hill	*Row G* : Rowlands Gill	*Wardl* : Wardley
Byker : Byker	*Fram M* : Framwellgate Moor	*Longb* : Longbenton	*Ryh* : Ryhope	*Wash* : Washington
Cal : Callerton	*Gate* : Gateshead	*Low F* : Low Fell	*Ryton* : Ryton	*Well* : Wellfield
Camb : Cambois	*Gil* : Gilesgate	*L Pit* : Low Pittington	*St A* : St Anthonys	*W All* : West Allotment
Camp : Camperdown	*Gos* : Gosforth	*Mar H* : Marley Hill	*Salt* : Saltwell	*W Bol* : West Boldon
Camp I : Camperdown Ind. Est.	*Grai P* : Grainger Park	*Mead* : Meadowfield	*Sco G* : Scotland Gate	*W Den* : West Denton
Carr H : Carr Hill	*Gran V* : Grange Villa	*Mead I* : Meadowfield Ind. Est.	*S'wd* : Scotswood	*W'hpe* : Westerhope
Carr : Carrville	*Gras* : Grasswell	*Mel P* : Melton Park	*S'hm* : Seaham	*W Her* : West Herrington
Cas D : Castle Dene	*Gt Lum* : Great Lumley	*Met P* : Metro Riverside Park	*Sea* : Seaton	*W Jes* : West Jesmond
Cas E : Castle Eden	*G'cft* : Greencroft	*Mid I* : Middlefields Ind. Est.	*Sea B* : Seaton Burn	*W Kyo* : West Kyo
C'twn : Castletown	*G'sde* : Greenside	*Monk* : Monkseaton	*Sea D* : Seaton Delaval	*W Moor* : West Moor
Cat : Catchgate	*Ham M* : Hamsterley Mill	*Mon V* : Monkton Village	*Sea S* : Seaton Sluice	*W Pel* : West Pelton
Cen : Central	*Har G* : Harlow Green	*Mur* : Murton	*Seg* : Seghill	*W Rai* : West Rainton
Cha P : Chapel Park	*Harr* : Harraton	*Mur V* : Murton Village	*Shan* : Shankhouse	*Whi* : Whickham
Ches S : Chester le Street	*H'fd* : Hartford	*Ned V* : Nedderton Village	*Sher* : Sherburn	*Whit* : Whitburn
Ches M : Chester Moor	*H Bri* : Hartford Bridge	*Nel V* : Nelson Village	*S Hill* : Sherburn Hill	*Whit B* : Whitley Bay
Chil M : Chilton Moor	*Haw* : Hawthorn	*Nett* : Nettlesworth	*Sher H* : Sherburn House	*Who G* : Whorlton Grange
Chi : Chirton	*Haz* : Hazlerigg	*Nev X* : Nevilles Cross	*She H* : Sheriff Hill	*Wide* : Wideopen
Cle : Cleadon	*Hea* : Heaton	*Nbtle* : Newbottle	*Shie* : Shieldfield	*Will Q* : Willington Quay
Cold H : Cold Hesledon	*Heb* : Hebburn	*New B* : New Brancepeth	*S Row* : Shield Row	*Win N* : Windy Nook
Col R : Colliery Row	*Hed W* : Heddon-on-the-Wall	*Newb* : Newburn	*Shin* : Shincliffe	*Winl* : Winlaton
Cow : Cowgate	*Hen* : Hendon	*Newc P* : Newcastle Bus. Pk.	*Shin R* : Shiney Row	*Winl M* : Winlaton Mill
Cox : Coxlodge	*Hep* : Hepscott	*Newc T* : Newcastle upon Tyne	*Shir* : Shiremoor	*W'sde* : Woodside
Cra : Cramlington	*Hert* : Hertburn	*New D* : New Durham	*Silk* : Silksworth	*Wool* : Woolsington
Craw : Crawcrook	*Hes* : Hesleden	*Newf* : Newfield	*S Den* : South Denton	*Wylam* : Wylam
C Moor : Crossgate Moor	*Hett H* : Hetton-le-Hole	*New K* : New Kyo	*S Gos* : South Gosforth	

INDEX

Abbay St. *Sund* —4A **102**
Abbey Clo. *Wash* —2B **112**
Abbey Clo. *Whit B* —1H **45**
Abbey Ct. *Gate* —2H **81**
Abbey Dri. *Hou S* —1F **135**
Abbey Dri. *Jar* —2G **71**
Abbey Dri. *Newc T* —4H **51**
Abbey Dri. *N Shi* —5F **47**
Abbey Dri. *Pity Me* —5B **142**
Abbey Dri. *Wash* —2B **112**

Abbey Rd. Bus. Pk. *Pity Me*
　　　　—5B **142**
Abbey Rd. Ind. Est. *Dur* —5B **142**
Abbey Ter. *Shir* —2C **44**
Abbeyvale Dri. *Newc T* —2H **69**
Abbeywoods. *Dur* —5C **142**
Abbeywoods Bus. Pk. *Pity Me*
　　　　—5B **142**
Abbot Ct. *Gate* —6H **67**
Abbotsfield Clo. *Sund* —4H **129**

Abbotsford Gro. *Sund* —2C **116**
Abbotsford Pk. *Whit B* —1B **46**
Abbotsford Rd. *Gate* —2E **83**
Abbotsford Ter. *Newc T* —1F **67**
Abbotside Clo. *Ous* —5F **109**
Abbotside Pl. *Newc T* —6B **52**
Abbotsmeade Clo. *Newc T* —1G **65**
Abbots Rd. *Gate* —5H **67** (6G **5**)
Abbots Row. *Dur* —4F **153**
Abbot St. *Pet* —1F **161**

Abbots Wlk. *Beam* —1B **122**
Abbotsway. *Jar* —3A **72**
Abbots Way. *N Shi* —4H **45**
Abbots Way. *Whi* —4F **79**
Abbs St. *Sund* —4D **102**
Abercorn Pl. *W'snd* —1C **58**
Abercorn Rd. *Newc T* —4E **65**
Abercorn Rd. *Sund* —1F **129**
Abercrombie Pl. *Newc T* —5F **53**
Aberdare Rd. *Sund* —2G **129**

Aberdeen. *Ous* —6H **109**
Aberdeen Ct. *Newc T* —5H **39**
Aberdeen Dri. *Jar* —5A **72**
Aberdeen Tower. *Sund* —1G **129**
Aberfoyle. *Ous* —6H **109**
Aberfoyle Ct. *S'ley* —3F **121**
Abernethy. *Ous* —5H **109**
Abersford Clo. *Newc T* —3H **51**
Aberwick Dri. *Ches S* —3A **132**
Abingdon Ct. *Bla T* —6A **64**

Abingdon Ct.—Angus Rd.

Abingdon Ct. Newc T —6H 39
Abingdon Rd. Newc T —2H 69
Abingdon Sq. Cra —6C 14
Abingdon St. Sund —2H 115
Abingdon Way. Bol C —2H 85
Abinger St. Newc T —4D 66
Abington. Ous —6H 109
Aboyne Sq. Sund —6F 115
Acacia Av. Hou S —2E 135
Acacia Av. Pet —1H 163
Acacia Gro. Heb —5C 70
Acacia Gro. S Shi —4H 73
Acacia Rd. Gate —1B 82
Acacia St. Team T —6E 81
Acanthus Av. Newc T —2H 65
Acer Ct. Sund —3D 116
Acklam Av. Sund —6G 117
Acomb Av. Sea D —1B 32
Acomb Av. W'snd —6B 44
Acomb Ct. Bed —4A 8
Acomb Ct. Gate —3B 96
Acomb Ct. Newc T —2D 42
Acomb Ct. Sund —6F 117
Acomb Cres. Newc T —5B 40
Acomb Gdns. Newc T —1G 65
Acorn Av. Bed —5H 7
Acorn Av. Gate —3E 81
Acorn Pl. B'don —5D 156
Acorn Pl. Dur —5A 142
Acorn Rd. Newc T —5G 55
Acorn St. Pelt —2D 122
Acorn St. Team T —1E 95
Acott Av. Heb —2B 70
Acott Gdns. Bly —5C 10
Acre Rigg Rd. Pet —6B 160
Acton Dene. S'ley —2G 121
Acton Dri. N Shi —5H 45
Acton Pl. Newc T —5B 56
Acton Rd. Newc T —1D 64
Adair Av. Newc T —3G 65
Adair Way. Heb —4D 70
Adams Gth. Eas L —4E 147
Adamson St. Sund —5H 101
Adam St. Pet —1H 163
Ada St. Newc T —3E 69
Ada St. S Shi —6F 61
Ada St. E. Mur —3D 148
Ada St. W. Mur —3D 148
Adderstone Av. Cra —4B 20
Adderstone Cres. Newc T —5H 55
Adderstone Gdns. N Shi —4F 45
Addington Cres. N Shi —1A 60
Addington Dri. Bly —2C 16
Addington Dri. W'snd —6B 44
Addison. —4F 63
Addison Clo. Newc T —3B 68
Addison Ct. Ryton —4B 62
Addison Ct. W'snd —6F 59
Addison Gdns. Gate —3H 83
Addison Ind. Est. Bla T —4F 63
Addison Rd. Hea —3B 68
Addison Rd. Lem —2B 64
Addison Rd. W Bol —4C 86
Addison St. N Shi —3C 60
Addison St. Sund —1F 117
Addison Wlk. S Shi —1C 86
Addycombe Ter. Newc T —5C 56
Adelaide Clo. Sund —6F 103
Adelaide Ct. Gate —6G 67
Adelaide Ho. Newc T —4A 66
Adelaide Pl. Sund —6F 103
Adelaide Row. S'hm —4B 140
Adelaide St. Ches S —1C 132
Adelaide Ter. Newc T —4H 65
Adeline Gdns. Newc T —5C 54
Adelphi Clo. N Shi —5G 45
Adelphi Pl. Newc T —4E 69
Aden Tower. Sund —1G 129
Adfrid Pl. Pet —6D 160
Admiral Ho. N Shi —6F 47
Admiral Way. Dox I —4E 129
Adolphus Pl. Dur —5H 153
Adolphus Pl. S'hm —4C 140
Adolphus St. Sund —2F 89
Adolphus St. W. S'hm —4B 140
Adrian Pl. Pet —2E 163
Adventure La. W Rai —2D 144
Affleck St. Gate —1G 81
Afton Ct. S Shi —4E 73
Afton Way. Newc T —2A 54
Agar Rd. Sund —1F 129
Aged Miners' Home. Burn —1G 105
Aged Miners Homes. Ann —5A 30
Aged Miners Homes. Back —6A 32
Aged Miner's Homes. Bear —4C 150
Aged Miners Homes. Bir —6C 96
Aged Miners Homes. Bla T —4G 63 (off Stella Rd.)
Aged Miners' Homes. Bol C —2H 85
Aged Miners' Homes. B'don —4D 156
Aged Miners' Homes. Bru V —5C 28
Aged Miners Homes. Camb —1B 10
Aged Miners' Homes. Cas D —2H 133
Aged Miners' Homes. Ches S —5C 124
Aged Miners' Homes. Ches M —4B 132
Aged Miners Homes. H Spen —1A 90
Aged Miners' Homes. H'dn —6F 161
Aged Miners Homes. Kib —1E 109
Aged Miners' Homes. Mar H —4E 93
Aged Miners' Homes. Mead —6E 157
Aged Miners' Homes. Mur —2B 148
Aged Miners' Homes. N Har —3C 22
Aged Miners' Homes. New S —6A 116
Aged Miners Homes. Pelt —3E 123
Aged Miners' Homes. Ryh —2E 131 (off Cheviot La.)
Aged Miner's Homes. S'hm (nr. Maglona St.) —6B 140
Aged Miners' Homes. S'hm (nr. Stockton Rd.) —2F 139
Aged Miners' Homes. Sea D (off Ryal Clo.) —6B 22
Aged Miners Homes. Sher —6D 154
Aged Miners Homes. S Hill —6G 155
Agincourt. Heb —2B 70
Agincourt. Newc T —1D 42
Agnes Maria St. Newc T —2C 54
Agnes St. S'ley —2D 120
Agricola Ct. S Shi —3E 61
Agricola Gdns. W'snd —1B 58
Agricola Rd. Newc T —3B 66
Aidan Av. Sea S —3F 23
Aidan Clo. S'ley —2F 121
Aidan Clo. Wide —5C 28
Aidan Ct. Jar —3H 71
Aidan Ho. Gate —1H 81
Aidan Wlk. Newc T —2F 55
Aiden Way. Hett H —6C 136
Ailesbury St. Sund —6A 102
Ainderby Rd. Newc T —5B 50
Ainsdale Gdns. Newc T —5A 52
Ainsley St. Dur —5B 152
Ainslie Pl. Newc T —6G 53
Ainsworth Av. S Shi —6C 72
Ainthorpe Clo. Sund —2B 130
Ainthorpe Gdns. Gate —6H 81
Ainthorpe Gdns. Newc T —3C 56
Aintree Clo. Wash —6B 98
Aintree Gdns. Gate —4E 81
Aintree Rd. Sund —1F 129
Airedale. W'snd —2F 57
Airedale Gdns. Hett H —3B 146
Aireys Clo. Hou S —3G 135
Airey Ter. Gate —2F 81
Airey Ter. Newc T —4G 69
Airport Freightway. Wool —3C 38
Airport Ind. Est. Newc T —2H 53
Airville Mt. Sund —5A 130
Aisgill Clo. Cra —3B 20
Aisgill Dri. Newc T —6A 52
Aiskell St. Sund —1A 116
A J Cooks Cotts. Row G —3B 90
Akeld Clo. Cra —4B 20
Akeld Ct. Newc T —3G 55
Akenside Hill. Newc T —5G 67 (6F 5)
Akenside Ter. Newc T —1H 67
Alanbrooke Row. Heb —6A 70
Alansway Gdns. S Shi —1F 73
Albany. —6A 98
Albany Av. Newc T —6D 42
Albany Ct. Newc B —6C 66
Albany Gdns. Whit B —1D 46
Albany Ho. Sund —4C 102
Albany Ho. Wash —6A 98
Albany M. Newc T —5C 54
Albany Rd. Gate —6A 68
Albany St. E. S Shi —1F 73
Albany St. W. S Shi —1F 73
Albany Ter. Mon V —5D 70
Albany Village Cen. Wash —6H 97
Albany Way. Wash —6A 98
Albatross Way. Bly —4C 16
Albemarle Av. Newc T —4F 55
Albemarle St. S Shi —4E 61
Albert Av. W'snd —5H 57
Albert Dri. Gate —1H 95
Albert Edward Ter. Bol C —1A 86
Albert Pl. Gate —1H 95
Albert Pl. Wash —3D 112
Albert Rd. Bed —3E 9
Albert Rd. Jar —3E 71 (in two parts)
Albert Rd. Sea S —3H 23
Albert Rd. Sund —6A 102
Albert St. Bly —5C 10
Albert St. Ches S —6C 124
Albert St. Dur —4B 152
Albert St. Gran V —4C 122
Albert St. Heb —3B 70
Albert St. Newc T —3H 67 (3G 5)
Albert St. Pet —1F 161
Albert St. S'hm —5C 140
Albert St. S'ley —3C 120
Albert St. Vic G —4A 90
Albert Ter. Newc T —4C 42
Albert Ter. S Shi —5E 61
Albert Ter. Whit B —1D 46
Albion Ct. Newc T —4B 68
Albion Ct. S Shi —3E 61
Albion Gdns. Burn —2F 105
Albion Pl. Sund —1C 116
Albion Retail Cen. Bly —5B 10
Albion Rd. N Shi —1C 60
Albion Rd. W. N Shi —2C 60
Albion Row. Newc T —4A 68 (in two parts)
Albion St. Gate —5C 82
Albion St. Sund —1C 114
Albion Ter. Gate —4F 97
Albion Ter. N Shi —1C 60
Albion Way. Bly —6H 9
Albion Way. Shan —6D 14
Albion Yd. Newc T —4F 67 (5C 4)
Albury Pk. Rd. N Shi —6E 47
Albury Pl. Whi —6E 79
Albury Rd. Newc T —4F 55
Albyn Gdns. Sund —4A 116
Alconbury Clo. Bly —2C 16
Alcroft Clo. Newc T —4H 51
Aldborough St. Bly —6C 10
Aldbrough Clo. Ryh —3F 131
Aldbrough St. S Shi —4C 72
Aldeburgh Av. Newc T —1A 64
Aldenham Gdns. N Shi —4E 47
Aldenham Rd. Sund —1G 129
Aldenham Tower. Sund —1G 129
Alder Av. Newc T —1H 65
Alder Clo. Hett H —2B 146
Alder Ct. Whit B —1A 46
Alder Cres. Tant —6F 105
Alderdene Clo. Ush M —6E 151
Alder Gro. Whit B —5A 34
Alderlea Clo. Dur —4G 153
Alderley Clo. Bol C —2A 86
Alderley Dri. Newc T —1E 43
Alderley Rd. Gate —6G 81
Alderley Way. Cra —6C 14
Alderman Wood Rd. Tan L —1C 120
Alderney Gdns. Newc T —5A 52
Alder Pk. B'don —6C 156
Alder Rd. N Shi —6E 45
Alder Rd. Pet —1H 163
Alder Rd. W'snd —1C 58
Aldershot Rd. Sund —2F 129
Aldershot Sq. Sund —2F 129
Alder St. Sund —4D 100
Alder St. Team T —6E 81
Alder Way. Kil —1C 42
Alderwood. Gate —2F 81
Alderwood. Wash —1H 125
Alderwood Cres. Newc T —6F 57
Alderwyk. Gate —5H 83
Aldhome Ct. Fram M —1A 152
Aldin Grange Hall. Bear —5F 151
Aldin Grange Ter. Bear —4E 151
Aldin Ri. Bear —5E 151
Aldridge Ct. Ush M —5C 150
Aldsworth Clo. Gate —4F 97
Aldwick Rd. Newc T —3D 64
Aldwych Dri. N Shi —6F 45
Aldwych Rd. Sund —2F 129
Aldwych Sq. Sund —3F 129
Aldwych St. S Shi —5G 61
Alexander Dri. Hett H —2B 146
Alexander Ter. Haz —6C 28
Alexander Ter. Sund —2D 102
Alexandra Av. Sund E —4G 101
Alexandra Clo. Fram M —1A 152
Alexandra Dri. Swa —3G 79
Alexandra Gdns. Ryton —5E 63
Alexandra Pk. Sund —3B 116
Alexandra Rd. Gate —1G 81
Alexandra Rd. Newc T —6B 56
Alexandra St. Pelt —3E 123
Alexandra St. Vic G —4A 90
Alexandra St. W'snd —5A 58
Alexandra Ter. Bed —4B 8
Alexandra Ter. Newc T —4D 52
Alexandra Ter. Pen —1F 127
Alexandra Ter. Spri —4F 97
Alexandra Ter. Sun —3G 93
Alexandra Ter. Whit B —1D 46
Alexandra Way. Cra —4A 20
Alexandria Cres. C Moor —6B 152
Alexandrina St. S'hm —4B 140
Alford. Ous —5H 109
Alford Grn. Newc T —6C 42
Alfred Av. Bed —4B 8
Alfred St. Bly —1C 16
Alfred St. Heb —4B 70
Alfred St. Newc T —3E 69
Alfred St. Pet —1E 161
Alfred St. S'hm —5C 140
Alfred St. E. S'hm —5C 140
Alfreton Clo. B'don —6C 156
Algernon. Kil —6D 30
Algernon Clo. Newc T —2C 68
Algernon Ct. Newc T —2C 68 (off Algernon Rd.)
Algernon Ind. Est. Shir —4D 44
Algernon Pl. Whit B —1D 46
Algernon Rd. Lem —3A 64
Algernon Rd. Newc T —2C 68
Algernon Ter. N Shi —5E 47
Algiers Rd. Sund —2E 129
Alice St. Bla T —2H 77
Alice St. S Shi —1E 73
Alice St. Sund —2C 116
Alice Well Vs. Sund —4F 113
Aline St. S'hm —4C 140
Aline St. Sund —2B 130
Alington Pl. Dur —5G 153
Alison Dri. E Bol —4F 87
Allandale Av. Newc T —6D 42
Allanville. Camp —6B 30
All Church. Newc T —3F 65
Allen Av. Gate —4F 81
Allendale Av. W'snd —3H 57
Allendale Cres. Pen —1E 127
Allendale Cres.. Shir —2E 45
Allendale Dri. S Shi —1A 74
Allendale Pl. N Shi —6F 47
Allendale Rd. Bly —1D 16
Allendale Rd. Mead —5E 157
Allendale Rd. Newc T —4D 68
Allendale Rd. Sund —2F 129
Allendale Sq. Sund —6G 115
Allendale St. Hett H —3C 146
Allendale Ter. S'ley —5F 119
Allendale Ter. Walk —4F 69
Allenheads. Newc T —6C 52
Allenheads. Sea D —5A 22
Allenheads Wash —6C 112
Allens Grn. Cra —3B 20
Allen St. Ches S —1C 132
Allen St. Pet —1F 161
Allerdean Clo. Newc T —2H 63
Allerdean Clo. Sea D —1B 32
Allerdene. —4A 96
Allerdene Wlk. Whi —5E 79
Allergate. Dur —6B 152
Allergate Ter. Dur —6B 152
Allerhope. Cra —4B 20
Allerton Gdns. Newc T —5D 56
Allerton Pl. Whi —6D 78
Allerwash. Newc T —6C 52
Allgood Ter. Bed —4B 8
All Hallows La. Newc T —4G 67 (6F 5)
Allhusen Ter. Gate —2B 82
Alliance Pl. Sund —6B 102
Alliance St. Sund —6B 102
Allingham Ct. Newc T —4E 57
Allison Ct. Gate —2F 79 (in two parts)
Alloa Rd. Sund —1F 129
Allonby Way. Newc T —1F 65
Allotment, The. —4D 44
Alloy Ter. Row G —4C 90
All Saints Cen. Newc T —5E 5
All Saints Ct. N Shi —1H 59
All Saints Dri. Hett H —6C 136
All Saints Office Cen. Newc T —5F 5
Allwork Ter. Whi —4F 79
Alma Pl. Dur —4H 153
Alma Pl. Hou S —4G 127
Alma Pl. N Shi —1C 60
Alma Pl. Whit B —1D 46
Alma St. Pet —1F 161
Alma St. Sund —6C 100
Alma Ter. Dur —5E 153
Alma Ter. G'sde —1C 76
Alma Ter. Nev X —1A 158
Almond Cres. Gate —3E 81
Almond Dri. Sund —5C 100
Almond Pl. Newc T —2H 65
Almond St. Team T —1E 95
Almond Ter. Pet —6H 161
Almoners Barn. Dur —2A 158
Almshouses. Newc T —2F 63
Aln Av. Newc T —6C 40
Aln Ct. Newc T —3A 64
Aln Cres. Newc T —6C 40
Aln Gro. Newc T —2A 64
Alnham Ct. Newc T —6A 40
Alnham Grn. Newc T —5A 52
Alnmouth Av. N Shi —3H 59
Alnmouth Dri. Newc T —3G 55
Aln St. Heb —3B 70 (in two parts)
Aln Wlk. Newc T —1C 54
Alnwick Av. N Shi —3H 59
Alnwick Av. Whit B —6C 34
Alnwick Clo. Ches S —2A 132
Alnwick Clo. Whi —4E 79
Alnwick Ct. Wash —2H 111
Alnwick Dri. Bed —4F 7
Alnwick Gro. Jar —1F 85
Alnwick Rd. Dur —1C 152
Alnwick Rd. S Shi —3E 73
Alnwick Rd. Sund —1G 129
Alnwick Sq. Sund —1G 129
Alnwick St. Eas C —1E 161
Alnwick St. H'dn —4F 161
Alnwick St. Newc T —1F 63
Alnwick St. W'snd —5A 58
Alnwick Ter. Wide —4E 29
Alpine Gro. W Bol —4D 86
Alpine Way. Sund —4A 116
Alresford. Newc T —1D 42
Alston Av. Cra —4D 20
Alston Av. Newc T —3E 69
Alston Clo. N Shi —6G 45
Alston Clo. W'snd —3E 59
Alston Cres. Sund —6C 88
Alston Gdns. Newc T —5D 50
Alston Gro. Sea S —2F 23
Alston Rd. N Har —3B 22
Alston Rd. Wash —1F 113
Alston St. Gate —2F 81
Alston Wlk. Pet —6E 161
Alston Wlk. Sher —6E 155
Alston Way. Mead —5E 157
Altan Pl. Newc T —6B 42
Altree Grange. Sund —2C 102
Altrincham Tower. Sund —1G 129
Alum Waters. —1C 156
Alum Well Rd. Gate —6G 81 (in two parts)
Alverston Clo. Newc T —1A 64
Alverstone Av. Gate —1G 95
Alverstone Rd. Sund —2F 129
Alverthorpe St. S Shi —1F 73
Alwin. Wash —6G 111
Alwin Grange. Heb —2D 70
Alwinton Av. N Shi —5H 45
Alwinton Clo. Bly —5A 10
Alwinton Clo. Newc T —3E 53
Alwinton Dri. Ches S —2A 132
Alwinton Gdns. Gate —6C 80
Alwinton Rd. Shir —2E 45
Alwinton Ter. Newc T —2F 55
Alwyn Clo. Hou S —6C 126
Amalfi Tower. Sund —1G 129
Amara Sq. Sund —1G 129
Ambassadors Way. N Shi —5F 45
Amber Ct. Bly —1A 16
Amber Ct. Newc T —6B 66
Ambergate Clo. Newc T —4E 53
Amberley. Newc T —2D 42
Amberley Chase. Newc T —1E 43
Amberley Clo. W'snd —3E 59
Amberley Ct. Gate —2E 81 (off Amberley St.)
Amberley Gdns. Newc T —5C 56
Amberley Gro. Whi —6E 79
Amberley St. Gate —2E 81
Amberley St. Sund —2E 117
Amberley St. S. Sund —2E 117
Amberley Wlk. Whi —6F 79
Amberley Way. Bly —2C 16
Amble Av. S Shi —1B 74
Amble Av. Whit B —1D 46
Amble Clo. Bly —2A 16
Amble Gro. Newc T —2A 68
Amble Pl. Newc T —4F 43
Ambleside. Newc T —5D 50
Ambleside Av. S'hm —3E 139
Ambleside Av. S Shi —3G 73
Ambleside Clo. Pet —6E 161
Ambleside Clo. Sea D —6B 22
Ambleside Gdns. Gate —1A 96
Ambleside Grn. Newc T —1F 65
Ambleside Ter. Sund —1C 102
Amble Tower. Sund —1G 129
Amble Way. Newc T —1D 54
Ambridge Way. Newc T —2B 54
Ambrose Pl. Newc T —3H 69
Ambrose Rd. Sund —1F 129
Amec Way. W'snd —6C 58
Amelia Clo. Newc T —6A 66
Amelia Gdns. Sund —2E 129
Amelia Wlk. Newc T —6A 66 (in two parts)
Amen Corner. Newc T —5G 67
Amen Corner Chyd. Newc T —6D 4
Amersham Cres. Pet —6D 160
Amersham Pl. Newc T —5F 53
Amersham Rd. Bly —3B 16
Amesbury Clo. Newc T —4H 51
Amethyst Rd. Newc B —6B 66
Amethyst St. Sund —6H 101
Amherst Rd. Newc T —1A 54
Amos Ayre Pl. S Shi —4B 72
Amsterdam Rd. Sund —1G 129
Amy St. Sund —3B 102
Ancaster Av. Newc T —1B 56
Ancaster Rd. Whi —5D 78
Anchorage Ter. Dur —1D 158
Anchorage, The. Ches S —6D 124
Anchorage, The. Hou S —3F 127
Anchor Chare. Newc T —5G 5
Ancona St. Sund —5H 101
Ancroft Av. N Shi —6B 46
Ancroft Gth. H Shin —5H 159
Ancroft Pl. Newc T —1F 65
Ancroft Rd. Sea D —6H 21
Ancroft Way. Newc T —5B 40
Ancrum St. Newc T —2D 66
Ancrum Way. Whi —6D 78
Anderson St. S Shi —4F 61
Anderson St. N. S Shi —4E 61
Andover Pl. W'snd —1C 58
Andrew Ct. Newc T —3G 69
Andrew Rd. Sund —2E 129
Andrew's La. Pet —3A 160
Andrew St. Pet —1E 161
Anfield Ct. Newc T —2A 54
Anfield Rd. Newc T —2A 54
Angel of the North. —5F 95
Angerton Av. N Shi —4C 46
Angerton Av. Shir —3D 44
Angerton Gdns. Newc T —1H 65
Angerton Ter. Dud —3H 29
Anglesey Gdns. Newc T —5A 52
Anglesey Pl. Newc T —4D 66
Anglesey Rd. Sund —2F 129
Anglesey Sq. Sund —2F 129
Angle Ter. W'snd —5D 58
Angram Dri. Sund —6G 117
Angram Wlk. Newc T —5A 52
Angrove Gdns. Sund —2H 115
Angus. Ous —5H 109
Angus Clo. Newc T —2C 42
Angus Ho. B'wl —5A 66
Angus Rd. Gate —3E 81

Angus Sq.—Azalea Way

Angus Sq. Lang M —4F 157
Angus Sq. Sund —2F 129
Angus St. Lang M —3G 157
Angus St. Pet —1E 161
Angus Ter. Pet —2F 161
Anker's House Museum, The. —6D 124
Annand Rd. Dur —4F 153
Anne Dri. Newc T —5G 43
Annfield Pl. S'ley —5E 119
Annfield Plain. —4F 119
Annfield Plain By-Pass. S'ley —6G 119
Annfield Rd. Cra —5B 14
Annfield Ter. S'ley —4E 119
Annie St. Sund —1D 102
Annitsford. —2B 30
Annitsford Dri. Dud —3B 30
Annitsford Pond Nature Reserve. —2B 30
Annitsford Rd. Seg —3C 30
Ann's Pl. Lang M —3G 157
Ann's Row. Bly —4C 10
Ann St. Bla T —6A 64
Ann St. Gate —1H 81
Ann St. Heb —2A 70
Ann St. Shir —1D 44
Annville Cres. Walk —5G 69
Anscomb Gdns. Newc T —5A 56
Anson Clo. S Shi —1D 72
Anson Pl. Newc T —4D 52
Anson St. Gate —2B 82
Anstead Clo. Cra —3B 20
Anthony Ct. S'ley —2C 120
Anthony Rd. Sund —1F 129
Anthony St. Pet —1F 161
Anthony St. S'ley —2C 120
Antliff Ter. S'ley —5F 119
Antonine Wlk. Hed W —5H 49
Anton Pl. Cra —4B 20
Antrim Clo. Newc T —4G 53
Antrim Gdns. S'hm —3A 140
Antwerp Rd. Sund —2E 129
Apperley. Newc T —6C 52
Apperley Av. H Shin —5H 159
Apperley Av. Newc T —3G 53
Appian Pl. Gate —4B 82
Appian Pl. Newc T —5D 50
(in two parts)
Appleby Ct. N Shi —2B 60
Appleby Gdns. Gate —2A 96
Appleby Gdns. W'snd —3E 59
Appleby Pk. N Shi —1B 60
Appleby Pl. Ryton —5A 62
Appleby Rd. Sund —2F 129
Appleby Sq. Sund —2F 129
Appleby St. N Shi —3C 60
Appleby Way. Pet —4A 162
Apple Clo. Newc T —1A 64
Apple Ct. N Har —3B 22
Appledore Gdns. Ches S —4D 124
Appledore Gdns. Gate —2H 95
Appledore Rd. Bly —2C 16
Appleforth Av. Sund —6G 117
Appletree Gdns. Newc T —1E 69
Appletree Gdns. Whit B —2A 46
Applewood. Kil —2F 43
Appley Ter. Sund —3E 103
Apsley Cres. Newc T —2A 54
Aquila Dri. Hed W —5F 49
Arbeia Roman Fort & Museum. —3E 61
Arbroath. Ous —6H 109
Arbroath Rd. Sund —1F 129
Arcadia. Ous —6H 109
Arcadia Av. Ches S —4C 124
Arcadia Ter. Bly —1C 16
Archbold Ter. Newc T —2G 67 (1F 5)
Archer Rd. Sund —1F 129
Archers Hill. S Shi —6D 60
Archer Sq. Sund —1F 129
Archer St. W'snd —4B 58
Archer St. E. W'snd —4D 58
Archer Vs. W'snd —4B 58
Archery Ri. Dur —1A 158
Archibald St. Newc T —2E 55
Arcot Av. Nel V —1G 19
Arcot Av. Whit B —2A 46
Arcot Dri. Newc T —1D 64
Arcot Dri. Whit B —2A 46
Arcot La. Dud —1D 28
Arcot Ter. Bly —5B 10
Arden Av. Newc T —4D 40
Arden Clo. W'snd —6B 44
Arden Cres. Newc T —6H 53
Arden Ho. Newc T —1E 55
Arden Sq. Sund —1G 129
Ardrossan. Ous —6H 109
Ardrossan Rd. Sund —2F 129
Arena Way. Newc T —6E 67
Argent St. Pet —1F 161
Argus Clo. Gate —4D 80
Argyle Ct. S'ley —6E 107
Argyle Ho. Sund —2C 116
Argyle Pl. N Shi —5C 46
Argyle Pl. S Het —5H 147
Argyle Sq. Sund —2C 116
Argyle St. Bly —4B 10
Argyle St. Heb —3B 70
Argyle St. Newc T —4G 67 (4F 5)
Argyle St. N Shi —5F 47
Argyle St. Sund —2C 116
Argyle Ter. N Shi —5C 46
Argyll. Ous —6H 109
Arisaig. Ous —6H 109
Arklecrag. Wash —1A 112
Arkle Rd. Sund —2F 129
Arkleside Pl. Newc T —6B 52
Arkle St. Gate —3E 81
Arkle St. Haz —1C 40
Arkwright St. Gate —4F 81
Arlington Av. Newc T —4B 54
Arlington Clo. Hou S —6C 126
Arlington Gro. Cra —5B 14
Arlington Gro. Whi —5E 79
Arlington Rd. Heb —5D 70
Arlington St. Sund —1H 115
Arlott Ho. N Shi —4H 59
Armitage Gdns. Gate —4C 96
Armstrong. —1G 111
Armstrong Av. Newc T —6B 56
Armstrong Av. S Shi —3G 73
Armstrong Building. Newc T —1C 4
Armstrong Dri. Newc T —3B 42
Armstrong Ho. Wash —6G 97
Armstrong Ind. Est. Wash —6G 97
Armstrong Ind. Pk. Newc T —6C 66
(in two parts)
Armstrong Rd. Newc T —4D 64
Armstrong Rd. N East —4D 160
Armstrong Rd. W'snd —6E 59
Armstrong Rd. Wash —6G 97
Armstrong St. Cal —6H 37
Armstrong St. Gate —4E 81
Armstrong Ter. S Shi —2E 73
Arncliffe Av. Sund —3G 115
Arncliffe Gdns. Newc T —5A 52
Arndale Arc. Jar —2F 71
Arndale Ho. Jar —2F 71
Arndale Ho. Ken —2A 54
Arndale Ho. Newc T —1A 56
Arndale Sq. Newc T —1A 56
Arngrove Ct. Newc T —3E 67 (3A 4)
Arnham Gro. Sund —5B 114
Arnison Retail Cen. Pity Me —5B 142
Arnold Clo. S'ley —3E 121
Arnold Rd. Sund —1F 129
Arnold St. Bol C —3B 86
Arnside Wlk. Newc T —5A 52
(in two parts)
Arran Ct. Sund —3A 130
Arran Dri. Jar —6A 72
Arran Gdns. Gate —4C 82
Arran Pl. N Shi —5G 45
Arras La. Sund —6E 103
Arrol Pk. Sund —1B 116
Arrow Clo. Newc T —3B 42
Arthington Way. S Shi —4G 73
Arthur Av. Sund —3G 131
Arthur Cook Av. Whi —5G 79
Arthurs Hill. —3C 66
Arthur St. Bly —5C 10
(in two parts)
Arthur St. Gate —1H 81
Arthur St. Jar —3F 71
Arthur St. Pelt —2C 122
Arthur St. Pet —1F 161
Arthur St. Ryh —3G 131
Arthur St. Ush M —5B 150
Arthur St. Whit —5F 75
Arthur Ter. Sund —6F 75
Arun Clo. Pet —2C 162
Arundel Clo. Bed —2C 8
Arundel Clo. Wide —6C 28
Arundel Ct. Newc T —6G 39
Arundel Dri. Newc T —2C 64
Arundel Dri. Whit B —1F 45
Arundel Gdns. Gate —6A 82
Arundel Gdns. Sund —2E 129
Arundel Rd. Sund —1F 129
Arundel Wlk. Pelt —2H 123
Arundel Wlk. Whi —6E 79
Arundel Way. Mead —5E 157
Asama Ct. Newc B —1C 80
(in two parts)
Ascot Clo. W'snd —1B 58
Ascot Ct. Newc T —6G 39
Ascot Ct. Sund —2F 129
(in two parts)
Ascot Cres. Gate —3E 81
Ascot Gdns. S Shi —2F 73
Ascot Pl. Pelt —1H 123
Ascot St. Pet —1F 161
Ascot Wlk. Newc T —6G 39
Ash Av. Din —4F 27
Ash Av. Dur —6G 153
Ash Av. Ush M —5C 150
Ashberry Gro. Sund —4D 102
Ashbourne Av. Newc T —3F 69
Ashbourne Clo. Back —6A 32
Ashbourne Rd. Jar —4G 71
Ashbrook Clo. B'don —6B 156
Ashbrooke. —3C 116
Ashbrooke. Whit B —6A 34
Ashbrooke Clo. Whit B —6A 34
Ashbrooke Cres. Sund —3D 116
Ashbrooke Cross. Sund —4C 116
Ashbrooke Dri. Pon —4E 25
Ashbrooke Gdns. W'snd —4C 58
Ashbrooke Mt. Sund —3C 116
Ashbrooke Range. Sund —4C 116
Ashbrooke Rd. Sund —3C 116
Ashbrooke St. Newc T —4A 54
Ashbrooke Ter. E Bol —4F 87
Ashbrooke Ter. Sund —3D 116
Ashburne Ct. Sund —3D 116
Ashburn Rd. W'snd —1C 58
Ashburton Rd. Newc T —3C 54
Ashbury. Whit B —5G 33
Ashby St. Sund —4F 117
Ash Cres. Pet —1G 163
Ash Cres. S'hm —6A 140
Ashcroft Dri. Newc T —6E 43
Ashdale. Hou S —1C 126
Ashdale. Pon —2C 36
Ashdale Cres. Newc T —5B 52
Ashdown Av. Dur —4H 153
Ashdown Clo. Newc T —6B 42
Ashdown Rd. Sund —1F 129
Ashdown Way. Newc T —6B 42
Asher St. Gate —2C 82
Ashfield. Jar —2H 85
Ashfield Av. Whi —3G 79
Ashfield Clo. Newc T —5C 66
Ashfield Ct. H Spen —1A 90
Ashfield Gdns. W'snd —4F 57
Ashfield Gro. N Shi —1C 60
Ashfield Gro. Whit B —5C 34
Ashfield Pk. Whi —3F 79
Ashfield Ri. Whi —6F 79
Ashfield Rd. Newc T —3C 54
Ashfield Rd. Whi —6F 79
Ashfield Ter. Ches S —1D 132
Ashfield Ter. Pel —2F 83
Ashfield Ter. Ryton —4C 62
Ashfield Ter. Spri —4F 97
Ashford. Gate —4A 96
(in two parts)
Ashford Clo. Bly —2C 16
Ashford Clo. N Shi —4B 46
Ashford Gro. Newc T —3H 51
Ashford Rd. Sund —2F 129
Ashgill. Wash —1H 111
Ashgrove. Ches S —1A 132
Ash Gro. Gate —2A 80
Ash Gro. Ryton —3C 62
Ash Gro. Sund —2G 89
Ash Gro. W'snd —6B 58
Ashgrove Av. S Shi —4H 73
Ashgrove Ter. Bir —2B 110
Ashgrove Ter. Gate —2G 81
Ash Hill Ct. Sund —3D 116
Ashkirk. Dud —3A 30
Ashkirk. Sund —1G 129
Ashkirk Clo. Ches S —2A 132
Ashkirk Way. Sea D —1B 32
Ashleigh. Ches S —4A 124
Ashleigh Av. Dur —2B 152
Ashleigh Clo. Bla T —2C 78
Ashleigh Cres. Newc T —1E 65
Ashleigh Gdns. Sund —1A 88
Ashleigh Gro. For H —6D 42
Ashleigh Gro. N Shi —5E 47
Ashleigh Gro. Sund —1E 103
Ashleigh Gro. W Jes —5F 55
Ashleigh Rd. Newc T —1E 65
Ashleigh Ter. Sund —1E 103
Ashleigh Vs. E Bol —4F 87
Ashley Clo. Kil —1F 43
Ashley Clo. Wash —4C 112
Ashley Ct. Tan L —1A 120
Ashley Rd. S Shi —3E 73
Ashley Ter. Ches S —5C 124
Ashmead Clo. Newc T —1E 43
Ash Meadows. Wash —2E 125
Ashmore St. Sund —2D 116
Ashmore Ter. Sund —2D 116
Asholme. Newc T —6C 52
Ashridge Clo. S Shi —4B 74
Ashridge Ct. Gate —4H 83
Ash Sq. Wash —3C 112
Ash St. Bla T —2A 78
Ash St. Team T —6E 81
Ash Ter. Cat —4E 119
Ash Ter. Haz —1C 40
Ash Ter. Mur —2D 148
Ash Ter. S'ley —6F 121
Ash Ter. Tant —5H 105
Ashton Clo. Newc T —3H 51
Ashton Ct. Ryton —5D 62
Ashton Downe. Ches S —1C 132
Ashton Ri. Ches S —1C 132
Ashton Ri. Pet —6E 161
Ashton St. Pet —1F 161
Ashton Way. Sund —3E 129
Ashton Way. Whit B —4A 34
Ashtree Clo. Newc T —5B 66
Ashtree Clo. Row G —4F 91
Ashtree Dri. Bed —3H 7
Ashtree Gdns. Whit B —2A 46
Ashtree La. H Spen —1A 90
Ashtrees Gdns. Gate —4H 81
Ashvale Av. Gate —1E 109
Ash Way. Hou S —2E 135
Ashwell Rd. Sund —2F 129
Ashwood. S Het —6B 148
Ashwood Av. Sund —3H 101
Ashwood Clo. Cra —5B 14
Ashwood Clo. For H —5E 43
Ashwood Cres. Newc T —6F 57
Ashwood Cft. Heb —2B 70
Ashwood Gdns. Gate —3A 96
Ashwood Gro. N Gos —6D 28
Ashwood Gro. Sund —4D 100
Ashwood Ho. Newc T —3A 56
Ashwood St. Sund —2B 116
Ashwood Ter. Sund —2B 116
Askern Av. Sund —6G 117
Askerton Dri. Pet —4A 162
Askew Rd. Gate —1F 81
Askew Rd. W. Gate —2E 81
(in two parts)
Askrigg Av. Sund —6F 117
Askrigg Av. W'snd —6B 44
Askrigg Clo. Ous —5G 109
Askrigg Wlk. Newc T —6A 52
Aspen Av. Pet —1H 163
Aspen Clo. Dur —4G 153
Aspen Ct. Sund —3G 129
Aspenlaw. Gate —1C 96
Aspen St. Team T —6E 81
Aspley Clo. Sund —3A 130
Asquith Ter. S'ley —4E 119
Association Rd. Sund —3E 103
Aster Pl. Newc T —2H 65
Aster Ter. Hou S —5F 127
Astley Ct. Newc T —2D 42
Astley Dri. Whit B —2A 34
Astley Gdns. Sea D —6A 22
Astley Gdns. Sea S —2F 23
(in two parts)
Astley Gro. Sea S —2F 23
Astley Rd. Sea D —5A 22
Astley St. H'fd —4B 14
Astley Vs. Sea S —2F 23
Aston Sq. Sund —2F 129
Aston St. S Shi —2F 73
Aston Wlk. Newc T —3G 69
Aston Way. Whi —6D 78
Athelhampton. Wash —2E 113
Athelstan Rigg. Sund —2G 131
Athenaeum St. Sund —1D 116
Atherton Dri. Hou S —4E 135
Atherton St. Dur —6B 152
Athlone Ct. Bly —5C 10
(off Disraeli St.)
Athlone Pl. Bir —6D 110
Athol Gdns. Gate —4B 82
Athol Gdns. Sund —3G 131
Athol Gdns. Whit B —2H 45
Athol Grn. Gate —2C 80
Athol Gro. Sund —2A 130
Athol Ho. Pon —5F 25
(off Callerton La.)
Atholl. Ous —5H 109
Athol Pk. Sund —2E 117
Athol Rd. Sund —2E 117
Athol St. Gate —2C 80
Athol Ter. Sund —2E 117
Atkinson Gdns. N Shi —4C 60
Atkinson Rd. Ches S —4D 124
Atkinson Rd. Newc T —5H 65
Atkinson Rd. Sund —1D 102
Atkinson St. W'snd —6H 57
Atkinson Ter. Newc T —4H 65
Atkinson Ter. W'snd —6H 57
Atkin St. Camp —1B 42
Atlantis Rd. Sund —1E 129
Atley Way. Cra —5G 13
Attlee Clo. Burr —6B 30
Attlee Ct. Heb —2C 70
Attlee Gro. Sund —1E 131
Attlee Sq. Sher —5D 154
Attwood Gro. Sund —4B 102
Aubone Av. Newc T —3G 65
Auburn Clo. W'snd —5E 59
Auburn Ct. W'snd —5F 59
Auburn Gdns. Newc T —1A 66
Auckland. Ches S —1A 132
Auckland Av. S Shi —3B 74
Auckland Rd. Dur —6D 142
Auckland Rd. Heb —2D 70
Auckland Ter. Jar —5A 72
Auden Gro. Newc T —3A 66
Audland Wlk. Newc T —6A 52
Audley Gdns. Sund —4B 116
Audley Rd. Newc T —3G 55
Audouins Row. Gate —3F 81
Augusta Ct. W'snd —1C 58
Augusta Sq. Sund —2F 129
(in two parts)
Augusta Ter. Sund —2F 89
Augustine Clo. Fram M —1A 152
August Pl. S Shi —6F 61
Augustus Dri. Bed —3G 7
Austen Av. S Shi —6D 72
Austen Pl. S'ley —5F 121
Austin Sq. Sund —3B 102
Austin St. Pet —1F 161
Australia Gro. S Shi —6B 72
Australia Tower. Sund —1G 129
Austral Pl. Wide —6C 28
Austwick Wlk. Newc T —6A 52
Auton Clo. Bear —4D 150
Auton Ct. Bear —4E 151
Auton Fld. Bear —4E 151
Auton Fld. Ter. Bear —4E 151
Auton Stile. Bear —4D 150
Autumn Clo. Wash —1B 112
Avalon Dri. Newc T —1C 64
Avalon Rd. Sund —1F 129
Avebury Dri. Wash —2C 112
Avebury Pl. Cra —6C 14
Avenue Cres. Sea D —5A 22
Avenue Rd. Gate —3H 81
Avenue Rd. Sea D —6A 22
Avenues, The. Team T —2G 95
Avenue St. H Shin —5H 159
Avenue Ter. Sea D —6B 22
Avenue Ter. Sund —3C 116
Avenue, The. Bir —4C 126
Avenue, The. Bla T —1C 78
Avenue, The. Ches S —6B 124
Avenue, The. Dip —2D 118
Avenue, The. Dur —6B 152
Avenue, The. Fel —2D 82
Avenue, The. Hett H —1D 146
Avenue, The. Lam P —3C 110
Avenue, The. Mur —2D 148
Avenue, The. Pelt —2G 123
Avenue, The. Pity Me —6A 142
Avenue, The. Row G —4F 91
Avenue, The. S'hm —5F 139
Avenue, The. Sea D —5A 22
Avenue, The. She H —4A 82
Avenue, The. S'ley —6E 119
Avenue, The. Sund —2D 116
Avenue, The. W'snd & Newc T —6H 57
Avenue, The. Wash —2C 112
Avenue, The. Whit B —6C 34
Avenue Vivian. Hou S —2D 134
Aviemore Rd. W Bol —4D 86
Avison Ct. Newc T —3D 66
Avison Pl. Newc T —3D 66
Avison St. Newc T —4D 66
Avocet Clo. Bly —4C 16
Avolon Ct. Newc T —3D 66
Avolon Pl. Newc T —3D 66
Avolon Wlk. Newc T —4D 66
Avon Av. Jar —1G 85
Avon Av. N Shi —3A 60
Avon Clo. Row G —2F 91
Avon Clo. W'snd —1B 58
Avon Ct. N Har —3B 22
Avon Cres. Hou S —4E 135
Avoncroft Clo. S'hm —3D 138
Avondale. Sund —2C 114
Avondale Av. Bly —5E 9
Avondale Av. Hou S —2F 127
Avondale Av. Newc T —5D 42
Avondale Clo. Bly —5F 9
Avondale Ct. Newc T —3F 55
Avondale Gdns. W Bol —4C 86
Avondale Ri. Newc T —4C 68
Avondale Rd. Newc T —4C 68
Avondale Rd. Pon —2A 36
Avondale Ter. Ches S —6C 124
Avondale Ter. Gate —2G 81
Avondale Ter. W Bol —5C 86
Avonlea Way. Newc T —4G 53
Avonmouth Rd. Sund —2F 129
Avonmouth Sq. Sund —2F 129
Avon Rd. Heb —5D 70
Avon Rd. Pet —2C 162
Avon Rd. S'ley —4D 120
Avon St. Gate —2A 82
Avon St. Pet —1E 161
Avon St. Sund —1F 117
Avon Ter. Wash —3C 112
Awnless Ct. S Shi —4E 73
Axbridge Gdns. Newc T —4A 66
Axminster Clo. Cra —6C 14
Axwell Dri. Bly —6H 9
Axwell Park. —2C 78
Axwell Pk. Clo. Whi —4E 79
Axwell Pk. Rd. Bla T —2C 78
Axwell Pk. School Houses. Bla T —2C 78
Axwell Pk. Vw. Newc T —4F 65
Axwell Ter. Swa —2E 79
Axwell Vw. Bla T —2A 78
Axwell Vw. Whi —4E 79
Aycliffe Av. Gate —1D 96
Aycliffe Cres. Gate —1D 96
Aycliffe Pl. Gate —1E 97
Aydon Gro. Jar —6F 71
Aydon Rd. N Shi —4E 47
Aydon Wlk. Newc T —6C 52
Aykley Ct. Dur —3A 152
Aykley Grn. Dur —3A 152
Aykley Heads Bus. Cen. Dur —3B 152
Aykley Rd. Dur —1B 152
Aykley Va. Ayk H —2A 152
Aylesbury Dri. Sund —4A 130
Aylesbury Pl. Newc T —6B 42
Aylesford Sq. Bly —2C 16
Aylsham Clo. Newc T —3H 51
Aylsham Ct. Sund —5A 130
Aylward Pl. S'ley —4F 121
Aylyth Pl. Newc T —4B 54
Ayr Dri. Jar —6H 71
Ayre's Quay. —5B 102
Ayre's Quay Rd. Sund —6C 102
Ayre's Ter. N Shi —1C 60
Ayrey Av. S Shi —5B 72
Aysgarth Av. Sund —5F 117
Aysgarth Av. W'snd —6B 44
Aysgarth Grn. Newc T —3B 54
Ayton. —4F 111
Ayton Av. Sund —6F 117
Ayton Clo. Newc T —4C 52
Ayton Ct. Bed —3F 7
Ayton Ri. Newc T —4C 68
Ayton Rd. Wash —3F 111
Ayton St. Newc T —4C 68
Azalea Av. Sund —2C 116
Azalea Ter. Pet —1H 163
Azalea Ter. N. Sund —2C 116
Azalea Ter. S. Sund —2C 116
Azalea Way. Newc T —1E 63

Bk. Albion St.—Bede Trad. Est.

Bk. Albion St. S Hyl —1C 114
Bk. Beach Rd. S Shi —5F 61
Bk. Bridge St. Sund —6D 102
Bk. Chapman St. Newc T —2C 68
Bk. Croft Rd. Bly —6C 10
Bk. Ecclestone Rd. S Shi —6G 61
(off Mowbray Rd.)
Bk. Frederick St. N. Mead —5C 156
(nr. St Brandon's Gro.)
Bk. Frederick St. N. Mead —6E 157
(nr. Station Rd.)
Bk. Frederick St. S. B'don —6E 157
Bk. George St. Newc T —5E 67
Bk. Goldspink La. Newc T —2H 67
Bk. Hawthorn Rd. W. Newc T —3E 55
Bk. Heaton Pk. Rd. Newc T —3B 68
Bk. High St. Newc T —3E 55
Bk. John St. N. Mead —5F 157
Back La. Bla T —1H 77
Back La. Ches S —2G 133
Back La. Hou S —1F 127
Back La. Whit B —6A 34
Bk. Lodge Ter. Sund —1F 117
Bk. Loud Ter. S'ley —5D 118
Bk. Mitford St. Newc T —6D 66
Bk. Mount Joy. Dur —1D 158
Bk. New Bri. St. Newc T —3H 67 (3G 5)
Bk. North Bri. St. Sund —5D 102
Bk. N. Railway St. S'hm —3B 140
Bk. North Ter. S'hm —3B 140
Bk. Prudhoe Ter. N Shi —2C 60
(NE29)
Bk. Prudhoe Ter. N Shi —5F 47
(off Percy Pk. Rd.)
Bk. Rothesay Ter. Bed —3C 8
Back Row. Whi —4F 79
Bk. Ryhope St. Sund —2E 131
Bk. Seaburn Ter. Sund —6E 89
Bk. Shipley Rd. N Shi —6F 47
Bk. Silver St. Dur —5C 152
Bk. S. Railway St. S'hm —4B 140
Bk. Stephen St. Newc T —3A 68
Back St. Winl —2H 77
Bk. Victoria Ter. S'ley —4F 119
Backview Ct. Sund —2C 102
Bk. Western Hill. Dur —4B 152
Bk. Westoe Rd. S Shi —5F 61
(off Halstead Pl.)
Backworth Bus. Pk. Back —1A 44
Backworth La. Back —2F 31
Backworth Ter. W All —4B 44
Baden Cres. Sund —2C 100
Baden Powell St. Gate —4A 82
Baden St. Ches S —1C 132
Bader Ct. Bly —1D 16
Badger Clo. Sund —4A 130
Badger M. Spri —3F 97
Badminton Clo. Bol C —2A 86
Baffin Ct. Sund —3H 129
Baildon Clo. W'snd —3A 58
Bailey Ind. Est. Jar —1F 71
Bailey Ri. Pet —5D 160
Bailey Sq. Sund —1C 100
Bailey St. Tant —5H 105
Bailey Way. Hett H —4D 146
Bainbridge Av. S Shi —5B 72
Bainbridge Av. Sund —4B 116
Bainbridge Bldgs. Gate —3C 96
Bainbridge Holme Clo. Sund —4B 116
Bainbridge Holme Rd. Sund —4C 116
Bainbridge St. Dur —2B 154
Bainford Av. Newc T —3E 65
Baird Av. W'snd —5G 59
Baird Clo. Wash —3C 98
Baird St. Sund —2C 100
Bakehouse La. Dur —5D 152
Baker Clo. Sund —3D 102
Baker Gdns. Dun —2B 80
Baker Gdns. Wardl —3H 83
Baker La. Newc T —2C 54
Baker Rd. Cra —6F 13
Baker Sq. Sund —2C 100
Baker St. Hou S —2A 136
Baker St. Sund —2C 100
Baker Vs. Bir —3C 110
Bakewell Ter. Newc T —5D 68
Baldersdale Gdns. Sund —5B 116
Baldwin Av. E Bol —4G 87
Baldwin Av. Newc T —2B 66
Baldwin St. Pet —1F 161
Balfour Rd. Newc T —4E 65
(in two parts)
Balfour St. Bly —4B 10
Balfour St. Gate —2F 81
Balfour St. Hou S —2A 136
Balgonie Cotts. Ryton —4C 62
Baliol Sq. Dur —2A 158
Balkwell Av. N Shi —1H 59
Balkwell Grn. N Shi —1A 60
Ballast Hill. Bly —5D 10
Ballast Hill Rd. N Shi —4C 60
Ballater Clo. S'ley —3F 121
Balliol Av. Newc T —4C 42
Balliol Bus. Pk. Newc T —5A 42
Balliol Clo. Pet —2B 162
Balliol Gdns. Newc T —2B 56
Balmain Rd. Newc T —3A 54
Balmlaw. Gate —1D 96
Balmoral. Gt Lum —3G 133
Balmoral Av. Jar —6A 72
Balmoral Av. Newc T —3G 55
Balmoral Clo. Bed —3C 8
Balmoral Ct. Sund —2C 100
Balmoral Cres. Hou S —4B 136
Balmoral Dri. Gate —3C 82
Balmoral Gdns. N Shi —6B 46
Balmoral Gdns. Whit B —5B 34
Balmoral St. W'snd —5H 57
Balmoral Ter. E Her —2E 129
Balmoral Ter. Hea —2B 68
Balmoral Ter. Newc T —3G 55
Balmoral Ter. Sund —5F 117
Balmoral Way. Fel —4C 82
Balroy Ct. Newc T —6E 43
Baltic Centre for Contemporary Art. (open late 2001) —5H 67 (6H 5)
Baltic Rd. Gate —6D 68
Baltimore Av. Sund —2A 100
(in two parts)
Baltimore Ct. Wash —5A 98
Baltimore Sq. Sund —2B 100
Bamborough Ct. Dud —3A 30
Bamborough Ter. N Shi —6C 46
Bambro St. Sund —2E 117
Bamburgh Av. Pet —5F 161
Bamburgh Av. S Shi —6H 61
(in two parts)
Bamburgh Clo. Bly —6A 10
Bamburgh Clo. Wash —2G 111
Bamburgh Ct. Newc T —6A 66
Bamburgh Ct. Team T —4E 81
Bamburgh Cres. Hou S —4F 127
Bamburgh Cres. Shir —2D 44
Bamburgh Dri. Gate —1H 83
Bamburgh Dri. W'snd —5D 58
Bamburgh Gdns. Sund —4B 116
Bamburgh Gro. Jar —6E 71
Bamburgh Gro. S Shi —1B 74
Bamburgh Ho. Newc T —4C 52
Bamburgh Rd. Dur —6C 142
Bamburgh Rd. Newc T —5F 43
Bamburgh Rd. W'hpe —4C 52
Bamburgh Ter. Newc T —3C 68
Bamburgh Wlk. Newc T —1C 54
Bamford Ter. Newc T —4F 43
Bamford Wlk. S Shi —4F 73
Bampton Av. Sund —6C 88
Banbury. Wash —5C 98
Banbury Av. Sund —1C 100
Banbury Gdns. W'snd —2B 58
Banbury Rd. Newc T —2B 54
Banbury Ter. S Shi —1F 73
Banbury Way. Bly —2C 16
Banbury Way. N Shi —3H 59
Bancroft Ter. Sund —1H 115
Banesley La. Gate —5C 94
Banff St. Sund —1C 100
Bangor Sq. Jar —2E 85
Bank Av. Whi —4E 79
Bank Cotts. E Sle —2F 9
Bank Ct. Bla T —5D 64
Bank Ct. N Shi —2D 60
Bankdale Gdns. Bly —6G 9
Bank Foot. Shin —3G 159
Bankhead Rd. Newc T —6F 51
Bankhead Ter. Hou S —2E 135
Bank Rd. Gate —5H 67 (6G 5)
Banks Bldgs. Hou S —3G 127
Banks Holt. Ches S —1A 132
Bankside Clo. Ryh —2E 131
Bankside La. S Shi —4E 73
Bankside Rd. Newc T —4D 64
Bank, The. Sund —3F 89
Bank Top. —5C 50
Bank Top. Cul —2E 47
Bank Top. Ear —5E 33
Bank Top. W'sde —6B 62
Bankwell La. Gate —5G 67
Bannerman Ter. S Hill —6G 155
Bannerman Ter. Ush M —5B 150
Bannister Dri. Newc T —5F 43
Bannockburn. Newc T —1C 42
Barbara St. Sund —5F 117
Barbary Clo. Pelt —2G 123
Barbary Dri. Sund —3F 103
Barbondale Lonnen. Newc T —5A 52
Barbor Cft. S'ley —4E 119
Barbor Wlk. Wash —3C 112
Barbour Av. S Shi —2A 74
Barclay Ct. Sund —5D 102
Barclay Pl. Newc T —6F 53
Barclay St. Sund —5D 102
Barcusclose La. Burn —1A 106
Bardolph Rd. N Shi —1H 59
Bardon Clo. Newc T —3D 52
Bardon Ct. S Shi —4G 73
Bardon Cres. H'wll —1D 32
Bardsey Pl. Newc T —6B 42
Barehirst St. S Shi —2D 72
Barents Clo. Newc T —5D 52
Baret Rd. Newc T —1E 69
Barford Ct. Gate —3A 96
Barford Dri. Ches S —2A 132
Barham Yd. Gate —6H 81
Baring St. S Shi —3E 61
Barkers Haugh. Dur —4D 152
Barker St. Newc T —3H 67 (2G 5)
Barking Cres. Sund —2B 100
Barking Sq. Sund —2B 100
Barkwood Rd. Row G —3C 90
Barleycorn. Sund —1E 117
Barley Mow. —6D 110
Barlow. —5C 76
Barlow Fell Rd. Bar —6C 76
Barlowfield Clo. Bla T —3G 77
Barlow La. Bla T —4D 76
Barlow La. End. G'sde —2B 76
Barlow Rd. Bar —5C 76
Barlow Vw. G'sde —2B 76
(off Dyke Heads La.)
Bar Moor. —4B 62
Barmoor La. Ryton —4B 62
Barmoor Ter. Ryton —4A 62
Barmouth Clo. W'snd —2B 58
Barmouth Rd. N Shi —2G 59
Barmouth Way. N Shi —3A 60
Barmston. —1D 112
Barmston Cen. Wash —1D 112
Barmston Clo. Wash —3D 112
Barmston Ct. Wash —3D 112
Barmston Fry. Wash —4F 113
Barmston La. Wash —3F 113
Barmston Rd. Wash —3E 113
Barmston Way. Wash —1D 112
(in three parts)
Barnabas Pl. Sund —2F 117
Barnard Clo. Bed —4G 7
Barnard Clo. Dur —6D 142
Barnard Cres. Heb —2C 70
Barnard Grn. Newc T —6A 40
Barnard Gro. Jar —5H 71
Barnard Pk. Hett H —1C 146
Barnard St. Bly —6C 10
Barnard St. Sund —2H 115
Barnard Wynd. Pet —4B 162
Barnesbury Rd. Newc T —4A 66
Barnes Pk. Rd. Sund —3A 116
Barnes Rd. Mur —2B 148
Barnes Rd. S Shi —2D 72
Barnes St. Hett H —1C 146
Barnes Vw. Sund —3H 115
Barnett Ct. Sund —3B 102
Barn Hill. S'ley —2C 120
Barn Hollows. Haw —6H 149
Barningham. Wash —2E 113
Barningham Clo. Sund —5B 116
Barns Clo. Jar —5E 71
Barnstaple Clo. W'snd —2B 58
Barnstaple Rd. N Shi —4G 45
Barns, The. S'ley —2C 120
Barnton Rd. Gate —5E 83
Barnwell. —1F 127
Barnwood Clo. W'snd —2A 58
Baroness Dri. Newc T —2E 65
Barons Quay Rd. Sund —5D 100
Baronswood. Gos —2D 54
Barrack Ct. Newc T —3E 67 (3A 4)
Barrack Rd. Newc T —2C 66 (3A 4)
Barrack Row. Hou S —3E 127
Barrack St. Sund —5F 103
Barrack Ter. Gate —1F 109
Barras Av. Ann —2B 30
Barras Av. Bly —2B 16
Barras Av. W. Bly —3B 16
Barras Bri. Newc T —3F 67 (2D 4)
Barras Dri. Sund —4B 116
Barrasford Clo. Newc T —3C 54
Barrasford Dri. Wide —6E 29
Barrasford Rd. Cra —4C 20
Barrasford Rd. Dur —1D 152
Barrasford St. W'snd —6G 59
Barras Gdns. Ann —2B 30
Barras M. Seg —2F 31
Barrass Av. Seg —2E 31
Barr Clo. W'snd —2C 58
Barrie Sq. Sund —3B 102
Barrington Av. N Shi —3B 46
Barrington Ct. Bed —5A 8
Barrington Ct. Hett H —1C 146
Barrington Dri. Wash —2B 112
Barrington Ind. Est. Bed —1A 8
Barrington Pk. Bed —2F 9
Barrington Pl. Gate —1F 81
(nr. Chester Pl.)
Barrington Pl. Gate —1G 81
(off Bensham Rd.)
Barrington Pl. Newc T —3D 66
Barrington Rd. Bed —1H 7
Barrington St. S Shi —4E 61
Barrington Ter. Hett H —6C 136
Barron St. S. Sund —4E 101
Barrowburn Pl. Seg —2G 31
Barrow St. Sund —1B 100
Barry St. Dun —2B 80
Barry St. Salt —4F 81
Barsloan Gro. Pet —5B 160
Bartlett Ho. Newc T —1A 56
Barton Bldgs. Bla T —6A 64
Barton Clo. N Shi —4D 46
Barton Clo. W'snd —2B 58
Barton Clo. Wash —3D 98
Barton Ct. Sund —6C 88
Barton Ho. Newc T —3C 66
Bartram Gdns. Gate —4G 81
Bartram St. Sund —2C 102
Barwell Clo. W'snd —2B 58
Barwell Ct. Newc T —5E 57
Barwick St. Mur —4E 149
Barwick St. Pet —1F 161
Basildon Gdns. W'snd —2A 58
Basil Way. S Shi —6G 73
Basingstoke Pl. Newc T —6C 42
Basingstoke Rd. Pet —6C 160
Baslow Gdns. Sund —4B 116
Bassenfell Ct. Wash —1H 111
Bassenthwaite Av. Ches S —2B 132
Bassington Av. Cra —2G 19
Bassington Clo. Newc T —3D 66
Bassington Dri. Cra —1F 19
Bassington Ind. Est. Cra —2G 19
Bassington La. Cra —1F 19
Bates Houses. Bla T —1D 78
Bates La. Bla T —2D 78
Batey St. S'ley —4E 119
Bath Clo. W'snd —2C 58
Bathgate Av. Sund —1B 100
Bathgate Clo. W'snd —2C 58
Bathgate Sq. Sund —2B 100
Bath La. Bly —6D 10
Bath La. Newc T —4E 67 (4A 4)
Bath La. Ter. Newc T —4E 67 (5A 4)
(in two parts)
Bath Rd. Gate —1D 82
Bath Rd. Heb —6C 70
Bath Sq. Jar —2E 85
Bath St. Newc T —3H 69
Bath St. Ind. Est. Newc T —3H 69
Bath Ter. Bly —6D 10
Bath Ter. Newc T —2F 55
Bath Ter. N Shi —6F 47
Bath Ter. S'hm —3B 140
Batley St. Sund —2B 100
Battle Grn. Pelt F —4G 123
Battle Hill. —2A 58
Battle Hill Dri. W'snd —3A 58
Battle Hill Est. W'snd —1D 58
Baugh Clo. Wash —1G 111
Baulkham Hills. Hou S —3F 127
Bavington. Gate —6G 83
Bavington Dri. Newc T —6G 53
Bavington Gdns. N Shi —4C 46
Bavington Rd. Sea D —6B 22
Bawtry Ct. W'snd —2A 58
Bawtry Gro. N Shi —2A 60
Baxter Av. Newc T —3A 66
Baxter Pl. Sea D —6B 22
Baxter Rd. Sund —1B 100
Baxters Bldgs. Sea D —6B 22
Baxter Sq. Sund —1B 100
Baxterwood Ct. Newc T —3C 66
Baxterwood Gro. Newc T —3C 66
Bay Av. Pet —1H 163
Baybridge Rd. Newc T —4C 52
Bay Ct. Ush M —6D 150
Bayfield Gdns. Gate —2B 82
Baysdale. Hou S —1C 126
Bayswater Av. Sund —2C 100
Bayswater Rd. Gate —3B 82
Bayswater Rd. Newc T —5G 55
Bayswater Sq. Sund —2C 100
Baytree Gdns. Whit B —2B 46
Baytree Ter. Pelt —2D 122
Baywood Gro. W'snd —2A 58
Beach Av. Whit B —6C 34
Beach Cft. Av. N Shi —3D 46
Beachcross Rd. Sund —2B 116
Beach Gro. Pet —6H 161
Beach Rd. N Shi —6A 46
Beach Rd. S Shi —5F 61
Beach St. Sund —5B 102
Beachville St. Sund —2B 116
Beachway. Bly —3E 17
Beach Way. N Shi —4C 46
Beacon Ct. Gate —6B 82
Beacon Ct. Wide —5C 28
Beacon Dri. Sund —4F 103
Beacon Dri. Wide —5C 28
Beacon Glade. S Shi —4C 74
Beacon Ho. Whit B —3B 34
Beacon La. Cra —2F 19
Beacon Lough. —1B 96
Beacon Lough Rd. Gate —1H 95
Beacon M. Cra —3G 19
Beacon Ri. Gate —6B 82
Beaconsfield Av. Gate —6A 82
Beaconsfield Clo. Whit B —4H 33
Beaconsfield Cres. Gate —6A 82
Beaconsfield Rd. Gate —6H 81
Beaconsfield St. Bly —6D 10
Beaconsfield St. Newc T —4C 66
Beaconsfield St. S'ley —2D 120
Beaconsfield Ter. Bir —3B 110
Beaconside. S Shi —3C 74
Beacon St. Gate —6H 81
Beacon St. N Shi —1E 61
Beacon St. S Shi —2E 61
Beadling Gdns. Newc T —3A 66
Beadnell Av. N Shi —3H 59
Beadnell Clo. Bla T —3G 77
Beadnell Clo. Ches S —2A 132
Beadnell Ct. W'snd —2C 58
Beadnell Gdns. Shir —2D 44
Beadnell Pl. Newc T —3H 67 (3G 5)
Beadnell Rd. Bly —2H 15
Beadnell Way. Newc T —2C 54
Beagle Sq. Sund —2A 130
Beal Clo. Bly —6A 10
Beal Dri. Newc T —4F 43
Beal Gdns. W'snd —2D 58
Beal Grn. Newc T —3G 53
Beal Rd. Shir —2D 44
Beal Ter. Newc T —5F 69
Beal Wlk. H Shin —4H 159
Beal Way. Newc T —2D 54
Beaminster Way. Newc T —2G 53
Beamish. —1A 122
Beamish. —5H 107
Beamishburn Rd. Beam —6E 107
Beamish Clo. W'snd —2A 58
Beamish Ct. Pelt —3E 123
Beamish Ct. S'ley —3C 120
Beamish Ct. Whit B —2A 46
Beamish Gdns. Gate —1D 96
Beamish Hills. Beam —2H 121
Beamish Red Row. Beam —4F 107
Beamish St. S'ley —3C 120
Beamish Way. S'ley —2G 121
Beaney La. Ches S —4A 132
Beanley Av. Heb —5B 70
Beanley Av. Newc T —3A 64
(off Shirley St.)
Beanley Cres. N Shi —6F 47
Beanley Pl. Newc T —4A 56
Bearpark. —4D 150
Beatrice Av. Bly —3H 15
Beatrice Gdns. E Bol —4F 87
Beatrice Gdns. S Shi —3H 73
Beatrice Rd. Newc T —6B 56
Beatrice St. Sund —3E 103
Beatrice Ter. Hou S —6C 112
Beatrice Ter. Pen —3F 127
Beattie St. S Shi —4D 72
Beatty Av. Newc T —4G 55
Beatty Av. Sund —2B 100
Beatty Rd. Bed —5B 8
Beatty St. Pet —1F 161
Beaufort Clo. Newc T —4H 53
Beaufort Clo. Phil —4G 127
Beaufort Gdns. W'snd —2B 58
Beaufront Clo. Gate —5H 83
Beaufront Gdns. Gate —2B 82
Beaufront Gdns. Newc T —6G 53
Beaufront Ter. Jar —6F 71
Beaufront Ter. S Shi —1E 73
Beaufront Ter. W Bol —4D 86
Beauly. Wash —4B 112
Beaumaris. Hou S —6B 126
Beaumaris Gdns. Sund —2E 129
Beaumaris Way. Newc T —3F 53
Beaumont Clo. Fram M —6A 142
Beaumont Ct. Whit B —5H 33
Beaumont Cres. Pet —4E 161
Beaumont Dri. Wash —2B 112
Beaumont Dri. Whit B —4G 33
Beaumont Ho. Newc T —5G 53
Beaumont Mnr. Bly —6F 9
Beaumont Pl. Pet —2E 163
Beaumont St. Bly —5B 10
Beaumont St. Newc T —6B 66
Beaumont St. N Shi —2C 60
Beaumont St. S'hm —5B 140
Beaumont St. Sund —3E 117
(SR2)
Beaumont St. Sund —2A 102
(SR5)
Beaumont Ter. Bru V —5C 28
Beaumont Ter. Gos —2F 55
Beaumont Ter. Jar —4E 71
Beaumont Ter. W'hpe —5D 52
Beaurepaire. Bear —4C 150
Beaver Clo. Dur —5C 142
Bebdon Ct. Bly —1A 16
Bebside. —6D 8
Bebside Furnace Rd. Bly —4D 8
Bebside Rd. Bly —6C 8
Beckenham Av. E Bol —3F 87
Beckenham Clo. E Bol —3G 87
Beckenham Gdns. W'snd —3A 58
Beckett St. Gate —5A 68
Beckfoot Clo. Newc T —6F 53
Beckford. Wash —3E 113
Beckford Clo. W'snd —2A 58
Beck Pl. Pet —6D 160
Beckside Gdns. Newc T —6H 51
Beckwith Rd. Sund —1E 129
Beda Hill. Bla T —6A 64
Bedale Clo. Dur —3B 154
Bedale Clo. W'snd —2A 58
Bedale Ct. Gate —3B 96
Bedale Ct. S Shi —4C 72
Bedale Cres. Sund —2C 100
Bedale Dri. Whit B —2B 46
Bedale Grn. Newc T —4H 53
Bedale St. Hett H —3C 146
Bedburn. Wash —6F 111
Bedburn Av. Sund —3E 101
Bede Av. Dur —6G 153
(in three parts)
Bedeburn Foot. Newc T —2D 52
Bede Burn Rd. Jar —3F 71
Bedeburn Rd. Newc T —3D 52
Bede Burn Vw. Jar —4F 71
Bede Clo. Newc T —5A 44
Bede Clo. S'ley —2F 121
Bede Ct. Ches S —6C 124
Bede Ct. Gate —1A 82
Bede Ct. N Shi —2E 47
Bede Cres. W'snd —3B 58
Bede Cres. Wash —1A 112
Bede Ho. Gate —1H 81
Bede Ind. Est. Jar —3A 72
Bede Precinct. Jar —2F 71
Bede St. Pet —1F 161
Bede St. Sund —3E 103
Bedesway. Jar —3A 72
Bede's World Museum. —2H 71
Bede Ter. Ches S —6B 124
Bede Ter. E Bol —4F 87
Bede Ter. Jar —4G 71
Bede Trad. Est. Jar —3A 72

Bede Wlk.—Blackett Pl.

Bede Wlk. Heb —4D 70
Bede Wlk. Newc T —2G 55
Bede Way. Dur —1C 152
Bede Way. Pet —2E 163
Bedewell Ind. Pk. Heb —4E 71
Bedford Av. Bir —1C 124
(in two parts)
Bedford Av. S Shi —6E 61
Bedford Av. W'snd —4G 57
Bedford Ct. N Shi —2D 60
Bedford Pl. Newc T —6A 52
Bedford Pl. Pet —5C 160
Bedford Pl. Sund —1A 130
Bedfordshire Dri. Dur —4B 154
Bedford St. Hett H —1B 146
Bedford St. N Shi —1C 60
(in two parts)
Bedford St. Sund —6D 102
Bedford Ter. N Shi —2C 60
(off Bedford St.)
Bedford Way. N Shi —2D 60
Bedlington. —5H 7
Bedlington Bank. Bed —5A 8
Bedlington Station. —3C 8
Bedson Building. Newc T —1C 4
Beech Av. Cra —4D 20
Beech Av. Din —4F 27
Beech Av. Hou S —2H 135
Beech Av. Mur —2D 148
Beech Av. Newc T —1B 54
Beech Av. Sund —2F 89
Beech Av. Whi —3G 79
Beechburn Wlk. Newc T —4D 66
Beech Clo. Bras —5E 143
Beech Clo. Newc T —4F 41
Beech Ct. N Shi —1B 60
Beech Ct. Pon —4A 36
Beech Cres. S'hm —5A 140
Beech Crest. Dur —6B 152
Beechcroft. Newc T —5D 54
Beechcroft Av. B'don —6B 156
Beechcroft Av. Newc T —4C 54
Beechcroft Clo. Dur —4G 153
Beechdale Rd. Dur —3B 154
Beech Dri. Gate —2A 80
Beecher St. Bly —4H 9
Beeches, The. Newc T —6C 66
(NE4)
Beeches, The. Newc T —1D 56
(NE12)
Beeches, The. Pon —5D 24
Beechfield Gdns. W'snd —4G 57
Beechfield Rd. Newc T —3D 54
Beech Gdns. Gate —5H 81
Beech Gro. Bed —4A 8
Beech Gro. Dip —2C 118
Beech Gro. Gate —4F 97
Beech Gro. Newc T —1C 56
Beech Gro. S Shi —5H 73
Beech Gro. Ush M —6D 150
Beech Gro. W'snd —5H 57
Beech Gro. Whit B —6B 34
Beech Gro. Ct. Craw —5A 62
Beechgrove La. S'ley —6B 122
Beech Gro. Rd. Newc T —5C 66
Beech Gro. Ter. Ryton —5A 62
Beech Gro. Ter. S. Ryton —5A 62
Beecholm Ct. Sund —4D 116
Beech Pk. B'don —6C 156
Beech Rd. Dur —2B 152
Beech Rd. Sher —5D 154
Beech Sq. Wash —3C 112
Beech St. Gate —2B 82
Beech St. Jar —2E 71
Beech St. Newc T —4A 66
Beech St. Sun —3F 93
Beech Ter. Bla T —1A 78
Beech Ter. Burn —1A 106
Beech Ter. Cat —5E 119
Beech Ter. Crag —6F 121
Beech Ter. Pet —1G 163
Beech Ter. S Moor —5C 120
Beechway. Gate —6F 83
Beech Way. Kil —1C 42
Beechways. Dur —4H 151
Beechwood. H Spen —2A 90
Beechwood Av. Gate —2A 96
Beechwood Av. Newc T —1G 55
Beechwood Av. Ryton —4C 62
Beechwood Av. Whit B —1H 45
Beechwood Clo. Jar —3H 71
Beechwood Cres. Sund —2H 101
Beechwood Gdns. Gate —5D 80
Beechwood Ho. Newc T —3A 56
Beechwood Pl. Pon —4E 25
Beechwoods. Ches S —4B 124
Beechwood St. Sund —2B 116
Beechwood Ter. Hou S —6G 127
Beechwood Ter. Sund —2B 116
Beehive Workshops. Drag —5H 153
Beeston Av. Sund —2B 100
Beetham Cres. Newc T —1E 65
Beethoven St. S Shi —5F 61
Begonia Clo. Heb —6C 70
Bek Rd. Dur —1C 152
Beldene Dri. Sund —3G 115
Belford Av. Shir —2D 44
Belford Clo. Sund —4D 116
Belford Clo. W'snd —2B 58
Belford Gdns. Gate —6C 80
Belford Rd. Sund —4E 117
Belford St. Pet —4F 161
Belford Ter. Newc T —4E 69
Belford Ter. N Shi —6C 46
Belford Ter. Sund —4E 117
Belford Ter. E. Sund —4E 117
Belfry, The. Shin R —5E 127
Belgrade Cres. Sund —1B 100
Belgrade Sq. Sund —2B 100
Belgrave Ct. Gate —3D 82
Belgrave Cres. Bly —1D 16
Belgrave Gdns. S Shi —3H 73
Belgrave Pde. Newc T —5D 66
Belgrave Ter. Gate —3D 82
Belgrave Ter. S Shi —4F 61
Bellamy Cres. Sund —2B 100
Bellburn Ct. Cra —1D 20
Belle Gro. Pl. Newc T —2D 66
Belle Gro. Ter. Newc T —2D 66
Belle Gro. Vs. Newc T —2D 66
Belle Gro. W. Newc T —2D 66
Bellerby Dri. Ous —4G 109
Belle St. S'ley —3D 120
Belle Vue. H Spen —6A 76
Belle Vue. Tan —2C 106
Belle Vue Av. Newc T —2F 55
Belle Vue Bank. Gate —6G 81
Belle Vue Cotts. Gate —6G 81
Bellevue Cres. Cra —5B 14
Belle Vue Cres. S Shi —3D 72
Belle Vue Cres. Sund —3C 116
Belle Vue Dri. Sund —3C 116
Belle Vue Gro. Gate —6H 81
Belle Vue La. E Bol —5E 87
Belle Vue Pk. Sund —3C 116
Belle Vue Pk. W. Sund —3C 116
Belle Vue Rd. Sund —3C 116
Belle Vue St. Cul —2E 47
Belle Vue Ter. Dur —4H 153
Belle Vue Ter. E Sle —2F 9
Belle Vue Ter. Gate —6G 81
Belle Vue Ter. N Shi —2C 60
Belle Vue Ter. Spri —4F 97
Belle Vue Vs. E Bol —4E 87
Bellfield Av. Newc T —1B 54
Bellgreen Av. Newc T —4F 41
Bell Gro. Camp —1B 42
Bell Ho. Rd. Sund —6A 88
(in two parts)
Bellingham Clo. W'snd —3B 58
Bellingham Ct. Ken —2H 53
Bellingham Dri. Newc T —6F 43
Bellister Gro. Newc T —2G 65
Bellister Pk. Pet —3E 163
Bellister Rd. N Shi —1H 59
Bell Mdw. B'don —6C 156
Belloc Av. S Shi —6D 72
Bells Bldgs. W Kyo —4F 119
Bells Clo. Bly —5F 9
Bells Clo. Newc T —4C 64
Bells Clo. Ind. Est. Newc T —4C 64
Bell's Cotts. G'sde —2A 76
Bell's Ct. Newc T —4G 67 (5E 5)
Bell's Folly. Dur —2A 158
Bellshill Clo. W'snd —1C 58
Bell's Pl. Bed —5A 8
Bell St. Heb —3B 70
Bell St. Hou S —1F 127
Bell St. N Shi —2D 60
Bell St. Sund —1H 115
Bell St. Wash —3D 112
Bell's Ville. Dur —5G 153
Bell Vs. Pon —5F 25
Bellway Ind. Est., The. Longb —6F 43
Belmont. —4B 154
Belmont. Gate —6G 83
Belmont Av. S'hm —5H 149
Belmont Av. Whit B —1H 45
Belmont Clo. W'snd —2B 58
Belmont Cotts. Newc T —4D 52
Belmont Ind. Est. Dur —3H 153
Belmont Ri. Hett H —4C 146
Belmont Rd. Sund —2H 115
Belmont St. Newc T —6F 69
Belmont Ter. Gate —4E 97
Belmont Wlk. Newc T —6F 69
Belmount Av. Newc T —4F 41
Belper Clo. W'snd —2A 58
Belsay. Wash —3F 111
Belsay Av. Haz —1C 40
Belsay Av. Pet —5F 161
Belsay Av. S Shi —2A 74
Belsay Av. Whit B —1D 46
Belsay Clo. W'snd —2A 58
Belsay Ct. Bly —6A 10
Belsay Gdns. Gate —6C 80
Belsay Gdns. Newc T —5B 40
Belsay Gdns. Sund —2H 115
Belsay Pl. Newc T —3C 66
Belsfield Gdns. Jar —5F 71
Belsize Pl. Newc T —1F 69
Beltingham. Newc T —6C 52
Belt's Sq. Bla T —2H 77
Belvedere. N Shi —6B 46
Belvedere Av. Whit B —1B 46
Belvedere Ct. Newc T —2C 68
Belvedere Gdns. Bent —1D 56
Belvedere Parkway. Newc T —1G 53
Belvedere Retail Pk. Newc T —1H 53
Belvedere Rd. Sund —2C 116
Bemersyde Dri. Newc T —4G 55
Benbrake Av. N Shi —4A 46
Bendigo Av. S Shi —6B 72
Benedict Rd. Sund —3F 103
Benevente St. S'hm —5B 140
Benfield Gro. Sea S —2F 23
Benfield Rd. Newc T —5D 56
Benfleet Av. Sund —2B 100
Benjamin Rd. W'snd —4E 59
Bennett Ct. Newc T —3A 64
Bennett Ct. Sund —4E 117
Bennett Gdns. Gate —1D 82
Benridge Bank. W Rai —3E 145
Benridge Pk. Bly —4H 15
Bensham. —2F 81
Bensham Av. Gate —2F 81
Bensham Ct. Gate —2F 81
Bensham Ct. S Shi —4E 73
Bensham Cres. Gate —2E 81
Bensham Rd. Gate —1G 81
(in two parts)
Bensham St. Bol C —2B 86
Benson Pl. Newc T —3C 68
Benson Rd. Newc T —3D 68
Benson St. Ches S —1C 132
Benson St. S'ley —2C 120
Benson Ter. Gate —3D 82
Bent Ho. La. Dur —6H 153
Bentinck Cres. Newc T —5B 66
Bentinck Pl. Newc T —5B 66
Bentinck Rd. Newc T —5B 66
Bentinck St. Newc T —5B 66
Bentinck Ter. Newc T —4B 66
Bentinck Vs. Newc T —4B 66
Benton. —1D 56
Benton Av. Sund —1B 100
Benton Bank. Newc T —6A 56
(in two parts)
Benton Clo. Bent —2B 56
Benton Hall Wlk. Newc T —5D 56
Benton La. Newc T —4B 42
(in two parts)
Benton Lodge Av. Newc T —2B 56
Benton Pk. Rd. Newc T —2H 55
Benton Rd. Newc T —2C 56
Benton Rd. S Shi —1E 87
Benton Rd. W All —4C 44
Benton Square. —4H 43
Benton Sq. Ind. Est. Newc T —4H 43
Benton Ter. Newc T —2H 67 (1G 5)
Benton Ter. S'ley —2D 120
Benton Vw. Newc T —5D 42
Benton Way. W'snd —1H 69
Bents Cotts. S Shi —5G 61
Bents Pk. Rd. S Shi —4G 61
Bents, The. Sund —4F 89
Benville Ter. New B —1A 156
Benwell. —4A 66
Benwell Dene Ter. Newc T —4G 65
Benwell Grange. Newc T —4H 65
Benwell Grange Av. Newc T —4H 65
Benwell Grange Clo. Newc T —4H 65
Benwell Grange Rd. Newc T —4G 65
Benwell Grange Ter. Newc T —4G 65
Benwell Gro. Newc T —4A 66
Benwell Hall Dri. Newc T —3F 65
Benwell Hill Gdns. Newc T —2G 65
Benwell Hill Rd. Newc T —2F 65
Benwell La. Newc T —4F 65
(in two parts)
Benwell Shop. Cen. Newc T —4A 66
Benwell Village. Newc T —3F 65
Benwell Village M. Newc T —3G 65
Berberis Way. Newc T —1E 63
(off Lovaine St.)
Beresford Av. Heb —6B 70
Beresford Ct. Sea S —3H 23
Beresford Gdns. Newc T —4C 68
Beresford Pk. Sund —2B 116
Beresford Rd. N Shi —2C 46
Beresford Rd. Sea S —3H 23
Beresford St. Gate —2C 80
Bergen Clo. Tyn T —3F 59
Bergen Sq. Sund —1B 100
Bergen St. Sund —1B 100
Berger Fld. S'ley —2D 120
Berkdale Rd. Gate —2G 95
Berkeley Clo. Bol C —1B 86
Berkeley Clo. Newc T —1E 43
Berkeley Clo. Sund —2E 129
Berkeley Sq. Newc T —6D 40
Berkeley St. S Shi —5F 61
Berkhampstead Ct. Gate —4A 84
Berkley Av. Bla T —1C 78
Berkley Clo. W'snd —2B 58
Berkley Rd. N Shi —1H 59
Berkley St. Newc T —1F 63
Berkley Ter. Newc T —1F 63
Berkley Way. Heb —1D 70
Berkshire Clo. Dur —4A 154
Berkshire Clo. Newc T —5D 52
Berkshire Rd. Pet —5C 160
Bermondsey St. Newc T —3H 67 (3H 5)
Bernard Shaw St. Hou S —3H 135
Bernard St. Hou S —3H 135
Bernard St. Newc T —5H 69
Bernard Ter. Pelt F —4G 123
Berrington Dri. Newc T —4F 53
Berrishill Gro. Whit B —6G 33
Berry Clo. Newc T —4G 69
Berry Clo. W'snd —2A 58
Berryfield Clo. Sund —4A 130
Berry Hill. G'sde —2B 76
Berryhill Clo. Bla T —2B 78
Bertha Ter. Hou S —5H 127
Bertram Cres. Newc T —3G 65
Bertram Pl. Shir —1D 44
Bertram St. Bir —3C 110
Bertram St. S Shi —1D 72
(in two parts)
Berwick. Wash —3F 111
Berwick Av. Sund —1B 100
Berwick Chase. Pet —4B 162
Berwick Clo. Newc T —2G 63
Berwick Ct. Pon —4F 25
Berwick Dri. W'snd —2B 58
Berwick Hill Rd. Pon —3F 25
Berwick Sq. Sund —2B 100
Berwick St. Heb —3B 70
Berwick Ter. N Shi —3H 59
Beryl Sq. S Shi —4E 61
Besford Gro. Sund —1E 117
Bessemer Rd. S Het —6H 147
Bessie Ter. Bla T —1G 77
Best Vw. Hou S —3F 127
Bethany Gdns. S'ley —4F 119
Bethany Ter. S'ley —4F 119
Bethel Av. Newc T —2D 68
Bethune Av. S'hm —4G 139
Betjeman Clo. S'ley —3E 121
Betts Av. Newc T —4F 65
Bevan Av. Sund —2E 131
Bevan Ct. Heb —2D 70
Bevan Ct. Newc T —1H 55
Bevan Gdns. Gate —3G 83
Bevan Gro. Dur —4H 153
Bevan Sq. Mur —1C 148
Beverley Clo. Newc T —3D 40
Beverley Ct. Gate —5A 82
Beverley Ct. Jar —2F 71
Beverley Ct. Wash —6B 98
Beverley Cres. Gate —5A 82
Beverley Dri. Bla T —3F 77
Beverley Dri. Swa —2G 79
Beverley Gdns. Ches S —1D 132
Beverley Gdns. N Shi —2E 47
Beverley Gdns. Ryton —4A 62
Beverley Pk. Whit B —1A 46
Beverley Pl. W'snd —4D 58
Beverley Rd. Gate —5A 82
Beverley Rd. Sund —5F 117
Beverley Rd. Whit B —1A 46
Beverley Ter. N Shi —2E 47
Beverley Ter. S'ley —4E 119
Beverley Ter. Walb —5G 51
Beverley Ter. Walk —4G 69
Beverley Vs. N Shi —2E 47
Beverley Way. Pet —6B 160
Bevin Sq. S Het —6B 148
Beweshill Cres. Bla T —2G 77
Beweshill La. Bla T —1F 77
Bewick Clo. Ches S —3A 132
Bewick Cres. Newc T —2B 64
Bewicke Lodge. W'snd —5E 59
Bewicke Rd. W'snd —6E 59
(in two parts)
Bewicke St. W'snd —6F 59
Bewick Main Cvn. Pk. Bir —2G 109
Bewick Pk. W'snd —2D 58
Bewick Rd. Gate —2G 81
Bewick St. Newc T —5E 67 (6B 4)
Bewick St. S Shi —1E 73
Bewley Cotts. Sun —2G 93
Bewley Gro. Pet —4A 162
Bewley Ter. New B —1A 156
Bexhill Rd. Sund —2B 100
Bexhill Sq. Bly —2C 16
Bexhill Sq. Sund —1B 100
Bexley Av. Newc T —3E 65
Bexley Gdns. W'snd —2B 58
Bexley Pl. Whi —6E 79
Bexley St. Sund —1H 115
Bickerton Wlk. Newc T —6C 52
Bickington Ct. Hou S —6G 127
Biddick. —3B 112
Biddick Hall. —1D 86
Biddick Hall Dri. S Shi —5D 72
Biddick Inn Ter. Wash —1C 126
Biddick La. Wash —1B 126
Biddick Ter. Wash —4C 112
Biddick Vw. Wash —4C 112
Biddick Village Cen. Wash —4B 112
Biddick Vs. Wash —4C 112
Biddlestone Cres. N Shi —2H 59
Biddlestone Rd. Newc T —6C 56
Bideford Gdns. Gate —2H 95
Bideford Gdns. Jar —4A 72
Bideford Gdns. S Shi —6H 61
Bideford Gdns. Whit B —5B 34
Bideford Gro. Whi —6E 79
Bideford Rd. Newc T —3A 54
Bideford St. Sund —5F 117
Bigbury Clo. Hou S —5G 127
Bigges Gdns. W'snd —3F 57
Bigges Main. —5F 57
Bigg Mkt. Newc T —4F 67 (5D 4)
Big Waters Nature Reserve. —4C 28
Bilbrough Gdns. Newc T —5H 65
Bill Quay. —1H 83
Bill Quay Farm. —1G 83
Bill Quay Ind. Est. Gate —6H 69
Billy Mill. —6H 45
Billy Mill Av. N Shi —1A 60
Billy Mill La. N Shi —5G 45
Bilsdale Sund —4F 89
Bilsdale Pl. Newc T —1H 55
Bilsmoor Av. Newc T —5B 56
Bilton Hall Rd. Jar —3H 71
Binchester St. S Shi —5C 72
Bingfield Gdns. Newc T —6G 53
Bingley Clo. W'snd —2C 58
Bingley St. Sund —2B 100
Bink Moss. Wash —1G 111
Binsby Gdns. Gate —3B 96
Binswood Av. Newc T —6F 53
Bircham Dri. Bla T —1B 78
Bircham St. S'ley —4B 120
Birch Av. Gate —4G 83
Birch Av. Sund —2F 89
Birch Ct. Sund —3G 129
Birch Cres. Burn —1F 105
Birch Cres. Hou S —1G 135
Birches, The. Eas L —4E 147
Birches, The. S Row —1D 120
(in two parts)
Birches, The. Sun —2G 93
Birchfield. Wash —5C 112
Birchfield. Whi —6F 79
Birchfield Gdns. Gate —3A 96
Birchfield Gdns. Newc T —2C 64
Birchfield Rd. Sund —3B 116
Birchgate Clo. Bla T —2G 77
Birch Gro. Jar —2E 71
Birch Gro. W'snd —2A 58
Birchgrove Av. Dur —4H 153
Birchington Av. S Shi —2E 73
Birch Rd. Bla T —1B 78
Birch St. Jar —2E 71
Birch Ter. Bir —2B 110
Birch Ter. Newc T —4G 69
Birchtree Gdns. Whit B —2B 46
Birchvale Av. Newc T —5E 53
Birchwood Av. Newc T —4C 56
Birchwood Av. N Gos —6D 28
Birchwood Av. Whi —6E 79
Birchwood Clo. Beam —1A 122
Birchwood Clo. Seg —2F 31
Birdhill Pl. S Shi —4E 73
Birds Nest Rd. Newc T —5D 68
(in two parts)
Bird St. N Shi —1E 61
Birkdale. S Shi —6G 61
Birkdale. Whit B —6H 33
Birkdale Av. Sund —4E 89
Birkdale Clo. Newc T —3C 56
Birkdale Clo. W'snd —3H 57
Birkdale Clo. Wash —3H 97
Birkdale Dri. Shin R —5E 127
Birkdale Gdns. Dur —4B 154
Birkheads. —1A 108
Birkheads La. Gate —1H 107
Birkland La. Mar H —4G 93
Birkshaw Wlk. Newc T —6C 52
Birks Rd. Hed W —2B 50
Birling Pl. Newc T —5H 53
Birnam Gro. Jar —1A 86
Birney Edge. Pon —4C 36
Birnham Pl. Newc T —4B 54
Birnie Clo. Newc T —5A 66
Birrell Sq. Sund —1B 100
Birrell St. Sund —1B 100
Birtley. —3C 110
Birtley Av. N Shi —5F 47
(in two parts)
Birtley Av. Sund —1B 100
Birtley Clo. Newc T —3C 54
Birtley La. Bir —2C 110
Birtley Rd. Wash —6F 111
Birtley Vs. Bir —2C 110
Birtwhistle Av. Heb —6B 70
Biscop Ter. Jar —4G 71
Bishop Cres. Jar —1G 71
Bishopdale. Hou S —1C 126
(in two parts)
Bishopdale. W'snd —2F 57
Bishopdale Av. Bly —1G 15
Bishop Morton Gro. Sund —1E 117
Bishop Ramsey Ct. S Shi —3A 74
Bishop Rock Clo. Newc T —1A 56
Bishop Rock Rd. Newc T —1A 56
(in two parts)
Bishop's Av. Newc T —4C 66
Bishops Clo. W'snd —5C 58
Bishops Ct. Dur —3F 159
Bishops Dri. Ryton —6D 62
Bishops Mdw. Bed —4G 7
Bishop's Rd. Newc T —5H 65
Bishops Way. Pity Me —6B 142
Bishops Way. Sund —4G 129
Bishopton St. Bly —1C 16
Bishopton St. Sund —1E 117
Bisley Ct. W'snd —2B 58
Bisley Dri. S Shi —2F 73
Blackberries, The. Gate —4F 97
Black Boy Rd. Hou S —5B 134
Black Boy Yd. Newc T —4F 67 (5D 4)
Blackburn Grn. Gate —4C 82
Black Callerton. —5H 37
Blackcap Clo. Wash —4F 111
Blackdown Clo. Newc T —1A 56
Blackdown Clo. Pet —2B 162
Black Dri. Ches S —4H 125
Blackettbridge. Newc T —3C 4
Blackett Pl. Newc T —4F 67 (4D 4)

Blackett St.—Brewery La.

Blackett St. *Heb & Jar* —1D **70**
Blackett St. *Newc T* —4F **67** (4C **4**)
Blackett St. *S'ley* —5E **119**
Blackett Ter. *Sund* —1A **116**
Blackfell. —1G 111
Blackfell Rd. *Wash* —1F **111**
Blackfell Village Cen. *Wash* —1G **111**
Blackfriars Ct. *Newc T* —5B **4**
Blackfriars Way. *Newc T* —1A **56**
Blackheath Clo. *Wash* —3A **98**
Blackheath Ct. *Newc T* —2F **53**
Blackhill Av. *W'snd* —6C **44**
Blackhill Cres. *Gate* —1D **96**
Blackhills Rd. *Pet* —5G **161**
Blackhills Ter. *Pet* —6G **161**
Blackhouse La. *Ryton* —4B **62**
Black La. *Bla T* —2G **77**
Black La. *Gate* —3B **96**
Black La. *Newc T & Wool* —1D **52**
Blackpool Pde. *Heb* —6E **71**
Black Rd. *Heb* —2D **70**
Black Rd. *Lang M* —3G **157**
Black Rd. *Ryh* —2F **131**
Blackrow La. *Gate* —2A **96**
Blackrow La. *Newc T* —4H **49**
Blackstone Ct. *Bla T* —1G **77**
Black Thorn Clo. *B'don* —6C **156**
Blackthorn Clo. *Sun* —3E **93**
Blackthorn Dri. *W'snd* —2A **58**
Blackthorne. *Gate* —6F **83**
Blackthorne Av. *Pet* —1H **163**
Blackthorn Pl. *Newc T* —6D **66**
Blackthorn Way. *Hou S* —1E **135**
Blackwater Ho. *Sund* —3A **130**
Blackwell Av. *Newc T* —3F **69**
Blackwood Rd. *Sund* —2B **100**
Bladen St. *Jar* —2E **71**
Bladen St. Ind. Est. Jar —2E 71
(off Bladen St.)
Blagdon Av. *S Shi* —1G **73**
Blagdon Clo. *Newc T* —4G **5**
Blagdon Ct. *Bed* —3C **8**
Blagdon Cres. *Nel V* —1G **19**
Blagdon Dri. *Bly* —5A **16**
Blagdon St. *Newc T* —4H **67** (4G **5**)
Blagdon Ter. *Cra* —3B **20**
Blagdon Ter. *Sea B* —3D **28**
Blaidwood Dri. *Dur* —4A **158**
Blair Clo. *Sher* —6D **154**
Blair Ct. *Lang M* —4G **157**
Blake Av. *Whi* —4F **79**
Blakeburn Cotts. *Bly* —6D **16**
Blake Clo. *S'ley* —3E **121**
Blakelaw. —5G 53
Blakelaw Rd. *Newc T* —5F **53**
(nr. Bonnington Way)
Blakelaw Rd. *Newc T* —5G **53**
(nr. Cragston Av.)
Blakemoor Pl. *Newc T* —6G **53**
Blake St. *Pet* —1F **161**
Blaketown. *Seg* —2G **31**
Blake Wlk. *Gate* —1A **82**
Blanche Ter. *Tant* —5H **105**
Blanch Gro. *Pet* —2D **162**
Blanchland. *Wash* —6C **112**
Blanchland Av. *Dur* —1E **153**
Blanchland Av. *Newc T* —2A **64**
Blanchland Av. *Wide* —5D **28**
Blanchland Clo. *W'snd* —3B **58**
Blanchland Dri. *H'wll* —1D **32**
Blanchland Dri. *Sund* —2C **102**
Blanchland Ter. *N Shi* —6D **46**
Blandford Pl. *S'hm* —4B **140**
Blandford Rd. *N Shi* —4H **45**
Blandford Sq. *Newc T*
(in two parts) —5E **67** (6A **4**)
Blandford St. *Newc T* —5E **67** (6A **4**)
Blandford St. *Sund* —1D **116**
(in two parts)
Blandford Way. *W'snd* —2B **58**
Bland's Opening. *Ches S* —6C **124**
Blaxton Pl. *Whi* —6D **78**
Blaydon. —6B 64
Blaydon Av. *Sund* —1C **100**
Blaydon Bank. *Bla T* —2H **77**
Blaydon Burn. —1G 77
Blaydon Burn Rd. *Bla T* —1F **77**
Blaydon Bus. Cen. *Bla T* —6C **64**
Blaydon Bus. Pk. *Bla T* —5D **64**
Blaydon Haughs. —5C 64
Blaydon Ind. Pk. *Bla T* —6B **64**
Blaykeston Clo. *S'hm* —2E **139**
Blayney Row. *Newc T* —1C **62**
Bleachfeld. *Gate* —5F **83**
Bleach Green. —2A 78
Bleach Grn. *Hett H* —2C **146**
Bleasdale Cres. *Hou S* —2F **127**
Blencathra. *N Shi* —3C **46**
Blencathra. *Wash* —1A **112**
Blenheim. *Newc T* —1D **42**
Blenheim Ct. *Gate* —5D **82**
Blenheim Dri. *Bed* —2C **8**
Blenheim Pl. *Gate* —2A **80**
Blenheim St. *Newc T* —5E **67** (6A **4**)
Blenheim Wlk. *S Shi* —4F **61**
Blenkinsop Gro. *Jar* —6F **71**
Blenkinsopp Ct. *Pet* —4B **162**
Blenkinsop St. *W'snd* —5H **57**
Bletchley Av. *Sund* —1B **100**
Blezard Bus. Pk. *Sea B* —2D **28**
Blezard Ct. *Bla T* —5C **64**
Blind La. *Ches S* —3D **124**
Blind La. *Dur* —6B **152**
Blind La. *Hou S* —5E **127**
Blind La. *Sund* —1A **130**
Blindy La. *Eas L* —4E **147**
Bloemfontein Pl. *S'ley* —6F **121**
Bloom Av. *S'ley* —3C **120**
Bloomfield Ct. *Sund* —3F **103**
Bloomfield Dri. *E Rai* —2H **145**
Bloomsbury Ct. *Newc T* —3D **54**
Blossom Gro. *Hou S* —5F **127**
Blossom St. *Hett H* —6D **136**
Blount St. *Newc T* —3D **68**
Blucher Colliery Rd. *Newc T* —6H **51**
Blucher Rd. *Newc T* —4C **42**
Blucher Rd. *N Shi* —4B **60**
Blucher Ter. *Newc T* —6H **51**
Blucher Village. —6H 51
Blue Anchor Ct. *Newc T* —6F **5**
Bluebell Clo. *Gate* —6B **82**
Bluebell Dene. *Newc T* —2E **53**
Bluebell Way. *S Shi* —4D **72**
Blueburn Dri. *Newc T* —1F **43**
Blue Coat Bldgs. *Dur* —5D **152**
Blue Coat Ct. *Dur* —5D **152**
Blue Ho. Bank. *W Pel* —6B **122**
Blue Ho. Ct. *Wash* —5H **97**
Blue Ho. La. *Sund* —4H **87**
Blue Ho. La. *Wash* —5H **97**
Blue Ho. Rd. *Heb* —6B **70**
Blue Quarries Rd. *Gate* —5B **82**
Blue Top Cotts. *Cra* —3D **20**
Blumer St. *Hou S* —3E **135**
Blyth. —6C 10
Blyth Clo. *Dud* —3H **29**
Blyth Ct. *Newc T* —2A **64**
Blyth Ct. *S Shi* —4E **73**
Blyth Dri. *Stan* —4A **6**
Blythe Ter. *Bir* —3B **110**
Blyth Ind. Est. *Bly* —4H **9**
Blyth Power Station Visitors Centre. —2A **10**
Blyth Rd. *Whit B* —5H **23**
(in two parts)
Blyth Sq. *Sund* —2C **100**
Blyth St. *Sea D* —5A **22**
Blyth St. *Sund* —2C **100**
Blyton Av. *S Shi* —4B **72**
Blyton Av. *Sund* —2E **131**
Bodley Clo. *Newc T* —2H **53**
Bodmin Clo. *W'snd* —2C **58**
Bodmin Ct. *Gate* —3A **96**
Bodmin Rd. *N Shi* —5G **45**
Bodmin Sq. *Sund* —1C **100**
Bodmin Way. *Newc T* —1B **54**
Boghouse La. *S'ley* —5E **107**
Bog Houses. *H'fd* —5C **14**
Bognor St. *Sund* —1B **100**
Bog Row. *Hett H* —2C **146**
Bohemia Ter. *Bly* —1C **16**
Boker La. *E Bol* —3E **87**
Bolam. *Wash* —3F **111**
Bolam Av. *Bly* —6B **10**
Bolam Av. *N Shi* —4C **46**
Bolam Bus. Pk. *Cra* —1G **19**
Bolam Ct. *Newc T* —6D **50**
Bolam Coyne. *Newc T* —4C **68**
Bolam Gdns. *W'snd* —4F **59**
Bolam Gro. *N Shi* —4C **46**
Bolam Ho. *Newc T* —4D **66**
Bolam Pl. *Bed* —3C **8**
Bolam Rd. *Newc T* —2C **42**
Bolams Bldgs. *Tant* —6G **105**
Bolam St. *Gate* —3D **80**
Bolam St. *Newc T* —4C **68**
Bolam St. *Pet* —1F **161**
Bolam Way. *Newc T* —4C **68**
Bolam Way. *Sea D* —6A **22**
Bolbec Rd. *Newc T* —2A **66**
Bolburn. *Gate* —4G **83**
Boldon. —4E 87
Boldon Bus. Pk. Bol C —4H 85
(off Brooklands Way)
Boldon Bus. Pk. E Bol —4A 86
(off Didcot Way)
Boldon Clo. *W'snd* —2B **58**
Boldon Colliery. —2A 86
Boldon Dri. *W Bol* —4B **86**
Boldon Gdns. *Gate* —2C **96**
Boldon Ho. *Dur* —4C **142**
Boldon La. *E Bol* —2E **87**
Boldon La. *S Shi* —3D **72**
(in two parts)
Boldon La. *Sund* —2G **87**
Bolingbroke Rd. *N Shi* —1H **59**
Bolingbroke St. *Newc T* —3A **68**
Bolingbroke St. *S Shi* —5F **61**
Bollihope Dri. *Sund* —5B **116**
Bolton Clo. *Dur* —6C **142**
Bonaventure. *Hou S* —1G **127**
Bonchester Clo. *Bed* —3H **7**
Bonchester Ct. *W'snd* —2C **58**
Bonchester Pl. *Cra* —1D **20**
Bond Clo. *Sund* —4C **102**
Bond Ct. *Newc T* —4A **66**
Bondene Av. *Gate* —3E **83**
Bondene Av. W. *Gate* —3D **82**
Bondene Way. *Cra* —5B **14**
Bondfield Ct. *Heb* —2C **70**
Bondfield Gdns. *Gate* —3G **83**
Bondicarr Pl. *Newc T* —6H **53**
Bondicar Ter. *Bly* —6B **10**
Bond St. *Newc T* —4H **65**
Bone La. *Dip* —6D **104**
Bonemill La. *Wash* —1E **125**
Bonner's Fld. *Sund* —5D **102**
Bonnington Way. *Newc T* —5F **53**
Bonnivard Gdns. *Seg* —2G **31**
Bonsall Ct. *S Shi* —4F **73**
Booth St. *Gate* —3D **82**
Booth St. *Sund* —1A **116**
Bootle St. *Sund* —2C **100**
Bordeaux Clo. *Sund* —3G **129**
Border Rd. *W'snd* —6H **57**
Boreham Clo. *W'snd* —2B **58**
Borodin Av. *Sund* —1B **100**
Borough Ct. *Sund* —6E **103**
Borough Rd. *Jar* —3F **71**
Borough Rd. *N Shi* —2C **60**
Borough Rd. *S Shi* —4H **73**
Borough Rd. *Sund* —1D **116**
Borrowdale. *Bir* —6D **110**
Borrowdale. *Wash* —5A **98**
Borrowdale. *Whi* —4H **79**
Borrowdale Av. *Bly* —5G **9**
Borrowdale Av. *Newc T* —2F **69**
Borrowdale Av. *Sund* —6C **88**
Borrowdale Clo. *E Bol* —3E **87**
Borrowdale Cres. *Bla T* —3H **77**
Borrowdale Cres. *Hou S* —1E **127**
Borrowdale Dri. *Dur* —3A **154**
Borrowdale Gdns. *Gate* —2B **96**
Borrowdale Ho. *S Shi* —4E **73**
Borrowdale St. *Hett H* —3C **146**
Boscombe Dri. *W'snd* —3A **58**
Boston Av. *Newc T* —2B **56**
Boston Av. *Wash* —1A **112**
(in two parts)
Boston Clo. *W'snd* —2B **58**
Boston Ct. *Newc T* —5F **43**
Boston Cres. *Sund* —1A **100**
Boston St. *Pet* —1F **161**
Boston St. *Sund* —1A **100**
Boswell Av. *S Shi* —6D **72**
Bosworth. *Newc T* —1D **42**
Bosworth Gdns. *Newc T* —5C **56**
Bothal Clo. *Bly* —1A **16**
Bothal St. *Newc T* —3D **68**
Botham Ho. *N Shi* —4H **59**
Bottle Bank. *Gate* —5G **67**
Bottlehouse St. *Newc T* —5C **68**
Bottle Works Rd. *S'hm* —4C **140**
Boulby Clo. *Sund* —2C **130**
Boulevard, The. *Gate* —2G **79**
Boulmer Av. *Cra* —5B **14**
Boulmer Clo. *Newc T* —5B **40**
Boulmer Ct. *Ches S* —1C **132**
Boulmer Gdns. *Wide* —5D **28**
Boulsworth Rd. *N Shi* —4A **46**
Boult Ter. *Hou S* —3F **127**
Boundary Gdns. *Newc T* —4A **56**
Boundary Houses. —5E 127
Boundary St. *Sund* —3C **102**
Boundary Way. *Sea S* —4H **23**
Bourdon Ho. *Sund* —1D **116**
Bourdon La. *Sund* —6E **103**
Bourne Av. *Newc T* —2A **66**
Bourne Ct. *S'ley* —2E **121**
Bournemouth Ct. *W'snd* —2C **58**
Bournemouth Dri. *Dal D* —5F **139**
Bournemouth Gdns. *Newc T* —4D **52**
Bournemouth Gdns. *Whit B* —5B **34**
Bournemouth Pde. *Heb* —6E **71**
(in two parts)
Bournemouth Rd. *N Shi* —2G **59**
Bourne St. *Pet* —1F **161**
Bourne Ter. *S'ley* —5F **119**
Bourn Lea. *Hou S* —4E **127**
Bournmoor. —6B 126
Bournmoor. *Hou S* —6C **126**
Bourtree Clo. *W'snd* —3A **58**
Bowbank Clo. *Sund* —4B **116**
Bowburn Av. *Sund* —3E **101**
Bowburn Clo. *Gate* —4B **84**
Bower St. *Sund* —1D **102**
Bower, The. *Jar* —3F **85**
Bowes Av. *Dal D* —5F **139**
Bowes Av. *Eas L* —4D **146**
Bowes Clo. *Newc T* —3F **93**
Bowes Ct. *Bly* —6C **10**
Bowes Ct. *Dur* —6D **142**
Bowes Ct. *Newc T* —2G **55**
Bowes Cres. *Burn* —5B **92**
Bowes Lea. *Hou S* —5D **126**
Bowes Lyon Clo. *Row G* —5D **90**
Bowes Railway Centre. —3E **97**
Bowes St. *Bly* —6B **10**
(in two parts)
Bowes St. *Newc T* —2G **55**
Bowes Ter. *Dip* —1D **118**
Bowesville. *Burn* —2H **105**
Bowes Wlk. *Newc T* —6C **42**
Bowfell Av. *Newc T* —3H **53**
Bowfell Clo. *Newc T* —4H **53**
Bowfield Av. *Newc T* —4E **41**
Bowland Cres. *Bla T* —1A **78**
Bowland Ter. *Bla T* —6A **64**
Bow La. *Dur* —6C **152**
Bowlynn Clo. *Sund* —3G **129**
Bowman Dri. *Dud* —3B **30**
Bowman Pl. *S Shi* —6E **61**
Bowman St. *Sund* —2F **89**
Bowmont Dri. *Cra* —1D **20**
Bowmont Dri. *Tan L* —1A **120**
Bowmont Wlk. *Ches S* —2A **132**
Bowness Av. *W'snd* —1C **58**
Bowness Clo. *E Bol* —4E **87**
Bowness Clo. *Pet* —6E **161**
Bowness Pl. *Gate* —1B **96**
Bowness Rd. *Newc T* —6E **53**
Bowness Rd. *Whi* —4G **79**
Bowness St. *Sund* —1C **100**
Bowness Ter. *W'snd* —2E **59**
Bowsden Ct. *S Gos* —2G **55**
Bowsden Ter. *Newc T* —2G **55**
Bowtrees. *Sund* —4D **116**
Boxlaw. *Gate* —6C **82**
Boyd Cres. *W'snd* —5A **58**
Boyd Rd. *W'snd* —5A **58**
Boyd St. *Dur* —1D **158**
Boyd St. *Newb* —1E **63**
Boyd St. *Pet* —1F **161**
Boyd St. *Shie* —3H **67**
Boyd Ter. *Blu* —6H **51**
Boyd Ter. *S'ley* —4C **120**
Boyd Ter. *W'hpe* —4D **52**
Boyne Ct. Bly —5C 10
(off Regent St.)
Boyne Ct. *Lang M* —4F **157**
Boyne Gdns. *Shir* —2C **44**
Boyne Ter. *Wash* —5A **98**
Boyntons. *Nett* —1A **142**
Boystones Ct. *Wash* —1H **111**
Brabourne St. *S Shi* —3E **73**
Bracken Av. *W'snd* —3A **58**
Brackenbeds Clo. *Pelt* —2G **123**
Brackenbeds La. *Pelt* —2H **123**
(in two parts)
Brackenburn Clo. *Hou S* —2G **135**
Bracken Clo. *Din* —5F **27**
Bracken Clo. *S'ley* —3C **120**
Bracken Ct. *Ush M* —4C **150**
(in two parts)
Brackendale Rd. *Dur* —4B **154**
Brackendene Dri. *Gate* —6G **81**
Brackendene Pk. *Low F* —6G **81**
Bracken Dri. *Gate* —5B **80**
Bracken Fld. Rd. *Dur* —2B **152**
Brackenfield Rd. *Newc T* —3D **54**
Bracken Hill. *S West* —2A **162**
Bracken Hill Bus. Pk. *Pet* —3A **162**
Brackenlaw. *Gate* —1C **96**
Bracken Pl. *Newc T* —2H **65**
Brackenridge. *Burn* —1E **105**
Brackenside. *Newc T* —4E **41**
Bracken Way. *Ryton* —6A **62**
Brackenway. *Wash* —6H **97**
Brackenwood Gro. *Sund* —5C **116**
Brackley. *Wash* —4C **98**
Brackley Gro. *N Shi* —3H **59**
Bracknell Clo. *Sund* —1C **130**
Bracknell Gdns. *Newc T* —6H **51**
Brack Ter. *Gate* —1H **83**
Bradbury Clo. *Gate* —4B **84**
Bradbury Clo. *Tan L* —1A **120**
Bradbury Ct. *N Har* —3B **22**
Bradbury Ct. Pon —5F 25
(off Thornhill Rd.)
Bradbury Pl. *N Har* —3B **22**
Bradford Av. *Sund* —1C **100**
Bradford Av. *W'snd* —2B **58**
Bradford Cres. *Dur* —4F **153**
Bradley Av. *Hou S* —5A **136**
Bradley Av. *S Shi* —3A **74**
Bradley Clo. *Ous* —5F **109**
Bradley Lodge Dri. *Dip* —1E **119**
Bradley St. *Pet* —1F **161**
Bradley Ter. *Dip* —2E **119**
Bradley Ter. *Eas L* —4E **147**
Bradman Dri. *Ches S* —1E **133**
Bradman Sq. *Sund* —1C **100**
Bradman St. *Sund* —1C **100**
Bradshaw Sq. *Sund* —2C **100**
Bradshaw St. *Sund* —2C **100**
Bradwell Rd. *Newc T* —2A **54**
Bradwell Way. *Phil* —4G **127**
Brady & Martin Ct. *Newc T* —3G **67**
Brady Sq. *Wash* —3D **112**
Brady St. *Sund* —6H **101**
Braebridge Pl. *Newc T* —4B **54**
Braefell Ct. *Wash* —1H **111**
Braemar Ct. *Gate* —1H **83**
Braemar Dri. *S Shi* —1A **74**
Braemar Gdns. *E Her* —3E **129**
Braemar Gdns. *Sund* —4B **116**
Braemar Gdns. *Whit B* —1G **45**
Braemar Ter. *Pet* —1H **163**
Braeside. *Gate* —4B **80**
Braeside. *Sund* —3B **116**
Braeside Clo. *N Shi* —2C **46**
Braeside Ter. *Whit B* —1E **47**
Brae, The. *Sund* —1B **116**
Braintree Gdns. *Newc T* —3B **54**
Braithwaite Rd. *Pet* —1F **163**
Brakespeare Pl. *Pet* —2E **163**
Brama Teams Ind. Est. *Gate* —2D **80**
Bramble Dykes. *Newc T* —4F **65**
Bramblelaw. *Gate* —1C **96**
Brambles, The. *Ryton* —4B **62**
Brambling Lea. *Bed* —3C **8**
Bramham Ct. *S Shi* —4G **73**
Bramhope Grn. *Gate* —3B **96**
Bramley Clo. *Sund* —4C **114**
Bramley Ct. *Newc T* —5E **57**
Brampton Av. *Newc T* —5F **69**
Brampton Ct. *Cra* —1C **20**
Brampton Ct. *Eas V* —2B **160**
Brampton Gdns. *Gate* —2A **96**
Brampton Gdns. *Newc T* —5D **50**
Brampton Gdns. *W'snd* —3E **59**
Brampton Pl. *N Shi* —2H **59**
Brampton Rd. *S Shi* —4C **72**
Bramwell Ct. *Newc T* —2G **55**
Bramwell Rd. *Sund* —2E **117**
Brancepath Av. *Newc T* —5A **66**
Brancepeth Av. *Hou S* —2E **135**
Brancepeth Chare. *Pet* —4B **162**
Brancepeth Clo. *Dur* —1D **152**
Brancepeth Clo. *Newc T* —2A **64**
Brancepeth Clo. *Ush M* —6E **151**
Brancepeth Rd. *Heb* —2D **70**
Brancepeth Rd. *Wash* —3G **111**
Brancepeth Ter. *Jar* —6F **71**
Brancepeth Vw. *B'don* —6B **156**
Branch St. *Bla T* —2H **77**
Brand Av. *Newc T* —2A **66**
Brandling Ct. *Gate* —2D **82**
Brandling Ct. *Newc T* —1H **67**
Brandling Ct. *S Shi* —5A **74**
Brandling Dri. *Newc T* —4F **41**
Brandling La. *Gate* —2D **82**
Brandling M. *Newc T* —4F **41**
Brandling Pk. *Newc T* —1F **67**
Brandling Pl. *Gate* —2D **82**
Brandling Pl. S. *Newc T* —1G **67**
Brandlings Ct. *Pet* —1D **162**
Brandling St. *Gate* —5H **67**
Brandling St. *Sund* —3E **103**
(in two parts)
Brandling St. S. *Sund* —4E **103**
Brandlings Way. *Pet* —6D **160**
Brandling Ter. *N Shi* —1D **60**
Brandon. —5D 156
Brandon Av. *Shir* —2C **44**
Brandon Clo. *Bla T* —3G **77**
Brandon Clo. *Bly* —5H **9**
Brandon Clo. *Ches S* —2A **132**
Brandon Clo. *Hou S* —4H **135**
Brandon Gdns. *Gate* —2D **96**
Brandon Gro. *Newc T* —2H **67** (1H **5**)
Brandon Ho. *B'don* —6C **156**
Brandon La. *Lang M* —5C **156**
Brandon Rd. *Newc T* —1B **54**
Brandon Rd. *N Shi* —1H **59**
Brandon Village. —4C 156
Brandy La. *Wash* —6H **97**
Brandywell. *Gate* —5F **83**
Brannen St. *N Shi* —2C **60**
Bransdale. *Hou S* —1C **126**
Bransdale Av. *Sund* —4F **89**
Branston St. *Sund* —3B **102**
Branton Av. *Heb* —6B **70**
Brantwood. *Ches S* —6H **123**
Brantwood Av. *Whit B* —1H **45**
Branxton Cres. *Newc T* —4F **69**
Brasher St. *S Shi* —3E **61**
Brasside. —5F 143
Brass Thill. *Dur* —6B **152**
Braunespath Est. *New B* —1B **156**
Bray Clo. *W'snd* —2B **58**
Braydon Dri. *N Shi* —4A **60**
Brayside. *Jar* —2H **85**
Breakneck Stairs. *Newc T* —6D **4**
Breamish Dri. *Wash* —6F **111**
Breamish St. *Jar* —4E **71**
Breamish St. *Newc T* —4A **68** (4H **5**)
Brearley Way. *Gate* —3C **82**
Breckenbeds Rd. *Gate* —1G **95**
Brecken Ct. *Gate* —1G **95**
Brecken Way. *Mead* —5E **157**
Brecon Clo. *Newc T* —3F **53**
Brecon Clo. *Pet* —2B **162**
Brecon Pl. *Pelt* —1H **123**
Brecon Rd. *Dur* —6E **143**
Bredon Clo. *Wash* —4H **111**
Brendale Av. *Newc T* —4B **52**
Brendon Pl. *Pet* —6B **160**
Brenkley. —1H 27
Brenkley Av. *Shir* —3C **44**
Brenkley Clo. *Din* —4F **27**
Brenkley Ct. *Sea B* —3D **28**
Brenkley Way. *Sea B* —2D **28**
Brenlynn Clo. *Sund* —3G **129**
Brennan Clo. *Newc T* —3F **65**
Brentford Av. *Sund* —2C **100**
Brentford Sq. *Sund* —2C **100**
Brentwood Av. *Newc T* —5F **55**
Brentwood Clo. *H'wll* —1C **32**
Brentwood Ct. *S'ley* —3G **121**
Brentwood Gdns. *Newc T* —5F **55**
Brentwood Gdns. *Sund* —4B **116**
Brentwood Gdns. *Whi* —6F **79**
Brentwood Gro. *W'snd* —6B **58**
Brentwood Pl. *S Shi* —5F **61**
Brentwood Rd. *Hou S* —4E **127**
Brettanby Gdns. *Ryton* —3C **62**
Brettanby Rd. *Gate* —4C **82**
Brett Clo. *Newc T* —4D **56**
Bretton Gdns. *Newc T* —5C **56**
Brewers La. *N Shi* —5G **59**
Brewer Ter. *Sund* —3G **131**
Brewery Bank. *Swa* —2E **79**
Brewery La. *Gate* —1D **82**
Brewery La. *Pon* —5E **25**
Brewery La. *S Shi* —5D **60**

Brewery La.—Burnside Rd.

Burnside Rd.—Cauldwell Pl.

Burnside Rd. Row G —3D 90
Burnside, The. Newc T —6C 52
Burnside Vw. Seg —2E 31
Burns St. Jar —2F 71
Burnstones. Newc T —6C 52
Burn Ter. Heb —1A 84
Burn Ter. Hou S —3G 127
Burn Ter. W'snd —5D 58
Burnthouse Bank. Pelt F —5H 123
Burnt Ho. Clo. Bla T —3G 77
Burnthouse La. Whi —6E 79
(in two parts)
Burnt Ho. Rd. Whit B —2A 46
Burntland Av. Sund —3H 101
Burn Vw. Dud —3B 30
Burn Vw. Jar —3G 85
Burnville. Newc T —2A 68
Burnville Rd. Sund —2B 116
Burnville Rd. S. Sund —2B 116
Burnway. S'hm —3G 139
Burnway. Wash —5H 97
Burradon. —5C 30
Burradon. Burr —6C 30
Burradon Rd. Ann —3C 30
Burradon Rd. Burr —5B 30
Burrow St. S Shi —4E 61
Burscough Cres. Sund —3D 102
Burstow Av. Newc T —6E 69
Burt Av. N Shi —2A 60
Burt Clo. Pet —5D 160
Burt Cres. Dud —3B 30
Burtree. Wash —5H 111
Burt Rd. Bed —2E 9
Burt St. Bly —5C 10
Burt Ter. Newc T —5G 51
Burwell Av. Newc T —1D 64
Burwood Clo. Newc T —6G 69
Burwood Rd. Newc T —6F 69
Burwood Rd. N Shi —5G 45
Bushblades La. Dip —1E 119
Buston Ter. Newc T —6H 55
Busty Bank. Row G & Burn —4F 91
Butcher's Bri. Rd. Jar —4F 71
Bute Cotts. Gate —2A 80
Bute Ct. Sund —3A 130
Bute Dri. H Spen —1A 90
Buteland Rd. Newc T —2D 64
Bute Rd. N. H Spen —1A 90
Bute Rd. S. H Spen —2A 90
Bute St. Tant —5G 105
Butler St. Pet —1F 161
Butsfield Gdns. Sund —5B 116
Butterfield Clo. Ryton —6A 62
Buttermere. Gate —3G 83
Buttermere. Pet —4A 162
Buttermere. Sund —2A 88
Buttermere Av. Eas L —5E 147
Buttermere Av. Whi —4G 79
Buttermere Clo. Ches S —1C 132
Buttermere Clo. Den B —6F 53
Buttermere Clo. Kil —2C 42
Buttermere Cres. Bla T —3H 77
Buttermere Cres. S Het —5G 147
Buttermere Gdns. Gate —6A 82
Buttermere Gdns. S Shi —3G 73
Buttermere Rd. N Shi —3C 46
Buttermere St. Sund —5E 117
Buttermere Way. Bly —4H 9
Buttsfield Ter. Hou S —1F 127
Buxton Clo. W'snd —2B 58
Buxton Gdns. Newc T —4D 52
Buxton Gdns. Sund —4B 116
Buxton Grn. Newc T —4D 52
Buxton Rd. Jar —4G 71
Buxton St. Newc T —4H 67 (4G 5)
Byer Bank. Hou S —4C 136
Byermoor. —6B 92
Byermoor Ind. Est. Burn —6B 92
Byers Ct. Sund —1B 130
Byer Sq. Hett H —5C 136
Byer St. Hett H —5C 136
Byeways, The. Newc T —1B 56
Bygate Clo. Newc T —4A 54
Bygate Rd. Whit B —1A 46
Byker. —4C 68
Byker Bank. Newc T —4A 68
Byker Bri. Newc T —3H 67 (3H 5)
Byker Bldgs. Newc T —3A 68
Byker Cres. Newc T —3C 68
Byker Hill Ind. Est. Newc T —2C 68
(off Shields Rd.)
Byker Lodge. Newc T —4C 68
Byker St. Newc T —3F 69
Byker Ter. Newc T —3F 69
Byland Clo. Hou S —1G 135
Byland Ct. Bear —4D 150
Byland Ct. Wash —2A 112
Byland Rd. Newc T —1H 55
Bylands Gdns. Sund —4B 116
Byony Toft. Sund —2G 131
Byrness. Newc T —6C 52
Byrness Clo. Newc T —3G 53
Byrness Ct. W'snd —2C 58
Byrness Row. Cra —1C 20
Byrne Ter. Sund —2B 130
Byrne Ter. W. Sund —2B 130
Byron Av. Bly —2A 16
Byron Av. Bol C —3C 86
Byron Av. Heb —3D 70
Byron Av. Pelt F —6G 123
Byron Av. W'snd —6E 59
Byron Clo. Ous —6H 109
Byron Clo. S'ley —3E 121
Byron Ct. Newc T —5A 52
Byron Ct. Swa —3E 79
Byron Lodge Est. S'hm —3E 139
Byron Rd. Sund —3A 102
Byrons Ct. S'hm —1A 140
Byron St. Newc T —3G 67 (2F 5)
Byron St. Ous —6H 109
Byron St. Pet —1F 161
Byron St. S Shi —1F 73
Byron St. Sund —4C 102
Byron Ter. Hou S —4A 136
Byron Ter. S'hm —2F 139
Byron Wlk. Gate —1A 82
By-Way, The. Newc T —6D 50
Bywell Av. Faw —5B 40
Bywell Av. Newc T —2C 64
Bywell Av. S Shi —2A 74
Bywell Av. Sund —2C 102
Bywell Dri. Pet —4C 162
Bywell Gdns. Lob H —6C 80
Bywell Gdns. Win N —5B 82
Bywell Gro. Shir —2E 45
Bywell Rd. Sund —3H 87
Bywell St. Newc T —4D 68
(in two parts)
Bywell Ter. Jar —6F 71
Bywell Ter. Sea S —3H 23

Cadlestone Ct. Cra —1D 20
Cadwell La. Pet —1B 160
Caernarvon Clo. Newc T —3F 53
Caernarvon Dri. Sund —3E 129
Caer Urfa Clo. S Shi —3E 61
Caesar's Wlk. S Shi —3E 61
Cairncross. Sund —4C 100
Cairnglass Grn. Cra —1D 20
Cairngorm Av. Wash —4G 111
Cairnhill Ter. Hou S —5H 127
Cairnside. Sund —2E 129
Cairnside S. Sund —2D 128
Cairnsmore Clo. Cra —5B 20
Cairnsmore Clo. Newc T —1H 69
Cairnsmore Dri. Wash —4H 111
Cairns Rd. Mur —2A 148
Cairns Rd. Sund —1C 102
Cairns Sq. Sund —1C 102
Cairns Way. Newc T —6B 40
Cairo St. Sund —3E 117
Caithness Rd. Sund —3B 100
Caithness Sq. Sund —3B 100
Calais Rd. Sund —4B 100
Caldbeck Av. Newc T —6F 69
Caldbeck Clo. Newc T —6F 69
Calderbourne Av. Sund —1E 103
Calder Ct. Sund —3H 129
Calderdale. W'snd —2F 57
Calderdale Av. Newc T —2F 69
Calder Grn. Jar —1G 85
Calder's Cres. Wash —6B 112
Calder Wlk. Sun —3E 93
(in three parts)
Calderwood Cres. Gate —2A 96
Calderwood Pk. Gate —2A 96
Caldew Ct. Eas L —3D 146
Caldew Cres. Newc T —1E 65
Caldwell Rd. Newc T —5B 40
Caledonia. Bla T —2G 77
Caledonia. Gt Lum —3G 133
Caledonian Rd. Sund —2B 100
Caledonian St. Heb —2B 70
Caledonia St. Newc T —5G 69
Calfclose Dri. Jar —1F 85
Calfclose La. Jar —1F 85
Calfclose Wlk. Jar —6G 71
California. Bla T —2H 77
Callaley Av. Whi —5D 78
Callaly Av. Cra —3C 20
Callaly Way. Newc T —5D 68
Callander. Ous —5A 110
Callendar Ct. Gate —6C 82
Callerdale Rd. Bly —6G 9
Callerton. —1H 51
Callerton. Kil —6D 30
Callerton Av. N Shi —1G 59
Callerton Clo. Cra —3C 20
Callerton Ct. Pon —1E 37
Callerton La. H Cal & Newc T —3E 37
Callerton Lane End. —1E 51
Callerton La. End Cotts. Newc T —6E 37
Callerton Pl. Newc T —4C 66
Callerton Pl. S'ley —6H 121
Callerton Rd. Newc T —5D 50
Callerton Vw. N Wal —3H 51
Calley Clo. Pet —4C 162
Callington Clo. Hou S —1C 134
Callington Dri. Sund —2F 131
Calow Way. Whi —6D 78
Calver Ct. S Shi —4G 73
(in two parts)
Calvert Ter. Mur —2B 148
Calvus Dri. Hed W —5H 49
Camberley Clo. Sund —1C 130
Camberley Dri. B'don —6B 156
Camberley Rd. W'snd —3E 59
Camberwell Clo. Gate —5D 80
Camberwell Way. Dox I —3F 129
Cambo Av. Bed —4C 8
Cambo Av. Whit B —2H 45
Cambo Clo. Bly —6A 10
Cambo Clo. Newc T —2F 55
Cambo Clo. W'snd —1B 58
Cambo Dri. Cra —4C 20
Cambo Grn. Newc T —5G 53
Cambois. —1B 10
Cambo Pl. N Shi —4C 46
Camborne Gro. Gate —2H 81
Camborne Pl. Gate —2H 81
Cambourne Av. Sund —1E 103
Cambria Grn. Sund —1C 114
Cambrian Clo. Wash —4H 111
Cambrian Way. Wash —3H 111
Cambria St. Sund —1C 114
Cambridge Av. Heb —3D 70
Cambridge Av. Newc T —5D 42
Cambridge Av. W'snd —4G 57
Cambridge Av. Wash —5H 97
Cambridge Av. Whit B —6C 34
Cambridge Cres. Hou S —3E 127
Cambridge Dri. Gt Lum —4G 133
Cambridge Pl. Bir —6C 110
Cambridge Rd. Pet —5C 160
Cambridge Rd. Sund —2A 130
Cambridgeshire Dri. Dur —5A 154
Cambridge St. Newc T —6D 66
Cambridge Ter. Gate —2G 81
Camden Sq. S'hm —5A 140
Camden St. Newc T —3G 67 (2F 5)
Camden St. N Shi —2D 60
Camden St. Sund —4A 102
Camelford Ct. Newc T —1A 64
Camelot Clo. S'hm —3A 140
Cameron Clo. S Shi —6E 73
Cameron Wlk. Gate —1G 79
(in two parts)
Camerton Pl. W'snd —6C 44
Camilla Rd. Hed W —5H 49
Camilla St. Gate —2H 81
Cam Mead. Sund —5A 130
Campbell Park. —4D 70
Campbell Pk. Rd. Heb —3C 70
Campbell Pl. Newc T —4C 66
Campbell Rd. Sund —3B 100
Campbell Sq. Sund —3B 100
Campbell St. Heb —2C 70
Campbell St. Pet —1F 161
Campbell Ter. Eas L —4D 146
Camperdown. —6C 30
Camperdown. W Den —6D 52
Camperdown Av. Camp —1B 42
Camperdown Av. Ches S —4D 124
Camperdown Cen. Camp —6B 30
Camperdown Ind. Est. Camp —1B 42
Campion Dri. Tan L —1B 120
Campion Gdns. Gate —6D 82
Campsie Clo. Wash —4H 111
Campsie Cres. N Shi —4C 46
Camp St. Pet —1F 161
Camp Ter. N Shi —1C 60
Campus Martius. Hed W —5F 49
Campville. N Shi —1C 60
Camsey Clo. Newc T —1H 55
Camsey Pl. Newc T —1H 55
Canberra Av. Whit B —2H 45
Canberra Dri. S Shi —5A 72
Canberra Rd. Sund —3F 115
Candelford Clo. Newc T —4D 56
Candlish St. S Shi —5F 61
Candlish Ter. S'hm —5C 140
Canning St. Heb —4B 70
Canning St. Newc T —4A 66
Cannock. Newc T —1D 42
Cannock. Ous —5H 109
Cannock Dri. Newc T —3A 56
Cannon St. Gate —5G 67
Cann Rd. Pet —5D 160
Cann St. Pet —1C 160
Canonbie Sq. Cra —1D 20
Canon Cockin St. Sund —3E 117
Canon Gro. Jar —2G 71
Canonsfield Clo. Newc T —4H 51
Canonsfield Clo. Sund —4H 129
Canterbury Av. W'snd —1B 58
Canterbury Clo. Gt Lum —5G 133
Canterbury Rd. Dur —5D 142
Canterbury Rd. Sund —3C 100
Canterbury St. Newc T —3D 68
(in two parts)
Canterbury St. S Shi —1F 73
Canterbury Way. Jar —2E 85
Canterbury Way. Wide —5D 28
Capercaillie Lodge. Dud —2B 30
Capetown Rd. Sund —3B 100
Capetown Sq. Sund —3B 100
Caplestone Clo. Wash —4H 111
Capstan La. Gate —3C 96
Captains Row, The. S Shi —1D 72
Captains Wharf. S Shi —4D 60
Capulet Gro. S Shi —4C 72
Capulet Ter. Sund —3E 117
Caradoc Clo. Wash —4H 111
Caragh Rd. Ches S —2B 132
Caraway Wlk. S Shi —1G 87
(in two parts)
Carden Av. S Shi —4B 74
Cardiff Sq. Sund —4B 100
Cardiff St. Pet —1F 161
Cardigan Gro. N Shi —2C 46
Cardigan Rd. Sund —3B 100
Cardigan Ter. Newc T —2B 68
Cardinal Clo. Longb —1A 56
Cardinal Clo. Newc T —4H 51
Cardinals Clo. Sund —4H 129
Cardonnel St. N Shi —3C 60
Cardwell St. Sund —4E 103
(in two parts)
Careen Cres. Sund —2D 128
Carew Ct. Cra —4B 20
Carham Av. Cra —3C 20
Carham Clo. Gos —1F 55
Carisbrooke. Bed —3H 7
Caris St. Gate —3A 82
Carlby Way. Cra —5H 13
Carlcroft Pl. Cra —4C 20
Carley Hill. —2A 102
Carley Hill Rd. Sund —2B 102
Carley Rd. Sund —3B 102
Carley Sq. Sund —3B 102
Carlingford Rd. Ches S —2B 132
Carliol Pl. Newc T —4G 67 (4E 5)
Carliol Sq. Newc T —4G 67 (4E 5)
(in two parts)
Carliol St. Newc T —4E 5
Carlisle Ct. Gate —2D 82
Carlisle Cres. Hou S —2E 127
Carlisle Pl. Gate —1B 96
Carlisle Rd. Dur —6E 143
Carlisle St. Gate —2D 82
Carlisle Ter. Sund —3A 102
Carlisle Ter. W All —4C 44
Carlton Av. Bly —4A 16
Carlton Clo. Newc T —4C 54
Carlton Clo. Ous —5G 109
Carlton Ct. Team T —6E 81
Carlton Cres. Sund —2E 129
Carlton Gdns. Newc T —2C 64
Carlton Rd. Newc T —1D 56
Carlton St. Bly —6D 10
Carlton Ter. Bly —5B 10
Carlton Ter. Gate —6G 81
Carlton Ter. N Shi —2B 60
Carlton Ter. Pet —2B 160
Carlton Ter. Spri —4F 97
Carlyle Ct. W'snd —6E 59
Carlyle Cres. Swa —3E 79
Carlyle St. W'snd —6E 59
Carlyon St. Sund —2D 116
Carmel Gro. Cra —6A 14
Carmel Rd. S'ley —3B 120
Carnaby Rd. Newc T —5F 69
Carnation Av. Hou S —6C 126
Carnation Ter. Whi —4F 79
Carnegie Clo. S Shi —5E 73
Carnegie St. Sund —5F 117
Carnforth Clo. W'snd —6C 44
Carnforth Gdns. Gate —1B 96
Carnforth Gdns. Row G —2E 91
Carnforth Grn. Newc T —3A 54
Carnoustie. Ous —6H 109
Carnoustie. Wash —2A 98
Carnoustie Clo. Newc T —3C 56
Carnoustie Ct. Gate —5H 83
Carnoustie Ct. Whit B —6G 33
Carnoustie Dri. S Shi —6H 73
Carol Gdns. Newc T —4B 56
Caroline Cotts. Newc T —1F 65
Caroline Gdns. W'snd —4E 59
Caroline St. Hett H —1C 146
Caroline St. Jar —2E 71
Caroline St. Newc T —5A 66
Caroline St. S'hm —4B 140
Caroline Ter. Bla T —5H 63
Carol St. Sund —6B 102
Carolyn Clo. Newc T —1C 56
Carolyn Cres. Whit B —4A 34
Carolyn Way. Whit B —4A 34
Carpenters St. S Shi —5D 60
Carr Av. B'don —5D 156
Carr-Ellison Ho. Newc T —6B 66
Carr Fld. Pon —4F 25
Carrfield Rd. Newc T —2B 54
Carr Hill. —5B 82
Carr Hill Rd. Gate —3A 82
Carr Ho. Dri. Dur —1C 152
Carrhouse La. Sea —6G 137
Carrick Ct. Bly —3B 16
Carrick Dri. Bly —2B 16
Carrington Clo. Seg —1F 31
Carrisbrook Ct. Sund —1B 116
Carrmere Rd. Lee I —6E 117
Carrmyers. S'ley —3E 119
Carrock Clo. Pet —4D 162
Carrock Ct. Sund —3H 129
Carroll Wlk. S Shi —1C 86
Carrowmore Rd. Ches S —2C 132
Carr Row. Leam —2C 144
Carrsdale. Dur —2B 154
Carrside. Dur —1B 152
Carrs, The. Dur —6C 142
Carr St. Bly —3A 16
Carr St. Heb —2B 70
(in two parts)
Carrsway. Dur —2B 154
Carrsyde Clo. Whi —6D 78
Carr Vw. Pres —6A 26
Carrville. —3A 154
Carsdale Rd. Newc T —2H 53
Carter Av. Heb —3C 70
Cartington Av. Shir —3C 44
Cartington Clo. Pet —4D 162
Cartington Ct. Newc T —1A 54
Cartington Rd. Dur —2C 152
Cartington Rd. N Shi —2A 60
Cartington Ter. Newc T —6B 56
Cartmel Bus. Cen. Gate —2G 83
Cartmel Ct. Ches S —1A 132
Cartmel Grn. Newc T —6E 53
Cartmel Gro. Gate —4F 81
Cartmel Pk. Pel —2G 83
Cartmel Ter. Pelt —2D 122
Cartwright Rd. Sund —4D 100
Carville Gdns. W'snd —1H 69
Carville Link Rd. Dur —5E 153
Carville Ri. Newc T —3C 68
Carville Rd. W'snd —6H 57
Carville Sta. Cotts. W'snd —6A 58
Carville St. Gate —1B 82
Carvis Clo. B'don —6C 156
Carwarding Pl. Newc T —5G 53
Caseton Clo. Whit B —5G 33
Caspian Clo. Jar —4G 71
Caspian Rd. Sund —4B 100
Caspian Sq. Sund —4B 100
Castellian Rd. Sund —4E 101
Casterton Gro. Newc T —4H 51
Castle Chare. Dur —5C 152
Castle Clo. Ches S —1D 132
Castle Clo. Hett H —3D 146
Castle Clo. Newc T —2H 53
Castle Clo. Whi —4E 79
Castle Ct. Ann P —5F 119
Castle Ct. Pon —5E 25
(off Merton Rd.)
Castledale Av. Bly —1G 15
Castle Dene. —2G 133
Castledene Ct. Newc T —3H 55
Castledene Ct. Sund —3C 100
Castle Dene Gro. Hou S —3H 135
Castle Eden Dene. —5C 162
Castle Eden Dene Nature Reserve. —3F 163
Castle Farm M. Newc T & Jes —4H 55
Castle Farm Rd. S Gos & Newc T —4G 55
Castle Fields. Hou S —6B 126
Castleford Rd. Sund —3B 100
Castle Gth. Newc T —5G 67 (6E 5)
Castlegate Gdns. Gate —2C 80
(in two parts)
Castle Keep. —5G 67 (6E 5)
Castlemain Clo. Hou S —6B 126
Castle M. Sund —2F 129
(off Castles Grn.)
Castlenook Pl. Newc T —2D 64
Castlereagh Homes, The. S'hm —2B 140
Castlereagh Rd. S'hm —4B 140
Castlereagh St. Sund —2A 130
Castlereigh Clo. Hou S —6B 126
Castle Riggs. Ches S —6B 124
Castle Rd. Wash —2G 111
Castles Grn. Newc T —2E 43
Castles Grn. Sund —2F 129
Castleside Rd. Newc T —3E 65
Castle Sq. Back —6H 31
Castle Stairs. Newc T —5G 67 (6E 5)
Castle St. Haz —1C 40
Castle St. Pet —1F 161
Castle St. Sund —6C 102
Castle St. S. Sund —4E 101
Castle, The. —5D 162
Castleton Clo. Cra —6A 14
Castleton Clo. Newc T —5H 55
Castleton Gro. Newc T —5H 55
Castleton Lodge. Newc T —4B 66
Castleton Rd. Jar —4G 71
Castletown. —4C 100
Castletown Rd. Sund —4E 101
Castletown Way. Sund —3F 101
Castle Vw. Ches S —5C 124
Castle Vw. Hou S —1F 127
Castle Vw. Sund —4D 100
Castle Vw. Ush M —6E 151
Castleway. Din —5F 27
Castlewood Clo. Newc T —5B 52
Catcheside Clo. Whi —6E 79
Catchgate. —4E 119
Catchwell Rd. Dip —1D 118
Cateran Way. Cra —4B 20
Caterhouse Rd. Dur —1B 152
Catharine St. W. Sund —1A 116
Cathedral Ct. Gate —6A 68
Cathedral Vw. Hou S —6H 127
Catherine Cookson Building. Newc T —1B 4
Catherine Cookson Ct. S Shi —6G 61
Catherine Rd. Hou S —3H 127
Catherine St. S Shi —4F 61
Catherine Ter. Ann P —5H 119
Catherine Ter. Gate —3C 82
Catherine Ter. S Row —1D 120
Catholic Row. Bed —5G 7
Catkin Wlk. Ryton —6A 62
Cato Sq. Sund —3A 102
Cato St. Sund —3A 102
Catrail Pl. Cra —1C 20
Catton Gro. Sun —2F 93
Catton Pl. W'snd —1C 58
Caulderdale Wlk. Newc T —2A 54
Cauldwell. —1G 73
Cauldwell Av. S Shi —2G 73
Cauldwell Av. Whit B —2H 45
Cauldwell Clo. Whit B —1A 46
Cauldwell La. Whit B —1H 45
(in two parts)
Cauldwell Pl. S Shi —2G 73

Church St.—Cone Ter.

Church St. Gate —5G 67
(NE8)
Church St. Gate —3D 82
(NE10)
Church St. Heb —2B 70
Church St. Hes —6G 163
Church St. Hou S —3A 136
CHurch St. Jar —2F 71
Church St. Mar H —5E 93
Church St. Mur —3C 148
Church St. Newc T —4G 69 (6A 4)
Church St. N Shi —1D 60
Church St. S'hm —4B 140
Church St. Shin R —3F 127
Church St. S Hyl —1C 114
Church St. S'ley —2D 120
Church St. Sund —3B 102
Church St. Walk —5G 69
Church St. W Rai —3E 145
Church St. Winl —2H 77
Church St. E. Sund —6E 103
Church St. Head. Dur —1D 158
Church St. N. Sund —4D 102
(in two parts)
Church St. Vs. Dur —1D 158
Church Ter. Bla T —6A 64
Church Va. H Pitt —3G 155
Church Vw. Bir —3C 110
Church Vw. Bol C —2A 86
Church Vw. Dur —3B 154
Church Vw. Ear —6E 33
Church Vw. Kim —2A 142
Church Vw. Newc T —2C 54
Church Vw. Sund —2A 130
Church Vw. W'snd —5B 58
Church Vw. Wash —6B 98
Church Vw. Vs. Hett H —1C 146
(off Co-operative Ter.)
Church Wlk. Eas V —2B 160
Church Wlk. Gate —5G 67 (6F 5)
Church Wlk. Newc T —4G 69
(in three parts)
Church Wlk. Sund —6F 103
Churchwalk Ho. Newc T —4G 69
Church Ward. Sund —3G 131
Church Way. Ear —5E 33
Church Way. N Shi —1C 60
(nr. Albion Rd.)
Church Way. N Shi —2D 60
(nr. Saville St.)
Church Way. S Shi —4E 61
Church Wynd. Sher —6D 154
Churston Clo. Hou S —5G 127
Cicero Ter. Sund —3A 102
Cinderford Clo. Bol C —1A 86
Circle, The. Jar —5F 71
Cirencester St. Sund —6B 102
Cirus Ho. Sund —3A 130
Citadel E. Newc T —2D 42
Citadel W. Newc T —2D 42
City Rd. Newc T —4G 67 (5F 5)
City Way. Sund —4D 128
Civic Ct. Heb —4D 70
Clacton Rd. Sund —4B 100
Clanfield Ct. Newc T —3H 55
Clanny Ho. Sund —1H 115
Clanny St. Sund —1B 116
Clapham Av. Newc T —4D 68
Clappersgate. Pet —2A 160
Clara Av. Shir —1D 44
Clarabad Ter. Newc T —4G 43
Clarance Pl. Newc T —2G 55
Clara St. Bla T —2H 77
Clara St. Newc T —5H 65
Clara St. S'hm —3H 139
Claremont Av. Newc T —1B 64
Claremont Av. Sund —2E 103
Claremont Bri. Newc T —1D 4
Claremont Ct. Whit B —4A 34
(off Claremont Cres.)
Claremont Cres. Whit B —4A 34
Claremont Dri. Hou S —3E 127
Claremont Gdns. E Bol —4F 87
Claremont Gdns. Whit B —5B 34
Claremont Ho. Newc T
—2E 67 (1B 4)
Claremont N. Av. Gate —1G 81
Claremont Pl. Gate —2G 81
Claremont Pl. Newc T
—2E 67 (1B 4)
Claremont Rd. Newc T
—1C 66 (1C 4)
Claremont Rd. Sund —2E 103
Claremont Rd. Whit B —3A 34
Claremont S. Av. Gate —2G 81
Claremont St. Gate —2G 81
Claremont St. Newc T —2E 67
Claremont Ter. Bill Q —1H 83
Claremont Ter. Bly —6B 10
Claremont Ter. Newc T —2E 67
Claremont Ter. Spri —4F 97
Claremont Ter. Sund —2C 116
Claremont Tower. Newc T —1C 4
Claremont Wlk. Gate —2F 81
(in two parts)
Claremount Ct. W Bol —4D 86
Clarence Cres. Whit B —1D 46
Clarence Ho. Newc T —2G 5
Clarence St. Newc T —3H 67 (3G 5)
Clarence St. S'hm —4B 140
Clarence St. Sea S —4H 23
Clarence St. Sund —3H 101
(in two parts)
Clarence St. Tant —5H 105
Clarence Ter. Ches S —6C 124
Clarence Wlk. Newc T
—3H 67 (2G 5)
Clarendon Rd. Newc T —6C 56
Clarendon Sq. Sund —2B 102
Clare Rd. Pet —2B 162
Clarewood Av. S Shi —1A 74
Clarewood Ct. Newc T —3C 66
Clarewood Grn. Newc T —3C 66
Clarewood Pl. Newc T —1G 65
Clark Cotts. Whi —4E 79
Clarke's Ter. Dud —4A 30
Clarke Ter. Gate —3C 82
Clarke Ter. Mur —2C 148
Clarks Hill Wlk. Newc T —2F 63
Clark's Ter. S'hm —2E 139
Clark Ter. S Shi —5F 61
Clark Ter. S'ley —1D 120
Clarty La. Kib —3F 109
Clasper Ct. S Shi —3E 61
Clasper St. Newc T —6D 66
Claude Gibb Hall. Newc T —1F 5
Claude St. Hett H —2C 146
Claude Ter. Mur —2D 148
Claudius Ct. S Shi —3E 61
Claverdon St. Newc T —3H 51
Clavering Pl. Newc T —5F 67 (6D 4)
Clavering Pl. S'ley —6F 119
Clavering Rd. Bla T —2A 78
(off Shibdon Bank)
Clavering Rd. Swa —3E 79
Clavering Shop. Cen. Whi —6D 78
Clavering Sq. Gate —3B 80
Clavering St. W'snd —6F 59
(in two parts)
Clavering Way. Bla T —1C 78
Claverley Dri. Back —6A 32
Claxheugh Rd. Sund —6D 100
Claxton St. Pet —6G 161
Clay La. Dur —1A 158
(in two parts)
Claymere Rd. Sund —6E 117
Claypath. Dur —5D 152
Claypath. Gate —1F 97
Claypath Ct. Dur —5D 152
Claypath La. S Shi —5E 61
(in two parts)
Claypath Rd. Hett H —3C 146
Claypath St. Newc T —3A 68
Claypool Ct. S Shi —4E 73
Clayside Ho. S Shi —6F 61
Clayton Ho. Newc T —1E 55
Clayton Pk. Sq. Newc T —1G 67
Clayton Rd. Newc T —1F 67
Clayton St. Bed —3D 8
Clayton St. Dud —3H 29
Clayton St. Jar —2F 71
Clayton St. Newc T —4F 67
(in two parts)
Clayton St. W. Newc T
—5E 67 (6B 4)
Clayton Ter. Gate —2C 82
Clayworth Rd. Newc T —4D 40
Cleadon. —2A 88
Cleadon Gdns. Gate —2D 96
Cleadon Gdns. W'snd —2E 59
Cleadon Hill Dri. S Shi —5A 74
Cleadon Hill Rd. S Shi —5B 74
Cleadon La. E Bol —2G 87
Cleadon La. Sund —2B 88
Cleadon La. Ind. Est. E Bol —3F 87
Cleadon Lea. Cle —2H 87
Cleadon Meadows. Sund —2A 88
Cleadon Park. —5A 74
Cleadon St. Newc T —3E 69
Cleadon Towers. S Shi —5B 74
Cleasby Gdns. Gate —5H 81
Cleaside Av. S Shi —5A 74
Cleehill Dri. N Shi —4B 46
Cleeve Ct. Wash —2B 112
Cleghorn St. Newc T —1C 68
Clegwell Ter. Heb —3D 70
Clelands Way. W'snd —6D 58
Clematis Cres. Gate —3D 96
Clement Av. Bed —4C 8
Clementhorpe. N Shi —6C 46
Clementina Clo. Sund —2E 117
Clement St. Gate —6H 81
Clennell Av. Heb —4B 70
Clent Way. Newc T —1A 56
Clephan St. Gate —2B 80
Clervaux Ter. Jar —3G 71
Cleveland Av. Ches S —1B 132
Cleveland Av. N Shi —1B 60
Cleveland Ct. Jar —2E 71
Cleveland Ct. S Shi —3E 61
Cleveland Cres. N Shi —1C 60
Cleveland Dri. Wash —4H 111
Cleveland Gdns. Newc T —4A 56
Cleveland Gdns. W'snd —4F 59
Cleveland Pl. Pet —1B 162
Cleveland Rd. N Shi —1B 60
Cleveland Rd. Sund —3H 115
Cleveland St. S Shi —3F 61
Cleveland Ter. N Shi —1C 60
Cleveland Ter. S'ley —4E 121
Cleveland Ter. Sund —2A 116
Cleveland Vw. Sund —5E 89
Cliff Cotts. Jar —1H 71
Cliffe Ct. Sund —1F 103
Cliffe Pk. Sund —1F 103
Clifford Rd. Newc T —4D 68
Clifford Rd. S'ley —3C 120
Clifford's Fort Moat. N Shi —2E 61
Clifford St. Bla T —6A 64
Clifford St. Ches S —2C 132
Clifford St. Newc T —3B 68
Clifford St. N Shi —1E 61
Clifford St. Sund —1A 116
Clifford Ter. Ches S —1C 132
Cliff Rd. Sund —3G 131
Cliff Row. N Shi —1E 47
Cliffside. S Shi —3C 74
Cliff Ter. Pet —2B 160
Cliff Ter. Sund —3G 131
Cliff Vw. Sund —3G 131
Clifton Av. S Shi —2G 73
Clifton Av. W'snd —5H 57
Cliftonbourne Av. Sund —1E 103
Clifton Clo. Ryton —5E 63
Clifton Ct. Newc T —6H 39
Clifton Ct. Spri —4E 97
Clifton Ct. Whit B —4A 34
Clifton Gdns. Bly —3B 16
Clifton Gdns. Gate —4H 81
Clifton Gdns. N Shi —4A 60
Clifton Gro. Whit B —5A 34
Clifton Ho. Sund —2C 100
Clifton Rd. Cra —4C 20
Clifton Rd. Newc T —4A 66
Clifton Rd. Sund —2E 103
Clifton Sq. Pet —6D 160
Clifton Ter. Newc T —6D 42
Clifton Ter. S Shi —2E 73
Clifton Ter. Whit B —6D 34
Cliftonville Av. Newc T —4A 66
Cliftonville Gdns. Whit B —5C 34
Clifton Wlk. Newc T —5H 51
Clifton Yd. Sund —1C 114
Clintburn Ct. Cra —1C 20
Clinton Pl. Newc T —3D 40
Clinton Pl. Sund —3E 129
Clipsham Clo. Newc T —1B 56
Clipstone Av. Newc T —6E 69
Clipstone Clo. Newc T —5C 50
Clive Pl. Newc T —4B 68
Clive St. N Shi —3D 60
Clive St. S Shi —5C 72
Clockburn La. Whi —6B 78
Clockburn Lonnen. Whi —1C 92
Clockburnsyde Clo. Whi —6C 78
Clockmill Rd. Gate —2C 80
Clockstand Clo. Sund —3E 103
Clockwell St. Sund —4H 101
Cloggs, The. Pon —4F 25
Cloister Av. S Shi —4C 72
Cloister Ct. Gate —6H 67
Cloister Gth. Newc T —2H 55
Cloisters, The. Newc T —2H 55
Cloisters, The. S Shi —2H 73
Cloisters, The. Sund —3D 116
Cloister Wlk. Jar —2G 71
Close. Newc T —5F 67 (6D 4)
Closeburn Sq. Sund —3B 130
Close E., The. Ches S —4C 124
Closefield Gro. Whit B —1A 46
Close Ho. Est. Hed W —6F 49
Close St. Sund —6A 102
Close, The. Bla T —2G 77
Close, The. Bly —4C 10
Close, The. Burn —6A 92
Close, The. Ches S —4C 124
Close, The. Cle —2H 87
Close, The. Dur —4B 154
Close, The. Hou S —3B 136
Close, The. Newc T —1C 64
Close, The. Pon —6E 25
Close, The. Seg —2F 31
Cloth Mkt. Newc T —4F 67 (5D 4)
Clough Dene. —4G 105
Clough Dene. Burn —4G 105
Clough La. Newc T —5D 4
Clousden Dri. Newc T —4E 43
Clousden Grange. Newc T —4E 43
Clousden Hill. Newc T —4E 43
Clovelly Gdns. Bed —5H 7
Clovelly Gdns. Whit B —5C 34
Clovelly Pl. Jar —4A 72
Clovelly Pl. Pon —3C 36
Clovelly Rd. Sund —2B 100
Clovelly Sq. Sund —2C 100
Clover Av. Gate —1B 82
Clover Av. Hou S —4F 127
Clover Av. Winl M —5A 78
Cloverdale. Bed —4G 7
Cloverdale Gdns. Newc T —4B 56
Cloverdale Gdns. Whi —6F 79
Cloverfield Av. Newc T —1B 54
Clover Hill. Jar —2G 85
Clover Hill. Sun —3E 93
(in two parts)
Cloverhill Av. Heb —6B 70
Cloverhill Clo. Ann —2A 30
Cloverhill Dri. Ryton —5A 62
Clover Laid. B'don —6C 156
Clowes Ter. S'ley —5F 119
Clowes Wlk. S'ley —2F 121
Club La. Dur —4H 151
Clumber St. Newc T —6C 66
(in two parts)
Clyde Av. Heb —6C 70
Clyde Ct. Sund —3H 129
Clydedale Av. Newc T —6D 42
Clydesdale Av. Hou S —2F 127
Clydesdale Gth. Dur —5C 142
Clydesdale Mt. Newc T —4C 68
Clydesdale Rd. Newc T —4C 68
Clydesdale St. Hett H —3C 146
Clyde St. Gate —3A 82
Clyde St. S'ley —2F 121
Clyvedon Ri. S Shi —6A 74
Coach La. Haz —1G 39
(in two parts)
Coach La. Newc T —2C 56
Coach La. N Shi —2C 60
Coach Open. W'snd —6F 59
Coach Rd. Gate —6D 80
Coach Rd. Newc T —5C 50
Coach Rd. W'snd —6A 58
Coach Rd. Wash —4A 98
Coach Rd. Est. Wash —4A 98
Coach Rd. Grn. Gate —1C 82
Coalbank Rd. Hett H —3B 146
Coalbank Sq. Hett H —3B 146
Coaley La. Hou S —6G 127
Coalford La. H Pitt —2G 155
Coalford Rd. Sher —5D 154
Coalway Dri. Whi —3F 79
Coalway La. Whi —3F 79
Coalway La. N. Swa —2F 79
Coanwood Bungalows. Cra —4B 20
Coanwood Dri. Cra —4B 20
Coanwood Gdns. Gate —6D 80
Coanwood Rd. Newc T —5F 65
Coanwood Way. Sun —2F 93
Coast Rd. Newc T —5C 56
Coast Rd. N Shi —1H 59
Coast Rd. Pet & H'pool —1G 163
Coast Rd. S Shi & Sund —6H 61
(in two parts)
Coates Clo. S'ley —4E 121
Coatsworth Ct. Gate —1G 81
Coatsworth Rd. Gate —1G 81
Cobalt Clo. Newc T —1A 64
Cobbett Cres. S Shi —6D 72
Cobden Rd. Cra —5C 20
Cobden St. Gate —2A 82
Cobden St. W'snd —5H 57
Cobden Ter. Gate —2A 82
Cobham Pl. Newc T —5G 69
Cobham Sq. Sund —3B 102
Coble Dene. N Shi —4A 60
Coblehouse. Whit B —1E 47
Coble Landing. S Shi —4D 60
Coburg St. Bly —6D 10
Coburg St. Gate —1H 81
Coburg St. N Shi —1D 60
Coburn Clo. Burr —6C 30
Cochrane Ct. Newc T —4H 65
(in two parts)
Cochrane Pk. Av. Newc T —4C 56
Cochrane St. Newc T —4A 66
Cochrane Ter. Din —4F 27
Cochrane Ter. Ush M —6C 150
Cochran St. Bla T —6A 64
Cockburn Ter. N Shi —4H 59
Cocken La. Gt Lum —4H 133
Cocken Lodge Farm Cvn. Pk. Hou S
—2A 144
Cocken Rd. Dur & Leam —2D 142
Cockermouth Grn. Newc T —1E 65
Cockermouth Rd. Sund —2B 100
Cockhouse La. Ush M —5A 150
Colbeck Av. Swa —2F 79
Colbeck Ter. N Shi —6F 47
Colbourne Av. Cra —6G 13
Colbourne Cres. Cra —6G 13
Colbury Clo. Cra —5A 14
Colby Ct. Newc T —5D 66
Colchester St. S Shi —5C 72
Colchester Ter. Sund —2H 115
Cold Hesledon. —3G 149
Cold Hesledon Ind. Est. Cold H
(in two parts) —2G 149
Coldingham Gdns. Newc T —5H 53
Coldside Gdns. Newc T —4H 51
Coldstream. Ous —5A 110
Coldstream Av. Sund —3B 102
Coldstream Clo. Hou S —4F 127
Coldstream Dri. Bla T —3G 77
Coldstream Gdns. W'snd —4E 59
Coldstream Rd. Newc T —3F 65
Coldstream Way. N Shi —5G 45
Coldwell Clo. S Het —6G 147
Coldwell La. Gate —4C 82
Coldwell Pk. Av. Gate —4C 82
Coldwell Pk. Dri. Gate —4C 82
Coldwell St. Gate —3D 82
Coldwell Ter. Gate —4C 82
Colebridge Clo. Newc T —4G 53
Colebrooke. Bir —5D 110
Cole Gdns. Gate —3G 83
Colegate. Gate —4F 83
Colegate W. Gate —4F 83
Colepeth. Gate —4E 83
Coleridge Av. Gate —1G 95
Coleridge Av. S Shi —6G 61
Coleridge Gdns. Dip —1D 118
Coleridge Pl. Pelt F —6G 123
Coleridge Rd. Sund —3D 100
Coleridge Sq. Heb —3C 70
Coley Grn. Newc T —3H 51
Coley Hill Clo. Newc T —3A 52
Coley Ter. Sund —2E 103
Colgrove Pl. Newc T —2A 54
Colgrove Way. Newc T —2A 54
(in two parts)
Colima Av. Sund E —5D 100
Colin Ct. Bla T —5C 64
Colin Pl. Newc T —1G 69
Colin Ter. Sund —3F 131
College Burn Rd. Sund —4G 129
College Dri. S Shi —1G 73
College Ho. Newc T —2E 5
College La. Newc T —1C 56
College Rd. Heb —6B 70
College St. Newc T —3G 67 (2E 5)
College, The. Dur —6C 152
College Vw. Bear —4C 150
College Vw. Sund —4C 102
Collier Clo. Thro —6D 50
Collierley La. Dip —6C 104
Colliery La. Hett H —3D 146
Colliery La. Newc T —4D 66 (4A 4)
Colliery Rd. Bear —3D 150
Colliery Rd. Gate —1B 80
Colliery Row. —3E 135
Collin Av. S Shi —4B 74
Colling Av. S'hm —4G 139
Collingdon Grn. H Spen —1A 90
Collingdon Rd. H Spen —1A 90
Collingwood Av. W'snd —3H 57
Collingwood Clo. Cra —1G 19
Collingwood Cotts. Pon —4B 24
Collingwood Ct. Wash —5D 98
Collingwood Cres. Pon —1D 36
Collingwood Dri. Hou S —3E 127
Collingwood Gdns. Gate —1D 82
Collingwood Mans. N Shi —3D 60
Collingwood Rd. Well —6E 33
Collingwood St. Gate —2D 82
Collingwood St. Heb —3E 71
Collingwood St. Hett H —5C 136
Collingwood St. Newc T
—5F 67 (6D 4)
Collingwood St. S Shi —1E 73
Collingwood St. Sund —3B 102
(in two parts)
Collingwood Ter. Bly —6C 10
Collingwood Ter. Gate —2C 80
Collingwood Ter. Newc T —6H 55
Collingwood Ter. Tyn —6F 47
Collingwood Ter. Whit B —1E 47
Collingwood Vw. N Shi —2B 60
Collingwood Wlk. Wash —5D 98
(off Collingwood Ct.)
Collins Cft. Newc T —4D 66
Collywell Bay Rd. Sea S —3H 23
Collywell Ct. Sea S —3H 23
Colman Av. S Shi —3C 72
Colmet Ct. Team T —1F 95
Colnbrook Clo. Newc T —6H 39
Colombo Rd. Sund —4B 100
Colpitts Ter. Dur —6B 152
Colston Pl. Newc T —6D 42
Colston Ri. Pet —6C 160
Colston St. Newc T —4H 65
Colston Way. Whit B —4H 33
Coltere Av. E Bol —4G 87
Colton Gdns. Gate —2A 96
Coltpark. Newc T —6D 52
Coltpark Pl. Cra —4B 20
Coltsfoot Gdns. Gate —6C 82
Coltspool. Gate —1F 109
Columba St. Sund —3B 102
Columba Wlk. Newc T —2F 55
(in two parts)
Columbia. —3D 112
Columbia Grange. Newc T —2A 54
Columbia Ter. Bly —1C 16
Column of Liberty. —2H 91
Colville Ct. S'ley —3F 121
Colwell Pl. Newc T —2G 65
Colwell Rd. N Shi —4B 46
Colwell Rd. Shir —3D 44
Colwyne Pl. Newc T —5F 53
Colwyn Pde. Heb —1E 85
Combe Dri. Newc T —2H 63
Comet Dri. Eas —1C 160
Comet Row. Newc T —3C 42
Comet Sq. Sund —2A 130
Comma Ct. Gate —4D 80
Commerce Way. Hou S —4G 135
Commercial Rd. Bly —5C 10
Commercial Rd. Gos —2G 55
Commercial Rd. Jar —1G 71
(in two parts)
Commercial Rd. Newc T —4C 68
Commercial Rd. S Shi —6D 60
Commercial Rd. Sund —2F 117
Commercial Sq. B'don —5E 157
Commercial St. Bla T —2H 77
Commercial St. B'don —4E 157
Commercial Way. Cra —3A 20
Commissioners Wharf. N Shi
—5B 60
Compton Av. S Shi —2F 73
Compton Ct. Wash —2H 111
Compton Rd. N Shi —2B 60
Concord. —5B 98
Concorde Ho. Wash —5B 98
Concorde Sq. Sund —2A 130
Concorde Way. Jar —3F 71
Condercum Ct. Newc T —4G 65
Condercum Ind. Est. Newc T
—4H 65
Condercum Rd. Newc T —4H 65
Condercum Rd. Bk. Newc T
—4H 65
Cone St. S Shi —5D 60
Cone Ter. Ches S —6D 124

Conewood Ho.—Croftside Ho.

Conewood Ho. Newc T —1B 54
Conhope La. Newc T —4H 65
Conifer Clo. Bla T —3H 77
Conifer Clo. Dur —4G 153
Conifer Ct. G'sde —2B 76
Conifer Ct. Newc T —5F 43
Coningsby Clo. Newc T —5F 41
Coniscliffe Av. Newc T —4B 54
Coniscliffe Pl. Sund —4E 103
Coniscliffe Rd. S'ley —4B 120
Coniscliffe Ter. Pet —2B 160
Conishead Ter. S Het —5H 147
Coniston. Bir —5D 110
(in two parts)
Coniston. Gate —3G 83
Coniston Av. Eas L —5E 147
Coniston Av. Heb —4D 70
Coniston Av. Sund —1C 102
Coniston Av. W Jes —5G 55
Coniston Av. Whi —4H 79
Coniston Clo. Ches S —1C 132
Coniston Clo. Dur —3C 154
Coniston Clo. Kil —2C 42
Coniston Clo. Newc T —2E 63
Coniston Clo. Pet —1E 163
Coniston Ct. Newc T —1F 65
Coniston Cres. Bla T —3H 77
Coniston Dri. Jar —6H 71
Coniston Gdns. Gate —6B 82
Coniston Pl. Gate —6B 82
Coniston Rd. Kit I —4F 9
Coniston Rd. N Shi —3B 46
Coniston Rd. W'snd —3D 58
Connaught Clo. Phil —4G 127
Connaught Gdns. Newc T —6D 42
Connaught Ter. Jar —3F 71
Connolly Ho. S Shi —6F 73
Consett Rd. Gate —6B 80
Constable Av. Sund —5D 114
Constable Clo. Ryton —5C 62
Constable Clo. S'ley —3D 120
Constable Gdns. S Shi —6E 73
Constables Gth. Bir —3C 110
Constance St. Pelt —2G 123
Constitutional Hill. Dur —6E 153
Content St. Bla T —2A 78
Convent Rd. Newc T —2H 65
(in two parts)
Conway Clo. Bed —4F 7
Conway Clo. Ryton —6D 62
Conway Dri. Newc T —3A 56
Conway Gdns. Sund —2F 129
Conway Gdns. W'snd —3G 57
Conway Gro. Sea S —2F 23
Conway Pl. Pelt —1H 123
Conway Rd. Sund —3B 100
Conway Sq. Gate —3A 82
Conway Sq. Sund —3B 100
Conyers Av. Ches S —4B 124
Conyers Cres. Pet —4E 161
Conyers Gdns. Ches S —4B 124
Conyers Pl. Ches S —4B 124
Conyers Rd. Ches S —4B 124
Conyers Rd. Newc T —3B 68
Cook Av. Bear —4C 150
Cook Clo. S Shi —1D 72
Cook Cres. Mur —2B 148
Cooke's Wood. B'pk —1E 157
Cook Gdns. Gate —3H 83
Cook Gro. Pet —4E 161
Cook La. Newc T —3F 67
Cook's Cotts. Ush M —5B 150
Cookshold La. Sher —6E 155
Cookson Clo. Newc T —4D 66
Cookson Ho. S Shi —4E 61
Cookson's La. Newc T —5F 67
Cookson St. Newc T —4C 66
Cookson Ter. Ches S —6B 124
Cook Sq. Sund —3C 100
Cooks Wood. Wash —4B 112
Cook Va. S Shi —2D 72
Coomassie Rd. Bly —6C 10
Coomside. Cra —5C 20
Co-operative Bldgs. Dip —1C 118
Co-operative Bldgs. Sea D —6B 22
Co-operative Cres. Gate —4C 82
Cooperative St. Ches S —5C 124
Co-operative Ter. Bru V —5C 28
Co-operative Ter. Burn —1H 105
Co-operative Ter. Ches S —5C 122
Co-operative Ter. Dip —1C 118
Co-operative Ter. Fenc —2D 134
Co-operative Ter. Gate —4C 82
Co-operative Ter. Hett H —1C 146
Co-operative Ter. H Spen —6A 76
Co-operative Ter. New B —1A 156
Co-operative Ter. Newc T —4G 43
Co-operative Ter. Pelt —2C 122
Co-operative Ter. Shir —2C 44
Co-operative Ter. Sund —2A 116
Co-operative Ter. Wash —5C 98
Co-operative Ter. W All —4C 44
Co-operative Ter. E. Dip —1D 118
Co-operative Ter. W. Dip —1C 118
Co-operative Vs. Lang M —4G 157
Cooperative Vs. S Hill —6H 155
Cooper Sq. Dur —4F 153
Cooper St. Sund —3E 103
Copeland Ct. Dur —1A 158
Copenhagen Ho. Newc T —6G 5
Copland Ter. Newc T —3H 67 (3G 5)
Copley Av. S Shi —1E 87
Copley Dri. Sund —5B 116
Copperas La. Newc T —2D 64
Copperfield. Dur —2A 158
Coppergate Ct. Heb —2D 70
Coppice, The. Sea S —3G 23
Coppice Way. Newc T —3H 67 (2G 5)
Coppy La. Mar H —2F 107
Copse, The. Bla T —2D 78
Copse, The. Burn —1F 105
Copse, The. Newc T —5F 41
Copse, The. Pet —2B 160
Copse, The. Wash —3H 97
Coptleigh. Hou S —4C 136
Coqetdale Av. Newc T —3G 69
Coquet. Wash —6F 111
Coquet Av. Bly —2C 16
Coquet Av. Newc T —1D 54
Coquet Av. S Shi —1B 74
Coquet Av. Whit B —6C 34
Coquet Bldgs. Newc T —6H 51
Coquetdale Pl. Bed —4C 8
Coquetdale Vs. Sund —3E 103
Coquet Dri. Pelt —1G 123
Coquet Gdns. S'ley —5C 120
Coquet Gro. Newc T —5C 50
Coquet Ho. Sund —3H 129
Coquet St. Heb —3B 70
Coquet St. Jar —4E 71
Coquet St. Newc T —4H 67 (4H 5)
Coquet Ter. Dud —3H 29
Coquet Ter. Newc T —6C 56
Coram Pl. Newc T —4E 65
Corbett St. Pet —1F 161
Corbett St. S'hm —3H 139
(in two parts)
Corbiere Clo. Sund —3G 129
Corbitt St. Gate —2E 81
Corbridge Av. Wide —5D 28
Corbridge Clo. W'snd —1C 58
Corbridge Rd. Newc T —3C 68
Corbridge St. Newc T —3B 68
(in two parts)
Corby Gdns. Newc T —3F 69
Corby Ga. Sund —3D 116
Corby Gro. Pet —4A 162
Corby Hall Dri. Sund —3D 116
Corby M. Sund —3D 116
Corchester Rd. Bed —3G 7
Corchester Wlk. Newc T —3B 56
Corcyra St. S'hm —5B 140
Corfu Rd. Sund —3C 100
(in two parts)
Corinthian Sq. Sund —3C 100
Cork St. Sund —6E 103
Cormorant Clo. Bly —3D 16
Cormorant Clo. Wash —4F 111
Cornbank Clo. Sund —4A 130
Corndean. Wash —3E 113
Cornelia Clo. Sund —2A 130
Cornelia St. Sund —2A 130
Cornelia Ter. S'hm —4A 140
Cornel M. Newc T —4C 56
Cornel Rd. Newc T —4B 56
Corney St. S Shi —2D 72
Cornfield Gth. Pet —2F 163
Cornfields, The. Heb —3C 70
Cornforth Clo. Gate —4A 84
Cornhill. Jar —2G 85
Cornhill. Newc T —6D 52
Cornhill Av. Newc T —6B 40
Cornhill Clo. N Shi —6H 45
Cornhill Cres. N Shi —6H 45
(in two parts)
Cornhill Rd. Cra —3C 20
Cornhill Rd. Sund —3B 102
Corn Mill Dri. Hou S —5H 135
Cornmoor Gdns. Whi —6F 79
Cornmoor Rd. Whi —5F 79
Cornsay Cres. Ous —5H 109
Cornthwaite Dri. Sund —2E 89
Cornwall Ct. Mur —2D 148
Cornwallis. Wash —4C 98
Cornwallis Sq. S Shi —6D 60
Cornwallis St. S Shi —5E 61
Cornwall Rd. Heb —6D 70
Cornwall St. Pet —1F 161
Cornwall Wlk. Dur —4B 154
Cornwell Ct. Newc T —3H 55
Cornwell Cres. Bed —5B 8
Coronation Av. Dur —3B 154
Coronation Av. Pet —1G 163
Coronation Av. Sund —3F 131
Coronation Av. Sun —3F 93
Coronation Bungalows. Gos —2F 55
Coronation Clo. Sund —6E 103
Coronation Cres. Hou S —1G 135
Coronation Cres. L Pit —1F 155
Coronation Cres. Whit B —6B 34
Coronation Grn. Eas L —5F 147
Coronation Rd. Newc T —4H 51
Coronation Rd. Sea D —6A 22
Coronation Rd. Sun —3F 93
Coronation Sq. S Het —6B 148
Coronation St. Ann —2B 30
Coronation St. Bly —1C 16
Coronation St. Ches S —2D 132
Coronation St. N Shi —3C 60
Coronation St. Ryton —5E 63
Coronation St. S Shi —5D 60
Coronation St. Sund —6E 103
Coronation St. W'snd —5A 58
Coronation Ter. Bol C —2A 86
Coronation Ter. Ches S —2C 132
Coronation Ter. Dur —6A 154
Coronation Ter. Gate —4F 97
Coronation Ter. Gran V —5D 122
Coronation Ter. Hett H —3C 146
Coronation Ter. Kib —1E 109
Coronation Ter. N Shi —4F 45
Coronation Ter. S'ley —5H 119
Coronation Ter. Sund —1D 114
Corporation Rd. Sund —3F 117
Corporation St. Newc T —4D 66 (5A 4)
Corriedale Clo. Pity Me —5C 142
Corrighan Ter. E Rai —1G 145
Corrofell Gdns. Gate —1E 83
Corry Ct. Sund —3G 115
Corsair. Whi —5D 78
Corsenside. Newc T —6D 52
Corstophine Town. S Shi —1D 72
Cortina Av. Sund —3F 115
Corvan Ter. Tant —6G 105
Cosford Ct. Newc T —6G 39
Cossack Ter. Sund —6G 101
Cosserat Pl. Heb —2B 70
Cosser St. Bly —3H 15
Coston Dri. S Shi —4E 61
(in two parts)
Cosyn St. Newc T —4A 68
Cotehill Dri. Pon —1B 36
Cotehill Rd. Newc T —6F 53
Cotemede. Gate —5G 83
Cotemede Ct. Gate —5G 83
Cotfield Wlk. Gate —2F 81
Cotgarth, The. Gate —4E 83
Cotherstone Ct. Sund —5B 116
Cotherstone Rd. Dur —1D 152
Cotman Gdns. S Shi —1F 87
Cotsford Cres. Pet —1G 163
Cotsford Grange. Pet —1H 163
Cotsford La. Pet —1G 163
Cotsford Pk. Est. Pet —1H 163
Cotswold Av. Ches S —1A 132
(in two parts)
Cotswold Av. Newc T —4B 42
Cotswold Clo. Wash —3H 111
Cotswold Dri. Whit B —2B 46
Cotswold Gdns. Gate —4C 80
Cotswold Gdns. Newc T —4A 56
Cotswold Pl. Pet —6B 160
Cotswold Rd. N Shi —3A 46
Cotswold Rd. Sund —3C 100
Cotswolds La. Bol C —2A 86
Cotswold Sq. Sund —2C 100
Cotswold Ter. S'ley —4E 121
Cottage Gdns. Cle —2A 88
Cottage La. Newc T —6H 53
Cottages Rd. S'hm —5B 140
Cottages, The. Gate —4G 95
Cottages, The. Pet —4E 161
Cottenham Chare. Newc T —4D 66
Cottenham St. Newc T —4D 66
Cotterdale. W'snd —2F 57
Cotterdale Av. Gate —3H 81
Cotter Riggs Pl. Newc T —5H 51
Cotter Riggs Wlk. Newc T —5H 51
Cottersdale Gdns. Newc T —4H 51
Cottingham Clo. Pet —6B 160
Cottingwood Ct. Newc T —3D 66
Cottingwood Gdns. Newc T —3D 66
Cottingwood Grn. Bly —4A 16
Cottonwood. Sund —4G 129
Coulthards La. Gate —6H 67
Coulthards Pl. Gate —5A 68
Coulton Dri. E Bol —4H 87
Council Av. Hou S —3F 127
Council Ter. Wash —6B 98
Counden Rd. Newc T —4C 52
Countess Av. Whit B —6C 34
Countess Dri. Newc T —2E 65
Coupland Gro. Jar —6F 71
Courtfield Rd. Newc T —1F 69
Court La. Dur —6D 152
Courtney Ct. Newc T —6G 39
Courtney Dri. Pelt —2H 123
Courtney Dri. Sund —1H 129
Court Rd. Bed —4H 7
Court St. Pet —1F 161
Court, The. Whi —5G 79
Courtyard, The. Tan L —1A 120
Cousin St. Sund —6E 103
Coutts Rd. Newc T —1E 69
Covent Garden. Sund —6E 103
Coventry Gdns. Newc T —5A 66
Coventry Gdns. N Shi —3A 60
Coventry Rd. Dur —6E 143
Coventry Way. Jar —1F 85
Coverdale. Gate —5G 83
Coverdale. W'snd —2F 57
Coverdale Av. Bly —6G 9
Coverdale Av. Wash —5A 98
Coverdale Wlk. S Shi —2E 73
Coverley. Gt Lum —3G 133
Coverley Rd. Sund —3D 100
Covers, The. Bent —1E 57
Cove, The. Hou S —3F 127
Cowan Clo. Bla T —5G 63
Cowans Av. Camp —1C 42
Cowan Ter. Sund —1D 116
Cowdray Ct. Newc T —6G 39
Cowdray Rd. Sund —3D 100
Cowdrey Ho. N Shi —4H 59
Cowell Gro. Highf —3C 90
Cowell St. Pet —6F 161
Cowen Gdns. Gate —4A 96
Cowen Rd. Bla T —6B 64
Cowen St. Bla T —3H 77
Cowen St. Newc T —3F 69
Cowen Ter. Row G —2F 91
Cowgate. —6H 53
Cowgate. Newc T —4G 67 (5F 5)
Cowley Cres. E Rai —1G 145
Cowley Pl. Bly —5H 9
Cowley Rd. Bly —4H 9
Cowpath Gdns. Gate —2G 83
Cowpen. —5G 9
Cowpen Hall Rd. Bly —5G 9
Cowpen New Town. —4G 9
Cowpen Rd. Bly —5E 9
(in two parts)
Cowpen Sq. Bly —4B 10
Cowper Ter. Newc T —4C 42
Cox Chare. Newc T —4H 67 (5G 5)
Coxfoot Clo. S Shi —4E 73
Cox Green. —4F 113
Coxgreen Rd. Hou S —1E 127
Coxlodge. —2C 54
Coxlodge Rd. Newc T —2C 54
Coxlodge Ter. Newc T —2C 54
Coxon St. Gate —1H 83
Coxon St. Sund —2E 117
Coxon Ter. Gate —2C 82
Cradock Av. Heb —5B 70
Cragdale Gdns. Hett H —3B 146
Craggyknowe. Wash —1F 111
Craghall Dene. Newc T —3G 55
Craghall Dene Av. Newc T —3G 55
Craghead. —6G 121
Craghead La. S'ley —6G 121
Craghead Rd. Pelt F —5G 123
Cragleas. Hob —3G 105
Cragside. Ches S —5A 124
Cragside. Cra —5B 20
Cragside. Newc T —4B 56
Cragside. S Shi —4B 74
Cragside. Wash —6G 97
Cragside. Whit B —4A 34
Cragside. Wide —5D 28
Cragside Av. N Shi —5H 45
Cragside Ct. Hou S —3B 136
Cragside Ct. Newc T —6A 66
Cragside Ct. S'ley —6F 119
Cragside Gdns. Gate —6C 80
Cragside Gdns. Kil —1F 43
Cragside Gdns. W'snd —4D 58
Cragston Av. Newc T —4G 53
Cragston Clo. Blak —5G 53
Cragston Ho. Newc T —5G 53
Cragston Way. Newc T —5G 53
Cragton Gdns. Bly —6H 9
Craigavon Rd. Sund —4D 100
Craig Cres. Dud —3A 30
Craigend. Cra —4C 20
Craighill. Hou S —3E 127
Craiglands, The. Sund —4C 116
(off Tunstall Rd.)
Craigmillar Av. Newc T —4G 53
Craigmillar Clo. Newc T —4F 53
Craigmill Pk. Bly —5G 9
Craigmont Ct. Newc T —1D 56
(off West Av.)
Craigshaw Rd. Sund —2B 100
Craigshaw Sq. Sund —2B 100
Craig St. Bir —2C 110
Craig Ter. Pet —2B 160
Craigwell Dri. Sund —5A 130
Crake Way. Wash —5F 111
Cramer St. Gate —2H 81
Cramlington. —2A 20
Cramlington Rd. Sund —4B 100
Cramlington Sq. Sund —3B 100
Cramlington Ter. Bly —3A 16
Cramlington Ter. W All —4C 44
Cramlington Village. —2B 20
Cramond Ct. Gate —2G 95
Cramond Way. Cra —5B 20
Cranberry Rd. Sund —3C 100
Cranberry Sq. Sund —3C 100
Cranborne. Sund —3E 129
Cranbourne Gro. N Shi —2D 46
Cranbrook Av. Newc T —6E 41
Cranbrook Ct. Newc T —6A 40
Cranbrook Pl. Newc T —5F 65
Cranbrook Rd. Newc T —5F 65
Cranesville. Gate —1C 96
(in two parts)
Craneswater Av. Whit B —2B 34
Cranfield Pl. Newc T —2A 64
Cranford Gdns. Newc T —2C 64
Cranford St. S Shi —3E 73
Cranford Ter. Pet —1B 160
Cranford Ter. Sund —2A 116
Cranham Clo. Newc T —1F 43
Cranlea. Newc T —1G 53
Cranleigh. Gt Lum —4G 133
Cranleigh Av. Newc T —6G 39
Cranleigh Pl. Whit B —5H 33
Cranleigh Rd. Sund —3C 100
Cranshaw Pl. Cra —4C 20
Cranston Pl. Sund —3G 131
Crantock Rd. Newc T —2B 54
Cranwell Ct. Newc T —6G 39
Cranwell Dri. Wide —5D 28
Craster Av. Newc T —4F 43
Craster Av. Shir —2C 44
Craster Av. S Shi —1B 74
Craster Clo. Bly —6A 10
Craster Clo. Ches S —2A 132
Craster Clo. Whit B —5H 33
Craster Gdns. W'snd —4D 58
Craster Rd. N Shi —2H 59
Craster Sq. Newc T —1C 54
Craster Ter. Newc T —5B 56
Crathie. Bir —6C 96
Craven Ct. Sund —4F 103
Crawford Av. Pet —5D 160
Crawford Av. W. Pet —5C 160
Crawford Clo. Sher —6D 154
Crawford Ct. Sund —3H 129
Crawford Gdns. Ryton —5A 62
Crawford Pl. Whit B —1A 46
Crawford St. Bly —4B 10
Crawford Ter. Newc T —4F 69
Crawhall Rd. Newc T —4H 67 (4H 5)
Crawlaw Bungalows. Pet —1E 161
Crawlaw Rd. Pet —1D 160
Crawley Av. Heb —6B 70
Crawley Gdns. Whi —4G 79
Crawley Rd. W'snd —6H 57
Crawley Sq. Heb —6B 70
Craythorne Gdns. Newc T —5C 56
Creeverlea. Wash —4A 112
Creighton Av. Newc T —4A 54
Creland Way. Newc T —4G 53
Crescent, The. Bar —5C 76
Crescent, The. Ches S —6B 124
Crescent, The. Ches M —4A 132
Crescent, The. Cle —3H 87
Crescent, The. Dun —3B 80
Crescent, The. Dur —4A 152
Crescent, The. Hett H —2C 146
Crescent, The. H Spen —2A 90
Crescent, The. Jar —5E 71
Crescent, The. Ken F —1F 53
Crescent, The. Kib —1E 109
Crescent, The. Longb —2B 56
Crescent, The. New S —6A 116
Crescent, The. N Shi —5E 47
Crescent, The. Pelt —1H 123
Crescent, The. Phil —5H 127
Crescent, The. Pon —2A 36
Crescent, The. Row G —3F 91
Crescent, The. Ryton —4D 62
Crescent, The. Seg —2F 31
Crescent, The. Sher —6D 154
Crescent, The. Shin R —4E 127
Crescent, The. S Shi —5H 73
Crescent, The. Sun —3F 93
Crescent, The. Tan L —1B 120
Crescent, The. Thro —5D 50
Crescent, The. W'snd —4H 57
Crescent, The. W Rai —3D 144
Crescent, The. Whi —5G 79
Crescent, The. Whit B —1D 46
Crescent Va. Whit B —1C 46
(off Jesmond Ter.)
Crescent Way. Newc T —5E 43
Cres. Way N. Newc T —5E 43
Cres. Way S. Newc T —5E 43
Creslow. Gate —5F 83
Cressbourne Av. Sund —1E 103
Cresswell Av. Newc T —4E 43
Cresswell Av. N Shi —6B 46
Cresswell Av. Pet —1G 163
Cresswell Av. Sea S —3G 23
Cresswell Clo. Bla T —3G 77
Cresswell Clo. Whit B —2A 46
Cresswell Dri. Bly —2A 16
Cresswell Dri. Newc T —6A 40
Cresswell Rd. W'snd —6G 57
Cresswell St. Newc T —3D 68
(in two parts)
Cresswell Ter. Sund —2C 116
Cresthaven. Gate —5E 83
Crest, The. Bed —4G 7
Crest, The. Din —4F 27
Crest, The. Sea S —5H 23
Crewe Av. Dur —6H 153
Crichton Av. Ches S —2D 132
Cricket Ter. Burn —1G 105
Cricklewood Dri. Pen —2F 127
Cricklewood Rd. Sund —4B 100
Criddle St. Gate —5A 68
Crieff Gro. Jar —6H 71
Crieff Sq. Sund —3B 100
Crigdon Hill. Newc T —6D 52
Crighton. Wash —2G 111
Crimdon Gro. Hou S —4G 135
Crimea Rd. Sund —3B 100
Crindledykes. Wash —5C 112
Cripps Av. Gate —3H 83
Crocus Clo. Bla T —1G 77
Croft Av. Newc T —6E 43
Croft Av. Sund —1A 116
Croft Av. W'snd —5A 58
Croft Clo. Ryton —5D 62
Croftdale Rd. Bla T —1A 78
Crofter Clo. Ann —2A 30
Crofthead Dri. Cra —5B 20
Crofton Mill Ind. Est. Bly —1D 16
Crofton St. Bly —6C 10
Crofton St. S Shi —3E 73
Crofton Way. Newc T —2H 63
Croft Rigg. B'don —6C 156
Croft Rd. Bly —6C 10
Croftside. Bir —2C 110
Croftside Av. Whit —3F 89
Croftside Ho. Sund —4H 129

Denver Gdns.—Durham Pl.

Denver Gdns. Newc T —4E 69
Denway Gro. Sea S —2F 23
Denwick Av. Newc T —3A 64
(off Shirley St.)
Denwick Clo. Ches S —3A 132
Denwick Ter. N Shi —6E 47
Depot Rd. Newc T —2D 68
Deptford. —5B 102
Deptford Rd. Gate —5A 68
Deptford Rd. Sund —6B 102
Deptford Ter. Sund —5A 102
Derby Ct. Newc T —3D 66
Derby Cres. Heb —4B 70
Derby Gdns. W'snd —4G 57
Derby Rd. S'ley —4C 120
Derbyshire Dri. Dur —5B 154
Derby St. Jar —2G 71
Derby St. Newc T —3D 66
Derby St. S Shi —5E 61
Derby St. Sund —1C 116
Derby Ter. S Shi —5F 61
Dereham Clo. Sea S —4H 23
Dereham Ct. Newc T —3F 53
Dereham Rd. Sea S —5H 23
Dereham Way. N Shi —5F 45
Derry Av. Sund —1E 103
Derwent Av. Heb —6C 70
Derwent Av. Newc T —2E 63
Derwent Av. Row G —4E 91
Derwent Av. Team T —6F 81
Derwent Clo. S'hm —3A 140
Derwent Ct. Newc T —3A 56
Derwent Cres. Gt Lum —4H 133
Derwent Cres. Swa —3E 79
Derwent Crook Dri. Gate —6G 81
Derwent Crookfoot Rd. Gate —1G 95
Derwentdale Gdns. Newc T —4B 56
Derwentdale Ho. Ryton —3C 62
Derwent Gdns. Gate —6A 82
Derwent Gdns. W'snd —3E 59
Derwenthaugh. —6F 65
Derwenthaugh Ind. Est. Swa —6D 64
Derwenthaugh Marina. Bla T —6E 65
Derwenthaugh Riverside Pk. Gate —1E 79
Derwenthaugh Rd. Bla T & Swa —6E 65
Derwent Pk. Cvn. & Camping Pk. Row G —3F 91
Derwent Pl. Bla T —2H 77
Derwent Rd. N Shi —3D 46
Derwent Rd. Pet —6E 161
Derwent Rd. Sea S —3F 23
Derwentside. Swa —3E 79
Derwent St. Eas L —3D 146
Derwent St. Newc T —4F 65
Derwent St. Shin R —3F 127
Derwent St. S'ley —1C 120
Derwent St. Sund —1C 116
Derwent Ter. Burn —1H 105
Derwent Ter. S Het —5G 147
Derwent Ter. S'ley —6E 119
Derwent Ter. Wash —3C 112
Derwent Tower. Gate —2C 80
Derwent Valley Cotts. Row G —4F 91
Derwent Vw. Bla T —2H 77
Derwent Vw. Burn —1H 105
Derwent Vw. Ter. Dip —6D 104
Derwentwater Av. Ches S —2B 132
Derwentwater Ct. Gate —2F 81
Derwentwater Gdns. Whi —4H 79
Derwentwater Rd. Gate —3D 80
(in two parts)
Derwentwater Ter. S Shi —1E 73
Derwent Way. Bla T —2C 78
Derwent Way. Kil —2C 42
Deuchar St. Newc T —1H 67
Devon Av. Whi —4G 79
Devon Cres. Bir —1B 110
Devon Dri. Sund —1A 130
Devon Gdns. Gate —4H 81
Devon Gdns. S Shi —2B 74
Devonport. Hou S —6G 127
Devon Rd. Heb —6D 70
Devon Rd. N Shi —4H 45
Devonshire Dri. Hol —4A 44
Devonshire Gdns. W'snd —4G 57
Devonshire Pl. Newc T —6H 55
Devonshire Rd. Dur —4B 154
Devonshire St. S Shi —2D 72
Devonshire St. Sund —4C 102
Devonshire Ter. Newc T —2F 67 (1D 4)
Devonshire Ter. Whit B —1D 46
Devonshire Tower. Sund —4D 102
Devon St. Hett H —1B 146
Devon St. Hou S —3G 127
Devon Wlk. Wash —4B 98
Devonworth Pl. Bly —6G 9
Dewhurst Ter. Sun —3F 93
Dewley. Cra —4B 20
Dewley Ct. Cra —4B 20
Dewley Pl. Newc T —4C 52
Dewley Rd. Newc T —6E 53
Dewsgreen. Cra —3B 20
Dexter Ho. N Shi —4H 59
Dexter Way. Gate —3C 82
Deyncourt. Dur —3A 158
Deyncourt. Pon —3D 36
Deyncourt Clo. Pon —4D 36
Diamond Ct. Newc T —2G 53
Diamond St. W'snd —5H 57
Diamond Ter. Dur —5C 152
Diana St. Newc T —4D 66 (4A 4)
Dibley Sq. Newc T —4B 68
Dibley St. Newc T —4B 68
Dickens Av. S Shi —6D 72
Dickens Av. Swa —3E 79
Dickens St. Hou S —3H 135
Dickens St. Sund —4A 102
Dickens Wlk. Newc T —4A 52
Dickens Wynd. Dur —2A 158
Dickins Wlk. Pet —2E 163
Didcot Av. N Shi —3A 60
Didcot Way. E Bol —4A 86
Dillon St. Jar —4E 71
Dillon St. S'hm —4B 140
Dilston Av. Whit B —1D 46
Dilston Clo. Pet —4C 162
Dilston Clo. Shir —3D 44
Dilston Clo. Wash —3G 111
Dilston Dri. Newc T —5C 52
Dilston Gdns. Sund —2H 115
Dilston Rd. Dur —1D 152
Dilston Rd. Newc T —4C 66
(in two parts)
Dilston Ter. Jar —6F 71
Dilston Ter. Newc T —3G 55
Dimbula Gdns. Newc T —5D 56
Dinmont Pl. Cra —4B 20
Dinnington. —4F 27
Dinnington Rd. Din —5G 27
Dinnington Rd. N Shi —1G 59
Dinsdale Av. W'snd —3A 58
Dinsdale Cotts. Sund —3F 131
Dinsdale Dri. Dur —3B 154
Dinsdale Pl. Newc T —2H 67 (1H 5)
Dinsdale Rd. Newc T —2H 67
(in two parts)
Dinsdale Rd. Sund —3E 103
Dinsdale St. Sund —3F 131
Dinsdale St. S. Sund —3F 131
Dinting Clo. Pet —2B 162
Dipe La. W Bol —5C 86
Dipton. —1D 118
Dipton Av. Newc T —5A 66
Dipton Gdns. Sund —5B 116
Dipton Gro. Cra —3B 20
Dipton Rd. Whit B —4H 33
Dipwood Rd. Row G —5D 90
Dipwood Way. Row G —5D 90
Discovery Ct. Sund —3H 129
Dishforth Grn. Gate —4B 96
Dispensary La. Newc T —4F 67 (5B 4)
Disraeli St. Bly —5B 10
(in two parts)
Disraeli St. Hou S —3F 135
Dissington March. —5B 36
Dissington Pl. Newc T —1G 65
Dissington Pl. Whi —6E 79
Ditchburn Ter. Sund —5H 101
Dixon Pl. Gate —3B 80
Dixon Ri. Pet —1H 163
Dixon Rd. Hou S —5H 135
Dixons Sq. Sund —4D 102
Dixon St. Gate —2E 81
Dixon St. S Shi —6E 61
Dobson Clo. Newc T —6D 66
Dobson Cres. Newc T —5C 68
Dobson Ho. Newc T —3C 42
Dobson Ter. Mur —2C 148
Dockendale La. Whi —4G 79
Dock Rd. N Shi —3C 60
Dock Rd. S. N Shi —4C 60
Dock St. S Shi —3D 72
Dock St. Sund —5E 103
Dockwray Clo. N Shi —2D 60
Dockwray Sq. N Shi —2D 60
Doctor Henry Russell Ct. Newc T —4E 65
Doctor Pit Cotts. Bed —4H 7
Doctor Winterbottom Hall. S Shi —6H 61
Doddfell Clo. Wash —1G 111
Doddington Clo. Newc T —2H 63
Doddington Dri. Cra —3B 20
Doddington Vs. Gate —4C 82
Dodd's Bldgs. Bol C —2A 86
Dodd's Ct. Sund —2C 100
Dodds Ter. Bir —1C 110
Dodd Ter. S'ley —6F 119
Dodsworth N. G'sde —2B 76
Dodsworth Ter. G'sde —2B 76
Dodsworth Vs. G'sde —2B 76
Dogbank. Newc T —5G 67 (6F 5)
Dog Leap Stairs. Newc T —6E 5
(off Side)
Dolley Bldgs. S'hm —4B 140
Dolley Dri. Pelt —2G 123
Dolphin Ct. Newc T —4H 65
Dolphin Quay. N Shi —2D 60
Dolphin St. Newc T —4H 65
Dolphin Vs. Haz —1D 40
Dominies Clo. Row G —2F 91
Dominion Rd. B'don —6D 156
Donald Av. S Het —5G 147
Donald St. Newc T —2G 55
Doncaster Rd. Newc T —2H 67 (1H 5)
Don Cres. Gt Lum —4H 133
Doncrest Rd. Wash —4H 97
Don Dixon Dri. Jar —2F 85
Don Gdns. Wash —4B 98
Don Gdns. W Bol —4B 86
Donkin Rd. Arm —6G 97
Donkins St. Bol C —2A 86
Donkin Ter. N Shi —6E 47
Donnington Clo. Sund —4C 100
Donnington Ct. Newc T —3H 55
Donnini Ho. Pet —1C 160
Donnini Pl. Dur —4F 153
Donnison Gdns. Sund —6E 103
Donridge. Wash —4H 97
Don Rd. Jar —2H 71
Donside. Gate —1F 97
Don St. Team T —1E 95
Donvale Rd. Wash —4G 97
Don Vw. W Bol —4B 86
Donwell. —4H 97
Dorcas Av. Newc T —4G 65
Dorcas Ter. Wash —5B 98
Dorchester Clo. Newc T —4H 51
Dorchester Ct. N Har —3A 22
Dorchester Gdns. Gate —3H 95
Doreen Av. Dal D —5F 139
Doric Rd. New B —2B 156
Dorking Av. N Shi —3A 60
Dorking Clo. Bly —3C 16
Dorking Rd. Sund —1E 103
Dorlonco Vs. Mead —6E 157
Dormand Dri. Pet —4D 162
Dornoch Cres. Gate —5E 83
Dorrington Rd. Newc T —1A 54
Dorset Av. Bir —6D 110
Dorset Av. Heb —4D 70
Dorset Av. S Shi —2B 74
Dorset Av. Sund —1E 103
Dorset Av. W'snd —5G 57
Dorset Gro. N Shi —4H 45
Dorset La. Sund —2B 130
Dorset Rd. Gate —5A 68 (6H 5)
Dorset Rd. Newc T —3D 64
Dorset St. Eas L —5E 147
Double Row. Sea D —5H 21
Douglas Av. Newc T —4C 54
Douglas Av. Pet —6F 161
Douglas Clo. S Shi —5E 73
Douglas Ct. G'cft —6E 119
Douglas Ct. Team T —3G 95
Douglas Gdns. Dur —2A 158
(in two parts)
Douglas Gdns. Gate —4C 80
Douglas Pde. Heb —1E 85
Douglas Rd. Sund —1E 103
Douglass St. W'snd —5H 57
Douglas St. W'snd —6E 59
Douglas Ter. Dip —3A 118
Douglas Ter. Hou S —1G 127
Douglas Ter. Newc T —4D 66
Douglas Ter. Wash —3B 98
Douglas Vs. Dur —5E 153
Douglas Way. Newc T —3C 4
Doulting Clo. Newc T —1B 56
Douro Ter. Sund —2D 116
Dove Av. Jar —6G 71
Dove Clo. B'don —5C 156
Dove Clo. Kil —1C 42
Dovecote Clo. Whit B —5G 33
Dovecote Farm. Ches S —6H 123
Dovecote Rd. Newc T —6E 43
Dove Ct. Bir —2C 110
Dove Ct. N Shi —2E 47
Dovecrest Ct. W'snd —3D 58
Dovedale Av. Bly —6G 9
Dovedale Ct. S Shi —5C 72
Dovedale Gdns. Gate —1A 96
Dovedale Gdns. Newc T —4A 56
Dovedale Rd. Sund —6C 88
Dover Clo. Bed —4F 7
Dover Clo. Newc T —4A 52
Dovercourt Rd. Newc T —5G 69
Dove Row. N Shi —2E 47
Dowling Av. Whit B —1B 46
Downe Clo. Bly —3C 16
Downend Rd. Newc T —4B 52
Downfield. Wash —2B 98
Downham. Newc T —6D 52
Downham Ct. S Shi —6E 61
Downhill. —2D 100
Downhill La. W Bol —1G 99
Downs La. Hett H —6D 136
(in two parts)
Downs Pit La. Hett H —1D 146
Downswood. Kil —2F 43
Dowsey Rd. Sher —5D 154
Dowson Sq. Mur —2A 148
Doxford Av. Hett H —5B 136
Doxford Cotts. Hett H —5B 136
Doxford Dri. S West —1A 162
Doxford Gdns. Newc T —6H 53
Doxford International Bus. Pk. Dox I —4E 129
Doxford Park. —4A 130
Doxford Pl. Cra —4B 20
Doxford Ter. Hett H —5C 136
Doxford Ter. N. Mur —2A 148
Doxford Ter. S. Mur —2A 148
Dragon La. Dur —4H 153
Dragon Villa. Dur —6H 153
Dragonville Ind. Est. Dur —4H 153
(in two parts)
Dragonville Pk. Dur —5H 153
Drake Clo. S Shi —1D 72
Drayton Rd. Newc T —3A 54
Drayton Rd. Sund —1D 102
Drey, The. Pon —2B 36
Drivecote. Gate —3E 83
Drive, The. Bir —5D 110
Drive, The. Den B —1D 64
Drive, The. Gate —4H 81
(NE9)
Drive, The. Gate —3E 83
(NE10)
Drive, The. Gos —4E 55
Drive, The. Longb —3B 56
Drive, The. N Shi —5F 47
Drive, The. W'snd —5H 57
Drive, The. Wash —4A 98
Drive, The. Whi —5G 79
Dronfield Clo. Ches S —2A 132
Drove Rd. Newc T —3B 50
Drumaldrace. Wash —1G 111
Drum Ind. Est. Ches S —2B 124
Drummond Building. Newc T —1D 4
Drummond Cres. S Shi —4B 72
Drummond Rd. Newc T —4B 54
Drummond Ter. N Shi —6D 46
Drumoyne Clo. Sund —3D 128
Drumoyne Gdns. Whit B —2H 45
Drum Rd. Ches S —1B 124
Drumsheugh Pl. Newc T —5F 53
Druridge Av. Sund —6E 89
Druridge Cres. Bly —1H 15
Druridge Cres. S Shi —1B 74
Druridge Dri. Bly —1H 15
Druridge Dri. Newc T —6G 53
Drury La. Dur —6C 152
Drury La. Jar —1G 71
Drury La. Newc T —5D 4
(off Mosley St.)
Drury La. N Shi —6G 45
Drury La. Sund —6E 103
Drybeck Ct. Cra —1D 20
Drybeck Ct. Newc T —4D 66
Drybeck Sq. Sund —3B 130
Drybeck Wlk. Cra —1D 20
Dryborough St. Sund —6B 102
Dryburgh. Wash —2B 112
Dryburgh Clo. N Shi —5A 46
Dryburn Hill. Dur —2A 152
Dryburn Pk. Dur —2A 152
Dryburn Rd. Dur —3A 152
Dryburn Vw. Dur —2A 152
Dryden Clo. S Shi —1D 86
Dryden Clo. S'ley —3E 121
Dryden Ct. Gate —3H 81
Dryden Rd. Gate —3H 81
Dryden St. Sund —3A 102
Drysdale Ct. Bru V —5C 28
Drysdale Cres. Bru V —5C 28
Dubmire Cotts. Hou S —4D 134
Dubmire Ct. Hou S —3E 135
Dubmire Ind. Est. Hou S —2F 135
Duce Dri. Gate —3B 80
Duce Gdns. NE13 —5C 28
Duchess Cres. E. Jar —6F 71
Duchess Cres. W. Jar —6F 71
Duchess Dri. Newc T —2E 65
Duchess St. Whit B —6C 34
Duckpool La. Whi —4G 79
Duckpool La. N. Whi —3G 79
Duddon Clo. Pet —1E 163
Duddon Pl. Gate —1B 96
Dudley. —3H 29
Dudley Av. Sund —1D 102
Dudley Ct. Cra —3A 20
Dudley Dri. Dud —3A 30
Dudley Gdns. Sund —2E 129
Dudley La. Cra —6A 20
Dudley La. Dud —1A 30
Dudley La. Sea B —3E 29
(in two parts)
Duffy Ter. S'ley —6G 119
Dugdale Ct. Newc T —2H 53
Dugdale Rd. Newc T —2H 53
Duke of Northumberland Ct. W'snd —2C 58
Duke's Av. Heb —5B 70
Dukes Cotts. Back —6A 32
Dukes Cotts. Newc T —2F 63
Dukes Dri. Newc T —4D 40
Dukesfield. Cra —3B 20
Duke's Gdns. Bly —5A 10
Dukes Mdw. Wool —5C 38
Duke St. Newc T —5E 67 (6A 4)
Duke St. N Shi —3D 60
Duke St. Pel —2G 83
Duke St. S'hm —3H 139
Duke St. S'ley —4E 119
Duke St. Sund —1A 116
Duke St. Whit B —6C 34
Duke St. N. Sund —3D 102
Dukesway. Team T —6D 80
Dukesway Ct. Team T —2E 95
Dukesway W. Team T —3E 95
Duke Wlk. Gate —2E 81
Dulverston Clo. Newc T —4A 52
Dulverton Av. S Shi —2F 73
Dulverton Ct. Newc T —5H 55
Dumas Wlk. Newc T —4A 52
Dumfries Cres. Jar —6A 72
Dunbar Clo. Newc T —4A 52
Dunbar Gdns. W'snd —3E 59
Dunbar St. Sund —2H 115
Dunblane Cres. Newc T —1D 64
Dunblane Dri. Bly —3C 16
Dunblane Rd. Sund —6E 89
Dunbreck Gro. Sund —3A 116
Duncairn. S'ley —2D 120
(off View La.)
Duncan St. Gate —2B 82
Duncan St. Newc T —3G 69
Duncan St. Sund —6H 101
Duncombe Cres. S'ley —1D 120
Duncow La. Dur —6C 152
Dun Cow St. Sund —6C 102
Dundas St. Sund —5D 102
Dundas Way. Gate —3C 82
Dundee Clo. Newc T —4A 52
Dundee Ct. Jar —6A 72
Dundrennan. Wash —4A 112
Dunelm. Sund —3A 116
(in two parts)
Dunelm Clo. Bir —3C 110
Dunelm Ct. B'don —6C 156
Dunelm Ct. Dur —6C 152
Dunelm Ct. Heb —4B 70
Dunelm Dri. Hou S —3G 135
Dunelm Dri. W Bol —4D 86
Dunelm Rd. Hett H —1B 146
Dunelm S. Sund —3B 116
Dunelm St. S Shi —5F 61
Dunelm Ter. Dal D —1F 149
Dunelm Wlk. Pet —6D 160
Dunford Gdns. Newc T —3B 52
Dunholm Clo. Hou S —4A 136
Dunholme Clo. Ayk H —2B 152
Dunholme Rd. Newc T —4B 66
Dunira Clo. Newc T —5H 55
Dunkeld Clo. Bly —3C 16
Dunkirk Av. Hou S —4B 136
Dunlin Clo. Ryton —5E 63
Dunlin Dri. Bly —3C 16
Dunlin Dri. Wash —4F 111
Dunlop Clo. Newc T —3C 56
Dunlop Cres. S Shi —3A 74
Dunmoor Clo. Newc T —3C 54
Dunmoor Ct. Ches S —2A 132
Dunmore Av. Sund —6E 89
Dunmorlie St. Newc T —3D 68
Dunn Av. Sund —6A 116
Dunne Rd. Bla T —5C 64
Dunning St. Sund —6C 102
Dunnlynn Clo. Sund —3G 129
Dunnock Dri. Sun —2E 93
Dunnock Dri. Wash —5F 111
Dunn Rd. Pet —6D 160
(in two parts)
Dunns Clo. Newc T —1D 66
Dunn's Ter. Newc T —1D 66
Dunn St. Newc T —6D 66
Dunn St. S'ley —5F 119
Dunns Yd. W Kyo —4F 119
Dunn Ter. Newc T —3B 68
Dunnykirk Av. Newc T —2H 53
Dunraven Clo. Phil —4G 127
Dunsany Ter. Pelt F —5G 123
Dunsdale Dri. Cra —1D 20
Dunsdale Rd. H'wll —1C 32
Dunsgreen. Pon —6E 25
Dunsgreen Ct. Pon —6E 25
Dunsley Gdns. Din —4F 27
Dunsmuir Gro. Gate —3F 81
Dunstable Pl. Newc T —4H 51
Dunstanburgh Clo. Bed —4F 7
Dunstanburgh Clo. Newc T —4D 68
Dunstanburgh Clo. Wash —3H 111
Dunstanburgh Ct. Gate —4H 83
Dunstanburgh Rd. Newc T —4D 68
Dunstan Clo. Ches S —2A 132
Dunstan Wlk. Newc T —6D 52
Dunston. —3C 80
Dunston Bank. Gate —4A 80
Dunston Enterprise Pk. Dun —1A 80
Dunston Hill. —4B 80
Dunston Pl. Bly —6H 9
Dunston Rd. Dun —3B 80
Dunston Rd. Gate —1B 80
Dunvegan. Bir —5E 111
Dunvegan Av. Ches S —2B 132
Durant Rd. Newc T —3G 67 (3E 5)
Durban St. Bly —5B 10
Durdham St. Newc T —4A 66
Durham. —5C 152
Durham Av. Pet —5F 161
Durham Av. Wash —5H 97
Durham Castle. —5C 152
Durham Cathedral. —6C 152
Durham City Northern By-Pass. Dur —5B 142
Durham Clo. Bed —4F 7
Durham College of Agriculture & Horticulture. —2E 159
Durham County Cricket Ground. —1E 133
Durham Ct. Heb —4B 70
Durham Dri. Jar —2E 85
Durham Gro. Jar —1E 85
Durham Heritage Centre & Museum. —6C 152
Durham La. Eas V —2A 160
Durham La. Has —6H 155
Durham Light Infantry Museum & Arts Centre. —6C 152
Durham Moor. Dur —2A 152
Durham Pl. Bir —1C 124
Durham Pl. Gate —2H 81

Farm Hill Rd.—Fox Lea Wlk.

Farm Hill Rd. Sund —1A 88
Farm Rd. Hou —4D 158
Farm St. Sund —4B 102
Farm Wlk. Sund —4A 130
Farnborough Clo. Cra —1B 20
Farnborough Dri. Sund —1B 130
Farn Ct. Newc T —5H 39
Farndale. W'snd —2F 57
Farndale Av. Sund —5F 89
Farndale Clo. Bla T —3F 77
Farndale Clo. Din —4F 27
Farndale Ct. Bly —3B 16
Farndale Rd. Newc T —4A 66
Farne Av. Newc T —6C 40
Farne Av. S Shi —2B 74
Farne Rd. Newc T —5E 43
Farne Rd. Shir —2D 44
Farne Sq. Sund —6F 101
Farne Ter. Newc T —3E 69
Farnham Clo. Dur —2C 152
Farnham Clo. Newc T —3B 64
Farnham Gro. Bly —3B 16
Farnham Lodge. Newc T —6B 42
Farnham Rd. Dur —2C 152
Farnham Rd. N Shi —3H 59
Farnham Rd. S Shi —3E 73
Farnham St. Newc T —3B 64
Farnham Ter. Sund —2H 115
Farnley Hey Rd. Dur —6A 152
Farnley Mt. Dur —6A 152
Farnley Ridge. Dur —6A 152
Farnley Rd. Newc T —6C 56
Farnon Rd. Newc T —2C 54
Farquhar St. Newc T —1H 67
Farrfeld. Gate —1F 97
Farrier Clo. Wash —5C 112
Farringdon. —2F 129
Farringdon Av. Sund —1E 129
Farringdon Rd. N Shi —3C 46
Farringdon Row. Sund —5C 102
Farrington's Ct. Newc T —4F 67 (5D 4)
Farrow Dri. Sund —2E 89
Farthings, The. Wash —3H 97
Fatfield. —6B 112
Fatfield Pk. Wash —5B 112
Fatfield Rd. Wash —3C 112
Fatherly Ter. Hou S —3F 135
Faversham Ct. Newc T —6H 39
Faversham Pl. Cra —1B 20
Fawcett St. Sund —6D 102
(in two parts)
Fawcett Ter. Ryh —3G 131
Fawcett Way. S Shi —4E 61
Fawdon. —1B 54
Fawdon Clo. Newc T —5B 40
Fawdon Ho. Newc T —5B 40
Fawdon La. Newc T —6B 40
Fawdon Pk. Cen. Newc T —1B 54
Fawdon Pk. Ho. Newc T —1B 54
(off Fawdon Pk. Rd.)
Fawdon Pk. Rd. Newc T —6A 40
Fawdon Pl. N Shi —1G 59
Fawdon Wlk. Newc T —6H 39
Fawlee Grn. Newc T —3G 53
Fawley Clo. Bol C —2A 86
Fawn Rd. Sund —1E 115
Fearon Wlk. Dur —6D 152
Featherbed La. Ryh —3G 131
Featherstone. Gt Lum —3H 133
Featherstone. Wash —2F 111
Featherstone Gro. Jar —6E 71
Featherstone Rd. Dur —2D 152
Featherstone St. Sund —3F 103
Featherstone Vs. Sund —3F 103
Federation Sq. Mur —3C 148
Federation Ter. Tant —5H 105
Federation Way. Dun —2A 80
Fee Ter. Sund —3E 131
Feetham Av. Newc T —5F 43
Feetham Ct. Newc T —4G 43
Felixstowe Dri. Newc T —4C 56
Fell Bank. Bir —3C 110
Fell Clo. Bir —4E 111
Fell Clo. Sun —3F 93
Fell Clo. Wash —6H 97
Fell Cotts. Gate —4F 97
(off Fell Rd.)
Fell Ct. Gate —6B 82
Fellcross. Bir —2C 110
Felldyke. Gate —6E 83
Fellgate. —2F 85
Fellgate Av. Jar —2G 85
Fellgate Gdns. Gate —3A 84
Felling. —2D 82
Felling By-Pass. Gate —1C 82
Felling Dene Gdns. Gate —2E 83
(in two parts)
Felling Ga. Gate —2C 82
Felling Ho. Gdns. Gate —2D 82
Felling Ind. Est. Gate —1D 82
Felling Shore Ind. Est. Gate —6D 68
Felling Vw. Newc T —6F 69
Fellmere Av. Gate —3G 83
Fell Pl. Gate —4F 97
Fell Rd. Gate —4F 97
Fell Rd. Pelt F —6G 123
Fell Rd. Sund —6F 101
Fellrose Ct. Pelt F —5G 123
Fellsdyke Ct. Gate —5C 82
Fellside. —3C 92
Fellside. Bir —4D 110
Fellside. Pon —4B 36
Fellside. S Shi —4B 74
Fellside Av. Sun —2F 93
Fellside Clo. Pon —4B 36
Fellside Clo. S'ley —2F 121
Fellside Ct. Wash —1H 111
Fellside Ct. Whi —4E 79
Fellside Gdns. Dur —3A 154
Fellside Park. —5D 78
Fellside Rd. Burn —6A 92
Fellside Rd. Whi —5D 78
Fell Side, The. Newc T —3B 54
Fell Sq. Sund —6E 101
Fells Rd. Gate —4F 81
Fells, The. Gate —5A 82
Fell Ter. Burn —1H 105
Fell Vw. H Spen —2A 90
Fell Vw. S'ley —4C 120
Fell Way, The. Newc T —6B 52
Felsham Sq. Sund —1G 115
Felstead Cres. Sund —6F 101
Felstead Pl. Bly —3B 16
Felstead Sq. Sund —1F 115
Felthorpe Ct. Newc T —3F 53
Felton Av. Newc T —1C 54
Felton Av. N Shi —3A 74
Felton Av. Whit B —1D 46
Felton Clo. Shir —2D 44
Felton Cres. Gate —4G 81
Felton Dri. Newc T —4F 43
Felton Grn. Newc T —3C 68
Felton Ter. N Shi —5F 47
(off Hotspur St.)
Felton Wlk. Newc T —3C 68
Femwick Wlk. Gate —1F 81
(off St Cuthbert's Rd.)
Fence Houses. —2E 135
Fencer Ct. Newc T —5E 41
Fencer Hill Pk. Newc T —5E 41
Fence Rd. Ches S —3C 126
Fenham. —1H 65
Fenham Chase. Newc T —1H 65
Fenham Ct. Newc T —1A 66
Fenham Hall Dri. Fenh —1H 65
Fenham Rd. Newc T —3C 66
(in two parts)
Fenkle St. Newc T —4F 67 (5B 4)
Fennel. Gate —1C 96
Fennel Gro. S Shi —6G 73
Fenning Pl. Newc T —5C 68
Fenside Rd. Sund —1F 131
Fenton Clo. Ches S —1A 132
Fenton Sq. Sund —1F 115
Fenton Ter. Hou S —3H 127
Fenton Wlk. Newc T —5E 53
Fenton Well La. Gt Lum —4E 133
Fenwick Av. Bly —2B 16
Fenwick Av. S Shi —4C 72
Fenwick Clo. Ches S —2A 132
Fenwick Clo. Hou S —2F 127
Fenwick Clo. Newc T —6H 55
Fenwick Row. S'hm —5C 140
Fenwick St. Bol C —2A 86
Fenwick St. Hou S —1F 127
Fenwick Ter. Dur —1H 157
Fenwick Ter. Newc T —6H 55
Ferens Clo. Dur —4D 152
Ferens Pk. Dur —4D 152
Ferguson Cres. Haz —1C 40
Ferguson's La. Newc T —3E 65
Ferguson St. Sund —1F 117
Fern Av. Cra —5B 14
Fern Av. Faw —6B 40
Fern Av. Jes —6G 55
Fern Av. N Shi —1B 60
Fern Av. S'ley —4B 120
Fern Av. Sund —3A 102
Fern Av. Whit —1F 89
Fern Av. Whit B —6D 34
Fernbank. Sea S —3F 23
Fern Cres. S'hm —6A 140
Ferndale. Dur —4B 154
Ferndale Av. E Bol —4F 87
Ferndale Av. Newc T —4F 41
Ferndale Av. W'snd —5A 58
Ferndale Clo. Bly —5G 9
Ferndale Gro. E Bol —4F 87
Ferndale La. E Bol —4F 87
Ferndale Rd. Hou S —1E 127
Ferndale Ter. Gate —4F 97
Ferndale Ter. Sund —5G 101
Fern Dene. W'snd —3C 58
Ferndene Av. Pelt F —6G 123
Ferndene Ct. Newc T —4F 55
Ferndene Cres. Sund —1H 115
Ferndene Gro. Newc T —4B 56
Ferndene Gro. Ryton —3D 62
Fern Dene Rd. Gate —3G 81
Ferndown Ct. Gate —4H 83
Ferndown Ct. Ryton —5D 62
Fern Dri. Dud —3A 30
Fern Dri. Sund —2H 87
Fern Gdns. Gate —5H 81
Ferngrove. Jar —3G 85
Fernhill Av. Whi —4E 79
Fernlea. Dud —3B 30
Fernlea Clo. Wash —5C 112
Fernlea Gdns. Ryton —5A 62
Fernlea Grn. Newc T —2B 54
Fernleigh. Gt Lum —4G 133
Fernley Vs. Cra —3C 20
Fernlough. Gate —6C 82
Fern St. Sund —6B 102
Fernsway. Sund —4B 116
Fern Ter. Tant —6F 105
Fernville Av. Sun —3F 93
Fernville Rd. Newc T —4D 54
Fernville St. Sund —2B 116
Fernwood Av. Newc T —1F 55
Fernwood Clo. Sund —4A 130
Fernwood Rd. Jes —1G 67
Fernwood Rd. Lem —3B 64
Ferrand Dri. Hou S —3H 135
Ferriby Clo. Newc T —5F 41
Ferrisdale Way. Newc T —6B 40
Ferry App. S Shi —4D 60
Ferryboat La. Sund —2B 100
Ferrydene Av. Newc T —3B 54
Ferry St. Jar —1F 71
Ferry St. S Shi —4D 60
Festival Cotts. Camp —6B 30
Festival Park. —4D 80
Festival Pk. Dri. Gate —4D 80
Festival Way. Gate —2C 80
Fetcham Ct. Newc T —6G 39
Fewster Sq. Gate —5G 83
Field Clo. Newc T —3H 67 (3H 5)
Fieldfare Clo. Wash —4F 111
Field Fare Ct. Burn —2A 106
Field Ho. S Shi —1H 73
Fieldhouse Clo. Hep —1A 6
Fieldhouse La. Dur —4A 152
Fieldhouse La. Hep —1A 6
Field Ho. Rd. Gate —4G 81
Fieldhouse Ter. Dur —4B 152
Fielding Ct. Newc T —3E 53
Fielding Ct. S Shi —6C 72
Fielding Pl. Gate —3B 82
Field La. Gate —3F 83
Fieldside. E Rai —2G 145
Fieldside. Pelt —2G 123
Fieldside. Sund —2E 89
Field Sq. Sund —1F 115
Field St. Gate —2D 82
Field St. Newc T —2G 55
Field Ter. Jar —4F 71
Field Ter. Newc T —5D 50
Field Vw. Bear —4D 150
Fieldway. Jar —2G 85
Fife Av. Ches S —6B 124
Fife Av. Jar —6A 72
Fife St. Gate —2A 82
Fife St. Mur —3D 148
Fifteenth Av. Bly —1B 16
Fifth Av. Bly —1B 16
Fifth Av. Ches S —6B 124
Fifth Av. Newc T —2C 68
Fifth Av. Team T —6E 81
(in two parts)
Fifth Av. Bus. Pk. Team T —1F 95
Fifth Av. E. Team T —6F 81
Fifth St. Pet —6G 161
(in two parts)
Filby Dri. Dur —2B 154
Filey Clo. Cra —1B 20
Filton Clo. Cra —1B 20
Finchale. Wash —4A 112
Finchale Av. Bras —5E 143
Finchale Clo. Gate —5B 80
Finchale Clo. Hou S —3H 135
Finchale Clo. Sund —2E 117
Finchale Ct. W Rai —3D 144
Finchale Gdns. Gate —3C 96
Finchale Gdns. Newc T —4D 50
Finchale Priory. —2H 143
Finchale Rd. Dur —2B 152
(nr. Front St.)
Finchale Rd. Dur —5D 142
(nr. Pit La.)
Finchale Rd. Heb —1C 84
Finchale Ter. Hou S —2C 134
Finchale Ter. Jar —5H 71
Finchale Ter. Newc T —4C 68
Finchale Vw. Dur —5B 142
Finchale Vw. W Rai —3C 144
Finchdale Clo. N Shi —3B 60
Finchdale Ter. Ches S —6C 124
Finchley Ct. Newc T —1G 69
Finchley Cres. Newc T —1G 69
Findon Gro. N Shi —3B 60
(in two parts)
Fines Pk. S'ley —5G 119
Finney Ter. Dur —5D 152
Finsbury Av. Newc T —3E 69
Finsbury St. Sund —4C 102
Finsmere Pl. Newc T —6F 53
Finstock Ct. Newc T —3H 55
Fir Av. B'don —6D 156
Fir Av. Dur —6G 153
Firbank Av. N Shi —3D 46
Firbanks. Jar —2H 85
Fire Sta. Cotts. Sund —1D 102
Firfield Rd. Newc T —5G 53
Fir Gro. S Shi —4H 73
Fir Pk. Ush M —5D 150
First Av. Bly —1B 16
First Av. Ches S —1B 124
First Av. Newc T —2C 68
First Av. Team T —5E 81
First Av. Tyn T —3F 59
Firs, The. Newc T —3D 54
Fir St. Jar —2E 71
Fir St. Team T —6E 81
First St. Gate —2F 81
First St. Pet —6G 161
Fir Ter. Burn —1H 105
Firth Sq. Sund —6F 101
Firtree Av. For H —4D 42
Firtree Av. Walkv —6G 57
Firtree Av. Wash —6H 111
Fir Tree Clo. Dur —3G 153
Fir Tree Copse. Hep —1A 6
Firtree Cres. Newc T —4C 42
Firtree Gdns. Whit B —2B 46
Firtree Rd. Whi —5E 79
Firtrees. Ches S —4B 124
Firtrees. Gate —6E 83
Firtrees Av. W'snd —4F 59
Firwood Cres. H Spen —2A 90
Firwood Gdns. Gate —6D 80
Fisher Ind. Est. Newc T —3H 69
Fisher La. Sea B —1D 28
Fisher Rd. Back —6H 31
Fisher St. Newc T —2H 69
Fisherwell Rd. Gate —1G 83
Fish Quay. N Shi —2E 61
Fitzpatrick Pl. S Shi —5G 61
Fitzroy Ter. Sund —3H 101
Fitzsimmons Av. W'snd —4H 57
Flag Chare. Newc T —5G 5
Flagg Ct. S Shi —4F 61
Flagg Ct. Ho. S Shi —4F 61
Flake Cotts. Ches S —5D 124
Flambard Rd. Dur —2B 152
Flass Av. Ush M —5B 150
Flassburn Rd. Dur —4A 152
Flass St. Dur —5B 152
Flass Ter. Ush M —5B 150
Flaunden Clo. S Shi —4B 74
Flaxby Clo. Newc T —5F 41
Flax Cotts. Sco G —1G 7
Flax Sq. Sund —6E 101
Fleetham Clo. Ches S —2A 132
Fleet St. Sund —1F 117
Fleming Bus. Cen., The. Newc T —1F 67
Fleming Ct. Gate —1E 81
Fleming Gdns. Gate —4C 82
Fleming Pl. Pet —1D 162
Fletcher Cres. Hou S —3A 128
Fletcher Ter. Hou S —5H 127
Flexbury Gdns. Fel —3C 82
Flexbury Gdns. Har G —3A 96
Flexbury Gdns. Newc T —2C 64
Flight, The. Winl —2G 77
Flint Hill. —6E 105
Flint Hill Bank. Dip —6E 105
Flock Sq. Sund —6F 101
Flodden. Newc T —1D 42
Flodden Clo. Ches S —2A 132
Flodden Rd. Sund —1F 115
Flodden St. Newc T —4D 68
Floral Dene. Sund —1C 114
Floralia Av. Sund —3G 131
Flora St. Newc T —3B 68
Florence Av. Gate —5A 82
Florence Cres. Sund —3H 101
Florence St. Bla T —2H 77
Florence Ter. Hett H —3C 146
Florida St. Sund —6H 101
Flotterton Gdns. Newc T —2G 65
Flour Mill Rd. Dun —1B 80
Flying Ho. Sund —4H 129
Folds Clo. New B —2A 156
Folds, The. Chil M —3F 135
Fold, The. Burn —6G 91
Fold, The. Newc T —1G 69
Fold, The. Whit B —6A 34
Folldon Av. Sund —2D 102
Follingsby. —6B 84
Follingsby Av. Gate —6B 84
Follingsby Clo. Gate —5B 84
Follingsby Dri. Gate —4A 84
Follingsby La. Gate —6A 84
Follonsby La. W Bol —1H 99
Follonsby Ter. Gate —4C 84
Follonsby Ter. W Bol —4E 87
Folly Cotts. G'sde —2B 76
Folly La. W'sde —1A 76
Folly Ter. Dur —6A 142
Folly, The. —1C 76
Folly, The. W Bol —4C 86
Folly Yd. G'sde —1C 76
Fondlyset La. Dip —2D 118
Fontburn Ct. Sund —1H 101
Fontburn Pl. Newc T —2A 56
Fontburn Rd. Bed —4C 8
Fontburn Rd. Sea D —6B 22
Fontburn Ter. N Shi —1D 60
Fonteyn Pl. Cra —5B 14
Fonteyn Pl. S'ley —4F 121
Fontwell Dri. Gate —4F 81
Forbeck Rd. Sund —1F 115
Forber Av. S Shi —3B 74
Forbes Ter. Sund —3E 131
Ford Av. N Shi —3H 59
Ford Av. Sund —1C 114
Ford Cres. Jar —6F 71
Ford Cres. Shir —2C 44
Ford Cres. Sund —1C 114
Ford Dri. Bly —6A 10
Fordenbridge Cres. Sund —1F 115
Fordenbridge Rd. Sund —1F 115
Fordenbridge Sq. Sund —1G 115
Ford Estate. —1G 115
Fordfield Rd. Sund —1E 115
Ford Gro. Newc T —6D 40
Fordhall Dri. Sund —1G 115
Fordham Rd. Dur —1C 152
Fordham Rd. Sund —6F 101
Fordham Sq. Sund —1G 115
Fordland Pl. Sund —1H 115
Fordley. —3B 30
Fordmoss Wlk. Newc T —5E 53
Ford Oval. Sund —6D 100
Ford Rd. Dur —6D 142
Ford St. Gate —2B 82
Ford St. Newc T —4A 68
Ford Ter. Sund —1H 115
Ford Ter. W'snd —5D 58
Ford Vw. Dud —2A 30
Forest Av. Newc T —5E 43
Forestborn Ct. Newc T —5D 52
Forest Dri. Wash —1F 125
Forest Hall. —5D 42
Forest Hall Rd. Newc T —5E 43
Forest Pl. Shir —2C 44
Fore St. Newc T —1A 68
Forest Rd. Newc T —5G 65
Forest Rd. S Shi —5E 61
Forest Rd. Sund —6F 101
Forest Vw. B'don —6B 156
Forest Way. Seg —2F 31
Forfar St. Sund —3D 102
Forge La. Ches S —2H 133
Forge Rd. Gate —3C 80
Forge Wlk. Newc T —6F 51
Forres Ct. S'ley —3F 121
Forres Pl. Cra —1B 20
Forrest Rd. W'snd —6G 57
Forster Av. Bed —4G 7
Forster Av. Mur —4E 149
Forster Av. Sher —5D 154
Forster Av. S Shi —2G 73
Forster Cres. S Het —6B 148
Forster St. Bly —6D 10
Forster St. Newc T —4H 67 (5G 5)
Forster St. Sund —3E 103
Forsyth Rd. Newc T —6F 55
Forsyth St. N Shi —4F 45
Forth Banks. Newc T —5F 67
Forth Clo. Pet —2D 162
Forth Ct. S Shi —4E 73
Forth Ct. Sund —3H 129
Forth La. Newc T —5F 67
(in two parts)
Forth Pl. Newc T —5E 67 (6B 4)
Forth St. Newc T —5E 67 (6C 4)
Fortrose Av. Sund —4A 116
Fort Sq. S Shi —3E 61
Fort St. S Shi —3F 61
Forum Ct. Bed —4H 7
Forum, The. Newc T —2D 64
Forum, The. W'snd —6H 57
Forum Way. Cra —3H 19
Fossdyke. Gate —6F 83
Fossefeld. Gate —4G 83
Fosse Law. Newc T —6E 51
Fosse Ter. Gate —5A 82
Fossway. Newc T —2D 68
Foss Way. S Shi —4D 72
Foster Ct. Team T —2E 95
Foster Memorial Homes. Bly —6B 10
Foster St. Walk —3H 69
(in two parts)
Foundry Ct. Newc T —5C 68
Foundry La. Newc T —3A 68
Foundry La. Swa —2E 79
Foundry Rd. S'hm —4C 140
Fountain Clo. Bed —4H 7
Fountain Gro. S Shi —1H 73
Fountain Head Bank. Sea S —3G 23
Fountain La. Bla T —6A 64
(in two parts)
Fountain Row. Newc T —2D 66
Fountains Clo. Gate —5B 80
Fountains Clo. Wash —3B 112
Fountains Cres. Heb —6C 70
Fountains Cres. Hou S —1G 135
Fouracres Rd. Newc T —5A 54
Four La. Ends. Hett H —3D 146
Fourstones. Newc T —5E 53
Fourstones Clo. Newc T —2H 53
Fourstones Rd. Sund —6G 101
Fourteenth Av. Bly —1B 16
Fourth Av. Bly —1B 16
Fourth Av. Ches S —6B 124
Fourth Av. Newc T —2C 68
Fourth Av. Team T —6E 81
Fourth St. Gate —2F 81
Fourth St. Pet —6G 161
(in two parts)
Fowberry Cres. Newc T —2A 66
Fowberry Rd. Newc T —5D 64
Fowler Clo. Phil —5G 127
Fowler Gdns. Gate —2B 80
Fowler St. S Shi —4E 61
Fox Av. S Shi —5B 72
Foxcover Ct. S'hm —6A 140
Foxcover La. Sund —2D 128
Foxcover Rd. Sund —5B 114
Fox Covert La. Pon —5D 24
Foxglove Ct. S Shi —5D 72
Foxhills Clo. Wash —5C 112
Foxhills Covert. Whi —6C 78
Foxhills, The. Whi —5C 78
Foxhomes. Jar —3H 85
Fox & Hounds La. Newc T —3G 65
Fox & Hounds Rd. Newc T —2G 65
Foxhunters Rd. Whit B —2B 46
Foxlair Clo. Sund —5A 130
Fox Lea Wlk. Seg —2E 31

Foxley—Glebe

Foxley. Wash —5C 98
Foxley Clo. Newc T —1F 43
Foxpit La. S'ley —4E 107
Fox St. Gate —2C 82
Fox St. S'hm —5B 140
Fox St. Sund —2B 116
Foxton Av. Newc T —6B 40
Foxton Av. N Shi —2D 46
Foxton Clo. N Shi —4A 60
Foxton Ct. Cle —2A 88
Foxton Grn. Newc T —2A 54
Foxton Hall. Wash —2B 98
Foxton Way. Gate —1H 83
Foxton Way. H Shin —4H 159
Foyle St. Sund —1D 116
Framlington Ho. Newc T —2E 67
Framlington Pl. Newc T —2E 67
Framwelgate. Dur —5C 152
Framwelgate Peth. Dur —4B 152
Framwelgate Waterside. Dur —5C 152
Framwellgate Moor. —2A 152
Frances St. Bla T —1G 77
Frances St. New S —2A 130
Frances Ville. Sco G —1G 7
Francis St. Sund —3D 102
Francis Way. Hett H —1C 146
Frank Av. S'hm —5G 139
(in two parts)
Frankham St. Newc T —5D 52
Frankland Dri. Whit B —2A 46
Frankland La. Dur —4C 152
Frankland Mt. Whit B —2A 46
Frankland Rd. Dur —2B 152
Franklin Ct. Wash —5B 98
Franklin St. S Shi —5E 61
Franklin St. Sund —6A 102
Franklyn Av. Sea S —2F 23
Franklyn Rd. Pet —6C 160
Frank Pl. Bir —4C 110
Frank Pl. N Shi —1C 60
Frank St. Dur —5G 153
Frank St. G'sde —2A 76
Frank St. Sund —3B 102
Frank St. W'snd —6H 57
Fraser Clo. S Shi —1D 72
Fraser Fld. Newc T —4F 67
Frater Ter. W'snd —5G 59
Frazer Ter. Gate —2G 83
Freda St. Sund —4H 101
Frederick Gdns. Hou S —2E 127
Frederick Pl. Hou S —3A 136
Frederick Rd. Sund —6D 102
Frederick St. S'hm —4B 140
Frederick St. S Hyl —1C 114
Frederick St. S Shi —1E 73
Frederick St. Sund —6D 102
Frederick St. N. Mead —6E 157
Frederick St. S. Mead —6E 157
Frederick Ter. Eas L —4D 146
Frederick Ter. S Het —6H 147
Frederick Ter. Sund —2F 89
Freehold St. Bly —5D 10
Freeman Rd. S Gos & H Hea —3H 55
Freemans Pl. Dur —5C 152
Freeman Way. Whit B —4A 34
Freesia Gdns. Sund —2C 102
Freesia Grange. Wash —4C 112
Freezemoor Rd. Hou S —3H 127
Freight Village. Wool —3C 38
Fremantle Rd. S Shi —4B 74
Frenchmans Way. S Shi —2B 74
French St. Bly —5C 10
Frensham. Wash —3E 113
Frensham Way. Mead —5E 157
Frenton Clo. Newc T —5A 52
Friarage Av. Sund —2D 102
Friar Rd. Sund —1F 115
Friars. Newc T —5C 4
(off Low Friar St.)
Friars Dene Rd. Gate —1C 82
Friarsfield Clo. Sund —4G 129
Friars Goose. —6D 68
Friarside Cres. Row G —5D 90
Friarside Gdns. Burn —1F 105
Friarside Gdns. Whi —5E 79
Friarside Rd. Newc T —1A 66
Friar Sq. Sund —1F 115
Friar's Row. Burn —2F 105
Friars Row. Dur —4F 153
Friars St. Newc T —4E 67 (5B 4)
Friars Way. Newc T —1G 65
Friar Way. Jar —2G 71
Friary Gdns. Gate —1C 82
Friday Fields La. Newc T —4G 55
Friendly Bldgs. Din —4F 27
Frobisher Ct. Sund —3H 129
Frobisher St. Heb —3D 70
Frome Gdns. Gate —3H 95
Frome Pl. Cra —1B 20
Frome Sq. Sund —1E 115
Front Rd. Sund —6F 101
Front St. Ann —2B 30
Front St. Bent —2C 56
Front St. Bly —6D 8
Front St. Bol C —2A 86
Front St. B'pk —1E 157
Front St. Burn —1E 105
Front St. Camp —6B 30
Front St. Ches S —5C 124
Front St. Cle —2A 88
Front St. Col R —3E 135
Front St. Crag —6G 121
Front St. Cra —3B 20
(nr. Church St.)
Front St. Cra —4D 20
(nr. High Pit Rd.)
Front St. Cul —1E 47
Front St. Din —4F 27
Front St. Dip —2C 118
(in two parts)
Front St. Ear —6E 33
Front St. Eas L —5G 147
Front St. E Bol —4E 87
Front St. Fram M & Pity Me —2A 152
Front St. Gt Lum —4G 133
Front St. Hes —6F 163
Front St. Hett H —1C 146
(nr. Houghton Rd.)
Front St. Hett H —4A 146
(nr. Moorsley Rd.)
Front St. H Spen —6A 76
Front St. Lang M —3G 157
Front St. L Pit —1E 155
Front St. Monk —1A 46
(in two parts)
Front St. Nbtle —6H 127
Front St. New D —6H 153
(in two parts)
Front St. Newf —4F 123
Front St. Pelt —2F 123
(nr. Pelton)
Front St. Pelt —1H 123
(nr. Perkinsville)
Front St. Pen —1G 127
Front St. Pre —5C 46
Front St. Seg —2E 31
Front St. S'ley —3C 120
(nr. Stanley By-Pass, in two parts)
Front St. S'ley —2E 121
(nr. Chester Rd.)
Front St. Tan —3B 106
Front St. Tant —5H 105
Front St. Tyn —6F 47
Front St. Wash —5B 98
Front St. W Kyo —5F 119
Front St. Whi —4E 79
Front St. Whit —3E 89
Front St. Winl —2H 77
(in three parts)
Front St. E. Bed —5A 8
Front St. E. Pen —1F 127
Front St. W. Bed —5H 7
Front St. W. Pen —1F 127
Front Ter. Hou S —6H 127
Frosterley Clo. Dur —1D 152
Frosterley Clo. Eas L —5F 147
Frosterley Clo. Gt Lum —4H 133
Frosterley Gdns. S'ley —5F 119
Frosterley Gdns. Sund —5B 116
Frosterley Pl. Newc T —3C 66
Frosterley Wlk. Sun —2F 93
Froude Av. S Shi —6E 73
Fuchsia Pl. Newc T —5H 53
Fulbrook Clo. Cra —5C 14
Fulbrook Rd. Newc T —2B 54
Fulforth Clo. Bear —3C 150
Fuller Rd. Sund —3E 117
Fullerton Pl. Gate —3A 82
Fulmar Dri. Bly —3C 16
Fulmar Dri. Wash —3F 111
Fulmar Wlk. Sund —1F 89
Fulton Pl. Newc T —5G 53
Fulwell. —1D 102
Fulwell Av. S Shi —2B 74
Fulwell Grn. Newc T —6F 53
Fulwell Rd. Pet —1E 163
Fulwell Rd. Sund —1D 102
Furnace Bank. Bly —4D 8
Furness Clo. Pet —1B 162
Furness Ct. Sund —3H 129
Furrowfield. Gate —6C 82
Furzefield Rd. Newc T —3D 54
Fuschia Gdns. Heb —6C 70
Fylingdale Dri. Sund —2C 130
Fynes Clo. Pet —5D 160
Fynes St. Bly —5C 10

Gables Ct. Sund —4E 115
Gables, The. Bly —5B 10
Gables, The. Ken F —1F 53
Gables, The. Wash —3C 112
(off Fatfield Rd.)
Gadwall Rd. Hou S —5F 135
Gainers Ter. W'snd —1A 70
Gainford. Ches S —6A 124
Gainford. Gate —3H 95
(in three parts)
Gainford Ho. Ches S —6A 124
Gainsborough Av. S Shi —6F 73
Gainsborough Av. Wash —3C 112
Gainsborough Clo. Whit B —5G 33
Gainsborough Cres. Gate —4B 82
Gainsborough Cres. Shin R —4E 127
Gainsborough Gro. Newc T —3B 66
Gainsborough Pl. Cra —6B 20
Gainsborough Rd. S'ley —4D 120
Gainsborough Rd. Sund —5E 115
Gainsborough Sq. Sund —5E 115
Gainsford Av. Gate —1G 95
Gair Ct. Nett —1A 142
Gairloch Dri. Pelt —2H 123
Gairloch Dri. Wash —4G 111
Gairloch Rd. Sund —4E 115
Gairsay Clo. Sund —1E 131
Gaitskell Ct. Heb —2D 70
Galashiels Gro. Hou S —4F 127
Galashiels Rd. Sund —4D 114
Galashiels Sq. Sund —4E 115
Gale St. S'ley —4B 120
Galfrid Clo. Dal D —5F 139
Gallagher Cres. Pet —1F 163
Gallalaw Ter. Newc T —2H 55
Gallant Ter. W'snd —6G 59
Galleria, The. Gate —2G 79
Galleries Shop. Cen., The. Wash —2A 112
Galley's Gill Rd. Sund —6C 102
Galloping Grn. Cotts. Gate —3D 96
Galloping Grn. Farm Clo. Gate —3D 96
Galloping Grn. Rd. Gate —2D 96
Galloway Rd. Pet —6D 160
Gallowgate. Newc T —4E 67 (4B 4)
Galsworthy Rd. S Shi —6C 72
Galsworthy Rd. Sund —4E 115
Galway Rd. Sund —4D 114
Galway Sq. Sund —4D 114
Gambia Rd. Sund —5D 114
Gambia Sq. Sund —5D 114
Ganton Av. Cra —5B 20
Ganton Clo. Wash —3A 98
Ganton Ct. S Shi —6H 73
Garasdale Clo. Bly —3B 16
Garcia Ter. Sund —1E 103
(in two parts)
Garden Av. Dur —1A 152
Garden Clo. Sea B —3D 28
Garden Cft. Newc T —5E 43
Garden Dri. Heb —5B 70
Garden Est. Hett H —1D 146
Garden Ho. Cres. Whi —3G 79
Garden La. S Shi —5E 61
Garden La. Sund —3H 87
Garden Pk. W'snd —3D 58
Garden Pl. Pen —2F 127
Garden Pl. Sund —6C 102
(in two parts)
Gardens, The. Ches S —6B 124
Gardens, The. Wash —3C 112
Gardens, The. Whit B —1B 46
Garden St. Bla T —6A 64
Garden St. Hou S —6H 127
Garden St. Newc T —2E 55
Garden Ter. Crag —6F 121
Garden Ter. Ear —6E 33
Garden Ter. Hou S —6H 127
Garden Ter. S'ley —4C 120
Garden Ter. Winl —2H 77
(off Florence St.)
Garden Ter. W'sde —6A 62
Garden Wlk. Gate —1G 79
Gardiner Cres. Pelt F —5G 123
Gardiner Rd. Sund —4C 114
Gardiner Sq. Gate —2E 109
Gardiner Sq. Sund —4D 114
Gardner Pk. N Shi —2B 60
Gardner Pl. N Shi —2D 60
Gardners Pl. Lang M —4F 157
Garesfield Gdns. Burn —1F 105
Garesfield Gdns. Row G —2E 91
Garesfield La. Bla T —6E 77
Gareston Clo. Bly —6H 9
Garfield St. Sund —6H 101
Garforth Clo. Cra —5A 20
Garland Ter. Hou S —3E 135
Garleigh Clo. Kil —2G 43
Garmondsway. Newc T —4C 68
Garner Clo. Newc T —4B 52
Garnet St. Sund —6H 101
Garnwood St. S Shi —1D 72
Garrick Clo. N Shi —6G 45
Garrick St. S Shi —1E 73
Garrigill. Wash —6D 112
Garrigill Pl. Newc T —1A 56
(in two parts)
Garron St. S'hm —5B 140
(in two parts)
Garsdale. Bir —6E 111
Garsdale Av. Wash —5A 98
Garsdale Rd. Whit B —2A 34
Garside Av. Bir —1C 110
Garside Gro. Pet —5B 160
Garside Mans. Newc T —3H 67
Garstin Clo. Newc T —4E 57
Garth Cres. Bla T —2H 77
Garth Cres. S Shi —6H 61
Gth. Farm Rd. Bla T —2H 77
Garthfield Clo. Newc T —4E 53
Garthfield Corner. Newc T —4E 53
Garthfield Cres. Newc T —4E 53
Garth Four. Newc T —2C 42
Garth Heads. Newc T —4H 67 (5G 5)
Garth Six. Newc T —2C 42
Gth. Sixteen. Newc T —1D 42
Garth, The. Bla T —2H 77
Garth, The. Ken —3B 54
Garth, The. Pelt —2G 123
Garth, The. W Den —6C 52
Gth. Thirteen. Newc T —1C 42
Gth. Thirty Three. Newc T —2D 42
Gth. Thirty Two. Newc T —2E 43
Gth. Twenty. Newc T —2E 43
Gth. Twenty Five. Newc T —2F 43
Gth. Twenty Four. Newc T —2E 43
Gth. Twenty One. Newc T —1E 43
Gth. Twenty Seven. Newc T —2F 43
Gth. Twenty Two. Newc T —2E 43
Gartland Rd. Sund —4C 114
Garvey Vs. Gate —5B 82
Gashouse Dri. Ches S —3A 126
Gaskell Av. S Shi —6D 72
Gas La. Bla T —5A 64
Gas Works Rd. S'hm —5C 140
Gatacre St. Bly —5C 10
Gateley Av. Bly —3B 16
Gatesgarth. Gate —6A 82
Gatesgarth Gro. Sund —6D 88
Gateshead. —6H 67
Gateshead F.C. —6B 68
Gateshead Highway. Gate —6H 67
Gateshead International Stadium. —6B 68
Gateshead Rd. Sun —4F 93
Gateshead Thunder R.L.F.C. —6B 68
Gateshead Western By-Pass. Whi —2G 79
Gatwick Ct. Newc T —6F 39
Gatwick Rd. Sund —4D 114
Gaughan Clo. Newc T —6F 69
Gaweswell Ter. Hou S —5H 127
(off North St.)
Gayfield Ter. Pet —2F 161
Gayhurst Cres. Sund —3A 130
Gayton Rd. Wash —4C 98
Geddes Rd. Sund —4D 114
Gellesfield Chare. Whi —1F 93
Gelt Cres. Eas L —3D 146
General Graham St. Sund —2A 116
General Havelock Rd. Sund —6G 101
General's Wood, The. Wash —1H 125
Geneva Rd. Sund —4D 114
Genister Pl. Newc T —1H 65
Geoffrey Av. Dur —1A 158
Geoffrey St. S Shi —6E 73
Geoffrey St. Sund —2F 89
Geoffrey Ter. S'ley —4B 120
George All. Wash —6H 101
George Gro. Hett H —1C 146
George Pit La. Gt Lum —5H 133
George Pl. Newc T —3F 67 (2D 4)
George Rd. Bed —3D 8
George Rd. Newc T & W'snd —1H 69
George Scott St. S Shi —3F 61
George Smith Gdns. Gate —1C 82
George Sq. N Shi —1D 60
Georges Rd. Newc T —5B 66
(in two parts)
George Stephenson Way. N Shi —4B 60
George St. Bir —3B 110
George St. Bla T —6B 64
George St. Bly —1C 16
George St. Bru V —5C 28
George St. Ches S —1D 132
George St. Dip —1D 118
George St. Dur —6A 152
George St. Gate —2F 83
George St. Gos —2C 54
George St. Hett H —6C 136
George St. Mur —3D 148
George St. Newc T —5E 67 (6A 4)
George St. N Shi —1D 60
George St. S'hm —4A 140
George St. Sher —6D 154
George St. S'ley —6G 121
George St. Sund —3G 131
George St. Walb —5F 51
George St. W'snd —6F 59
George St. Whi —4E 79
George St. E. Sund —1A 130
George St. Ind. Est. S'hm —4A 140
George St. N. Sund —5D 102
George St. W. Sund —1A 130
George's Vw. Dud —4A 30
George Ter. Bear —4E 151
George Ter. Jar —6F 71
George Way. Newc T —5E 67 (6A 4)
Georgian Ct. Newc T —4B 42
Georgian Ct. Sund —3A 116
Gerald St. Newc T —5H 65
Gerald St. S Shi —6E 73
Gerrard Clo. Cra —5B 20
Gerrard Clo. Whit B —2A 34
Gerrard Rd. Sund —4D 114
Gerrard Rd. Whit B —2A 34
Gertrude St. Hou S —1H 135
Ghyll Fld. Rd. Dur —2B 152
Gibbons Wlk. S Shi —1C 86
Gibbs Ct. Ches S —1C 132
Gibside. —4A 92
Gibside. —4G 91
Gibside. Ches S —6A 124
Gibside Clo. S'ley —2F 121
Gibside Ct. Gate —5B 80
Gibside Cres. Burn —5B 92
Gibside Gdns. Newc T —3F 65
Gibside Ter. Burn —1H 105
Gibside Vw. Bla T —2H 77
Gibside Way. Gate —1F 79
Gibson Ct. Bol C —3B 86
Gibsons Bldgs. Ryton —5A 62
(off Main St.)
Gibson St. Newc T —4H 67 (5H 5)
Gibson St. W'snd —2D 58
Gibson Ter. Ryton —5A 62
(off Main St.)
Gifford Sq. Sund —3E 115
Gilberdyke. Gate —6G 83
Gilbert Rd. Pet —6C 160
Gilbert Rd. Sund —4D 114
Gilbert Sq. Sund —5D 114
Gilbert St. S Shi —1E 73
Gilderdale. Hou S —1C 126
Gilderdale Way. Cra —6A 20
Gilesgate. —5F 153
Gilesgate. Dur —5D 152
Gilesgate Clo. Dur —5D 152
Gilesgate Moor. —5G 153
Gilesgate Rd. Eas L —3D 146
Gilhurst Ho. Sund —6B 102
Gillas La. Hou S —4C 136
Gillas La. E. Hou S —4B 136
Gillas La. W. Hou S —5A 136
Gill Cres. N. Hou S —1C 134
Gill Cres. S. Hou S —2C 134
Gill Cft. Ches S —1A 132
Gilley Law. —1G 129
Gilley Law Ter. Sund —1H 129
Gillhurst Grange. Sund —6B 102
Gillies St. Newc T —3D 68
Gilliland Cres. Bir —1C 110
Gillingham Rd. Sund —4D 114
Gillside Ct. S Shi —4C 72
Gill Side Gro. Sund —3E 103
Gill St. Newc T —4A 66
Gill Ter. Sund —6C 100
(off Pottery La.)
Gilmore Clo. Newc T —4B 52
Gilpin St. Hou S —3H 135
Gilsland Av. W'snd —4D 58
Gilsland Gro. Cra —6B 14
Gilsland St. Sund —1A 116
Gilwell Way. Newc T —4D 40
Gingler La. W'sde —1A 76
Girtin Rd. S Shi —1F 87
Girton Clo. Pet —2B 162
Girvan Clo. S'ley —3F 121
Girven Ter. Eas L —4E 147
Girven Ter. W. Eas L —4D 146
Gishford Way. Newc T —5F 53
Givens St. Sund —3E 103
Gladeley Way. Sun —3E 93
Glade, The. Jar —2F 85
Glade, The. Newc T —5G 51
Gladstonbury Pl. Newc T —1C 56
Gladstone Av. Whit B —5B 34
Gladstone M. Bly —5B 10
Gladstone Pl. Newc T —2G 67 (1F 5)
Gladstone St. Beam —2H 121
Gladstone St. Bly —5B 10
Gladstone St. Col R —3F 135
Gladstone St. Heb —3E 71
Gladstone St. Lem —3A 64
Gladstone St. Oxh —4B 120
Gladstone St. Sund —4D 102
Gladstone St. W'snd —6F 59
Gladstone Ter. Bed —5A 8
Gladstone Ter. Bir —3B 110
Gladstone Ter. Bol C —1A 86
Gladstone Ter. Gate —2H 81
Gladstone Ter. Newc T —2G 67 (1F 5)
Gladstone Ter. Pen —1D 126
Gladstone Ter. Wash —5D 98
Gladstone Ter. Whit B —1D 46
Gladstone Ter. W. Gate —2G 81
Gladstone Vs. Dur —1D 158
Gladwyn Rd. Sund —5D 114
Gladwyn Sq. Sund —5D 114
Glaholm Rd. Sund —1F 117
Glaisdale Ct. S Shi —5C 72
Glaisdale Dri. Sund —5E 89
Glaisdale Rd. Newc T —2A 56
Glamis Av. Newc T —3E 41
Glamis Av. Sund —3E 115
Glamis Ct. S Shi —6H 73
Glamis Cres. Row G —1G 91
Glamis Ter. Mar H —4E 93
Glamis Vs. Bir —1C 110
Glanmore Rd. Sund —4D 114
Glantlees. Newc T —5E 53
Glanton Av. Sea D —6A 22
Glanton Clo. Ches S —1A 132
Glanton Clo. Gate —4A 84
Glanton Clo. Newc T —5C 68
Glanton Ct. Gate —2C 80
Glanton Rd. N Shi —6H 45
Glanton Sq. Sund —4E 115
Glanton Ter. Pet —1H 163
Glanton Wynd. Newc T —6D 40
Glanville Clo. Gate —4D 80
Glanville Rd. Sund —4F 129
Glasbury Av. Sund —3E 115
Glasgow Rd. Jar —5A 72
Glassey Ter. Bed —4D 8
Glasshouse Bri. Newc T —4A 68
Glasshouse St. Newc T —5C 68
Glastonbury. Wash —3B 112
Glastonbury Gro. Newc T —5H 55
Glaston Ho. Bly —5H 9
Gleaston Ct. Pet —4B 162
Glebe. —2B 112

Glebe Av.—Greenwood Av.

Glebe Av. Newc T —6D 42
Glebe Av. Pet —1D 160
Glebe Av. Whi —4F 79
Glebe Cen. Wash —2B 112
Glebe Clo. Newc T —4B 52
Glebe Clo. Pon —4E 25
Glebe Ct. Bed —4H 7
Glebe Cres. Newc T —4D 42
Glebe Cres. Pet —1D 160
Glebe Cres. Wash —1C 112
Glebe Dri. S'hm —1F 139
Glebe Est. S'hm —1F 139
Glebe M. Bed —4H 7
Glebe Mt. Wash —1C 112
Glebe Ri. Whi —4F 79
Glebe Rd. Bed —4H 7
Glebe Rd. Newc T —4D 42
Glebeside. Hett H —6C 136
Glebe Ter. Gate —3B 80
(in four parts)
Glebe Ter. Hou S —2H 135
Glebe Ter. Newc T —4D 42
Glebe Ter. Pet —1C 160
(in two parts)
Glebe Ter. Sco G —1G 7
Glebe Vw. Mur —1E 149
(in two parts)
Glebe Vs. Newc T —4C 42
Glebe Wlk. Whi —4F 79
Glenallen Gdns. N Shi —4E 47
Glenamara Ho. Newc T —2F 5
Glenavon Av. Ches S —5B 124
Glen Barr. Ches S —5B 124
Glenbrooke Ter. Gate —1H 95
Glenburn Clo. Wash —4F 111
Glencarron Clo. Wash —4G 111
Glen Clo. Row G —2E 91
Glencoe. Newc T —1D 42
Glencoe Av. Ches S —5B 124
Glencoe Av. Cra —6B 20
Glencoe Ri. Row G —4C 90
Glencoe Rd. Sund —5D 114
Glencoe Sq. Sund —4D 114
Glencoe Ter. Row G —4C 90
Glencot Gro. Haw —6G 149
Glencourse. E Bol —4G 87
Glen Ct. Heb —3B 70
Glendale Av. Bly —5E 9
Glendale Av. Newc T —3C 54
Glendale Av. N Shi —1A 60
Glendale Av. W'snd —3H 57
Glendale Av. Wash —5A 98
Glendale Av. Whi —5E 79
Glendale Av. Whit B —4C 34
Glendale Clo. Bla T —3F 77
Glendale Clo. Newc T —4B 52
Glendale Clo. Sund —3E 129
Glendale Gdns. Gate —6B 82
Glendale Gro. N Shi —1B 60
Glendale Rd. Shir —2E 45
Glendale Ter. Newc T —3C 68
Glendford Pl. Bly —3B 16
Glendower Av. N Shi —1H 59
Glendyn Clo. Newc T —6A 56
Gleneagle Clo. Newc T —4B 52
Gleneagles. S Shi —6H 61
Gleneagles. Whit B —6H 33
Gleneagles Clo. Bent —2C 56
Gleneagles Ct. Whit B —6H 33
Gleneagles Dri. Wash —3H 97
Gleneagles Rd. Gate —2G 95
Gleneagles Rd. Sund —5D 114
Gleneagles Sq. Sund —5D 114
Glenesk Gdns. Sund —5C 116
Glenesk Rd. Sund —4C 116
Glenfield Av. Cra —6B 14
Glenfield Rd. Newc T —6B 42
(in two parts)
Glengarvan Clo. Wash —4G 111
Glenholme Clo. Wash —4F 111
Glenhurst Cotts. Pet —1D 160
Glenhurst Dri. Newc T —4B 52
Glenhurst Dri. Whi —1D 92
Glenhurst Gro. S Shi —3H 73
Glenhurst Rd. Pet —1D 160
Glenhurst Ter. Mur —2D 148
Glenkerry Clo. Wash —4G 111
Glenleigh Dri. Sund —3E 115
Glenluce. Bir —4E 111
(in two parts)
Glenluce Ct. Cra —5B 20
Glenluce Dri. Cra —6A 20
Glen Luce Dri. Sund —5F 117
Glenmoor. Heb —2B 70
Glenmore Av. Ches S —5C 124
Glenmuir Av. Cra —6A 20
Glenorrin Clo. Wash —4G 111
Glen Path. Sund —4D 116
Glenridge Av. Newc T —6B 56
Glenroy Gdns. Ches S —5B 124
Glens Flats. H Pitt —2F 155
Glenshiel Clo. Wash —4G 111
Glenside. Jar —1G 85
Glenside Ter. Pelt F —5H 123
Glen St. Heb —4B 70
Glen Ter. Ches S —5A 124
Glen Ter. Hou S —1F 127
(off Rainton St.)
Glen Ter. Wash —3C 112
Glen, The. Sund —4D 116
Glenthorne Rd. Sund —3E 103
Glenthorn Rd. Newc T —5G 55
Glen Thorpe Av. Sund —3E 103
Glenthorpe Ho. S Shi —6F 61
Glenwood Wlk. Newc T —4B 52
Gloria Av. N Har —3B 22
Glossop St. H Spen —1A 90
Gloucester Av. Sund —1E 103
Gloucester Clo. Gt Lum —5G 133
Gloucester Ct. Newc T —5G 39
Gloucester Pl. Pet —6B 160
Gloucester Pl. S Shi —4A 74
Gloucester Rd. Newc T —4C 66
Gloucester Rd. N Shi —6F 45
Gloucestershire Dri. Dur —4A 154
Gloucester St. N Har —4B 22
Gloucester Ter. Newc T —5C 66
Gloucester Way. Jar —2F 85
Gloucester Way. Newc T —5D 66
Glover Ind. Est. Wash —6D 98
Glover Rd. Sund —5D 114
Glover Rd. Wash —5D 98
Glover Sq. Sund —5D 114
Glue Gth. Dur —5F 153
Glynfellis. Gate —6F 83
Glynfellis Ct. Gate —6F 83
Glynwood Clo. Cra —6B 14
Glynwood Gdns. Gate —6A 82
Goalmouth Clo. Sund —3E 103
Goatbeck Ter. Lang M —4F 157
Goathland Av. Newc T —1B 56
Goathland Dri. Sund —2B 130
Godfrey Rd. Sund —4D 114
Gofton Wlk. Newc T —5E 53
Goldcrest Rd. Wash —4F 111
Goldfinch Clo. Newc T —6B 66
Goldlynn Dri. Sund —3G 129
Goldsbrough Ct. Newc T —2E 67
Goldsmith Rd. Sund —5D 114
Goldspink La. Newc T —2H 67
Goldstone Ct. Newc T —1E 43
Golf Course Rd. Hou S —5D 126
Gompertz Gdns. S Shi —1D 72
Goodrich Clo. Phil —4G 127
Good St. S'ley —1C 120
Goodwood. Newc T —2E 43
Goodwood Av. Gate —3E 81
Goodwood Clo. Newc T —4B 52
Goodwood Rd. Sund —4C 114
Goodwood Sq. Sund —4C 114
Goodyear Cres. Dur —6G 153
Goole Rd. Sund —4E 115
Gordon Av. Newc T —3E 55
Gordon Av. Pet —6F 161
Gordon Av. Sund —5C 100
Gordon Ct. Gate —2D 82
(off Church Pl.)
Gordon Dri. E Bol —4F 87
Gordon Rd. Bly —2D 16
Gordon Rd. Newc T —4B 68
Gordon Rd. S Shi —3E 73
Gordon Rd. Sund —5D 114
Gordon Sq. Newc T —4B 68
Gordon Sq. Whit B —1E 47
Gordon St. S Shi —1E 73
Gordon Ter. Bed —5A 8
Gordon Ter. O Pen —1G 127
Gordon Ter. Ryh —3G 131
Gordon Ter. S'ley —1D 120
Gordon Ter. Sund —3A 102
Gordon Ter. Whit B —6E 35
Gorleston Way. Sund —5A 130
Gorse Av. S Shi —4H 73
Gorsedale Gro. Dur —4B 154
Gorsedene Av. Whit B —2B 34
Gorsedene Rd. Whit B —2A 34
Gorsehill. Gate —6C 82
Gorse Hill Way. Newc T —4G 53
Gorse Rd. Sund —2D 116
Gort Pl. Dur —4F 153
Goschen St. Bly —5B 10
(in two parts)
Goschen St. Gate —3F 81
Goschen St. Sund —3A 102
Gosforth. —2E 55
Gosforth Av. S Shi —5E 73
Gosforth Bus. Pk. Newc T —6H 41
Gosforth Cen., The. Newc T —3E 55
Gosforth Ind. Est. Newc T —2G 55
Gosforth Pk. Vs. N Gos —1E 41
Gosforth Pk. Way. Newc T —6H 41
(in two parts)
Gosforth St. Gate —2D 82
Gosforth St. Newc T —3H 67 (2G 5)
(in three parts)
Gosforth St. Sund —4E 103
Gosforth Ter. Gate —2F 83
Gosforth Ter. Newc T —2G 55
Gosport Way. Bly —3B 16
Gossington. Wash —2E 113
Goswick Av. Newc T —5B 56
Goswick Dri. Newc T —5B 40
Gouch Av. Bed —1A 8
Goundry Av. Sund —3G 131
Gourock Sq. Sund —4C 114
Gowanburn. Cra —6A 20
Gowanburn. Wash —5D 112
Gowan Ter. Newc T —6H 55
Gower Rd. Sund —3A 102
Gower St. Newc T —5G 69
Gower Wlk. Gate —3C 82
Gowland Av. Newc T —2A 66
Gowland Sq. Mur —2B 148
Goy Cotts. Dur —6B 152
Goy Pk. S Shi —4E 73
Goy Vw. Bed —2D 8
Grace Ct. G'cft —6E 119
Gracefield Clo. Newc T —4B 52
Grace Gdns. W'snd —3G 57
Grace Ho. N Shi —4A 60
Grace St. Gate —3B 80
Grace St. Newc T —3C 68
(in two parts)
Grafton Clo. Newc T —3B 68
Grafton Pl. Newc T —3B 68
Grafton Rd. Whit B —1E 47
Grafton St. Newc T —3B 68
Grafton St. Sund —6B 102
Gragareth Way. Wash —1G 111
Graham Av. Whi —3E 79
Graham Pk. Rd. Newc T —4E 55
Graham Rd. Heb —4B 70
Grahamsley St. Gate —1H 81
Graham St. S Shi —5F 61
Graham Ter. H Pitt —2F 155
Graham Ter. Mur —2D 148
Graham Way, The. S'hm —5F 139
Grainger Mkt. Newc T —4F 67 (4C 4)
Grainger Pk. Rd. Newc T —5B 66
Grainger St. Newc T —5F 67 (6C 4)
Graingerville N. Newc T —4C 66
(off Westgate Rd.)
Graingerville S. Newc T —4C 66
(off Westgate Rd.)
Grampian Av. Ches S —1B 132
(in two parts)
Grampian Clo. N Shi —4B 46
Grampian Ct. S'ley —6E 119
Grampian Dri. Pet —2B 162
Grampian Gdns. Gate —5D 80
Grampian Gro. E Bol —4D 86
Grampian Pl. Newc T —4B 42
Granaries, The. H Spen —1A 90
Granaries, The. Hou S —3F 135
Granby Clo. Sund —4B 116
Granby Clo. Sun —2F 93
Granby Ter. Sun —3F 93
Grand Pde. N Shi —3E 47
Grandstand Rd. Newc T —1B 66
Grange Av. Bed —2E 9
Grange Av. Hou S —2E 135
Grange Av. Newc T —1E 57
Grange Av. Pet —2B 160
Grange Av. Shir —1D 44
Grange Clo. Bly —3B 16
Grange Clo. N Shi —3D 46
Grange Clo. Pet —5C 160
Grange Clo. W'snd —5A 58
Grange Clo. Whit B —1H 45
Grange Ct. Gate —4G 83
Grange Ct. Gran V —4D 122
Grange Ct. Jar —2F 71
Grange Ct. Ryton —5C 62
Grange Cres. Gate —4G 83
Grange Cres. Ryton —5C 62
Grange Cres. Sund —2D 116
Grange Dri. Ryton —5C 62
Grange Est. Gate —1E 109
Grange Farm Dri. Whi —6E 79
Grange La. Whi —6E 79
Grange Lonnen. Ryton —4B 62
Grangemere Clo. Sund —5E 117
Grange Nook. Whi —6E 79
Grange Park. —2E 9
Grange Pk. Whit B —1H 45
Grange Pk. Av. Bed —2D 8
Grange Pk. Av. Sund —2C 102
Grange Pl. Jar —2F 71
Grange Rd. Dur —3A 154
Grange Rd. Fenh —3G 65
Grange Rd. Gate —4G 83
Grange Rd. Gos —6E 41
Grange Rd. Jar —2F 71
(in two parts)
Grange Rd. Newb —1E 63
Grange Rd. Pon —4E 25
Grange Rd. Ryton —4C 62
Grange Rd. S'ley —3B 120
Grange Rd. Sund —5C 100
Grange Rd. W. Jar —2E 71
Granger Vw. Newc T —3A 64
Grange St. Pelt —2G 123
Grange St. S. Sund —5F 117
Grange Ter. Dec —3A 82
Grange Ter. E Bol —4F 87
Grange Ter. Kib —1E 109
Grange Ter. Pelt F —5F 123
Grange Ter. Sund —2C 116
(SR2)
Grange Ter. Sund —3B 102
(SR5)
Grange, The. E Bol —4F 87
Grange, The. Ned V —5C 6
Grange, The. Tan L —1A 120
Grange, The. Whit B —1G 45
Grangetown. —5F 117
Grange Vw. E Rai —6H 135
Grange Vw. Nbtle —6H 127
Grange Vw. Ryton —5C 62
Grange Vw. Sund —2C 102
Grange Villa. —4C 122
Grange Vs. W'snd —5A 58
Grange Wlk. Whi —6E 79
Grangeway. N Shi —4B 46
Grangewood Clo. Shin R —4E 127
Grangewood Ct. Hou S —3E 127
Grantham Av. S'hm —5H 139
Grantham Dri. Gate —1G 95
Grantham Pl. Cra —5A 20
(in three parts)
Grantham Rd. Newc T —2H 67 (1G 5)
Grantham Rd. Sund —3E 103
Grantham St. Bly —1D 16
Grants Cres. S'hm —4A 140
Grant St. Jar —2E 71
Grant St. Pet —6G 161
Granville Av. Newc T —4E 43
Granville Av. Sea S —4H 23
Granville Av. S'ley —5F 119
Granville Ct. Newc T —1H 67
Granville Cres. Newc T —6E 43
Granville Dri. Cha P —4B 52
Granville Dri. For H —6E 43
Granville Dri. Phil —4G 127
Granville Gdns. Newc T —1A 68
Granville Rd. Gos —6F 41
Granville Rd. Jes —1H 67
Granville Rd. Pet —2F 163
Granville St. Gate —2H 81
Granville St. Sund —6B 102
Grape La. Dur —6C 152
(in two parts)
Grasmere. Bir —5E 111
Grasmere. Sund —2A 88
Grasmere Av. Eas L —5E 147
Grasmere Av. Gate —3F 83
Grasmere Av. Jar —6H 71
Grasmere Av. Newb —2E 63
Grasmere Av. Walk —4E 69
Grasmere Ct. Kil —2C 42
Grasmere Ct. Newc T —2E 63
Grasmere Cres. Bla T —3H 77
Grasmere Cres. Shin R —3F 127
Grasmere Cres. Sund —2C 102
Grasmere Cres. Whit B —4B 34
Grasmere Gdns. S Shi —3G 73
Grasmere Gdns. Wash —3C 112
Grasmere Ho. Newc T —4E 69
Grasmere Pl. Newc T —6E 41
Grasmere Rd. Ches S —2B 132
Grasmere Rd. Heb —4D 70
Grasmere Rd. Pet —6E 161
Grasmere Rd. W'snd —6G 57
Grasmere Rd. Whi —4G 79
Grasmere St. Gate —2G 81
Grasmere St. W. Gate —2G 81
Grasmere Ter. Mur —3D 148
Grasmere Ter. S Het —6B 148
Grasmere Ter. S'ley —5B 120
Grasmere Ter. Wash —3C 112
Grasmere Way. Bly —5G 9
Grasmoor Pl. Newc T —2H 63
Grassbanks. Gate —5H 83
Grassdale. Dur —4B 154
Grassholm Meadows. Sund —5B 116
Grassholm Pl. Newc T —6A 42
Grassington Dri. Cra —5A 20
Grasslees. Wash —1F 125
Grasswell. —1H 135
Grasswell Cvn. Pk. Gras —1H 135
Grasswell Dri. Newc T —4H 53
Grasswell Ter. Hou S —1H 135
Gravel Walks. Hou S —2A 136
Gravesend Rd. Sund —5D 114
Gravesend Sq. Sund —5E 115
Gray Av. Ches S —1B 132
Gray Av. Dur —2B 152
Gray Av. Hes —6F 163
Gray Av. Mur —2C 148
Gray Av. Sher —5D 154
Gray Av. Wide —4E 29
Gray Ct. Pet —1D 160
Gray Ct. Sund —3D 116
Graylands. H Ric —1E 125
Grayling Ct. Dox I —4E 129
Gray Rd. Sund —3D 116
(in two parts)
Grays Cross. Sund —6E 103
(off High St. E.)
Grays Ter. Bol C —2A 86
Grays Ter. Dur —6A 152
Graystones. Gate —4H 83
Gray St. Camb —4C 10
Gray St. Jar —2G 71
Gray's Wlk. S Shi —1C 86
Gray Ter. S'ley —5A 120
Graythwaite. Ches S —6H 123
Great Eppleton. —6F 137
Greathead St. S Shi —2D 72
Gt. Lime Rd. Newc T —2A 42
(in two parts)
Great Lumley. —4G 133
Gt. North Rd. Dur —1A 152
Gt. North Rd. Newc T (NE2) —4F 55 (1D 4)
Gt. North Rd. Newc T —5E 41
(NE3)
Grebe Clo. Bly —2C 16
Greely Rd. Newc T —5D 52
Greenacre Pk. Gate —2H 95
Greenacres. Pelt —2F 123
Greenacres. Pon —3C 36
Greenacres Clo. Ryton —6A 62
Green Av. Hou S —5H 127
Greenbank. Bla T —1A 78
Greenbank. Jar —2F 71
Greenbank Dri. Sund —2C 114
Greenbank St. Ches S —5D 124
Greenbank Ter. Ches S —5C 124
Greenbourne Gdns. Gate —4C 82
Green Clo. N Shi —4D 46
Green Clo. Whit B —1H 45
Green Cres. Dud —3G 29
Greencroft. —6E 119
Greencroft. S Het —6A 148
Greencroft Av. Newc T —1G 69
Greencroft Ind. Pk. G'cft —6E 119
Greencroft Parkway. S'ley —6F 119
Greencroft Ter. S'ley —6D 118
Greendale Clo. Bly —5G 9
Greendale Gdns. Hett H —3B 146
Green Dri. S'hm —6B 140
Greendyke Ct. Newc T —2E 53
Greenfield Av. Newc T —5E 53
Green Fld. Pl. Newc T —4E 67 (5A 4)
Greenfield Pl. Ryton —4C 62
Greenfield Rd. Newc T —3D 40
Greenfields. Ous —5A 110
Green Fields. Ryton —4B 62
Greenfield Ter. Gate —2F 83
Greenfield Ter. S'ley —5F 119
Greenfinch Clo. Wash —5F 111
Greenford. Gate —1F 109
Greenford La. Gate —5G 95
Greenford Rd. Newc T —6F 69
Green Gro. W'sde —6B 62
Greenhall Vw. Newc T —5A 54
Greenhaugh. W Moor —4B 42
Greenhaugh Rd. Whit B —6F 33
Greenhead. Wash —3F 111
Greenhill. Mur —2D 148
Greenhills. Kil —6D 30
Greenhill Vw. Newc T —5A 54
Green Hill Wlk. S Shi —3C 74
Greenholme Clo. Cra —6B 14
Greenhow Clo. Ryh —4F 131
Greenlands. Jar —1G 85
Greenlands. S'ley —5B 120
Greenlands Ct. Sea D —5B 22
Green La. Dud —3H 29
Green La. Dur —6E 153
Green La. E Bol —5F 87
Green La. Fel —2C 82
(in two parts)
Green La. Gate —1D 82
Green La. Gil —5F 153
(in two parts)
Green La. Kil —1E 43
Green La. Newc T —2E 43
Green La. Pel —2G 83
Green La. Sea —5G 137
Green La. Sher —6C 154
Green La. S Shi —5C 72
Green La. Wool —5D 38
Green La. Gdns. Gate —1C 82
Green La. Ind. Est. Pel —2G 83
Greenlaw. Newc T —1C 64
Greenlaw Rd. Cra —6A 20
Greenlea. N Shi —4F 45
Greenlea Clo. H Spen —2A 90
Greenlea Clo. Sund —4E 115
Greenlee Dri. Newc T —4D 56
Green Mkt. Newc T —4C 4
Green Pk. W'snd —4E 57
Greenrigg. Bla T —2B 78
Greenrigg. Sea S —3G 23
Greenrigg Gdns. Sund —4B 116
Greenriggs Av. Newc T —4F 41
Green's Bank. W Pel —2C 122
Greenshields Rd. Sund —5D 114
Greenshields Sq. Sund —5D 114
Greenside. —2B 76
Greenside. S Shi —3B 74
Greenside Av. Bru V —5C 28
Greenside Av. Pet —6F 161
Greenside Av. W'snd —4D 58
Greenside Ct. Sund —5E 115
Greenside Cres. Newc T —2E 65
Greenside Rd. Craw —1A 76
Green's Pl. S Shi —3E 61
(in two parts)
Green Sq. Whit B —1H 45
Green St. S'hm —4B 140
Green St. Sund —6D 102
(in two parts)
Green Ter. Sund —1C 116
Green, The. Ches S —6B 124
Green, The. Fel —3E 83
Green, The. Gos —4B 54
Green, The. H Shin —5H 159
Green, The. Hou S —2B 136
Green, The. Pet —3A 162
Green. The. Pon —3F 25
Green, The. Row G —3C 90
Green, The. S'hm —6H 149
Green, The. S'wck —4A 102
Green, The. Walb —6F 51
Green, The. W'snd —5A 58
Green, The. Wash —1B 112
Green, The. Whit B —5A 34
Greentree La. S'ley —4E 119
Greentree Sq. Newc T —5F 53
Greenway. Cha P —3A 52
Greenway. Fenh —1H 65
Green Way. Whit B —1H 45
Greenway, The. Sund —3E 115
Greenwell Clo. Bla T —2G 77
Greenwich Pl. Gate —5A 68
Greenwood. Kil —2F 43
Greenwood Av. Bed —2D 8
Greenwood Av. Hou S —3G 135

Hastings Av.—Highfield Dri.

Hastings Av. Longb —6D 42
Hastings Av. Sea S —2F 23
Hastings Av. Whit B —3A 34
Hastings Ct. Bed —3C 8
Hastings Ct. N Har —3B 22
Hastings Ct. Wash —5C 98
Hastings Dri. N Shi —5E 47
Hastings Gdns. N Har —3B 22
Hastings Hill. —5C 114
Hastings Ho. W'snd —5H 59
Hastings Pde. Heb —6E 71
Hastings St. Cra —4C 20
Hastings St. Sund —3E 117
Hastings Ter. N Har —2B 22
Hastings Ter. Shan —6D 14
Hastings Ter. Sund —4F 117
Hastings Wlk. Wash —5C 98 (off Hastings Ct.)
Haswell Clo. Gate —4B 84
Haswell Ho. N Shi —6F 47
Hatfield Av. Heb —3D 70
Hatfield Clo. Fram M —1A 152
Hatfield Dri. Seg —1F 31
Hatfield Gdns. Sund —4A 116
Hatfield Gdns. Whit B —6F 33
Hatfield Pl. Pet —2E 163
Hatfield Sq. S Shi —4F 61
Hatfield Vw. Dur —6D 152
Hathaway Gdns. Sund —4A 116
Hathersage Gdns. S Shi —4F 73
Hatherton Av. N Shi —2D 46
Hathery La. Bly —6D 8
Hathery Rd. Bly —4D 14
Haugh La. Bla T —3E 63 (in three parts)
Haughton Cres. Jar —1F 85
Haughton Cres. Newc T —6C 52
Haughton Ter. Bly —6C 10
Haur Laur Pl. Hett H —2C 146
Hautmont Rd. Heb —5D 70
Hauxley. Kil —6D 30
Hauxley Dri. Ches S —3A 132
Hauxley Dri. Cra —5H 13
Hauxley Dri. Newc T —6A 40
Hauxley Gdns. Newc T —5H 53
Havanna. Kil —6D 30
Havannah Cres. Din —4F 27
Havannah Nature Reserve. —1B 40
Havannah Rd. Wash —6H 97
Havant Gdns. Wide —4D 28
Havelock Clo. Gate —1G 81
Havelock Ct. Sund —1F 115
Havelock Cres. E Sle —2F 9
Havelock M. E Sle —2F 9
Havelock Pl. Newc T —4D 66
Havelock Rd. Back —2B 44
Havelock St. Bly —5C 10
Havelock St. S Shi —6D 60
Havelock St. Sund —6F 103
Havelock Ter. Gate —1G 81
Havelock Ter. Jar —4F 71
Havelock Ter. S'ley —2D 120 (off High St. Stanley.)
Havelock Ter. Sund —2B 116
Havelock Ter. Tant —5H 105
Havelock Vs. E Sle —2F 9
Haven Ct. Bly —1A 16
Haven Ct. Dur —5C 142
Haven Ct. Sund —4F 103
Haven, The. Hou S —3F 127
Haven, The. N Shi —4C 60
Havercroft. Gate —4H 83
Haverley Dri. S'hm —2E 139
Haversham Clo. Newc T —2A 56
Haversham Pk. Sund —6C 88
Havlock St. S Shi —6E 61
Hawarden Cres. Sund —2A 116
Hawes Av. Ches S —2C 132
Hawes Ct. Sund —6C 88
Hawesdale Cres. Bla T —3H 77
Hawes Rd. Pet —6D 160
Haweswater Clo. S Shi —3F 73
Hawick Ct. S'ley —3F 121
Hawick Cres. Newc T —5B 68
Hawick Cres. Ind. Est. Newc T —5B 68
Hawkesley Rd. Sund —2F 115
Hawkey's La. N Shi —1B 60
Hawkhill Clo. Ches S —3A 132
Hawkhills Ter. Bir —2C 110
Hawkhurst. Wash —5C 112
Hawkins Ct. Sund —3H 129
Hawkins Rd. Mur —4E 149
Hawksbury. Whi —4E 79
Hawksfield. Gate —1E 97
Hawkshead Ct. Newc T —6H 39
Hawkshead Pl. Gate —6B 82
Hawksley. Newc T —5D 52
Hawks Rd. Gate —5H 67 (6H 5)
Hawks St. Gate —5A 68
Hawk Ter. Bir —4E 111
Hawkwell Ri. Newc T —6D 50
Hawsker Clo. Sund —2C 130
Hawthorn. —6H 149
Hawthorn Av. Bru V —6C 28
Hawthorn Av. S Shi —5H 73
Hawthorn Av. Sund —1B 130
Hawthorn Clo. Kim —2A 142
Hawthorn Clo. S'hm —3D 148
Hawthorn Clo. Whi —6F 79
Hawthorn Cotts. S Het —6B 148
Hawthorn Cres. Dur —4G 153
Hawthorn Cres. Pet —1G 163
Hawthorn Cres. Wash —6H 111
Hawthorn Dri. Gate —3B 80
Hawthorne Av. Heb —3D 70
Hawthorne Dri. Jar —1H 85
Hawthorne Rd. Bly —1D 16
Hawthorne Ter. Tan —4B 106
Hawthorn Gdns. Fel —2D 82
Hawthorn Gdns. Low F —5H 81
Hawthorn Gdns. Newc T —3B 54
Hawthorn Gdns. N Shi —6B 46
Hawthorn Gdns. Ryton —5E 63
Hawthorn Gdns. Whit B —6B 34
Hawthorn Gro. W'snd —5H 57
Hawthorn M. Newc T —3E 55
Hawthorn Pk. B'don —5D 156
Hawthorn Pl. Dur —5B 142
Hawthorn Pl. Kil —1C 42
Hawthorn Pl. Newc T —5D 66
Hawthorn Rd. Bla T —1A 78
Hawthorn Rd. Dur —2B 154
Hawthorn Rd. Newc T —3E 55
Hawthorn Rd. S Het —6C 148
Hawthorn Rd. W. Newc T —3E 55
Hawthorn Sq. S'hm —3B 140
Hawthorns, The. E Bol —4F 87
Hawthorns, The. Gate —4D 96
Hawthorns, The. Newc T —6C 66
Hawthorn St. Hou S —1G 135
Hawthorn St. Jar —2E 71
Hawthorn St. Newc T —5F 51
Hawthorn St. Pet —1D 160
Hawthorn St. Sund —1A 116
Hawthorn Ter. Ches S —1D 132
Hawthorn Ter. Dur —6B 152
Hawthorn Ter. Gate —4D 96
Hawthorn Ter. New B —1A 156
Hawthorn Ter. Newc T —5C 66
Hawthorn Ter. Pelt F —4G 123
Hawthorn Ter. S'ley —5H 119
Hawthorn Ter. Sund —5E 89
Hawthorn Ter. Walb —5F 51
Hawthorn Vs. Cra —3C 20
Hawthorn Vs. W'snd —5H 57
Hawthorn Wlk. Newc T —5D 66
Hawthorn Way. Pon —2D 36
Haydn St. Gate —3H 81
Haydock Dri. Gate —4A 84
Haydon. Wash —6C 112
Haydon Clo. Newc T —5B 40
Haydon Dri. Whit B —2B 46
Haydon Gdns. Back —2B 44
Haydon Pl. Newc T —1E 65
Haydon Sq. Sund —2F 115
Hayes Wlk. Wide —5D 28
Hayfield La. Whi —5F 79
Hayhole Rd. N Shi —5A 60
Haylands Sq. S Shi —4G 73
Hayleazes Rd. Newc T —2D 64
Haymarket. Newc T —3F 67 (3D 4)
Haymarket La. Newc T —3F 67 (2C 4)
Haynyng, The. Gate —4E 83
Hayricks, The. Tan —3B 106
Hay St. Sund —5C 102
Hayton Av. S Shi —4A 74
Hayton Clo. Cra —2C 20
Hayton Rd. N Shi —4B 46
Hayward Av. Sea D —6B 22
Hayward Pl. Newc T —5F 53
Hazard La. E Rai —2H 145
Hazel Av. B'don —6C 156
Hazel Av. Hou S —3G 135
Hazel Av. N Shi —6B 46
Hazel Av. Sund —1B 130
Hazel Cres. Pet —2D 160
Hazeldene. Jar —3G 85
Hazeldene. Whit B —6H 33
Hazeldene Av. Newc T —3G 53
Hazeldene Ct. N Shi —6E 47
Hazel Dri. Hes —6F 163
Hazeley Gro. Newc T —2H 53
Hazeley Way. Newc T —2H 53
Hazel Gro. Burn —2A 106
Hazel Gro. Ches S —4A 124
Hazelgrove. Gate —4H 83
Hazel Gro. Newc T —3B 42
Hazel Gro. S Shi —5H 73
Hazel Leigh. Gt Lum —4G 133
Hazelmere Av. Bed —4G 7
Hazelmere Av. Newc T —4F 41
Hazelmere Cres. Cra —1C 20
Hazelmere Dene. Seg —2E 31
Hazelmoor. Heb —2B 70
Hazelrigg. —1C 40
Hazel Rd. Bla T —1B 78
Hazel Rd. Gate —3E 81
Hazel St. Jar —2E 71
Hazel Ter. Hou S —1G 135
Hazel Ter. S'ley —6F 121
Hazelwood. Jar —3H 71
Hazelwood. Kil —2E 43
Hazelwood Av. Newc T —5G 55
Hazelwood Av. Sund —3H 101
Hazelwood Clo. Gate —3D 96
Hazelwood Gdns. Wash —6H 111
Hazelwood Ter. W'snd —4E 59
Hazledene Ter. Sund —1H 115
Hazlitt Av. S Shi —6D 72
Hazlitt Pl. Seg —2G 31
Headlam Gdns. Newc T —3D 68 (off Grace St.)
Headlam Grn. Newc T —3C 68 (off Headlam St.)
Headlam St. Newc T —3C 68 (in two parts)
Headlam Vw. W'snd —5E 59
Healey Dri. Sund —5B 116
Hearn Sq. Gate —2D 96
Heartsbourne Dri. S Shi —6H 73
Heath Clo. Gate —4D 80
Heath Clo. Pet —2E 163 (in two parts)
Heathcote Grn. Newc T —4F 53
Heath Ct. Newc T —4G 67 (5E 5)
Heath Cres. Newc T —5E 65
Heathdale Gdns. Newc T —4B 56
Heather Clo. Sund —1A 88
Heatherdale Cres. Dur —3B 154
Heatherdale Ter. Gate —2B 96
Heather Dri. Hett H —6C 136
Heather Gro. Gate —1B 82
Heather Hill. Gate —4F 97
Heatherlaw. Gate —6C 82
Heatherlaw. Wash —1F 111
Heather Lea. Dip —5E 105
Heatherlea Gdns. Sund —4B 116
Heather Pl. Newc T —1A 66
Heather Pl. Ryton —5A 62
Heatherslaw Rd. Newc T —1G 65
Heather Ter. Burn —1H 105
Heather Way. S'ley —3B 120
Heatherwell Grn. Gate —4C 82
Heathery La. Newc T —6G 41
Heathfield. Sund —5C 116
Heathfield Cres. Newc T —4H 53
Heathfield Farm. G'sde —2A 76
Heathfield Gdns. Cat —4F 119
Heathfield Gdns. G'sde —2A 76
Heathfield M. Ryton —4C 62
Heathfield Pl. Newc T —4F 41
Heathfield Rd. Gate —5H 81
Heath Grange. Hou S —2A 136
Heathmeads. Pelt —3E 123
Heath Sq. Sund —2G 115
Heathway. Jar —1G 85
Heathway. S'hm —6A 140
Heathways. H Shin —4H 159
Heathwell Gdns. Swa —3F 79
Heathwell Rd. Newc T —2D 64
Heathwood Av. Whi —4E 79
Heaton. —1C 68
Heaton Clo. Newc T —2B 68
Heaton Gdns. S Shi —1E 87
Heaton Gro. Newc T —2B 68
Heaton Hall Rd. Newc T —2B 68
Heaton Pk. Ct. Newc T —2B 68
Heaton Pk. Rd. Newc T —2B 68
Heaton Pk. Vw. Newc T —2B 68
Heaton Pl. Newc T —2B 68
Heaton Rd. Newc T —6B 56
Heaton Ter. Newc T —3A 68
Heaton Ter. N Shi —1A 60
Heaton Wlk. Newc T —3B 68
Heaviside Pl. Dur —5E 153
Hebburn. —4C 70
Hebburn Colliery. —2D 70
Hebburn New Town. —4B 70
Hebburn St. Pet —1C 160
Heber St. Newc T —4E 67 (4A 4)
Hebron Way. Cra —3A 20
Hector St. Shir —1D 44
Heddon Av. Haz —1C 40
Heddon Banks. Hed W —6F 49 (in two parts)
Heddon Clo. Newc T —1C 54
Heddon Clo. Ryton —4D 62
Heddon-on-the-Wall. —5G 49
Heddon Vw. Bla T —1H 77
Heddon Vw. Ryton —4D 62
Heddon Way. Mid I —3D 72
Hedge Clo. Gate —4D 80
Hedgefield. —4F 63
Hedgefield Av. Bla T —4F 63
Hedgefield Cotts. Bla T —4F 63
Hedgefield Ct. Bla T —4F 63
Hedgefield Gro. Bly —4A 16
Hedgefield Vw. Dud —2A 30
Hedgehope. Wash —1G 111
Hedgehope Rd. Newc T —3E 53
Hedgelea. Ryton —4B 62
Hedgelea Rd. E Rai —2G 145
Hedgeley Rd. Heb —3B 70
Hedgeley Rd. Newc T —1C 64
Hedgeley Rd. N Shi —6H 45
Hedgeley Ter. Newc T —3F 69
Hedley Av. Bly —1C 16
Hedley Clo. S Shi —3E 61
Hedley Ct. Bly —1D 16
Hedley La. Mar H —1F 107
Hedley Pl. W'snd —6H 57
Hedley Rd. H'wll —1C 32
Hedley Rd. N Shi —4B 60
Hedley St. Gate —3F 81
Hedley St. Gos —2E 55
Hedley St. S Shi —3E 61
Hedley Ter. Dip —3A 118
Hedley Ter. Newc T —2E 55
Hedley Ter. S Het —6H 147
Hedley Ter. Sund —3G 131
Hedworth. —1H 85
Hedworth Av. S Shi —5C 72
Hedworth Ct. Sund —1E 117
Hedworth La. Jar & Bol C —6G 71
Hedworth Pl. Gate —2C 96
Hedworth Sq. Sund —1E 117
Hedworth St. Ches S —6C 124
Hedworth Ter. Hou S —3F 127
Hedworth Ter. Sund —3F 89 (off North Guards)
Hedworth Ter. Sund —1E 117 (SR1)
Hedworth Vw. Jar —6H 71
Hedworth Vw. Newc T —6F 69
Heighley St. Newc T —4D 64
Helena Av. Whit B —6D 34
Helen St. Bla T —1G 77
Helen St. Cra —4F 21
Helen St. Sund —1E 103
Helford Rd. Pet —3C 162
Hellvellyn Ct. S'ley —6F 119
Helmdon. Wash —5C 98
Helmsdale Av. Gate —2D 82
Helmsdale Rd. Sund —2F 115
Helmsley Clo. Shin R —3E 127
Helmsley Ct. Sund —2G 101
Helmsley Dri. W'snd —5D 58
Helmsley Grn. Gate —3B 96
Helmsley Rd. Dur —6C 142
Helmsley Rd. Newc T —2H 67 (1G 5)
Helston Ct. Newc T —2H 63
Helvellyn Av. Wash —4G 111
Helvellyn Rd. Sund —6D 116
Hemel St. Ches S —1C 132
Hemlington Clo. Ryh —4F 131
Hemmel Courts. B'don —4E 157
Hemming St. Sund —5F 117
Hemsley Rd. S Shi —6H 61
Henderson Av. Whi —3E 79
Henderson Gdns. Gate —3H 83
Henderson Rd. S Shi —5B 72
Henderson Rd. Sund —1H 115
Henderson Rd. W'snd —3H 57
Hendersyde Clo. Newc T —4F 53
Hendon. —3E 117
Hendon Burn Av. Sund —2E 117
Hendon Burn Av. W. Sund —3E 117
Hendon Clo. N Shi —4C 60
Hendon Clo. Sund —1E 117
Hendon Gdns. Jar —1H 85
Hendon Rd. Gate —3B 82
Hendon Rd. Sund —6E 103 (in two parts)
Hendon St. Sund —1F 117
Hendon Valley Ct. Sund —3E 117
Hendon Valley Rd. Sund —2E 117
Henley Av. Pelt F —6G 123
Henley Clo. Cra —2D 20
Henley Gdns. W'snd —3F 59
Henley Rd. N Shi —4E 47
Henley Rd. Sund —2F 115
Henley St. Newc T —2C 68
Henley Way. Bol C —3A 86
Henlow Rd. Newc T —2A 64
Henry Nelson St. S Shi —3F 61
Henry Robson Way. S Shi —5E 61
Henry Sq. Newc T —3H 67 (3G 5)
Henry St. Hett H —5C 136
Henry St. Hou S —2A 136
Henry St. Newc T —2E 55
Henry St. N Shi —2C 60
Henry St. S'hm —3B 140
Henry St. Shin R —3F 127
Henry St. S Shi —3F 61
Henry St. Walb —5G 51
Henry St. E. Sund —1F 117
Henry St. N. Mur —2D 148 (off Henry St. S.)
Henry St. S. Mur —2D 148
Henry Ter. Fenc —1D 134
Hensby Ct. Newc T —3F 53
Henshaw Gro. H'wll —1D 32
Henshaw Pl. Newc T —2F 65
Henshelwood Ter. Newc T —6G 55
Henson Clo. Wash —3B 112
Hepburn Gdns. Gate —2C 82
Hepburn Gro. Sund —4B 100
Hepple Ct. Bly —1A 16
Hepple Way. Newc T —1C 54
Hepscott. —1A 6
Hepscott Dri. Whit B —5H 33
Hepscott Park. —4A 6
Hepscott Ter. S Shi —2F 73
Herbert St. Gate —2A 82
Herbert Ter. S'hm —4B 140
Herbert Ter. Sund —6B 88
Herd Clo. Bla T —2G 77
Herd Ho. La. Bla T —1F 77
Herdinghill. Wash —1F 111
Herdlaw. Cra —3A 20
Hereford Ct. Newc T —5H 39
Hereford Ct. Sund —6D 116
Hereford Rd. Sund —6D 116
Herefordshire Dri. Dur —4A 154
Hereford Sq. Sund —6D 116
Hereford Way. Jar —2F 85 (in two parts)
Hermiston. Whit B —6A 34
Hermitage Pk. Ches S —2C 132
Heron Clo. Bly —3C 16
Heron Clo. Wash —5G 111
Heron Dri. S Shi —3E 61
Heron Pl. Newc T —6A 42
Heron Vs. S Shi —5D 72
Herrick St. Newc T —4E 53
Herring Gull Clo. Bly —4C 16
Herrington M. Hou S —3A 128
Herrington Rd. Hou S —3B 128
Herrington Rd. Sund —2D 128
Herschel Building. Newc T —2C 4
Hersham Clo. Newc T —6H 39
Hertburn Gdns. Wash —6B 98
Hertburn Ind. Est. Hert —6C 98
Hertford. Gate —3H 95
Hertford Av. S Shi —2C 74
Hertford Clo. Whit B —5G 33
Hertford Cres. Hett H —1B 146
Hertford Gro. Cra —2C 20
Hertford Pl. Pet —5C 160
Herton Clo. Pet —6C 160 (in two parts)
Hesket Ct. Newc T —6A 40
Hesleden. —6G 163
Hesleden Rd. Hes & B Col —5G 163
Hesledon La. Haw —4H 149
Hesledon Wlk. Mur —1E 149
Hesleyside Dri. Newc T —1F 65
Hesleyside Rd. S Well —6F 33
Hester Av. N Har —3B 22
Hester Bungalows. N Har —3B 22 (off Hester Av.)
Hester Gdns. N Har —3C 22
Heswall Rd. Cra —5A 14
Hetton Downs. —6D 136
Hetton-le-Hole. —2C 146
Hetton Lyons Country Park. —1E 147
Hetton Lyons Ind. Est. Hett H —2D 146
Hetton Rd. Hou S —4A 136
Heugh Hill. Gate —3G 97
Hewitson Ter. Gate —4C 82
Hewitt Av. Sund —1E 131
Hewley Cres. Newc T —6D 50
Heworth. —3E 83
Heworth Av. Gate —2G 83
Heworth Burn Cres. Gate —3E 83
Heworth Ct. S Shi —4D 72
Heworth Cres. Wash —5B 98
Heworth Dene Gdns. Gate —2E 83 (in two parts)
Heworth Gro. Wash —5A 98
Heworth Rd. Wash —3B 98
Heworth Way. Gate —3G 83
Hewson Pl. Gate —5B 82
Hexham. Wash —3F 111
Hexham Av. Cra —2C 20
Hexham Av. Heb —1C 84
Hexham Av. Newc T —4F 69
Hexham Av. S'hm —5H 139 (in two parts)
Hexham Clo. N Shi —6G 45
Hexham Ct. Gate —5B 80
Hexham Ct. Newc T —3G 69
Hexham Dri. S'ley —4F 119
Hexham Ho. Newc T —3G 69
Hexham Old Rd. Ryton —4C 62
Hexham Rd. Hed W —5G 49
Hexham Rd. Sund —2F 115
Hexham Rd. Swa —2D 78
Hextol Gdns. Newc T —2D 64
Heybrook Av. N Shi —5B 46
Heyburn Gdns. Newc T —4H 65
Heywood's Ct. Newc T —4F 67
Heywoods's Ct. Newc T —5D 4
Hibernian Rd. Jar —2F 71
Hibernia Rd. Newc T —5G 69
Hickling Ct. Newc T —3G 53
Hickstead Clo. W'snd —6C 44
Hickstead Gro. Cra —2D 20
Hiddleston Av. Newc T —2B 56
Higgins Ter. Sund —2B 130
Higham Pl. Newc T —3G 67 (3E 5)
High Axwell. Bla T —1B 78
High Back Clo. Jar —5E 71
High Barnes. —2G 115
High Barnes. Gt Lum —4G 133
High Barnes Ter. Sund —2A 116
High Bri. Newc T —4F 67 (5D 4)
Highburn. Cra —4A 20
High Burn Ter. Gate —4E 83
Highbury. Gate —3E 83
Highbury. Newc T —6F 55
Highbury. Whit B —6A 34
Highbury Av. Gate —3G 97
Highbury Clo. Gate —3G 97
Highbury Pl. N Shi —2A 60
High Callerton. —3E 37
High Carr Clo. Fram M —2B 152
Highcarr Rd. Dur —2A 152
High Chare. Ches S —6C 124
Highcliffe Gdns. Gate —3A 82
High Croft. Wash —4H 97
High Cft. Clo. Heb —5B 70
Highcroft Dri. Whit —2E 89
Highcroft Pk. Sund —2F 89 (in two parts)
Highcross Rd. N Shi —2C 46
High Dene. Newc T —6A 56
High Dene. S Shi —4D 72
High Downs Sq. Hett H —6C 136
High Dubmire. —3F 135
High Fell. —5B 82
Highfield. —3C 90
Highfield. Bir —1C 110
Highfield. Sun —2F 93
Highfield Av. Newc T —5D 42
Highfield Clo. Newc T —4D 52
Highfield Ct. Gate —4E 83
Highfield Cres. Ches S —4C 124
Highfield Dri. Hou S —3F 135
Highfield Dri. S Shi —1H 73

Highfield Gdns.—Howarth St.

Highfield Gdns. Ches S —4C 124
Highfield Grange. Hou S —4F 135
Highfield Pl. Sund —1H 115
Highfield Pl. Wide —6C 28
Highfield Ri. Ches S —4C 124
Highfield Rd. Gate —2A 82
Highfield Rd. Hou S —3E 127
Highfield Rd. Newc T —5D 52
Highfield Rd. Row G —3C 90
Highfield Rd. S Shi —6H 61
Highfield Ter. Newc T —5F 69
Highfield Ter. Ush M —6B 150
High Flatworth. N Shi —2F 59
High Friar La. Newc T —4F 67 (4D 4)
High Friars. Newc T —4C 4
High Friarside. —1E 105
High Gth. Sund —6E 103 (off High St. E.)
Highgate Gdns. Jar —1H 85
Highgate Rd. Sund —2F 115
High Ga., The. Newc T —3A 54
Highgreen Chase. Whi —1E 93
High Grindon Ho. Sund —4E 115
High Gro. Newc T —5C 66
High Gro. Ryton —5D 62
Highgrove. W Den —5B 52
High Hamsterley Rd. Ham M —2A 104
High Handenhold. —2D 122
Highheath. Wash —1F 111
High Heaton. —4B 56
High Hedgefield Ter. Bla T —4E 63
High Heworth. —5E 83
High Heworth La. Gate —4E 83
High Horse Clo. Row G —1G 91
High Horse Clo. Wood. Row G —1G 91
High Ho. Gdns. Gate —3E 83 (in two parts)
Highland Rd. Newc T —4H 53
High La. Nbtle —5A 128
High La. Row. Heb —1D 70
High Lanes. Gate —4F 83
High Laws. S Gos —3H 55
Highlaws Gdns. Gate —3B 96
High Level Rd. Gate —6G 67
High Mdw. S Shi —1H 73
High Meadows. B'don —4C 156
High Meadows. Newc T —4A 54
High Mill Rd. Ham M —2A 104
High Moor Ct. Newc T —5A 54
High Moor Pl. S Shi —4E 73
High Moorsley. —5H 145
High Newport. —1A 130
High Pk. Newc T —1A 68
High Pasture. Wash —6C 112
High Pit Rd. Cra —4D 20
High Pittington. —2F 155
High Primrose Hill. Hou S —6B 126
High Quay. Bly —5D 10
High Ridge. Bed —4G 7
Highridge. Bir —2C 110
High Ridge. Haz —1D 40
High Rd., The. S Shi —3H 73
High Row. Hou S —2C 134
High Row. Newc T —3A 64
High Row. Ryton —5E 63
High Row. Wash —4B 98
High Sandgrove. Sund —2A 88
High Shaws. B'don —4E 157
High Shields. —6E 61
High Shincliffe. —4H 159
Highside Dri. Sund —4A 116
High Southwick. —2A 102
High Spen. —1A 90
High Spen Ct. H Spen —1A 90
Highstead Av. Cra —6A 14
High St. Blyth, Bly —6B 10 (in two parts)
High St. Brandon, Lang M —4G 157
High St. Carrville, Carr —3A 154
High St. Easington Lane, Eas L —4E 147
High St. Felling, Fel —3D 82
High St. Gateshead, Gate —5G 67 (in two parts)
High St. Gosforth, Gos —2E 55
High St. High Shincliffe, H Shin —4H 159
High St. Jarrow, Jar —2G 71
High St. Low Pittington, L Pit —1F 155
High St. Newburn, Newc T —2F 63
High St. Shincliffe, Shin —3F 159
High St. South Hylton, Sund —1C 114
High St. Stanley, S'ley —2D 120
High St. Wrekenton, Gate —2C 96
High St. E. Sund —6E 103
High St. E. W'snd —6A 58
High St. N. Lang M —4F 157
High St. N. Shin —3G 159
High St. S. Lang M —4G 157
High St. S. Shin —3G 159
High St. S. Bk. Lang M —4G 157
High St. W. Sund —1C 116 (in two parts)
High St. W. W'snd —6G 57
High Swinburne Pl. Newc T —4E 67 (5A 4)
Hightree Clo. Sund —4H 129
High Urpeth. —1D 122
High Vw. Pon —3D 36
High Vw. Ush M —5B 150
High Vw. W'snd —4H 57
High Vw. N. W'snd —3G 57
High Villa Pl. Newc T —4E 67 (5A 4)
High Wlk. Ches S —3A 126
High Well Gdns. Gate —2E 83
Highwell La. Newc T —6C 52
High W. Av. Row G —4D 90
High W. La. Haw —6G 149
High W. St. Gate —1H 81
Highwood Rd. Newc T —2D 64
High Wood Ter. Dur —1D 158 (off Stockton Rd.)
High Wood Vw. Dur —1D 158
Highworth Dri. Gate —4F 97
Highworth Dri. Newc T —4D 56
Hilda Av. Dur —6G 153
Hilda Clo. Dur —6H 153
Hilda Pk. Ches S —4A 124
Hilda St. Gate —2F 81
Hilda St. S'ley —4E 119
Hilda St. Sund —2D 102 (in two parts)
Hilda Ter. Ches S —4B 124 (in two parts)
Hilda Ter. Newc T —5D 50
Hilden Bldgs. Newc T —5C 56
Hilden Gdns. Newc T —5C 56
Hillary Av. Newc T —5E 43
Hillary Pl. Newc T —4E 53
Hill Av. Seg —1G 31
Hill Brow. Sund —3B 130
Hill Cres. Mur —2B 148 (in two parts)
Hill Crest. Burn —1H 105
Hillcrest. Dur —5D 152
Hillcrest. Gate —5E 83
Hillcrest. H Shin —4H 159
Hillcrest. Jar —1H 85
Hillcrest. S Shi —4B 74
Hillcrest. Sund —2D 128
Hillcrest. Whit B —6A 34
Hillcrest Dri. Gate —4A 80
Hill Crest Gdns. Newc T —3G 55
Hillcrest M. Dur —5D 152
Hillcrest Pl. Hes —6F 163
Hillcroft. Bir —2C 110
Hillcroft. Gate —5A 82
Hillcroft. Row G —3C 90
Hill Dyke. Gate —3C 96
Hillfield. Whit B —6H 33
Hillfield Gdns. Sund —4B 116
Hillfield St. Gate —1G 81
Hillgate. Gate —5G 67 (6F 5)
Hill Head Dri. Newc T —6B 52
Hillhead Gdns. Gate —5C 80
Hillhead La. Burn —4B 92
Hillhead Parkway. Newc T —5A 52
Hillhead Rd. Newc T —6B 52
Hillheads Rd. Whit B —2B 46
Hillhead Way. Newc T —4C 52
Hill Ho. Rd. Newc T —5C 50
Hillingdon Gro. Sund —5C 114
Hill La. Hou S —6G 113
Hill Meadows. H Shin —4G 159
Hill Pk. Pon —3D 36
Hill Park Estate. —4G 71
Hill Pk. Rd. Jar —4G 71
Hill Ri. Ryton —6A 62
Hill Ri. Wash —1B 112
Hillrise Cres. S'hm —3D 138
Hills Ct. Bla T —5C 64
Hillsden Rd. Whit B —4H 33
Hillside. Bir —3D 110
Hillside. Bla T —1H 77
Hillside. Ches S —5C 124
Hillside. Gate —4A 80
Hillside. Newc T —3E 43
Hillside. Pon —4C 36
Hillside. S Shi —5B 74
Hillside. Sund —4C 116
Hillside. W Bol —4C 86
Hillside Av. Newc T —2C 64
Hillside Clo. Row G —2E 91
Hillside Cres. Newc T —5E 65
Hillside Dri. Sund —2E 89
Hillside Gdns. S'ley —1E 121 (in two parts)
Hillside Gdns. Sund —4C 116
Hillside Gro. H Pitt —2F 155
Hillside Pl. Gate —5A 82
Hillside Vw. Sher —5D 154
Hillside Vs. Pet —6F 161
Hillside Way. Hou S —2A 136
Hillsleigh Rd. Newc T —4H 53
Hills St. Gate —6G 67
Hill St. Jar —2E 71
Hill St. S'hm —5B 140
Hill St. S Shi —6D 60
Hill St. Sund —2A 130
Hillsview Av. Newc T —2A 54
Hill Ter. Hou S —3A 128
Hillthorne Clo. Wash —3C 112
Hill Top. Bla T —2H 77
Hilltop. S'ley —2F 121
Hill Top Av. Gate —6A 82
Hill Top Gdns. Gate —6A 82
Hilltop Gdns. New S —2C 130
Hilltop Ho. Newc T —5E 53
Hilltop Rd. Bear —3C 150
Hilltop Vw. Sund —1E 89
Hill Vw. Beam —2H 121
Hill Vw. B'pk —1E 157
Hillview. Sund —2D 128
Hillview Cres. Hou S —6H 127
Hill View Gdns. Sund —4B 116
Hillview Gro. Hou S —6H 127
Hillview Rd. Hou S —6H 127
Hill View Rd. Sund —5D 116
Hill View Sq. Sund —5D 116
Hilton Av. Newc T —5F 53
Hilton Clo. Cra —5A 14
Hilton Dri. Pet —2D 162
Hindley Gdns. Newc T —2H 65
Hindmarch Dri. W Bol & Bol C —4C 86
Hindson's Cres. N. Hou S —4E 127
Hindson's Cres. S. Hou S —4E 127
Hind St. Sund —1C 116
Hinkley Clo. Sund —3B 130
Hipsburn Dri. Sund —4A 116
Hiram Dri. E Bol —4F 87
Hirst Head. Bed —4A 8
Hirst Ter. N. Bed —4A 8
Hirst Vs. Bed —4A 8
Histon Ct. Newc T —4F 53
Histon Way. Newc T —4F 53
Hither Grn. Jar —1H 85
Hobart. Whit B —4B 34
Hobart Av. S Shi —6B 72
Hobart Gdns. Newc T —2B 56
Hobson. —2G 105
Hobson Ind. Est. Hob —2G 105
Hodgkin Gdns. Gate —5B 82
Hodgkin Pk. Cres. Newc T —4G 65
Hodgkin Pk. Rd. Newc T —4G 65
Hodgson's Rd. Bly —5B 10
Hodgson Ter. Wash —5D 98
Hogarth Cotts. Bed —5A 8
Hogarth Dri. Wash —4C 112
Hogarth Rd. S Shi —1E 87
Holbein Rd. S Shi —6E 73
Holborn Ct. Ush M —6D 150
Holborn Pl. Newc T —6C 52
Holborn Rd. Sund —3F 115
Holborn Sq. Sund —3F 115
Holburn Clo. Ryton —4D 62
Holburn Cres. Ryton —4E 63
Holburn Gdns. Ryton —4E 63
Holburn La. Ryton —3D 62
Holburn La. Ct. Ryton —4D 62
Holburn Ter. Ryton —4E 63
Holburn Wlk. Ryton —4E 63
Holburn Way. Ryton —4D 62
Holden Pl. Newc T —5H 53
Holder Ho. Way. S Shi —6G 73
Holderness Rd. Newc T —6B 56
Holderness Rd. W'snd —4E 59
Hole La. Sun —1D 92 (in three parts)
Holeyn Hall Rd. Wylam —6B 48
Holeyn Rd. Newc T —6C 50
Holland Dri. Newc T —2D 66
Holland Pk. Newc T —2D 66
Holland Pk. W'snd —4E 57
Holland Pk. Dri. Jar —1H 85
Hollinghill Rd. H'wll —1C 32
Hollings Cres. W'snd —3H 57
Hollingside La. Dur —2C 158
Hollingside Way. S Shi —4F 73
Hollington Av. Newc T —1B 56
Hollington Clo. Newc T —1B 56
Hollinhill. Row G —1G 91
Hollinhill La. Row G —6F 77
Hollin Hill Rd. Wash —6C 98
Hollinside Clo. Whi —6E 79
Hollinside Gdns. Newc T —3F 65
Hollinside Rd. Gate —1F 79
Hollinside Rd. Sund —2F 115
Hollinside Sq. Sund —2E 115
Hollinside Ter. Row G —3D 90
Hollowdene. Hett H —2C 146
Hollow, The. Jar —2F 85
Holly Av. Faw —1B 54
Holly Av. For H —4D 42
Holly Av. Gate —4B 80
Holly Av. Hou S —3A 136
Holly Av. Jes —6G 55
Holly Av. New S —1B 130
Holly Av. Ryton —3C 62
Holly Av. S Shi —4A 74
Holly Av. W'snd —6A 58
Holly Av. Well —6F 33
Holly Av. Whi —2F 89
Holly Av. Whit B —6C 34
Holly Av. Winl M —5A 78
Holly Av. W. Newc T —6G 55
Holly Bush Gdns. Ryton —5E 63
Hollybush Rd. Gate —3C 82
Hollybush Vs. Ryton —4E 63
Hollycarrside Rd. Sund —1E 131
Holly Clo. Kil —1B 42
Holly Ct. Sund —1A 116
Holly Ct. Whit B —6B 34
Holly Cres. Wash —6A 112
Hollycrest. Ches S —4B 124
Hollydene. Kib —1F 109
Hollydene. Row G —3F 91
Holly Gdns. Gate —5H 81
Holly Haven. E Rai —1H 145
Holly Hill. Gate —3D 82
Holly Hill Gdns. S'ley —4D 120
Holly Hill Gdns. E. S'ley —4E 121
Holly Hill Gdns. W. S'ley —5D 120 (in two parts)
Hollyhock Gdns. Heb —6C 70
Hollymount Av. Bed —5A 8
Hollymount Sq. Bed —5A 8
Hollymount Ter. Bed —5A 8
Holly Pk. B'don —5D 156
Holly Pk. Ush M —5C 150
Holly Pk. Vw. Gate —3D 82
Holly Rd. N Shi —6B 46
Hollyside Clo. Bear —3C 150
Hollys, The. Bir —6B 96
Holly St. Dur —6B 152
Holly St. Jar —2E 71
Holly Ter. Burn —1A 106
Holly Ter. Cat —4E 119
Holly Ter. S Moor —4B 120
Holly Vw. Gate —3C 82
Hollywell Ct. Ush M —6D 150
Hollywell Gro. Wool —5D 38
Hollywell Rd. N Shi —1H 59
Hollywood Av. Gos —1F 55
Hollywood Av. Sund —3H 101
Hollywood Av. Walkv —6G 57
Hollywood Cres. Newc T —1F 55
Hollywood Gdns. Gate —6D 80
Holman Ct. S Shi —5E 61
Holme Av. Newc T —6F 57
Holme Av. Whi —4E 79
Holme Gdns. Sund —4B 116
Holme Gdns. W'snd —5E 59
Holme Ri. Whi —4F 79
Holmesdale Rd. Newc T —6H 53
Holmeside. Sund —1D 116
Holmeside Ter. Sun —3G 93
Holmewood Dri. Row G —5D 90
Holmfield Av. S Shi —2G 73
Holm Grn. Whit B —1G 45
Holmhill La. Ches S & Plaw —4C 132
Holmland. Newc T —5G 65
Holmlands. Whit B —6A 34
Holmlands Clo. Whit B —6A 34
Holmlands Cres. Dur —2A 152
Holmlands Pk. Ches S —1D 132
Holmlands Pk. N. Sund —3C 116
Holmlands Pk. S. Sund —3C 116
Holmside Av. Gate —3C 80
Holmside Pl. Newc T —2B 68
Holmwood Av. Whit B —1H 45
Holmwood Gro. Newc T —5F 55
Holwick Clo. Wash —5G 111
Holy Cross. —4B 58
Holyfields. W All —3B 44
Holy Jesus Bungalows. Spi T —1D 66
Holylake Sq. Sund —2F 115
Holyoake Gdns. Bir —3C 110
Holyoake Gdns. Gate —3H 81
Holyoake St. Pelt —3E 123
Holyoake Ter. S'ley —5C 120
Holyoake Ter. Sund —2E 103
Holyoake Ter. Wash —5B 98
Holyrood. Gt Lum —3G 133
Holyrood Rd. Sund —5F 117
Holystone. —4A 44
Holystone Av. Bly —2A 16
Holystone Av. Newc T —1D 54
Holystone Av. Whit B —1D 46
Holystone Clo. Bly —2H 15
Holystone Clo. Hou S —1F 135
Holystone Ct. Gate —2F 81
Holystone Cres. Newc T —4B 56
Holystone Dri. Hol —3A 44
Holystone Gdns. N Shi —5H 45
Holystone St. Heb —3B 70
Holystone Trad. Est. Heb —3B 70
Holywell. —1D 32
Holywell Av. H'wll —1D 32
Holywell Av. Newc T —6E 69
Holywell Av. Whit B —5A 34
Holywell Clo. Bla T —2B 78
Holywell Clo. H'wll —1D 32
Holywell Clo. Newc T —3D 66
Holywell Dene Rd. H'wll —2D 32
Holywell La. Sun —2F 93
Holywell Ter. W All —4B 44
Home Av. Gate —1H 95
Homedowne Ho. Newc T —2E 55
Homeforth Ho. Newc T —2E 55
Homelea. Hou S —5C 126
Home Pk. W'snd —4E 57
Homeprior Ho. Whit B —1A 46
Homer Ter. Dur —1A 158
Homestall Clo. S Shi —4F 73
Home Vw. Wash —2C 112
Honeycomb Clo. Sund —4H 129
Honeysuckle Av. S Shi —5D 72
Honeysuckle Clo. Sund —4A 130
Honister Av. Newc T —4G 55
Honister Clo. Newc T —2B 64
Honister Dri. Sund —2C 102
Honister Pl. Newc T —2B 64
Honister Rd. N Shi —3D 46
Honister Way. Bly —4A 16
Honiton Clo. Hou S —5G 127
Honiton Ct. Newc T —1F 53
Honiton Way. N Shi —5F 45
Hood Clo. Sund —4C 102
Hood Sq. Bla T —2G 77
Hood St. Newc T —4F 67 (4D 4)
Hood St. Swa —2E 79
Hooker Gate. —3A 90
Hookergate La. H Spen —1A 90 (in two parts)
Hope Av. Pet —1G 163
Hopedene. Gate —6G 83
Hope Shield. Wash —6F 111
Hope St. Jar —2G 71 (in two parts)
Hope St. Sher —6D 154
Hope St. Sund —6C 102 (SR1)
Hope St. Sund —5F 117 (SR2)
Hope Vw. Sund —2F 131
Hopgarth Ct. Ches S —5D 124
Hopgarth Gdns. Ches S —5D 124
Hopkins Ct. Sund —6H 101
Hopkins Wlk. Bol C & S Shi —1C 86
Hopper Pl. Dur —2C 152
Hopper Pl. Gate —6H 67
Hopper Rd. Gate —4C 82
Hopper St. Gate —6H 67
Hopper St. N Shi —2C 60
Hopper St. Pet —1B 160
Hopper St. W'snd —5G 57
Hopper St. W. N Shi —2B 60
Horatio Ho. N Shi —6F 47
Horatio St. Newc T —4A 68
Horatio St. Sund —4E 103
Horden. —5F 161
Hornbeam Pl. Newc T —6D 66
Horncliffe Gdns. Swa —3G 79
Horncliffe Pl. Newc T —5B 50
Horncliffe Wlk. Newc T —2G 63
Horning Ct. Newc T —3F 53
Hornsea Clo. Wide —6D 28
Hornsey Cres. Eas L —4D 146
Hornsey Ter. Eas L —4D 146
Horse Crofts. Bla T —6A 64
Horsham Gdns. Sund —4A 116
Horsham Gro. N Shi —3A 60
Horsham Ho. N Shi —3A 60
Horsley Av. Shir —3D 44
Horsley Ct. Newc T —1A 54
Horsley Gdns. Gate —3C 80
Horsley Gdns. H'wll —1D 32
Horsley Gdns. Sund —4A 116
Horsley Heddon By-Pass. Newc T —4D 50
Horsley Hill. —1A 74
Horsley Hill Rd. S Shi —6G 61
Horsley Hill Sq. S Shi —2B 74 (in two parts)
Horsley Ho. Newc T —1E 55
Horsley Rd. Newc T —6B 56
Horsley Rd. Wash —1E 113
Horsley Ter. Newc T —4F 69
Horsley Ter. N Shi —6F 47
Horsley Va. S Shi —2H 73
Horton Av. Bed —5H 7
Horton Av. Shir —3D 44
Horton Av. S Shi —6F 73
Horton Cres. Din —4F 27
Hortondale Gro. Bly —6H 9
Horton Dri. Cra —6A 14
Horton Pl. Bly —3H 15
Horton Rd. Bly —1C 14
Horton St. Bly —6D 10
Horwood Av. Newc T —5C 52
Hospital Dri. Heb —5B 70
Hospital La. Newc T —2G 63
Hotch Pudding Pl. Newc T —1D 64
Hotspur Av. Bed —5H 7
Hotspur Av. S Shi —2G 73
Hotspur Av. Whit B —1C 46
Hotspur Rd. W'snd —2G 57
Hotspur St. Newc T —2A 68
Hotspur St. N Shi —5F 47
Hotspur Way. Newc T —3F 67 (3D 4)
Houghall. —4D 158
Houghton. —5F 49
Houghton Av. Newc T —4A 54
Houghton Av. N Shi —2D 46
Houghton Cut. Hou S —2A 136
Houghton Ga. Ches S —6H 125
Houghton-le-Spring. —2H 135
Houghton Rd. Hett H —5B 136
Houghton Rd. Nbtle —6H 127
Houghton Rd. W. Hett H —1C 146
Houghtonside. Hou S —2A 136
Houghton St. Sund —1A 116
Houghwell Gdns. Tan L —1B 120
Houlet Gth. Newc T —4C 68
Houlskye Clo. Sund —2C 130
Houndelee Pl. Newc T —6G 53
Hounslow Gdns. Jar —1H 85
House Ter. Wash —5B 98
Houston Ct. Newc T —5D 66
Houston St. Newc T —5D 66
Houxty Rd. S Well —6F 33
Hovingham Clo. Pet —2E 163
Hovingham Gdns. Sund —4A 116
Howard Ct. N Shi —2D 60
Howardian Clo. Wash —4H 111
Howard Pl. Newc T —2E 55
Howard St. Gate —2B 82 (NE8)
Howard St. Gate —5C 82 (NE10)
Howard St. Jar —3G 71
Howard St. Newc T —4H 67 (4H 5)
Howard St. N Shi —2D 60
Howard St. Sund —4D 102
Howard Ter. H Spen —1A 90
Howarth St. Sund —1A 116

Kendal St.—Lanchester

Kendal St. Newc T —4B 68
Kenilworth. Gt Lum —3G 133
Kenilworth. Newc T —1D 42
Kenilworth Ct. Newc T —5C 66
Kenilworth Ct. Wash —5D 98
Kenilworth Rd. Newc T —5C 66
Kenilworth Rd. Whit B —6B 34
Kenilworth Sq. Sund —1E 101
Kenilworth Vw. Gate —3B 96
Kenley Rd. Newc T —1E 65
Kenley Rd. Sund —1D 100
Kenmoor Way. Newc T —4A 52
Kenmore Cres. G'sde —1B 76
Kennersdene. N Shi —4E 47
Kennet Av. Jar —6G 71
Kennet Sq. Sund —1D 100
Kennford. Gate —3A 96
Kennington Gro. Newc T —4E 69
Kenny Pl. Dur —4F 153
Kensington Av. Newc T —6E 41
Kensington Clo. Whit B —6B 34
Kensington Ct. Fel —3C 82
Kensington Ct. Heb —4B 70
Kensington Ct. S Shi —1G 73
Kensington Gdns. N Shi —1D 60
Kensington Gdns. W'snd —4E 57
Kensington Gdns. Whit B —6B 34
Kensington Gro. N Shi —6D 46
Kensington Ter. Gate —3B 80
Kensington Ter. Newc T —2F 67 (1D 4)
Kensington Vs. Newc T —4C 52
Kent Av. Gate —3C 80
Kent Av. Heb —4B 70
Kent Av. W'snd —5D 58
Kentchester Rd. Sund —1E 101
Kent Ct. Newc T —5H 39
Kent Gdns. Hett H —1B 146
Kentmere. Bir —6D 110
Kentmere Av. Newc T —3F 69
Kentmere Av. Sund —6C 88
Kentmere Clo. Seg —1G 31
Kentmere Ho. Hou S —1G 135
Kentmere Pl. Pet —1E 163
Kenton. —3A 54
Kenton Av. Newc T —4C 54
Kenton Bankfoot. —6G 39
Kenton Bar. —3H 53
Kenton Ct. S Shi —6F 61
Kenton Cres. Newc T —3B 54
Kenton Gro. Sund —4D 102
Kenton La. Newc T —3H 53
Kenton Pk. Shop. Cen. Newc T —4C 54
Kenton Rd. Newc T —2C 54
Kenton Rd. N Shi —6G 45
Kent Pl. S Shi —3A 74
Kent St. Jar —3E 71
Kentucky Rd. Sund —1C 100
Kent Vs. Jar —3E 71
Kent Wlk. Pet —5C 160
Kenwood Gdns. Gate —3A 96 (in two parts)
Kenya Rd. Sund —1E 101
Kepier Ct. Dur —5D 152
Kepier Chare. Ryton —5A 62
Kepier Cres. Dur —4G 153 (in two parts)
Kepier Gdns. Sund —1C 114
Kepier Heights. Dur —5D 152
Kepier La. Dur —4E 153
Kepier Ter. Dur —5D 152
Kepier Vs. Dur —5D 152
Keppel St. Gate —2B 80
Keppel St. S Shi —4E 61
Kerry Clo. Bly —5C 10
Kerryhill Dri. Pity Me —5C 142
Kerry Sq. Sund —1D 100
Kestel Clo. Ryton —5A 62
Kesteven Sq. Sund —1D 100
Kestrel Clo. Wash —5G 111
Kestrel Ct. Bir —3C 110
Kestrel Lodge Flats. S Shi —4F 61
Kestrel M. Whi —4E 79
Kestrel Pl. Newc T —6A 42
Kestrel Sq. Sund —1D 100
Kestrel St. Team T —6E 81
Kestrel Way. N Shi —4C 60
Kestrel Way. S Shi —5D 72
Keswick Av. Sund —1C 102
Keswick Dri. N Shi —3D 46
Keswick Gdns. W'snd —4E 59
Keswick Gro. Newc T —1E 65
Keswick Rd. Pet —6E 161
Keswick Rd. S'ley —5B 120
Keswick St. Gate —2G 81
Keswick Ter. S Het —5G 147
Kettering Pl. Cra —1C 20
Kettering Sq. Sund —1D 100
Kettlewell Ter. N Shi —1D 60
Ketton Clo. Newc T —1B 56
Kew Gdns. Whit B —5B 34
Kew Sq. Sund —1C 100
Keyes Gdns. Newc T —4G 55
Kibblesworth. —1E 109
Kibblesworth Bank. Gate —2C 108
Kidd Av. Sher —6D 154
Kidderminster Dri. Newc T —4A 52
Kidderminster Rd. Sund —2D 100
Kidderminster Sq. Sund —2D 100
Kidd Sq. Sund —1D 100
Kidlandlee Grn. Newc T —3E 53
Kidlandlee Pl. Newc T —3E 53
Kidsgrove Sq. Sund —2D 100
Kielder. Wash —3F 111
Kielder Av. Cra —3F 19
Kielder Clo. Bly —2H 15
Kielder Clo. Kil —1C 42
Kielder Clo. Newc T —4E 53
Kielder Gdns. Jar —6F 71
Kielder Ho. Sund —3A 130
Kielder Pl. S Well —6F 33
Kielder Rd. Newc T —2A 64
Kielder Rd. S Well —6F 33
Kielder Ter. N Shi —1D 60
Kielder Way. Newc T —1D 54
Kier Hardie St. Row G —3B 90
Kier Hardie Way. Sund —4B 102
Kilburn Clo. Ryh —3G 131
Kilburn Dri. Pet —4F 161
Kilburne Clo. Newc T —4E 57
Kilburn Gdns. Per M —4H 59
Kilburn Grn. Gate —4B 96 (in two parts)
Kildale. Hou S —1C 126
Kildare Sq. Sund —1D 100
Killarney Av. Sund —1D 100
Killarney Sq. Sund —1D 100
Killiebrigs. Hed W —5F 49
Killin Clo. Newc T —3A 52
Killingworth. —2D 42
Killingworth Av. Back —1G 43
Killingworth Dri. Newc T —3B 42
Killingworth Dri. Sund —3F 115
Killingworth Ind. Area. Newc T —2B 42
Killingworth La. Newc T —3F 43
Killingworth Pl. Newc T —3F 67 (3C 4)
Killingworth Rd. Kil —4E 43
Killingworth Rd. S Gos —2H 55
Killingworth Shop. Cen. Newc T —2D 42
Killingworth Village. —3E 43
Killingworth Way. Newc T —1A 42
Killowen St. Gate —1G 95
Kilnhill Wlk. Pet —1E 163
Kiln Ri. Whi —1E 93
Kilnshaw Pl. Newc T —4F 41
Kilsyth Av. N Shi —3A 46
Kilsyth Sq. Sund —2D 100
Kimberley. Wash —2E 113
Kimberley Av. N Shi —1A 60
Kimberley Gdns. Newc T —1A 68
Kimberley Gdns. S'ley —6G 121
Kimberley St. Bly —5B 10
Kimberley St. Sund —1H 115
Kimberley Ter. Bly —5C 10
Kimblesworth. —2A 142
Kinfauns Ter. Gate —6A 82
Kingarth Av. Sund —6E 89
King Charles Tower. Newc T —3H 67 (2G 5)
Kingdom Pl. N Shi —4C 60
King Edward VIII Ter. S'ley —1E 121
King Edward Pl. Gate —2B 82
King Edward Rd. Newc T —6B 56
King Edward Rd. N Shi —6E 47
King Edward Rd. Ryton —5E 63
King Edward Rd. S'hm —5B 140
King Edward Rd. Sund —1D 114
King Edward St. Gate —2B 82
King Edward St. Tan L —6A 106
Kingfisher Ind. Est. S'hm —3G 139
Kingfisher Lodge. Jar —3E 71
Kingfisher Rd. Newc T —6A 42
Kingfisher Way. Bly —3D 16
Kingfisher Way. W'snd —1E 59
King George Av. Gate —4B 80
King George Rd. Newc T —1A 54
King George Rd. S Shi —2G 73
King George VI Building. Newc T —2C 4
Kingham Ct. Newc T —3H 55
King Henry Ct. Sund —1C 100
Kinghorn Sq. Sund —1D 100
King James Ct. Sund —1C 100
King James St. Gate —2H 81
King John's Ct. Pon —1A 36
King John St. Newc T —1B 68
King John Ter. Newc T —1B 68
Kings Av. Heb —4D 70
King's Av. Sund —6E 89
Kingsbridge. Newc T —6H 41
Kingsbury Clo. Sund —1D 100
Kingsclere Av. Sund —2D 100
Kingsclere Sq. Sund —2D 100
Kings Clo. Gate —2B 82
Kings Ct. Jar —2E 71
King's Ct. N Shi —1D 60
Kings Ct. Team T —2F 95
Kingsdale Av. Bly —6G 9
Kingsdale Av. Wash —5H 97
Kingsdale Rd. Newc T —6H 41
Kings Dri. G'sde —2B 76
King's Dri. Whit B —6C 34
King's Gdns. Bly —5A 10
Kings Gro. Dur —2A 158
Kingsland. Newc T —1G 67
Kingsland Sq. Sund —2D 100
King's La. Pelt —2F 123 (in two parts)
Kingsley Av. Newc T —4E 41
Kingsley Av. S Shi —6C 72
Kingsley Av. Whit B —1B 46
Kingsley Clo. S'ley —2F 121
Kingsley Clo. Sund —4A 102
Kingsley Pl. Gate —2B 80
Kingsley Pl. Newc T —2B 68
Kingsley Pl. W'snd —4D 58
Kingsley Pl. Whi —3F 79
Kingsley Ter. Newc T —4C 66
King's Mnr. Newc T —4G 67 (4F 5)
Kings Mdw. Jar —2G 85
Kings Meadows. Newc T —6C 66
Kingsmere. Ches S —2C 124
Kingsmere Gdns. Newc T —5G 69
Kings Pk. Sco G —1G 7
King's Pl. Sund —6A 102
King's Rd. Bed —3D 8
King's Rd. Newc T —3F 67 (2C 4) (NE1)
Kings Rd. Newc T —4C 42 (NE12)
Kings Rd. W'snd —3H 57
King's Rd. Whit B —5B 34
King's Rd., The. Sund —3A 102
Kings Ter. Gate —4F 97
King's Ter. Sund —6H 101
Kingston Av. Bear —4C 150
Kingston Av. Newc T —4D 68
Kingston Av. S'hm —5H 139
Kingston Clo. Whit B —3B 34
Kingston Ct. Whit B —3B 34 (off Kingston Dri.)
Kingston Dri. Whit B —3B 34
Kingston Grn. Newc T —4D 68
Kingston Park. —1G 53
Kingston Park. —6G 39
Kingston Pk. Av. Newc T —1G 53
Kingston Pk. Rd. Newc T —5H 39
Kingston Pk. Shop. Cen. Newc T —1G 53
Kingston Pl. Gate —3A 82
Kingston Rd. Gate —3A 82
Kingston Ter. Sund —3D 102
Kingston Way. Whit B —3B 34
King St. Bir —3B 110
King St. Bly —5C 10
King St. Gate —3E 81
King St. Newc T —5G 67 (6F 5)
King St. N Shi —1D 60
King St. Pel —2G 83
King St. Sher —6D 154
King St. S Shi —4E 61
King St. S'ley —4F 119
King St. Sund —6D 102 (SR1)
King St. Sund —1D 102 (SR6)
King's Wlk. Newc T —2F 67 (1D 4) (NE1)
Kings Wlk. Newc T —3H 51 (NE5)
Kingsway. Bly —1C 16
Kingsway. Hou S —3B 136
Kingsway. Newc T —1A 66
Kingsway. N Shi —5E 47
Kingsway. Pon —5E 25
Kingsway. S Shi —5H 61
Kingsway. Sun —2E 93
Kingsway Av. Newc T —6E 41
Kingsway N. Team T —5E 81
Kingsway Rd. Sund —1C 100
Kingsway S. Team T —1F 95
Kingsway Sq. Sund —1D 100
Kingsway Vs. Pelt —2F 123
Kingswood Av. Newc T —4F 55
Kingswood Clo. Bol C —2A 86
Kingswood Dri. Pon —1C 36
Kingswood Gro. Sund —5B 114
Kingswood Rd. Cra —1C 20
Kingswood Sq. Sund —2D 100
King Ter. S'ley —4B 120
Kinlet. Wash —2E 113
Kinley Rd. Dur —2B 154
Kinloch Ct. Ches S —2B 132
Kinloss Sq. Cra —1C 20
Kinnaird Av. Newc T —3E 65
Kinnock Clo. Sher —6E 155
Kinross Clo. Bir —5D 110
Kinross Ct. Gate —1H 83
Kinross Dri. Newc T —2A 54
Kinross Dri. S'ley —3F 121
Kinsale Sq. Sund —2D 100
Kinver Dri. Newc T —4A 52
Kip Hill. —1D 120
Kip Hill Ct. S'ley —1E 121
Kipling Av. Bol C —3D 86
Kipling Av. Heb —3D 70
Kipling Av. Swa —3F 79
Kipling Clo. S'ley —3E 121
Kipling Ct. Swa —3F 79
Kiplings Ter. Dur —2H 157
Kipling St. Sund —4A 102
Kipling Wlk. Gate —1A 82
Kira Dri. Dur —5C 142
Kirby Av. Dur —2A 152
Kirby Clo. S Shi —5B 72
Kirkbride Pl. Cra —1C 20 (in two parts)
Kirkdale Ct. Burr —6C 30
Kirkdale Ct. S Shi —5C 72
Kirkdale Grn. Newc T —5D 66
Kirkdale Sq. Sund —2D 100
Kirkdale St. Hett H —3B 146
Kirkfield Gdns. S'ley —4E 119
Kirkham. Wash —3B 112
Kirkham Av. Newc T —6G 39
Kirkham Rd. Dur —1D 152
Kirkheaton Pl. Newc T —1G 65
Kirkland Hill. Pet —6E 161
Kirklands. Burr —6C 30
Kirkland Wlk. Shir —2C 44
Kirklea Rd. Hou S —3B 136
Kirkleatham Gdns. Newc T —5D 56
Kirkley Av. S Shi —3A 74
Kirkley Clo. Newc T —1D 54
Kirkley Clo. Flats. Newc T —1D 54
Kirkley Dri. Pon —4E 25
Kirkley Rd. Shir —3D 44
Kirklinton Rd. N Shi —3C 46
Kirknewton Clo. Hou S —3B 136
Kirkside. N Her —3A 128
Kirkston Av. Newc T —2B 64
Kirkstone. Bir —5D 110
Kirkstone Av. Jar —6H 71
Kirkstone Av. N Shi —3C 46
Kirkstone Av. Pet —1E 163
Kirkstone Av. Sund —2C 102
Kirkstone Clo. Hou S —3B 136
Kirkstone Dri. Dur —2A 154
Kirkstone Gdns. Newc T —4A 56
Kirkstone Rd. Gate —2F 83
Kirk St. Newc T —4D 68
Kirk Vw. Nbtle —6H 127
Kirkwall Clo. Sund —4C 100
Kirkwood. Burr —6C 30
Kirkwood Av. Sund —5C 114
Kirkwood Dri. Newc T —2A 54
Kirkwood Gdns. Gate —3H 83
Kirkwood Pl. Newc T —4D 40
Kirton Av. Newc T —3A 66
Kirton Way. Cra —1C 20
Kismet St. Sund —3A 102
Kitchener Rd. Whit —5E 75
Kitchener St. Gate —3A 82
Kitchener St. Sund —3H 115
Kitchener Ter. Hou S —3H 127
Kitchener Ter. Jar —4F 71
Kitchener Ter. N Shi —6E 47
Kitchener Ter. Sund —6F 117
Kitching Rd. N West —4A 160
Kittiwake Clo. Bly —4C 16
Kittiwake Clo. W'snd —6E 45
Kittiwake Dri. Wash —4F 111
Kittiwake Ho. Whit B —6D 34
Kittiwake St. Team T —6E 81
Kitty Brewster Ind. Est. Bly —4F 9
Kitty Brewster Rd. Bly —5F 9
Kiwi St. Team T —6E 81
Knaresborough Clo. Bed —4F 7
Knaresborough Rd. Mur —2C 148
Knaresborough Sq. Sund —1E 101
Knaresdale. Bir —6D 110
Knarsdale Av. N Shi —1H 59
Knarsdale Pl. Newc T —6C 52
Kneller Clo. S'ley —3D 120
Knightsbridge. Newc T —1E 55
Knightsbridge. Sund —1G 129
Knightside Gdns. Gate —5B 80
Knightside Wlk. Newc T —4A 52
Knivestone Ct. Newc T —1E 43
Knoll Ri. Gate —4B 80
Knollside Clo. Sund —4H 129
Knoll, The. Sund —2B 116
Knott Flats. N Shi —6F 47
Knott Pl. Newc T —4F 65
Knoulberry. Wash —1G 111 (in four parts)
Knoulberry Rd. Wash —1F 111 (in two parts)
Knowledge Hill. Bla T —2H 77
Knowle Pl. Newc T —2B 56
Knowles, The. Whi —4G 79
Knowsley Ct. Newc T —2F 53
Knox Clo. Bed —3D 8
Knox Rd. Bed —5B 8
Knox Sq. Sund —3A 102
Knutsford Wlk. Cra —1C 20
Kristin Av. Jar —5G 71
Kyffin Vw. S Shi —4B 74
Kyle Clo. Newc T —5D 66
Kyle Rd. Gate —3E 81
Kyloe Av. Sea D —1B 32
Kyloe Clo. Newc T —6A 40
Kyloe Pl. Newc T —4E 53 (in two parts)
Kyloe Vs. Newc T —4E 53
Kyo Heugh Rd. S'ley —3G 119
Kyo La. S'ley —3H 119
Kyo Rd. W Kyo —4F 119

Laburnum Av. Bly —5B 10
Laburnum Av. Dur —6B 152
Laburnum Av. Gate —4G 83
Laburnum Av. Newc T —1F 69
Laburnum Av. W'snd —5H 57
Laburnum Av. Wash —6G 111
Laburnum Av. Whit B —6C 34
Laburnum Clo. Sund —1C 114
Laburnum Ct. Newc T —1C 42
Laburnum Ct. Ush M —5D 150
Laburnum Cres. Gate —1E 109
Laburnum Cres. Pet —1C 160
Laburnum Cres. S'hm —6A 140
Laburnum Gdns. Fel —2D 82
Laburnum Gdns. Jar —5E 71
Laburnum Gdns. Low F —5H 81
Laburnum Gro. C'twn —5C 100
Laburnum Gro. Cle —2A 88
Laburnum Gro. Heb —6C 70
Laburnum Gro. S Shi —4H 73
Laburnum Gro. Sun —2F 93
Laburnum Gro. Whi —4E 79
Laburnum Ho. W'snd —6A 58
Laburnum Pk. B'don —6B 156
Laburnum Rd. Bla T —1A 78
Laburnum Rd. Sund —2D 102
Laburnum St. Sund —1C 114
Laburnum Ter. S'ley —4E 119
Lacebark. Sund —5G 129
Ladock Clo. Sund —1G 131
Lady Anne Rd. Sher —5D 154
Ladybank. Newc T —4H 51
Lady Beatrice Ter. Hou S —2A 128
Lady Durham Clo. Sher —6C 154
Ladyhaugh Dri. Whi —1E 93
Ladykirk Rd. Newc T —4A 66
Ladykirk Way. Cra —3G 19
Lady Park. —3E 95
Ladyrigg. Pon —1D 36
Ladysmith Ct. S'ley —4E 121 (in two parts)
Ladysmith St. S Shi —5F 61
Ladysmith Ter. Ush M —5B 150
Lady's Piece La. L Pit —1E 155
Lady St. Hett H —6C 136
Lady's Wlk. S Shi —3E 61
Ladywell Rd. Bla T —1A 78
Ladywell Way. Pon —4D 24
Ladywood Pk. Hou S —1D 126
Laet St. N Shi —2D 60
Laindon Av. Sund —1D 102
Laing Art Gallery. —3G 67 (3E 5)
Laing Gro. W'snd —4E 59
Laith Rd. Newc T —2A 54
Lake App. Bla T —2C 78
Lake Av. S Shi —3C 74
Lake Ct. Sund —3A 130
Lakeland Dri. Pet —6E 161
Lakemore. Pet —2C 162
Lake Rd. Hou S —3A 136
Lakeside. Bla T —2D 78
Lakeside. S Shi —3D 74
Lake Vw. Heb —5B 70
Laleham Ct. Newc T —6H 39
Lamara Dri. Sund —2C 102
Lambden Clo. N Shi —4A 60
Lambert Rd. Wash —6F 97
Lambert Sq. Newc T —2C 54
Lambeth Pl. Gate —3A 82
Lamb Farm Clo. For H —4E 43
Lambley Av. N Shi —3D 46
Lambley Clo. Sun —3E 93
Lambley Cres. Heb —6B 70
Lambourn Av. N Shi —3H 59
Lambourne Av. Newc T —6C 42
Lambourne Clo. Hou S —6C 126
Lambourne Rd. Sund —4C 116
Lamb St. Cra —4E 21
Lamb St. Newc T —4G 69
Lamb Ter. W All —4B 44
Lambton. —4H 111
Lambton Av. Whi —3G 79
Lambton Cen. Wash —4H 111
Lambton Clo. Ryton —6A 62
Lambton Ct. H Ric —1E 125
Lambton Ct. Pet —4C 162
Lambton Ct. Sund —2E 129
Lambton Dri. Hett H —3C 146
Lambton Gdns. Burn —2E 105 (in two parts)
Lambton La. Hou S —1D 134
Lambton Lea. Hou S —5E 127
Lambton Pl. O Pen —1F 127
Lambton Rd. Heb —2D 70
Lambton Rd. Newc T —1G 67
Lambton St. Ches S —1D 132
Lambton St. Dur —5B 152
Lambton St. Gate —6G 67
Lambton St. Sund —6D 102
Lambton Ter. Hou S —1D 126
Lambton Ter. Jar —5F 71
Lambton Ter. S'ley —6H 121
Lambton Tower. Sund —6E 103 (off High St. E.)
Lambton Wlk. Dur —6C 152 (off Silver St.)
Lamesley. —5G 95
Lamesley Rd. Lam —4G 95
Lampeter Clo. Newc T —4F 53
Lamport St. Heb —2A 70
Lampton Ct. Bed —3C 8
Lanark Clo. N Shi —5G 45
Lanark Dri. Jar —6A 72
Lancashire Dri. Dur —4B 154
Lancaster Ct. Newc T —6H 39
Lancaster Dri. W'snd —6B 44
Lancaster Hill. Pet —5B 160 (in two parts)
Lancaster Ho. Cra —4D 20
Lancaster Ho. Newc T —6C 66
Lancaster Pl. Gate —2A 80
Lancaster Rd. Gate —2A 80
Lancaster St. Newc T —4D 66
Lancaster Ter. Ches S —1D 132
Lancaster Way. Jar —2E 85 (in two parts)
Lancastrian Rd. Cra —4H 19
Lancefield Av. Newc T —5F 69
Lancet Ct. Gate —1H 81
Lanchester. Wash —5C 112

Linnel Dri.—Malton Grn.

Linnel Dri. Newc T —1C 64
Linnet Clo. Wash —4G 111
Linnet Gro. Sund —4E 101
Linney Gdns. S Shi —5C 72
Linskell. Sund —1E 131
Linskill Pl. Newc T —4B 54
Linskill Pl. N Shi —6D 46
Linskill St. N Shi —2D 60
Linskill Ter. N Shi —1D 60
Linslade Wlk. Cra —3H 19
Lintfort. Pick —2E 125
Linthorpe Ct. S Shi —4C 72
Linthorpe Rd. Newc T —6E 41
Linthorpe Rd. N Shi —4D 46
Linton. Kil —6D 30
Linton Rd. Gate —2H 95
Linton Rd. Whit B —2A 34
Lintz. —1F 105
Lintzford. —6C 90
Lintzford Clo. Row G —5D 90
Lintzford Gdns. Newc T —2C 64
Lintzford Gdns. Row G —5D 90
Lintzford La. H Spen —3A 90
Lintzford Rd. Ham M —2A 104
Lintz Green. —2C 104
Lintz Grn. La. L Grn —1C 104
Lintz La. Burn —2C 104
Lintz Ter. Burn —1F 105
Lintz Ter. S'ley —4A 120
Linum Pl. Newc T —1A 66
Linwood Pl. Newc T —4E 41
Lion Wlk. N Shi —4C 60
Lipman Building. Newc T —1E 5
Lisa Av. Sund —2C 114
Lisburn Ter. Sund —6A 102
Lish Av. Whit B —1E 47
Lishman Ter. Ryton —5A 62
Lisle Ct. W'snd —5H 57
Lisle Gro. W'snd —4E 59
Lisle Rd. S Shi —2H 73
Lisle St. Newc T —3F 67 (3D 4)
Lisle St. W'snd —5H 57
Lismore Av. S Shi —2F 73
Lismore Pl. Newc T —3H 65
Lismore Ter. Gate —4F 97
Lister Av. Gate —2B 80
Lister Clo. Hou S —5H 135
Lister Rd. N West —5A 160
Listers La. Gate —3A 82
Lister St. Newc T —5D 64
Litchfield Cres. Bla T —2H 77
Litchfield La. Bla T —2H 77
Litchfield St. Bla T —2H 77
Litchfield Ter. Bla T —2H 77
Lit. Bedford St. N Shi —2C 60
Littlebridge Ct. Fram M —1A 152
Littleburn. —4G 157
Littleburn Clo. Hou S —1G 135
Littleburn Ind. Est. Lang M —5H 157
Littleburn La. Lang M —4G 157
Littleburn Rd. Lang M —4G 157
Littledene. Gate —4H 81
Little Dene. Newc T —4F 55
Little Eden. Pet —6D 160
Little Museum of Gilesgate, The. —5F 153
Little Thorpe. —3C 160
Littletown. —4H 155
Littletown La. L'ton —5H 155
Lit. Villiers St. Sund —6E 103
Little Way. Newc T —5F 65
Litton Ct. Sund —3H 129
Littondale. W'snd —3F 57
Liverpool St. Newc T —3F 67 (3C 4)
Livingstone Pl. S Shi —3E 61
Livingstone Rd. Sund —6C 102
Livingstone St. S Shi —3F 61
Livingstone Vw. N Shi —6E 47
Lizard La. S Shi & Sund —3D 74
Lizard La. Cvn. & Camping Site. S Shi —3D 74
Lizard Vw. Sund —6E 75
Lloyd Av. E Rai —1G 145
Lloyd Ct. Dun —1A 80
Lobban Av. Heb —6B 70
Lobelia Av. Gate —1B 82
Lobelia Clo. Newc T —4H 51
Lobley Gdns. Gate —5C 80
Lobley Hill. —6C 80
Lobley Hill. Mead —5F 157
Lobleyhill Rd. Burn —6A 92
Lobley Hill Rd. Gate —5C 80
Local Av. S Hill —6G 155
Lochcraig Pl. Cra —3G 19
Lochfield Gdns. Gate —1E 109
Lochmaben Ter. Sund —3D 102
Lockerbie Gdns. Newc T —2C 64
Lockerbie Rd. Cra —3H 19
Lockhaugh. —1G 91
Lockhaugh Rd. Row G —2F 91
Locksley Clo. N Shi —4F 45
Locomotion Way. Camp I —6B 30
Locomotion Way. N Shi —4C 60
Lodge Clo. Ham M —2A 104
Lodgeside Mdw. Sund —4B 130
Lodges Rd., The. Gate —2G 95
Lodge Ter. W'snd —5B 58
Lodore Ct. Sund —3H 129
Lodore Gro. Jar —6H 71
Lodore Rd. Newc T —4F 55
Loefield. Gt Lum —3G 133
Lofthill. Sund —4G 129
Logan Rd. Newc T —6F 57
Logan St. Hett H —2C 146
Logan Ter. S Het —5G 147 (off Front St.)
Lola St. Haz —1B 40
Lombard Dri. Ches S —2C 124
Lombard St. Newc T —5G 67 (6F 5)
Lombard St. Sund —6A 103
Lomond Clo. Wash —4H 111
Lomond Ct. Sund —3A 130
Lomond Pl. Ches S —2B 132
London Av. Wash —4H 97
Londonderry Bungalows. Pet —1D 160
Londonderry Ct. S'hm —3B 140
Londonderry St. S'hm —6C 140
Londonderry St. Sund —2A 130
Londonderry Ter. Pet —1D 160
Londonderry Ter. Sund —2B 130
Londonderry Way. Hou S —2E 127
Longacre. Hou S —3G 135
Longacre. Wash —6C 112
Long Acres. Dur —4F 153
Long Bank. Bir —6C 96
Long Bank. Gate —5B 96
Longbenton. —2C 56
Longborough Ct. Newc T —3A 56
Long Burn Dri. Ches S —1A 132
Long Clo. Rd. Ham M —2A 104
Long Crag. Wash —2G 111
Long Dale. Ches S —1A 132
Longdean Clo. Heb —4A 70
Longdean Pk. Ches S —3C 124
Longfellow St. Hou S —4A 136
Long Fld. Clo. S Shi —5F 73
Longfield Rd. Sund —2D 102
Longfield Ter. Newc T —5G 69
Long Gair. Bla T —3G 77
Long Gth. Dur —3H 151
Long Headlam. Newc T —3C 68
Longhirst. Gate —4G 83
Longhirst. Kil —6D 30
Longhirst. Newc T —5D 52
Longhirst Dri. Wide —6D 28
Longlands Dri. Hou S —4A 136
Longleat Gdns. S Shi —4F 61
Longley St. Newc T —3C 66
Long Mdw. Clo. Ryton —6A 62
Longmeadows. Pon —2B 36
Longmeadows. Sund —3E 129
Longnewton St. S'hm —6B 140
Longniddry. Wash —2A 98
Longniddry Ct. Gate —2G 95
Longridge. Bla T —2G 77
Longridge Av. Newc T —4D 56
Longridge Av. Wash —4G 111
Longridge Dri. Whit B —4A 34
Longridge Rd. Bla T —1C 76
Longridge Sq. Sund —5D 116
Longridge Way. Bed —2A 8
Longridge Way. Cra —3H 19
Longrigg. Gate —4F 83 (NE10)
Long Rigg. Gate & Swa —1E 79 (NE11)
Longrow. S Shi —4D 60
Long Sands. —4F 47
Longshank La. Bir —1A 110
Longstaff Gdns. S Shi —5B 72
Long Stairs. Newc T —5G 67 (6E 5)
Longston Av. N Shi —2D 46
Longstone Ct. Newc T —1E 43
Longstone Sq. Newc T —6B 52
Longwood Clo. Sun —2F 93
Lonnen Av. Newc T —1H 65
Lonnen Dri. Swa —3E 79
Lonnen, The. Ryton —4E 63
Lonnen, The. S Shi —4B 74
Lonsdale. Bir —6E 111
Lonsdale Av. Bly —5E 9
Lonsdale Av. Sund —5E 89
Lonsdale Ct. Newc T —5G 55
Lonsdale Ct. S Shi —5C 72
Lonsdale Gdns. W'snd —3E 59
Lonsdale Rd. Sund —3E 103
Lonsdale Ter. Newc T —5G 55
Loraine Ter. Newc T —3A 64
Lord Byrons Wlk. S'hm —2F 139
Lordenshaw. Newc T —5D 52
Lord Gort Clo. Sund —4A 102
Lord Nelson St. S Shi —3D 72
Lord St. Newc T —5E 67 (6A 4)
Lord St. S'hm —4B 140
Lord St. S Shi —6G 61
Lord St. Sund —2B 130
Lorimers Clo. Pet —3B 162
Lorne St. Eas L —6D 146
Lorne Ter. Sund —2C 116
Lorrain Rd. S Shi —1F 87
Lort Ho. Newc T —3H 67 (2G 5)
Lorton Av. N Shi —3C 46
Lorton Rd. Gate —1A 96
Losh Ter. Newc T —4F 69
Lossiemouth Rd. N Shi —2G 59
Lothian Clo. Bir —6D 110
Lothian Ct. Newc T —4G 53
Lotus Clo. Newc T —4H 51
Lotus Pl. Newc T —2H 65
Loudon St. S Shi —4E 73
Loud Ter. S'ley —5D 118
Loud Vw. Ter. S'ley —6E 119
Loughborough Av. N Shi —4E 47
Loughborough Av. Sund —4C 116
Lough Ct. Gate —6B 82
Loughrigg Av. Cra —3G 19
Louie Ter. Gate —6A 82
Louisa Ter. S'ley —3C 120
Louis Av. Sund —2D 102
Louise Ter. Ches S —6C 124
Loup St. Bla T —6A 64
Loup Ter. Bla T —6A 64
Louvain Ter. Hett H —6C 136
Louvain Ter. W. Hett H —6C 136
Lovaine Av. N Shi —2C 60
Lovaine Av. Whit B —1C 46
Lovaine Hall. Newc T —1F 5
Lovaine Pl. N Shi —2C 60
Lovaine Pl. W. N Shi —2B 60
Lovaine Row. N Shi —5F 47
Lovaine St. Newc T —1E 63
Lovaine St. Pelt —3E 123
Lovaine Ter. N Shi —1C 60
Love Av. Dud —4B 30
Love Av. Cotts. Dud —3B 30
Lovelady Ct. Tyn —6F 47 (off St Oswin's Pl.)
Love La. Bla T —2H 77
Love La. Newc T —4H 67 (5G 5)
Loveless Gdns. Gate —3H 83
Lovett Wlk. Gate —1E 81
Lowbiggin. Newc T —2C 52
Low Bri. Newc T —4G 67 (5E 5)
Low Carrs Cvn. Pk. Dur —6B 142
Low Chare. Ches S —6C 124
Low Chu. St. S'ley —4F 119
Lowden Ct. Newc T —2E 67
Lowdham Av. N Shi —3A 60
Lowdon Ct. Newc T —1A 4
Low Downs Rd. Hett H —5C 136
Low Downs Sq. Hett H —5D 136
Lwr. Dundas St. Sund —5D 102
Lwr. Rudyerd St. N Shi —2D 60
Lowerson Av. Hou S —4E 127
Lowe's Barn. —2H 157
Lowe's Barn Bank. Dur —2H 157
Lowes Ct. Dur —1A 158
Lowes Fall. Dur —1A 158
Lowes Ri. Dur —1A 158
Loweswater Av. Ches S —2B 132
Loweswater Av. Eas L —5E 147
Loweswater Clo. Bly —4F 9
Loweswater Rd. Gate —1A 96
Loweswater Rd. Newc T —1F 65
Loweswood Clo. Newc T —6A 56
Lowes Wynd. Dur —1A 158
Low Fell. —6H 81
Lowfield Ter. Newc T —5F 69
Lowfield Wlk. Whi —4E 79
Low Flatts Rd. Ches S —3C 124
Low Fold. Newc T —4B 68
Low Friar La. Newc T —4F 67 (5C 4)
Low Friarside. —6D 90
Low Friar St. Newc T —4F 67 (5C 4)
Lowgate. Newc T —6D 50
Low Gosforth Ct. Newc T —4F 41
Low Grn. Shin —3F 159
Low Greenside. —1A 76
Low Haugh. Pon —4F 25
Low Heworth La. Gate —1F 83
Lowhills Rd. Pet —5B 160
Lowick Clo. Bir —6D 110
Lowick Ct. Newc T —3G 55
Lowland Clo. Sund —4A 130
Lowland Ho. B'don —5D 156
Lowland Rd. B'don —5D 156
Low La. S Shi —4E 73
Lowleam Ct. Newc T —6D 52
Low Level Bri. Newc T —4A 68
Low Lights. —1E 61
Low Mann Pl. Cra —3B 20
Low Meadows. Cle —2A 88
Low Moor Cotts. Pity Me —4D 142
Low Moorsley. —4A 146
Lownds Ter. Newc T —3E 69
Low Pittington. —1F 155
Low Quay. Bly —5D 10
Lowrey's La. Gate —6H 81
Low Rd. Dur —3F 159
Low Rd. E. Shin —3F 159
Low Rd. W. Shin —3F 159
Low Row. Pet —1B 160
Low Row. Ryton —6E 63
Low Row. Sund —1C 116
Lowry Gdns. S Shi —1F 87
Lowry Rd. Sund —6E 89
Low Southwick. —4B 102
Low Sta. Rd. Leam —3C 144
Low St. Sund —6E 103
Lowther Av. Ches S —1B 132 (in two parts)
Lowther Clo. Pet —6D 160
Lowther Ct. Pet —5B 162
Lowther Sq. Cra —3G 19
Lowthian Cres. Newc T —4E 69
Lowthian Ter. Wash —3D 112
Low Walker. —3H 69
Low Well Gdns. Gate —2E 83 (in two parts)
Low W. Av. Row G —4C 90
Lucas St. Sund —1B 130
Lucknow St. Sund —6F 103
Lucock St. S Shi —4D 72
Lucy St. Bla T —6B 64
Lucy St. Ches S —5C 124
Ludlow Av. N Shi —5A 46
Ludlow Ct. Newc T —6A 40
Ludlow Dri. Whit B —1F 45
Ludlow Rd. Sund —5D 116
Luffness Dri. S Shi —6H 73
Luke Cres. Mur —2B 148
Lukes La. Heb —1D 84
Lulsgate. Sund —4C 100
Lulworth Av. Jar —4H 71
Lulworth Ct. Sund —2E 129
Lulworth Gdns. Sund —4C 116
Lumley Av. S Shi —3B 74
Lumley Av. Swa —2F 79
Lumley Clo. Ches S —6B 124
Lumley Clo. Wash —2H 111
Lumley Ct. Bed —3C 8
Lumley Ct. Sund —2E 129
Lumley Cres. Hou S —5G 127
Lumley Dri. Pet —4D 162
Lumley Gdns. Burn —2E 105 (in two parts)
Lumley Gdns. Gate —2B 82
Lumley New Rd. Ches S —1F 133
Lumley Rd. Dur —6C 142
Lumley St. Hou S —1H 135
Lumley St. Sund —1A 116
Lumley Ter. Ches S —1D 132
Lumley Ter. Jar —6F 71
Lumley Ter. Sund —3F 131
Lumley Thicks. —2A 134
Lumley Tower. Sund —6E 103
Lumley Wlk. Gate —2C 80
Lumsden Sq. Mur —2B 148
Lumsden Ter. S'ley —4E 119
Lund Av. Dur —1B 152
Lunedale Av. Sund —6C 88
Lunedale Clo. Gt Lum —5H 133
Lune Grn. Jar —1G 85
Lunesdale St. Hett H —3C 146
Lupin Clo. Newc T —3A 52
Luss Av. Jar —6A 72
Luton Cres. N Shi —3H 59
Lutterworth Clo. Newc T —2B 56
Lutterworth Dri. Newc T —1A 56
Lutterworth Pl. Newc T —2B 56
Lutterworth Rd. Newc T —2B 56
Lutterworth Rd. Sund —4C 116
Luxembourg Rd. Sund —6F 101
Lychgate Ct. Gate —6H 67
Lydbury Clo. Cra —6C 14
Lydcott. Wash —3F 113
Lyden Ga. Gate —2A 96
Lydford Ct. Hou S —6G 127
Lydford Ct. Newc T —1G 53
Lydford Way. Bir —4D 110
Lydney Clo. Newc T —6C 50
Lyncroft Rd. N Shi —1A 60
Lyndale. Cra —6C 14
Lynden Gdns. Newc T —4E 53
Lynden Rd. Sund —1F 131
Lyndhurst. —1A 96
Lyndhurst Av. Ches S —3C 124
Lyndhurst Av. Gate —1H 95
Lyndhurst Av. Newc T —5G 55
Lyndhurst Clo. Bla T —3G 77
Lyndhurst Cres. Gate —1A 96
Lyndhurst Dri. Dur —6A 152
Lyndhurst Dri. Gate —1A 96
Lyndhurst Gdns. Newc T —5F 55
Lyndhurst Grn. Gate —1H 95
Lyndhurst Gro. Gate —1A 96
Lyndhurst Rd. Newc T —6D 42
Lyndhurst Rd. S'ley —3B 120
Lyndhurst Rd. Whit B —6A 34
Lyndhurst St. S Shi —5F 61
Lyndhurst Ter. Sund —5G 101
Lyndhurst Ter. Swa —2E 79
Lyndon Clo. E Bol —4D 86
Lyndon Dri. E Bol —4D 86
Lyndon Gro. E Bol —4D 86
Lyndon Wlk. Bly —5F 9
Lyne Clo. Pelt —1H 123
Lyne's Dri. Lang M —4F 157
Lynfield. Whit B —4A 34
Lynfield Ct. Newc T —4F 53
Lynfield Pl. Newc T —4F 53
Lynford Gdns. Sund —4C 116
Lyngrove. Sund —1F 131
Lynholm Gro. Newc T —5D 42
Lynmouth Pl. Newc T —4B 56
Lynmouth Rd. Gate —2H 95
Lynmouth Rd. N Shi —2G 59
Lynndale Av. Bly —6G 9
Lynnholme Gdns. Gate —3H 81 (in two parts)
Lynn Rd. N Shi —6H 45
Lynn Rd. W'snd —6G 57
Lynn St. Bly —6B 10
Lynn St. Ches S —1C 132
Lynnwood Av. Newc T —4B 66
Lynnwood Ter. Newc T —4B 66
Lynthorpe. Sund —1F 131
Lynthorpe Gro. Sund —1E 103
Lynton Av. Jar —4A 72
Lynton Ct. Hou S —6G 127
Lynton Ct. Newc T —4F 53
Lynton Pl. Newc T —4F 53
Lynton Way. Newc T —4F 53
Lynwood Av. Bla T —6A 64
Lynwood Av. Sund —5C 114
Lynwood Clo. Pon —3C 36
Lyons. —3E 147
Lyons Av. Eas L —3D 146
Lyons La. Eas L —4E 147
Lyon St. Heb —3B 70
Lyric Clo. N Shi —5G 45
Lysdon Av. N Har —3B 22
Lyster Clo. S'hm —2E 139
Lytchfeld. Gate —4H 83 (in two parts)
Lytham Clo. Cra —3G 19
Lytham Clo. W'snd —6C 44
Lytham Clo. Wash —3A 98
Lytham Dri. Whit B —6H 33
Lytham Grange. Shin R —5E 127
Lytham Grn. Gate —1H 83
Lytham Pl. Newc T —4E 69
Lythe Way. Newc T —1C 56

Mabel St. Bla T —6A 64
Macadam St. Gate —4F 81
McAnany Av. S Shi —4F 73
Macbeth Wlk. Pet —1H 163
McClaren Way. Hou S —2B 128
McCracken Clo. Gos —5E 41
McCracken Dri. Wide —4E 29
McCutcheon Ct. Newc T —6E 69
McCutcheon St. S'hm —2E 139
MacDonald Rd. Newc T —5H 65
McErlane Sq. Gate —2G 83
McEwan Gdns. Newc T —4B 66
McGuinness Av. Pet —4E 161 (in two parts)
McIlvenna Gdns. W'snd —3G 57
McIntyre Hall. Heb —2D 70
McIntyre Rd. Heb —2D 70
McKendrick Vs. Newc T —6H 53
McLennan Ct. Wash —1B 112
Maclynn Clo. Sund —3G 129
Macmerry Clo. Sund —5B 100
Macmillan Gdns. Gate —3G 83
McNally Pl. Dur —5F 153
McNamara Rd. W'snd —4C 58
Maddison Ct. Sund —6F 103
Maddison Gdns. Seg —2E 31
Maddison St. Bly —5C 10
Maddox Rd. Newc T —1D 56
Madeira Av. Whit B —4B 34
Madeira Clo. Newc T —3A 52
Madeira Ter. S Shi —6F 61
Madras St. S Shi —5C 72
Mafeking Pl. N Shi —4F 45
Mafeking St. Gate —3A 82
Mafeking St. Newc T —6F 69
Mafeking St. Sund —6H 101
Magdalene Av. Dur —3A 154
Magdalene Ct. Dur —5E 153
Magdalene Ct. Newc T —2D 66
Magdalene Ct. S'hm —3B 140
Magdalene Heights. Gil —5E 153
Magdalene Pl. Sund —6H 101
Magdalene St. Dur —5E 153
Magenta Cres. Newc T —2A 52
Maglona St. S'hm —5B 140
Mahogany Row. Beam —6H 107
Maiden La. W'sde —1A 76
Maiden Law. Hou S —4E 135
Maidens St. Newc T —6D 66
Maidstone Clo. Sund —3F 129
Maidstone Ter. Hou S —5H 127
Main Cres. W'snd —3F 57
Main Rd. Din —4F 27
Main Rd. Ken F —1F 53
Main Rd. Ryton —4A 62
Mains Ct. Dur —2A 152
Mainsforth Ter. Sund —2F 117
Mainsforth Ter. W. Sund —3E 117
Mains Pk. Rd. Ches S —6D 124
Mainstone Clo. Cra —3A 20
Main St. Craw —5A 62
Main St. Pon —5E 25
Main St. N. Seg —2F 31
Main St. S. Seg —2F 31
Makendon St. Heb —2C 70
Makepeace Ter. Gate —4F 97
Malaburn Way. Sund —4A 102
Malaga Clo. Newc T —3H 51
Malaya Dri. Newc T —4H 69
Malcolm Ct. Whit B —1H 45
Malcolm St. Newc T —3A 68
Malcolm St. S'hm —5A 140
Malden Clo. Cra —3H 19
Maling Pk. Sund —6D 100
Malings Clo. Sund —1F 117
Maling St. Newc T —4A 68
Mallard Clo. Wash —3F 111
Mallard Ct. Kil —1C 42
Mallard Lodge. Gate —3D 82
Mallard Way. Bly —4D 16
Mallard Way. Hou S —4F 135
Mallard Way. W'snd —1E 59
Mallowburn Cres. Newc T —3G 53
Malmo Clo. Tyn T —2F 59
Malone Gdns. Bir —1D 110
Malory Pl. Gate —1H 81
Maltby Clo. Sund —4G 129
Maltby Clo. Wash —3B 112
Malt Cres. Pet —6F 161
Malthouse Way. Newc T —3F 53
Maltings, The. Sund —2C 130
Malton Clo. Bly —6H 9
Malton Clo. Newc T —3C 64
Malton Ct. Jar —2E 71
Malton Cres. N Shi —3A 60
Malton Gdns. W'snd —3H 57
Malton Grn. Gate —4B 96

Melrose Ct.—Morland Av.

Melrose Ct. Bed —3D 8
Melrose Cres. S'hm —3F 139
Melrose Gdns. Hou S —6G 127
Melrose Gdns. Sund —2E 103
Melrose Gdns. W'snd —2E 59
Melrose Gro. Jar —5A 72
Melrose Ter. Bed —3D 8
Melrose Vs. Bed —3D 8
Melsonby Clo. Sund —3F 129
Meltham Ct. Newc T —5H 51
Meltham Dri. Sund —4G 129
Melton Av. Newc T —4F 69
Melton Cres. Sea S —5H 23
Melton Dri. N Har —3B 22
Melton Ter. N Har —3B 22
Melvaig Clo. Sund —4G 129
Melville Av. Bly —3B 16
Melville Gdns. Whit B —1G 45
Melville Gro. Newc T —4A 56
Melville St. Ches S —1C 132
Melvin Pl. Newc T —5F 53
Melvyn Gdns. Sund —2E 103
Membury Clo. Sund —4G 129
Memorial Av. Pet —1E 161
Memorial Homes. Tan L —1B 120
Menai Ct. Sund —3H 129
Menceforth Cotts. Ches S —5B 124
Mendham Clo. Gate —5E 83
Mendip Av. Ches S —1B 132
(in two parts)
Mendip Clo. N Shi —4B 46
Mendip Clo. Pet —1B 162
Mendip Dri. Wash —4H 111
Mendip Gdns. Gate —5D 80
Mendip Ho. Ches S —1C 132
Mendip Ter. S'ley —4E 121
Mendip Way. Newc T —1H 55
Mentieth Clo. Wash —4H 111
Menvill Pl. Sund —1E 117
Mercantile Rd. Hou S —4G 135
Merchants Wharf. Newc T —6C 68
Mercia Retail Pk. Dur —5C 142
Mercia Way. Newc T —4C 64
Meredith Gdns. Gate —2H 81
Mere Dri. Dur —6B 142
Mere Knolls Rd. Sund —6E 89
Meresyde. Gate —5G 83
Meresyde Ct. Gate —4G 83
Merevale Clo. Wash —3C 98
Merganser Lodge. Gate —3D 82
(off Crowhall La.)
Meridan Way. Newc T —4D 56
Merlay Dri. Din —5F 27
Merle Gdns. Newc T —4C 68
Merle Ter. Sund —5H 101
Merley Hall. Newc T —5G 69
Merlin Clo. S'hm —3A 140
Merlin Ct. Gate —3D 82
(off High St. Felling,)
Merlin Cres. W'snd —4D 58
Merlin Dri. Ches S —2D 124
Merlin Pl. Newc T —6A 42
Merrick Ho. Sund —3H 129
Merrington Clo. N Har —2B 22
Merrington Clo. Sund —3F 129
Merrion Clo. Sund —3F 129
Merryfield Gdns. Sund —2E 103
Merryoaks. —2A 158
Mersey Ct. Sund —3H 129
Mersey Pl. Gate —3B 82
Mersey Rd. Gate —3B 82
Mersey Rd. Heb —6C 70
Merton Ct. Newc T —5A 66
Merton Rd. Newc T —6F 69
Merton Rd. Pon —5E 25
Merton Sq. Bly —5C 10
(off Regent St.)
Merton Way. Pon —5E 25
Merz Ct. Newc T —1C 4
Metcalfe Cres. Mur —2B 148
Metcalf Ho. Dur —5B 152
Methold Houses. Beam —1A 122
Methuen St. Gate —3A 82
Metro Cen. Gate —2G 79
Metro Pk. W. Gate —1F 79
Metro Retail Pk. Gate —1F 79
Mews, The. Bla T —1C 78
Mews, The. Gate —3H 83
Mews, The. Newc T —3F 67 (3C 4)
Mews, The. N Shi —5F 47
Mews, The. Shin —3F 159
Mews, The. Sund —2D 128
Michaelgate. Newc T —4C 68
Mickle Clo. Wash —1G 111
Mickle Hill Rd. B Col —6G 163
Mickleton Clo. Gt Lum —4H 133
Mickleton Gdns. Sund —5B 116
Mid Cross St. Newc T —6D 66
Middlebrook. Pon —2B 36
Middle Chare. Ches S —6C 124
Middle Clo. Wash —6H 111
Middle Dri. Pon —3A 36
Middle Dri. Wool —3D 38
(in two parts)
Middle Engine La. W'snd & Newc T —2D 58
Middlefield. Pelt —2G 123
Middlefields Ind. Est. S Shi —3C 72
Middlefield Ter. Ush M —6B 150
Middlegarth. Newc T —5H 53
Middle Ga. Newc T —6B 52
Middle Grn. Whit B —1G 45
Middle Gro. B'don —6C 156
Middleham Clo. Ous —6F 109
Middleham Ct. Sund —2G 101
Middleham Rd. Dur —6D 142
Middle Herrington. —1E 129
Middle Rainton. —2F 145
Middle Row. Hou S —2C 134
Middle Row. Ryton —5E 63
Middles Rd. S'ley —5D 120
Middles, The. —6F 121
Middle St. Bly —3H 15
Middle St. Newc T —3F 69
Middle St. N Shi —6F 47
(in two parts)
Middle St. Sund —6C 102
(in two parts)
Middle St. E. Newc T —3G 69
Middleton Av. Newc T —3A 66
Middleton Av. Row G —4F 91
Middleton Clo. Sea —2E 139
Middleton St. Bly —6C 10
Middlewood Pk. Newc T —2A 66
Midfield Dri. Sund —3E 103
Midgley Dri. Sund —4G 129
Midhill Clo. B'don —5D 156
Midhurst Av. S Shi —1H 73
Midhurst Clo. Sund —3F 129
Midhurst Rd. Newc T —6D 42
Midmoor Rd. Sund —6G 101
Midsomer Clo. Sund —4F 129
Midway. Newc T —3G 69
Milbanke Clo. Ous —6H 109
Milbanke St. Ous —6H 109
Milbourne St. N Shi —4C 60
Milburn Clo. Ches S —1E 133
Milburn Dri. Newc T —3F 65
Milburn St. Sund —6B 102
Milcombe Clo. Sund —3F 129
Mildmay Rd. Newc T —5F 55
Mildred St. Hou S —2A 136
Milecastle Ct. Newc T —5B 52
Mile End Rd. S Shi —3E 61
(in three parts)
Milfield Av. Shir —2D 44
Milfield Av. W'snd —3A 58
Milford Gdns. Newc T —4D 40
Milford Rd. Newc T —4G 65
Military Rd. Hed W —3C 48
Military Rd. N Shi —1D 60
Military Vehicle Museum. —1F 67
Millais Gdns. S Shi —1E 87
Mill Bank. Sund —1C 102
Millbank Ct. Dur —5B 152
Millbank Cres. Bed —4A 8
Millbank Ho. S'hm —3F 139
Millbank Ind. Est. S Shi —5E 61
Millbank Pl. Bed —5B 8
Millbank Rd. Bed —4B 8
Millbank Rd. Newc T —5G 69
Millbank Ter. Bed —4A 8
Millbeck Gdns. Gate —2B 96
Millbeck Gro. Hou S —5H 135
Millbrook. Gate —4E 83
Millbrook. N Shi —2A 60
Millbrook Rd. Cra —6C 14
Millburngate. Dur —5C 152
Millburngate Shop. Cen. Dur —5C 152
Millburn Ho. Newc T —5A 54
Millburn Ter. Shin R —3F 127
Mill Clo. N Shi —2A 60
Mill Ct. Hou S —1C 134
Mill Cres. Heb —1A 84
Mill Cres. Shin R —3F 127
Milldale. S'hm —3F 139
Milldale Av. Bly —6G 9
Milldam. S Shi —5D 60
Milldene Av. N Shi —5E 47
Mill Dene Vw. Jar —4G 71
Milldyke Clo. Whit B —6G 33
Millennium Way. Sund —5C 102
Miller Gdns. Pelt F —5F 123
Millers Bank. W'snd —5D 58
Millers Hill. Hou S —3G 127
Miller's La. Swa —2F 79
Millers Rd. Newc T —2C 68
Miller St. Gate —3F 81
Miller Ter. Sund —1A 130
Mill Farm Clo. Newc T —4D 66
Mill Farm Rd. Ham M —1A 104
Millfield. —1A 116
Millfield. Bed —6A 8
Millfield. Sea S —4H 23
Millfield Av. Newc T —4A 54
Millfield Clo. Ches S —2A 132
Millfield Clo. Newc T —2F 63
Millfield Ct. Bed —5A 8
Millfield Ct. Sea S —4H 23
Millfield Ct. Whi —4G 79
Millfield E. Bed —6A 8
Millfield Gdns. Bly —4B 10
Millfield Gdns. Gate —3C 82
Millfield Gdns. N Shi —5E 47
Millfield Gro. N Shi —4E 47
Millfield La. Newc T —1F 63
Millfield N. Bed —5A 8
Millfield Rd. Whi —5F 79
Millfield S. Bed —6A 8
Millfield Ter. Sund —6F 75
Millfield W. Bed —5A 8
Millford. Gate —4H 83
Millford Ct. Gate —5H 83
Mill Gro. N Shi —5E 47
Mill Gro. S Shi —5B 74
Millgrove Vw. Newc T —4B 54
Mill Hill. Hou S —5H 135
Mill Hill. N West —4A 160
Mill Hill La. Dur —2A 158
Mill Hill Rd. Newc T —1D 64
Mill Hill Rd. Sund —3H 129
Mill Hill Wlk. Sund —3A 130
Mill Ho. Ct. Dur —5G 153
Milling Ct. Gate —1E 81
Mill La. Dur —5G 153
Mill La. Heb —6B 70
Mill La. Hed W —4H 49
(in two parts)
Mill La. New B —1C 156
Mill La. Newc T —5C 66
Mill La. Plaw G —1A 142
Mill La. Seg —2C 30
Mill La. Sher —6E 155
Mill La. Shin —2G 159
Mill La. S'ley —5F 109
Mill La. Sund —5F 75
Mill La. Winl M —4H 77
Mill La. N. Newc T —4C 66
Millne Ct. Bed —4H 7
Millom Ct. Pet —4A 162
Millom Pl. Gate —1B 96
Mill Pit. Hou S —3F 127
Mill Ri. S Gos —3G 55
Mill Rd. Gate —5H 67 (6H 5)
Mill Rd. Lang M —4G 157
Mill Rd. S'hm —3F 139
Mills Gdns. W'snd —4H 57
Mill St. Sund —1B 116
Mill Ter. Hou S —5H 135
Mill Ter. Pet —1A 160
Mill Ter. Shin R —3F 127
Millthorp Clo. Sund —6G 117
Millum Ter. Sund —4E 103
Mill Vw. Gate —4C 82
Mill Vw. W Bol —4C 86
Mill Vw. Av. Sund —2D 102
Millview Dri. N Shi —4D 46
Mill Vs. W Bol —4C 86
Millway. Gate —4A 82
Millway. Sea S —4H 23
Millway Gro. Sea S —4H 23
Milner Cres. Bla T —2G 77
Milner St. S Shi —5G 61
Milne Way. Newc T —2B 54
Milrig Clo. Sund —4G 129
Milsted Clo. Sund —4F 129
Milsted Ct. Newc T —5H 51
Milton Av. Heb —3C 70
Milton Av. Hou S —4A 136
(in two parts)
Milton Clo. Newc T —2H 67 (1G 5)
Milton Clo. S'hm —4H 139
Milton Clo. S'ley —3F 121
Milton Grn. Newc T —2H 67 (1G 5)
Milton Gro. N Shi —1B 60
(in two parts)
Milton La. Pet —1C 160
Milton Pl. Gate —4F 97
Milton Pl. Newc T —2H 67 (1G 5)
Milton Pl. N Shi —1B 60
Milton Rd. Swa & Whi —3E 79
Milton Sq. Gate —1A 82
(in two parts)
Milton St. Jar —1F 71
Milton St. S Shi —1F 73
Milton St. Sund —6A 102
Milton Ter. N Shi —1B 60
Milton Ter. Pelt F —6G 123
Milvain Av. Newc T —3A 66
Milvain Clo. Gate —2H 81
Milvain St. Gate —2H 81
Milverton Ct. Newc T —1G 53
Mimosa Dri. Heb —6C 70
Mimosa Pl. Newc T —1H 65
Minden St. Newc T —4G 67 (4F 5)
Mindrum Ter. Newc T —5F 69
Mindrum Ter. N Shi —3H 59
Mindrum Way. Sea D —6B 22
Minehead Gdns. Sund —1A 130
Minerva Clo. Newc T —3A 52
Mingarry. Bir —5E 111
Mingary Clo. E Rai —1G 145
Minorca Clo. Sund —1E 117
Minorca Pl. Newc T —4B 54
Minskip Clo. Sund —4G 129
Minster Ct. Dur —4A 154
Minster Ct. Gate —6H 67
Minster Gro. Newc T —4H 51
Minsterley. Gt Lum —4G 133
Minster Pde. Jar —2G 71
Minting Pl. Cra —3H 19
Minton Ct. N Shi —3B 60
Minton La. N Shi —3B 60
Minton Sq. Sund —6G 101
Mirk La. Gate —5G 67
Mirlaw Rd. Cra —4H 19
Mistletoe Rd. Newc T —6G 55
Mistletoe St. Dur —6B 152
Mitcham Cres. Newc T —4B 56
Mitchell Av. Newc T —4G 55
Mitchell Av. Whit B —1H 45
Mitchell Clo. Pet —5B 160
Mitchell Gdns. S Shi —2H 73
Mitchell St. Ann P —5G 119
Mitchell St. Bir —3B 110
Mitchell St. Dur —5B 152
Mitchell St. Newc T —3G 69
(in two parts)
Mitchell St. S Moor —5B 120
Mitchell Ter. Tant —5H 105
Mitford Av. Bly —1A 16
Mitford Av. Sea D —6A 22
Mitford Clo. Ches S —1D 124
Mitford Clo. H Shin —4H 159
Mitford Clo. Wash —3H 111
Mitford Ct. Pet —3D 162
Mitford Dri. Newc T —4C 52
Mitford Dri. Sher —6E 155
Mitford Gdns. Gate —6C 80
Mitford Gdns. W'snd —2D 58
Mitford Gdns. Wide —4E 29
Mitford Pl. Newc T —1C 54
Mitford Rd. S Shi —3G 73
Mitford St. Sund —1E 103
Mitford St. W'snd —5G 59
Mitford Ter. Jar —1F 85
Mitford Way. Din —5F 27
Mithras Gdns. Hed W —5G 49
Mitre Pl. S Shi —1D 72
Moat Gdns. Gate —3A 84
Moatside La. Dur —6C 152
Modder St. Newc T —6F 69
Model Dwellings. Wash —3C 112
Model Ter. Hou S —1E 127
Moffat Av. Jar —5A 72
Moffat Clo. N Shi —5G 45
Moine Gdns. Sund —2E 103
Moir Ter. Sund —3G 131
Molesdon Clo. N Shi —4C 46
Molineux Clo. Newc T —3B 68
Molineux Ct. Newc T —3B 68
Molineux St. Newc T —3B 68
Mollyfair Clo. Ryton —5A 62
Monarch Av. Dox I —4E 129
Monarch Rd. Newc T —6C 66
Monarch Ter. Bla T —1A 78
Monastery Ct. Jar —2F 71
Mona St. S'ley —2D 120
Moncreiff Ter. Pet —1D 160
Monday Cres. Newc T —3D 66
(in two parts)
Monday Pl. Newc T —3D 66
Money Slack. Dur —4B 158
Monkchester Grn. Newc T —4E 69
Monkchester Rd. Newc T —4E 69
Monk Ct. Gate —1H 81
Monk Ct. Pet —4B 162
Monkdale Av. Bly —1G 15
Monkhouse Av. N Shi —4C 46
Monkridge. Newc T —5H 51
Monkridge. Whit B —4A 34
Monkridge Ct. Newc T —3G 55
Monkridge Gdns. Gate —4B 80
Monks Av. Whit B —2H 45
Monks Cres. Dur —4F 153
Monks Dormitory. —6C 152
Monkseaton. —6B 34
Monkseaton Dri. Whit B —4B 34
Monkseaton Rd. Well —6E 33
Monksfeld. Gate —4E 83
Monksfield Clo. Sund —4H 129
Monkside. Cra —4H 19
Monkside Clo. Wash —5G 111
Monks Pk. Way. Newc T —1A 56
Monks Rd. Whit B —2G 45
Monkstone Av. N Shi —5E 47
Monkstone Clo. N Shi —5E 47
Monkstone Cres. N Shi —5E 47
Monk St. Newc T —4E 67 (5B 4)
Monk St. Sund —4D 102
Monksway. Jar —3A 72
Monks Way. N Shi —4E 47
Monks Wood. N Shi —5A 46
Monkswood Sq. Sund —3B 130
Monk Ter. Jar —3G 71
Monkton. —5E 71
Monkton. Gate —5F 83
Monkton Av. S Shi —5C 72
Monkton Dene. Jar —5E 71
Monkton Hall. Jar —5D 70
Monkton La. Heb —1C 84
Monkton La. Mon V —6D 70
Monkton Rd. Jar —2F 71
(in three parts)
Monkton Ter. Jar —2G 71
Monkwearmouth. —5D 102
Monkwearmouth Station Museum. —5D 102
Monmouth Gdns. W'snd —3E 59
Monroe Pl. Newc T —5H 53
Mons Av. Heb —3C 70
Mons Cres. Hou S —3G 127
Montagu Av. Newc T —4C 54
Montagu Ct. Newc T —5C 54
Montague St. Lem —3B 64
Montague St. Sund —2D 102
(in two parts)
Monterey. Sund —4G 129
Monterey. Wash —4B 98
Montfalcon Clo. Pet —1C 162
Montford Clo. Sund —4F 129
Montgomery Rd. Dur —4F 153
Montorosso. Pres —6A 26
Montpelier Ter. Sund —3E 117
Montpellier Pl. Newc T —4B 54
Montrose Clo. N Har —3B 22
Montrose Cres. Gate —4B 82
Montrose Dri. Gate —4H 83
Montrose Gdns. Sund —4A 116
Monument Mall Shop. Cen. Newc T —4F 67 (4D 4)
Monument Ter. Bir —3C 110
Monument Ter. Hou S —1E 127
Monument Vw. New P —1F 127
Moor. —5F 43
Moor Clo. N Shi —5G 45
Moor Clo. Sund —6F 103
Moor Ct. Hou S —6C 126
Moor Ct. Newc T —5D 54
Moor Ct. Whi —3E 89
Moor Cres. Dur —4G 153
Moor Cres. Newc T —5E 55
Moor Crest Ter. N Shi —5B 46
(off Walton Av.)
Moorcroft Clo. Newc T —2B 64
Moorcroft Rd. Newc T —2C 64
Moordale Av. Bly —1G 15
Moore Av. Gate —3B 80
Moore Av. S Shi —3G 73
Moore Ct. Newc T —2C 62
Moore Cres. Bir —1C 110
Moore Cres. N. Hou S —4A 136
Moore Cres. S. Hou S —4A 136
Moor Edge. B'don —6D 156
Moor Edge. C Moor —5H 151
Moor Edge Rd. Shir —1C 44
Moor End. —3A 154
Moor End Ter. Dur —3A 154
Moore St. Gate —2A 82
Moore St. S'ley —4C 120
Moore St. Vs. Gate —2A 82
(off Sunderland Rd.)
Moorfield. Newc T —4F 55
Moorfield Gdns. Sund —4A 88
Moorfoot Av. Ches S —1C 132
(in two parts)
Moorfoot Gdns. Gate —4C 80
Moor Gdns. N Shi —5G 45
Moorhead. Newc T —6A 54
Moorhead M. Newc T —6A 54
Moorhouse Clo. S Shi —4F 73
Moorhouse Gdns. Hett H —3C 146
(in two parts)
Moorhouses Rd. N Shi —5G 45
Moorland Av. Bed —2E 9
Moorland Cotts. Bed —2D 8
Moorland Ct. Bed —2E 9
Moorland Cres. Bed —2E 9
Moorland Cres. Newc T —2E 69
Moorland Dri. Bed —3E 9
Moorlands. Jar —2H 85
Moorlands, The. Dip —6E 105
Moorlands, The. Dur —5G 153
Moorland Vs. Bed —2E 9
Moorland Way. Cra —6G 13
Moor La. E Bol & Cle —3G 87
Moor La. Ken —3H 53
Moor La. Pon —1B 36
Moor La. S Shi —3G 73
Moor La. E. S Shi —3H 73
Moormill. Gate —1E 109
Moormill La. Kib —1F 109
Moor Pk. Ct. N Shi —6G 45
Moor Pk. Rd. N Shi —6F 45
(in three parts)
Moor Pl. Newc T —4E 55
Moor Rd. N. Newc T —2F 55
Moor Rd. S. Newc T —4F 55
Moorsburn Dri. Hou S —2G 135
Moors Clo. Hou S —3F 135
Moorsfield. Hou S —3F 135
Moorside. —4G 129
Moorside. Jar —2G 85
Moorside. Newc T —3B 42
Moorside. Wash —6H 97
Moorside Ct. Newc T —6A 54
Moorside Ind. Est. Sund —4F 129
Moorside N. Newc T —6A 54
Moorside Pl. Newc T —1B 66
Moorside Rd. Sund —3F 129
Moorside S. Newc T —2B 66
Moorsley Rd. Hett H —4A 146
Moorsley Rd. L Pit & Hett H —6F 145
Moor St. Sund —6E 103
(nr. Coronation St.)
Moor St. Sund —1F 117
(nr. Woodbine St.)
Moor Ter. Sund —6F 103
Moorvale La. Newc T —5A 54
Moor Vw. Camp —6C 30
Moor Vw. Ken —3H 53
Moor Vw. Ryton —5A 62
Moor Vw. Sund —3E 89
Moorview Cres. Newc T —5A 54
Moor Vw. Ter. S'ley —6E 119
Moor Vw. Wlk. Camp —1C 42
Moorway. Wash —6H 97
Moorway Dri. Newc T —2C 64
Moralee Clo. Newc T —4D 56
Moran St. Sund —1D 102
Moray Clo. Bir —6D 110
Moray Clo. Pet —2C 162
Moray St. Sund —3D 102
Morcott Gdns. N Shi —3B 60
Morden St. Newc T —3F 67 (3C 4)
Mordey Clo. Sund —2E 117
Mordue Ter. S'ley —6G 119
Morecambe Pde. Heb —1E 85
Moreland Rd. S Shi —6F 73
Moreland St. Sund —3D 102
Morgan St. Sund —3B 102
Morgans Way. Bla T —1G 77
Morland Av. Wash —4C 112

Morland Gdns.—Noble St. Ind. Est.

Morland Gdns. Gate —4B 82
Morley Av. Gate —1H 83
Morley Ct. Newc T —2C 68
Morley Hill Rd. Newc T —1D 64
Morley La. B'don —5A 156
Morley Pl. Shir —1D 44
(off Earsdon Rd.)
Morley Ter. Gate —3D 82
Morley Ter. Hou S —2E 135
Morningside. Wash —1E 125
Morningside Ct. Ches S —5C 124
Mornington Av. Newc T —4B 54
Morpeth Av. Jar —6F 71
Morpeth Av. S Shi —2F 73
Morpeth Av. Wide —4E 29
Morpeth Clo. Wash —3G 111
Morpeth Dri. Sund —3F 129
Morpeth St. Newc T —1D 66
Morpeth St. Pet —4F 161
Morpeth Ter. N Shi —3H 59
Morris Av. S Shi —6D 72
Morris Ct. Dud —3B 30
Morris Cres. Bol C —3C 86
Morris Gdns. Gate —3H 83
Morrison Ind. Est. S'ley —6G 119
Morrison Rd. S'ley —6G 119
Morrison Rd. N. Ind. Est. S'ley —6G 119
Morrison St. Gate —1E 81
Morris Rd. Whi —3F 79
Morris Sq. Pet —2C 160
Morris St. Bir —3B 110
Morris St. Gate —3E 81
Morris St. Wash —5A 98
Morris Ter. Hou S —4B 136
Morrit Ct. Newc T —2C 56
Morston Dri. Newc T —3C 64
Mortimer Av. Newc T —4D 52
Mortimer Av. N Shi —1H 59
Mortimer Chase. E Har —4B 14
Mortimer Rd. S Shi —1F 73
Mortimer St. Sund —6H 101
Mortimer Ter. H'wll —1C 32
(off Laurel Ter.)
Morton Clo. Wash —3B 112
Morton Cres. Hou S —2D 134
Morton Cres. Newc T —1H 51
Morton Grange Ter. Hou S —2C 134
Morton Sq. Pet —6C 160
Morton St. Newc T —3D 68
Morton St. S Shi —3E 61
Morton Wlk. S Shi —3E 61
Morval Clo. Sund —4F 129
Morven Dri. Gate —2H 83
Morven Lea. Bla T —1H 77
Morwick Clo. Cra —4H 19
Morwick Pl. Newc T —6H 53
Morwick Rd. N Shi —5H 45
Mosley St. Newc T —4F 67 (5E 5)
Mossbank. Gate —2B 96
Moss Clo. Newc T —1A 64
Moss Ct. Dur —5D 152
Moss Cres. Ryton —5A 62
Mossdale. Dur —3C 154
Moss Gdns. Gate —2F 81
Moss Gth. Ches S —1C 132
Moss Mans. Newc T —5D 4
Mosspool. Bla T —1G 77
Moss Side. Gate —2C 96
Mossway. Pelt —2F 123
Mostyn Grn. Newc T —2B 54
Moulton Ct. Newc T —5G 53
Moulton Pl. Newc T —5G 53
Mountbatten Av. Heb —5C 70
Mount Clo. Kil —1D 42
Mount Clo. Sund —1D 114
Mount Clo. Whit B —2H 45
Mt. Cottage. Gate —5E 97
Mountfield Gdns. Newc T —3B 54
Mountford Rd. N Har —2B 22
Mount Gro. Gate —4B 80
Mount Gro. Sund —3A 116
Mt. Joy Cres. Dur —1D 158
Mount La. Gate —5E 97
Mt. Lonnen. Gate —5E 97
Mount Pleasant. —1C 126
(nr. Fatfield)
Mount Pleasant. —2A 82
(nr. Gateshead)
Mt. Pleasant. Bir —2C 110
Mt. Pleasant. Bla T —2H 77
Mt. Pleasant. Dip —6E 105
Mt. Pleasant. Hou S —3B 136
Mt. Pleasant. Sund —4A 102
Mt. Pleasant Bungalows. Bir —2C 110
Mt. Pleasant Ct. Newc T —5D 50
Mt. Pleasant Gdns. Gate —2A 82
Mount Pleasant Marsh Nature Reserve. —5A 86
Mount Rd. Bir —2C 110
Mount Rd. Gate —5E 97
Mount Rd. Sund —3H 115
Mountside Gdns. Gate —4B 80
Mount Sq. Gate —5E 97
Mt. Stewart St. S'hm —6B 140
Mount Ter. S Shi —5E 61
Mount, The. Newc T —5C 50
Mount, The. Ryton —4C 62
Mount Vw. Swa —3F 79
Mourne Gdns. Gate —5C 80
Moutter Clo. Pet —5E 161
Mowbray Clo. Sund —2D 116
Mowbray Rd. Newc T —5D 42
Mowbray Rd. N Shi —1H 59
Mowbray Rd. S Shi —6F 61
Mowbray Rd. Sund —2D 116
Mowbray St. Dur —5B 152
Mowbray St. Newc T —3A 68
Mowbray Ter. Hou S —1H 135
Moyle Ter. Hob —3G 105
Mozart St. S Shi —5F 61
Muirfield. S Shi —6H 61
Muirfield. Whit B —6H 33
Muirfield Dri. Gate —5D 82
Muirfield Dri. Wash —3A 98
Muirfield Rd. Newc T —2C 56
Mulben Clo. Newc T —5A 66
Mulberry Gdns. Gate —1C 82
Mulberry Pl. Newc T —6D 66
Mulberry St. Gate —2C 82
Mulberry Ter. S'ley —5H 119
Mulberry Trad. Est. Gate —2C 82
Mulberry Way. Hou S —2F 135
Mulcaster Gdns. W'snd —3G 57
Mulgrave Dri. Sund —5E 103
Mulgrave Ter. Gate —6G 67
Mulgrave Vs. Gate —1G 81
Mullen Dri. Ryton —5C 62
Mullen Gdns. W'snd —3G 57
Mullen Rd. W'snd —3G 57
Mull Gro. Jar —6A 72
Mullin Clo. Bear —4D 150
Muncaster M. Pet —4A 162
Mundella Ter. Newc T —2B 68
Mundell St. S'ley —5C 120
Mundle Av. Winl M —5A 78
Mundles La. E Bol —4F 87
Municipal Ter. Wash —1B 112
Munslow Rd. Sund —1E 129
Muriel St. S'ley —6C 120
Murphy Gro. Sund —2E 131
Murray Av. Hou S —2E 135
Murrayfield. Seg —1F 31
Murrayfield Dri. B'don —6C 156
Murrayfield Rd. Newc T —5H 53
Murrayfields. W All —4B 44
Murray Gdns. Gate —4C 80
Murray Pl. Ches S —6B 124
Murray Rd. Ches S —6B 124
Murray Rd. W'snd —4D 58
Murray St. Bla T —6A 64
Murray St. Pet —1G 163
Murray Ter. Dip —1D 118
Murtagh Diamond Ho. S Shi —4E 73
Murton. —3F 45
(nr. Easington Lane)
Murton. —2C 148
(nr. Shiremoor)
Murton Ho. N Shi —4G 45
Murton La. Eas L —4E 147
Murton La. Mur V —4E 45
Murton St. Mur —3D 148
Murton St. Sund —1E 117
Muscott Gro. Newc T —3E 65
Musgrave Gdns. Dur —5G 153
Musgrave Rd. Gate —5H 81
Musgrave Ter. Gate —2G 83
Musgrave Ter. Newc T —3E 69
Musgrave Ter. Wash —1B 112
Muswell Hill. Newc T —4E 65
Mutual St. W'snd —6H 57
Mylord Cres. Camp —6B 30
Myra Av. Hes —6G 163
Myrella Cres. Sund —5C 116
Myreside Pl. Newc T —6B 42
Myrtle Av. Gate —3B 80
Myrtle Av. Sund —2F 89
Myrtle Cres. Newc T —4D 42
Myrtle Gro. Burn —1F 105
Myrtle Gro. Gate —6H 81
Myrtle Gro. Newc T —5G 55
Myrtle Gro. S Shi —5H 73
Myrtle Gro. Sund —2B 130
Myrtle Gro. W'snd —6B 58
Myrtle Rd. Bla T —2A 78
Myrtles. Ches S —4B 124
Nafferton Pl. Newc T —1G 65
Nailor's Bank. Gate —5A 68
Nailsworth Clo. Bol C —1A 86
Nairn Clo. Bir —6D 110
Nairn Clo. Wash —3A 98
Nairn Rd. Cra —2B 20
Nairn St. Jar —6A 72
Naisbitt Av. Pet —5E 161
Nansen Clo. Newc T —5D 52
Napier Clo. Ches S —1D 124
Napier Ct. Whi —1F 93
Napier Rd. S'hm —3G 139
Napier Rd. Swa —2E 79
Napier St. Jar —2F 71
(in two parts)
Napier St. Newc T —3H 67 (2G 5)
Napier St. S Shi —3D 72
Napier Way. Bla T —1C 78
Narvik Way. Tyn T —2F 59
Nash Av. S Shi —6F 73
Naters St. Whit B —1E 47
National Glass Centre. —5E 103
Natley Av. E Bol —4G 87
Navenby Clo. Newc T —5F 41
Navenby Clo. S'hm —2G 139
Naworth Av. N Shi —4C 46
Naworth Ct. Pet —4B 162
Naworth Dri. Newc T —4B 52
Naworth Ter. Jar —5H 71
Nawton Av. Sund —3C 102
Nayland Rd. Cra —2A 20
Naylor Av. Winl M —5A 78
Naylor Bldgs. Winl M —5A 78
Naylor Ct. Bla T —5C 64
Naylor Pl. Sea S —2F 23
Neale St. S'ley —5G 119
Neale St. Sund —2D 102
Neale St. Tant —5H 105
Neale Ter. Bir —3C 110
Neale Wlk. Newc T —4A 54
Nearlane Clo. Sea B —3E 29
Neasdon Cres. N Shi —4D 46
Neasham Rd. S'hm —2G 139
Nedderton. —4C 6
Nedderton Clo. Newc T —3H 51
Needham Pl. Cra —2B 20
Neill Dri. Sun —3F 93
Neilson Rd. Gate —1B 82
Neil St. Eas L —4E 147
Nellie Gormley Ho. Newc T —3B 42
Nell Ter. Row G —4C 90
Nelson Av. Nel V —1G 19
Nelson Av. Newc T —2C 54
Nelson Av. S Shi —4G 61
Nelson Clo. Pet —5G 161
(in two parts)
Nelson Clo. Sund —2E 117
Nelson Cres. N Shi —4H 59
Nelson Dri. Cra —2F 19
Nelson Ho. N Shi —6F 47
Nelson Ind. Est. Cra —6G 13
Nelson Pk. Cra —6G 13
Nelson Pk. E. Cra —6H 13
Nelson Pk. W. Cra —6F 13
Nelson Rd. Cra —6F 13
Nelson Rd. Newc T —5H 69
Nelson Rd. Well —6F 33
Nelson Sq. Sund —5E 103
Nelson St. Ches S —1C 132
Nelson St. Gate —6G 67
Nelson St. G'sde —2A 76
Nelson St. Hett H —2C 146
Nelson St. Newc T —4F 67 (4D 4)
Nelson St. N Shi —2C 60
Nelson St. S'hm —3H 139
Nelson St. S Shi —4E 61
Nelson St. Sund —2F 131
Nelson St. Wash —3C 112
Nelson Ter. N Shi —4H 59
Nelson Ter. Sher —6E 155
Nelson Village. —1G 19
Nelson Way. Cra —5F 13
Nene Ct. Wash —5C 98
Nenthead Clo. Gt Lum —4H 133
Neptune Rd. Newc T —2C 64
Neptune Rd. W'snd —1H 69
Neptune St. S'hm —4H 139
Neptune Way. Eas —1C 160
Nesbit Rd. Pet —2E 163
Nesburn Rd. Sund —3A 116
Nesham Pl. Hou S —3A 136
Nesham St. Newc T —6C 66
Nesham Ter. Sund —6F 103
Ness Ct. Bla T —1G 77
Nest Rd. Gate —1D 82
Netherburn Rd. Sund —3C 102
Netherby Dri. Newc T —1G 65
Netherdale. Bed —4F 7
Nether Farm Rd. Gate —2F 83
Nether Riggs. Bed —5H 7
Netherton. Kil —1D 42
Netherton Av. N Shi —5H 45
Netherton Clo. Ches S —1A 132
Netherton Gdns. Wide —5D 28
Netherton Gro. N Shi —6H 45
Netherton La. Bed —3E 7
Nettleham Rd. Sund —3C 102
Nettles La. Sund —3B 130
Neville Ct. Wash —5D 98
Neville Cres. Bir —1C 110
Nevilledale Ter. Dur —6B 152
Neville Dene. Dur —6H 151
Neville Rd. Newc T —2B 64
Neville Rd. Pet —6C 160
Neville Rd. Sund —6H 101
Nevilles Ct. Nev X —6A 152
Neville's Cross. —1A 158
Neville's Cross Bank. Dur —2H 157
Neville's Cross Rd. Heb —4D 70
Neville's Cross Vs. Dur —1A 158
Neville Sq. Dur —2A 158
Neville St. Dur —6C 152
Neville St. Newc T —5E 67 (6C 4)
Neville Ter. Dur —5A 152
Neville Wlk. Wash —4D 98
(off Marlborough Rd.)
Nevinson Av. S Shi —6F 73
Nevis Clo. Whit B —3A 34
Nevis Ct. Whit B —3A 34
Nevis Gro. W Bol —4D 86
Nevis Way. Whit B —4A 34
New Acres. Ush M —5C 150
New Acres Rd. S'ley —6C 120
Newark Clo. Pet —6C 160
(in two parts)
Newark Cres. S'hm —2G 139
Newark Dri. Sund —3F 89
Newark Sq. N Shi —3B 60
Newarth Clo. Newc T —2C 64
Newbank Wlk. Bla T —2G 77
Newbiggin Hall Estate. —3D 52
Newbiggin La. Newc T —3D 52
New Blackett St. S'ley —5E 119
Newbold Av. Sund —3C 102
Newbold St. Newc T —4D 68
Newbolt Ct. Gate —1A 82
Newbottle. —6H 127
Newbottle La. Hou S —4D 134
Newbottle St. Hou S —2H 135
New Brancepeth. —2B 156
New Brancepeth Clo. Lang M —3G 157
Newbridge Av. Sund —3C 102
Newbridge Bank. Ches S —4F 125
Newbridge Banks. Ches S —5C 122
New Bri. St. Newc T —4G 67 (4F 5)
New Bri. St. W. Newc T —4F 67
(in two parts)
Newbrough Cres. Newc T —5G 55
Newburgh Av. Sea D —1A 32
Newburn. —1F 63
Newburn Av. Sund —3C 102
Newburn Bri. Rd. Bla T —3E 63
Newburn Ct. S Shi —6F 61
Newburn Cres. Hou S —2H 135
Newburn Hall Motor Museum. —1F 63
Newburn Haugh Ind. Est. Newc T —3H 63
Newburn Ind. Est. Newc T —3G 63
Newburn Rd. Newc T —5D 50
Newburn Rd. S'ley —1D 120
Newbury Av. Gate —3F 81
(in two parts)
Newbury Clo. Newc T —2B 64
Newbury St. S Shi —2F 73
Newbury St. Sund —2C 102
Newby La. H Pitt —2G 155
Newby Pl. Gate —1B 96
Newcastle Airport. —2B 38
Newcastle Arena. —6E 67
Newcastle Av. Pet —5F 161
Newcastle Bank. Bir —6B 96
Newcastle Bus. Pk. Newc T —6B 66
(in two parts)
Newcastle College. Newc T —2E 5
Newcastle Discovery Museum. —5E 67 (6A 4)
Newcastle Falcons R.U.F.C. —6G 39
Newcastle Race Course. —2F 41
Newcastle Rd. Bir —1C 110
Newcastle Rd. Bly —3A 16
Newcastle Rd. Ches S —5C 124
Newcastle Rd. C Moor & Nev X —3H 151
Newcastle Rd. Gate —4C 84
Newcastle Rd. Hou S —3G 135
Newcastle Rd. Jar & S Shie —5A 72
Newcastle Rd. Sund —6A 88
Newcastle Science Pk. Newc T —4G 67 (4F 5)
Newcastle St. N Shi —2C 60
Newcastle Ter. Dur —1A 152
Newcastle Ter. N Shi —6F 47
Newcastle United F.C. —3E 67
Newcastle upon Tyne. —4F 67
Newcastle Western By-Pass. Newc T —4B 40
New Delaval. —4H 15
Newdene Wlk. Newc T —2B 64
New Dri. S'hm —2H 139
(in two parts)
New Durham Rd. S'ley —6G 119
New Durham Rd. Sund —1C 116
New Elvet. Dur —6D 152
New Elvet Bri. Dur —6D 152
Newfield. —4E 123
Newfield Rd. Newf —4E 123
Newfield Ter. Newf —4E 123
Newfield Wlk. Whi —5E 79
New Front St. Ann P —5F 119
New Front St. Tan L —6B 106
Newgate Shop. Cen. Newc T —4F 67 (5C 4)
Newgate St. Newc T —4F 67 (4C 4)
New George St. S Shi —1E 73
New Grange Ter. Pelt F —5F 123
New Grn. St. S Shi —6E 61
Newham Av. Haz —1C 40
New Hartley. —3B 22
Newhaven Av. Sund —3C 102
New Herrington. —3H 127
New Herrington Ind. Est. Hou S —3G 127
Newington Ct. Sund —4C 102
Newington Ct. Wash —5A 98
Newington Rd. Newc T —2H 67 (1H 5)
(in three parts)
Newington Rd. Depot. Newc T —1H 5
New Kyo. —5H 119
New Lambton. —1D 134
Newland Ct. S Shi —4E 73
Newlands. N Shi —3C 46
Newlands Av. Bly —2B 16
Newlands Av. Newc T —4E 41
Newlands Av. Sund —4B 116
Newlands Av. Whit B —2H 45
Newlands Pl. Bly —2B 16
Newlands Rd. Bly —2B 16
Newlands Rd. Dur —3A 154
Newlands Rd. Newc T —4F 55
Newlands Rd. E. S'hm —3H 139
Newlands Rd. W. S'hm —3G 139
Newlyn Cres. N Shi —2A 60
Newlyn Dri. Cra —2A 20
Newlyn Dri. Jar —3H 71
Newlyn Rd. Newc T —2A 54
Newman Pl. Gate —3A 82
Newman Ter. Gate —3A 82
Newmarch St. Jar —2E 71
Newmarket Wlk. S Shi —5E 61
(in two parts)
Newminster Clo. Hou S —1F 135
Newminster Rd. Newc T —3G 65
Newmin Way. Whi —6D 78
Newport Gro. Sund —1A 130
New Quay. N Shi —3D 60
Newquay Gdns. Gate —3H 95
New Rainton. Hou S —1F 127
(off Rainton St.)
New Rainton St. Hou S —1F 127
(off Rainton St.)
New Redheugh Bri. Rd. Newc T —6E 67
Newriggs. Wash —5B 112
New Rd. Beam —2B 122
New Rd. Bol C —3B 86
New Rd. Burn —6G 91
New Rd. Fat —1A 126
(in two parts)
New Rd. Team T —5D 80
Newsham. —3A 16
Newsham Clo. Newc T —3H 51
Newsham Rd. Bly —2A 16
New Silksworth. —2H 129
New S. Ter. Bir —3D 110
Newstead Ct. Wash —2A 112
(in two parts)
Newstead Rd. Hou S —1G 135
Newsteads Clo. Whit B —6H 33
Newsteads Dri. Whit B —6G 33
Newsteads Farm Cotts. Whit B —1G 45
Newstead Sq. Sund —3A 130
New Strangford Rd. S'hm —3H 139
New St. Dur —5B 152
New St. Sher —6E 155
New St. Sund —1C 114
Newton Av. N Shi —2D 46
Newton Av. W'snd —4D 58
Newton Clo. Newc T —2C 64
Newton Dri. Dur —2B 152
Newton Gro. S Shi —4C 72
Newton Hall. —6D 142
Newton Hall. Newc T —5B 56
Newton Pl. Newc T —5B 56
Newton Rd. Newc T —4A 56
Newton St. Dun —2B 80
Newton St. Gate —3F 81
New Town. —3B 86
(nr. Boldon)
New Town. —3B 136
(nr. Houghton-le-Spring)
Newtown Ind. Est. Bir —5C 110
New York. —5F 45
New York By-Pass. N Shi —4F 45
New York Rd. Shir & N Shi —2C 44
(in two parts)
New York Way. Shir —5E 45
(in two parts)
Nicholas Av. Whi —3F 89
Nicholas St. Hett H —6D 136
Nichol Ct. Newc T —4H 65
Nicholson Clo. Sund —1E 117
Nicholson's Ter. Beam —1B 122
Nicholson Ter. Newc T —4E 43
Nichol St. Newc T —4H 65
Nickleby Chare. Dur —2B 158
Nidderdale Av. Hett H —3B 146
Nidderdale Clo. Bly —5G 9
Nidsdale Av. Newc T —2G 69
Nightingale Clo. Sund —3C 114
Nightingale Pl. S'ley —4F 121
Nile Clo. Newc T —1A 64
Nile Ct. Gate —2A 82
Nile St. N Shi —2C 60
Nile St. S Shi —5D 60
Nile St. Sund —6E 103
Nilverton Av. Sund —4D 116
Nimbus Ct. Sund —3A 130
Nine Lands. Hou S —3G 135
Nine Pins. Gate —5G 81
Ninnian Ter. Dip —2C 118
Ninth Av. Bly —1B 16
Ninth Av. Ches S —6B 124
Ninth Av. Newc T —1C 68
Ninth Av. Team T —2F 95
Ninth Av. E. Team T —2F 95
Ninth St. Pet —6G 161
Nissan Way. Sund —6F 99
Nithdale Clo. Newc T —1H 69
Nixon St. Gate —5A 68
Nixon Ter. Bla T —2H 77
Nixon Ter. Bly —1D 16
Nobbyends La. Bla T —3F 77
Noble Gdns. S Shi —5B 72
Noble's Bank Rd. Sund —2F 117
Noble St. Gate —2D 82
Noble St. Newc T —6B 66
Noble St. Pet —1E 161
Noble St. Sund —2F 117
Noble St. Ind. Est. Newc T —6B 66

A-Z Newcastle Deluxe 191

Noble Ter.—Orchard Grn.

Noble Ter. Sund —2F 117
Noel Av. Winl M —5A 78
Noel St. S'ley —2F 121
Noel Ter. Winl M —4B 78
Noirmont Way. Sund —3G 129
Nook Cotts., The. Sund —3E 115
Nookside. Sund —3E 115
Nookside Ct. Sund —3E 115
Nook, The. N Shi —2B 60
Nook, The. Whit B —1B 46
No Place. —2H 121
Nora St. S Shi —4E 73
Nora St. Sund —3H 115
Norbury Gro. Newc T —4D 68
Nordale Way. Bly —5G 9
Norfolk Av. Bir —6C 110
Norfolk Av. Sund —1H 129
Norfolk Clo. S'hm —2G 139
Norfolk Dri. Wash —3B 98
Norfolk Gdns. W'snd —3C 58
Norfolk M. N Shi —1C 60
Norfolk Pl. Bir —6D 110
Norfolk Rd. Gate —5A 68
Norfolk Rd. S Shi —2C 74
Norfolk Sq. Newc T —3B 68
Norfolk St. Hett H —1B 146
Norfolk St. N Shi —1D 60
Norfolk St. Sund —6D 102
Norfolk Wlk. Pet —5C 160
Norfolk Way. Newc T —2C 64
Norgas Ho. Newc T —3C 42
Norham Av. N. S Shi —1A 74
Norham Av. S. S Shi —1A 74
Norham Clo. Bly —6A 10
Norham Clo. Wide —6C 28
Norham Ct. Wash —3H 111
Norham Dri. Newc T —4C 52
Norham Dri. Pet —4C 162
Norham Pl. Newc T —6G 55
Norham Rd. Dur —6D 142
Norham Rd. Newc T —1D 54
Norham Rd. N Shi —1G 59
Norham Rd. Whit B —6B 34
Norham Rd. N. N Shi —5F 45
Norham Ter. Bla T —1H 77
Norham Ter. Jar —5F 71
Norhurst. Newc T —6C 78
Norland Rd. Newc T —3D 64
Norley Av. Sund —3C 102
Norma Cres. Whit B —1E 47
Norman Av. Sund —2B 130
Normanby Clo. S'hm —2G 139
Normanby Ct. Sund —4F 103
Normandy Cres. Hou S —3B 136
Norman Rd. Row G —4E 91
Norman Ter. H Pitt —2G 155
Norman Ter. Will Q —5F 59
Normanton Ter. Newc T —4C 66
Normount Av. Newc T —4A 66
Normount Gdns. Newc T —4A 66
Normount Rd. Newc T —4A 66
Northampton Rd. Pet —5C 160
Northamptonshire Dri. Dur —4B 154
North App. Ches S —5B 124
North Av. Gos —3D 54
North Av. Pet —6F 161
North Av. S Shi —3H 73
North Av. Wash —4A 98
North Av. W'hpe —5D 52
North Bailey. Dur —6C 152
N. Bank Ct. Sund —3B 102
North Blyth. —4C 10
Northbourne Rd. Jar —3E 71
Northbourne St. Gate —3H 81
Northbourne St. Newc T —5B 66
N. Brancepeth Ter. Lang M —3G 157
N. Bridge St. Sund —5D 102
North Burns. Ches S —5C 124
Northburn Wood. Cra —5A 14
N. Church St. N Shi —1D 60
North Clo. Newc T —2C 68
North Clo. Ryton —4C 62
North Clo. S Shi —3H 73
N. Coronation St. Mur —2D 148
Northcote. Whi —6E 79
Northcote Av. Newc T —6A 52
Northcote Av. Sund —1E 117
Northcote Av. Whit B —1H 45
Northcote St. Newc T —4C 66
Northcote St. S Shi —1F 73
Northcott Gdns. Seg —2E 31
North Ct. Jar —2F 71
North Cres. Dur —4A 152
North Cres. Pet —2B 160
North Cres. Wash —6H 111
North Cft. Newc T —6E 43
N. Cross St. Newc T —2E 55
Northdene. Bir —6C 96
Northdene Av. S'hm —3B 140
North Dri. Heb —4A 70
North Dri. Sund —2G 87
North Dri. Wash —2D 124
N. Durham St. Sund —6E 103
North East Aircraft Museum. —3A 100
N. Eastern Ct. Gate —4A 80
N. E. Exhibition Cen. Newc T —2F 41
N. E. Fruit & Vegetable Mkt. Team T —5F 81
N. East Ind. Est. Pet —4D 160
North End. —4A 152
North End. B'don —4C 156
North End. Dur —4A 152
Northern Promenade. Whit B —3C 34
Northern Ter. Dud —2A 30
Northern Way. Sund —3A 102
North Farm. Ned V —5C 6
N. Farm Av. Sund —5D 114
N. Farm Rd. Heb —4B 70
Northfield. E Sle —1H 9
Northfield Clo. Whi —5D 78
Northfield Dri. Newc T —3B 42
Northfield Dri. Sund —5D 114
Northfield Gdns. S Shi —1H 73
Northfield Rd. Newc T —3D 54
Northfield Rd. S Shi —6H 61
Northgate. Newc T —1D 42
Northgate. S'ley —6F 119
North Grange. Pon —3E 25
North Gro. Ryton —4D 62
North Gro. Sund —2E 103
North Guards. Sund —3E 89
N. Hall Rd. Sund —3F 115
North Haven. S'hm —3H 139
North Hylton. —6C 100
N. Hylton Rd. Sund —3F 101
N. Hylton Rd. Ind. Est. Sund —3F 101
N. Jesmond Av. Newc T —4G 55
N. King St. N Shi —1D 60
Northland Clo. Sund —5D 114
Northlands. Bla T —2H 77
Northlands. Ches S —3C 124
Northlands. N Shi —4D 46
North La. E Bol —4E 87
North La. Hett H —5G 137
Northlea. —3H 139
Northlea. Newc T —1C 64 (in two parts)
Northlea Rd. S'hm —3G 139
North Leigh. Tan L —6B 106
North Lodge. —2D 124
North Lodge. Ches S —2C 124
N. Mason Lodge. Din —3F 27
N. Milburn St. Sund —6B 102
N. Moor Cotts. Sund —6G 115
N. Moor Ct. Sund —6G 115
N. Moor La. Sund —6G 115
Northmoor Rd. Newc T —1E 69
N. Moor Rd. Sund —6G 115
N. Nelson Ind. Est. Cra —5G 13
North of England Open Air Museum, The. —5H 107
Northolt Av. Cra —2B 20
North Pde. N Shi —5A 60
North Pde. Whit B —6D 34
N. Railway St. S'hm —4B 140
N. Ravensworth St. Sund —6B 102
N. Ridge. Bed —4F 7 (nr. Netherton La.)
N. Ridge. Bed —4G 7 (nr. Northumberland Av.)
North Ridge. Whit B —6G 33
North Rd. Bol C —2A 86 (in two parts)
North Rd. Ches S —2C 124
North Rd. Dip —2E 119
North Rd. Dur —4B 152
North Rd. E Bol —4E 87 (in two parts)
North Rd. Hett H —5H 135
North Rd. N Shi —5B 46
North Rd. Pon —3E 25 (in two parts)
North Rd. S'hm —2B 140
North Rd. W'snd —5H 57
North Row. Back —4C 32
N. Sands Bus. Cen. Sund —5E 103
North Shields. —2C 60
Northside. —1D 110
North Side. Bir —1D 110
Northside Pl. H'wll —1C 32
North St. Bir —4E 111
North St. Bla T —2G 77
North St. Cle —2A 88
North St. E Rai —1H 145
North St. Jar —2F 71
North St. Nbtle —5H 127
North St. Newc T —3G 67 (3D 4)
North St. New S —1A 130
North St. S Shi —4E 61
North St. Sund —4C 102
North St. W Rai —3D 144
North St. Ct. Newc T —3E 5
North St. E. Newc T —3G 67 (3E 5)
North Ter. Dur —1A 152
North Ter. Newc T —2E 67
North Ter. Pet —2B 160
North Ter. S'hm —3B 140
North Ter. Seg —1F 31
North Ter. S'ley —4A 120
North Ter. Sund —1B 130
North Ter. W'snd —5B 58
North Ter. W All —4C 44
N. Thorn. S'ley —2D 120
N. Tyne Ind. Est. Bent —5G 43
Northumberland Annexe. Newc T —2E 5
Northumberland Av. Bed —4G 7
Northumberland Av. For H —6D 42
Northumberland Av. Gos —3C 54
Northumberland Av. W'snd —5D 58
Northumberland Building. Newc T —2E 5
Northumberland County Cricket Ground. —1H 67
Northumberland Ct. Heb —4B 70
Northumberland Dock Rd. W'snd —6G 59
Northumberland Gdns. Jes —1A 68
Northumberland Gdns. Walb —4H 51
Northumberland Ho. Cra —3C 20
Northumberland Pl. Bir —6D 110
Northumberland Pl. Newc T —3F 67 (4D 4)
Northumberland Pl. N Shi —1C 60
Northumberland Pl. Pet —5B 160
Northumberland Rd. Lem —3A 64
Northumberland Rd. Newc T (in two parts) —3F 67
Northumberland Rd. Ryton —3C 62
Northumberland Sq. N Shi —1C 60
Northumberland Sq. Whit B —6C 34
Northumberland St. Gate —2E 81
Northumberland St. Newc T (in two parts) —3F 67
Northumberland St. N Shi —1E 61
Northumberland St. Pet —5F 161
Northumberland St. W'snd —5A 58
Northumberland Ter. Newc T —3B 68
Northumberland Ter. N Shi —6F 47
Northumberland Ter. W'snd (off Northumberland Av.) —5D 58
Northumberland Vs. W'snd —5C 58
Northumberland Way. Wash (NE37) —1A 98
Northumberland Way. Wash (NE38) —1C 112
Northumbria Birds of Prey Centre. —2A 42
Northumbria Ho. Newc T —1E 55
Northumbria Lodge. Newc T —6A 54
Northumbrian Cra —4B 20
Northumbrian Rd. Cra —1A 20
Northumbrian Way. Newc T —2B 42
Northumbrian Way. N Shi —4C 60
Northumbria Pl. S'ley —2F 121
Northumbria Wlk. Newc T —6D 52
North Vw. Bear —4C 150
North Vw. Bed —2D 8
North Vw. Cas E —6B 162
North Vw. C'twn —4E 101
North Vw. Cul —1E 47
North Vw. Din —4F 27
North Vw. Dur —5G 153
North Vw. Eas L —4E 147
North Vw. For H —5D 42
North Vw. Gate —2B 96
North Vw. Haz —1C 40
North Vw. Jar —3E 71
North Vw. Mead —6E 157
North Vw. Mur —3C 148
North Vw. Newc T —3B 68 (in two parts)
North Vw. Newf —4F 123
North Vw. New L —1C 134
North Vw. Pre —5B 46
North Vw. Ryh —3F 131 (off Stockton Rd.)
North Vw. Ryton —4A 62
North Vw. S Hill —6H 155
North Vw. S Hyl —2C 114
North Vw. S Shi —1H 73
North Vw. S'ley —6F 121
North Vw. Sund —2D 102
North Vw. W'snd —5A 58
North Vw. Wash —5B 98
North Vw. Whi —4E 79
N. View E. Row G —3C 90
N. View Ter. Col R —3F 135
N. View Ter. Gate —2C 82
N. View W. Row G —3B 90
North Vs. Dud —2A 30
N. Walbottle Rd. N Wal & Newc T —5G 51
Northway. Gate —4B 82
Northway. Newc T —4D 50
North Way. Ous —6G 109
N. West Ind. Est. N West —6A 160
Northwood Ct. Sund —3C 102
Northwood Rd. S'hm —3H 139
Norton Av. S'hm —2G 139
Norton Clo. Ches S —2A 132
Norton Rd. Bed —6B 8
Norton Rd. Sund —2A 102
Norton Way. Newc T —3C 64
Norway Av. Sund —3G 115
Norwich Av. Wide —6D 28
Norwich Clo. Gt Lum —4H 133
Norwich Rd. Dur —6D 142
Norwich Way. Cra —2A 20 (in two parts)
Norwich Way. Jar —2F 85
Norwood Av. Gos —4E 41
Norwood Av. Hea —6B 56
Norwood Ct. Eig B —3C 96
Norwood Ct. Newc T —1D 56
Norwood Cres. Row G —3F 91
Norwood Gdns. Gate —3A 82
Norwood Rd. Gate —3D 80
Norwood Rd. Newc T —1B 64
Nottingham Pl. Pet —5B 160
Nottinghamshire Rd. Dur —4A 154
Numbers Gth. Sund —6E 103
Nuneaton Way. Newc T —3H 51
Nunn St. Hou S —4E 127
Nuns La. Gate —6H 67
Nuns La. Newc T —4F 67 (5C 4)
Nuns Moor. —6B 54
Nuns Moor Cres. Newc T —2A 66
Nuns Moor Rd. Newc T —2A 66
Nuns' Row. Dur —4F 153
Nun St. Newc T —4F 67 (4C 4)
Nunthorpe Av. Sund —6F 117
Nunwick Gdns. N Shi —1G 59
Nunwick Way. Newc T —4D 56
Nurseries, The. Cle —2A 88
Nursery Clo. Sund —5A 116
Nursery La. Cle —2A 88 (in two parts)
Nursery La. Gate —4C 82
Nursery Rd. Sund —5A 116
Nutley Pl. Newc T —4E 65
Nye Dene. Sund —4D 100

Oakapple Clo. Bed —4H 7
Oak Av. Din —4G 27
Oak Av. Dur —6G 153
Oak Av. Gate —4B 80
Oak Av. Hou S —2H 135
Oak Av. S Shi —4A 74
Oak Cres. Kim —1A 142
Oak Cres. Whi —2G 89
Oakdale. Ned V —5D 6
Oakdale Clo. Newc T —3B 64
Oakdale Ter. Ches S —1C 132
Oakenshaw. Newc T —3C 64
Oakerside Dri. Pet —2C 162
Oakey's Rd. S'ley —1D 120
Oakfield Av. Whi —5F 79
Oakfield Clo. Sund —3E 129
Oakfield Clo. Whi —5F 79
Oakfield Ct. Sund —3E 129
Oakfield Dri. Kil —2F 43
Oakfield Dri. Whi —5F 79
Oakfield Gdns. Newc T —4H 65
Oakfield Gdns. W'snd —4F 57
Oakfield N. Ryton —4B 62
Oakfield Rd. Gate —5C 80
Oakfield Rd. Newc T —4D 54
Oakfield Rd. Whi —6D 78
Oakfields. Burn —6H 91
Oakfield Ter. For H —4E 43
Oakfield Ter. Gate —2G 83
Oakfield Ter. Gos —3D 54
Oakfield Way. Seg —2F 31
Oakgreen. B'don —5D 156
Oak Gro. Newc T —5D 42
Oak Gro. W'snd —6B 58
Oakham Av. Newc T —5D 78
Oakham Dri. Dur —2B 154
Oakham Gdns. N Shi —3A 60 (in two parts)
Oakhurst Dri. Newc T —4C 54
Oakhurst Ter. Newc T —1D 56
Oakland Rd. Newc T —5F 55
Oakland Rd. Whit B —1H 45
Oaklands. Newc T —4E 55
Oaklands. Pon —1D 36
Oaklands. Swa —2F 79
Oaklands Av. Newc T —4E 55
Oaklands Ct. Pon —1D 36
Oaklands Cres. Sund —3H 101
Oaklands Ter. Sund —2A 116
Oaklea. Ches S —4A 124
Oakleigh Gdns. Sund —1A 88
Oakley Clo. Ann —3B 30
Oakley Dri. Cra —2C 20
Oakmere Clo. Shin R —3F 127
Oakridge. Whi —5D 78
Oakridge Rd. Ush M —5C 150
Oak Rd. N Shi —6F 45
Oak Rd. Pet —1C 160
Oak Sq. Gate —2E 81
Oaks, The. G'sde —2B 76
Oaks, The. Pen —1F 127
Oaks, The. Sund —2E 117
Oak St. Hou S —2C 134
Oak St. Jar —2E 71
Oak St. Newc T —5D 50
Oak St. Sea B —3E 29
Oak St. Sund —1F 117
Oak St. Wash —3D 112
Oaks W., The. Sund —2D 116
Oak Ter. Bla T —2A 78
Oak Ter. Burn —6A 92
Oak Ter. Cat —4E 119
Oak Ter. Crag —6F 121
Oak Ter. Mur —2D 148
Oak Ter. Pelt —2E 123
Oak Ter. Pet —1G 163
Oak Ter. Tant —5H 105
Oaktree Av. Newc T —6G 57
Oaktree Gdns. Whit B —2A 46 (in two parts)
Oakwellgate. Gate —5H 67
Oakwood. Gate —6E 83 (in three parts)
Oakwood. Heb —2A 70
Oakwood. S Het —6B 148
Oakwood. S'ley —5E 119
Oakwood Av. Gate —2A 96
Oakwood Av. N Gos —6E 29
Oakwood Clo. Gate —4F 97
Oakwood Ct. S'ley —5E 119
Oakwood Gdns. Gate —5D 80
Oakwood Pl. Newc T —6G 53
Oakwood St. Sund —2B 116
Oakwood Ter. W'snd —5H 59
Oates St. Sund —1A 116
Oatlands Rd. Sund —3G 115
Oatlands Way. Dur —5C 142
Oban Av. W'snd —3D 58 (in two parts)
Oban Ct. Newc T —4C 68
Oban Gdns. Newc T —4C 68
Oban St. Gate —2C 82
Oban St. Jar —6A 72
Oban Ter. Gate —2C 82
Obelisk La. Dur —5B 152
Occupation Rd. S Shi —6H 73
Ocean Rd. S Shi —4E 61
Ocean Rd. Sund —5F 117
Ocean Rd. E. Sund —5G 117
Ocean Rd. N. Sund —5F 117 (off Ocean Rd.)
Ocean Rd. S. Sund —5F 117 (off Ocean Rd.)
Ocean Vw. Sund —2F 131
Ocean Vw. Whit B —6D 34
Ochiltree Ct. Sea S —3H 23
Octavia Clo. Bed —3G 7
Octavia Ct. W'snd —3D 58
Octavian Way. Team T —2E 95
Offerton. —4A 114
Offerton Clo. Sund —1C 114
Offerton La. Sund —5G 113
Offerton St. Sund —1A 116
Office Pl. Hett H —2C 146
Office Row. Burr —6C 30
Office Row. Hou S —2A 128
Office Row. Wash —6G 111
Office St. Pet —1F 161
Ogden St. Sund —1A 116
Ogle Av. Haz —1C 40
Ogle Dri. Bly —1A 16
Ogle Gro. Jar —6E 71
O'Hanlon Cres. W'snd —3G 57
Oil Mill Rd. Newc T —2H 69
Okehampton Ct. Gate —3A 96
Okehampton Dri. Hou S —5G 127
Okehampton Sq. Sund —2A 102
Old Benwell. —4F 65
Old Blackett St. S'ley —4E 119
Old Coronation St. S Shi —5E 61
Old Course Rd. Sund —3A 88
Old Crow Hall La. Cra —2H 19
Old Durham. —1F 159
Old Durham Rd. Gate —2H 81
Old Elvet. Dur —6D 152
Old Farm Ct. Sun —3F 93
Oldfield Rd. Newc T —6F 69
Old Fold. —1C 82
Old Fold Rd. Gate —1B 82
Old George Yd. Newc T —4F 67 (5D 4)
Old Mill La. Gt Lum —6F 133
Old Mill Rd. Hen —2F 117
Old Mill Rd. Sund —2A 102
Old Newbiggin La. Newc T —2D 52
Old Pit La. Dur —6C 142
Old Pit Ter. Dur —6C 142
Old Rectory Clo. Tan —3B 106
Old Sta. Ct. Pon —2C 36
Oldstead Gdns. Sund —3G 115
Oldstone Rd. Cra —4E 21
Old Vicarage Wlk. Newc T —4C 68
Old Well La. Bla T —2H 77
Olga Ter. Row G —4C 90
Olive Gdns. Gate —5A 82
Olive Pl. Newc T —2H 65
Oliver Av. Newc T —3A 66
Oliver Ct. Newc T —6F 69
Oliver Cres. Bir —1C 110
Oliver Pl. Dur —2A 158
Oliver St. Mur —4E 149
Oliver St. S'hm —3H 139
Oliver St. S'ley —5C 120
Oliver St. Wash —3C 112
Olive St. S Shi —3D 72
Olive St. Sund —1C 116
Ollerton Dri. Newc T —5B 50
Ollerton Gdns. Gate —5C 82
Olney Clo. Cra —2D 20
Ongar Way. Newc T —6B 42
Onslow Gdns. Gate —6H 81
Onslow St. Sund —6G 101
Onslow Ter. Lang M —4G 157
Open, The. Newc T —3F 67 (3C 4)
Orange Gro. Ann —2B 30
Orange Gro. Whi —4G 79
Orchard Av. Row G —4D 90
Orchard Clo. Newc T —3F 43
Orchard Clo. Row G —5D 90
Orchard Clo. Sun —2F 93
Orchard Clo. W Pel —3C 122
Orchard Ct. Ryton —4C 62
Orchard Dene. Row G —4D 90
Orchard Dri. Dur —4E 153
Orchard Gdns. Ches S —2C 132
Orchard Gdns. Gate —1A 96
Orchard Gdns. Sund —3E 89
Orchard Gdns. W'snd —4G 57
Orchard Grn. Newc T —4H 53

Pearson Pl.—Pottery La.

Pearson Pl. N Shi —1D 60
Pearson St. S Shi —3F 61
Pearson St. S'ley —1D 120
Peart Clo. Sher —6E 155
Peartree Gdns. Newc T —6G 57
Pear Tree Ter. Cas D —2H 133
Peary Clo. Newc T —5D 52
Pease Av. Newc T —3G 65
Peasemore Rd. Sund —2D 114
Pease Rd. N West —5A 160
Pebble Beach. Whi —4F 89
Pecket Clo. Bly —2G 15
Peddars Way. S Shi —4D 72
Peebles Clo. N Shi —5G 45
Peebles Rd. Sund —5G 115
Peel Av. Dur —5H 153
Peel Cen., The. Wash —6D 98
Peel Gdns. S Shi —5A 72
Peel La. Newc T —5E 67 (6B 4)
Peel St. Newc T —4E 67 (6B 4)
Peel St. Sund —2E 117
Peggy's Wicket. Beam —1B 122
Pegwood Rd. Sund —2E 115
Pelaw. —2G 83
Pelaw Av. Ches S —4B 124
Pelaw Av. S'ley —1E 121
Pelaw Bank. Ches S —5C 124
Pelaw Cres. Ches S —4B 124 (in two parts)
Pelaw Grange Ct. Ches S —1C 124
Pelaw Leazes La. Dur —5D 152
Pelaw Pl. Ches S —4C 124
Pelaw Rd. Ches S —4C 124
Pelaw Sq. Ches S —4B 124
Pelaw Sq. Sund —6E 101
Pelaw Ter. Ches S —4B 124
Pelaw Way. Gate —2G 83
Peldon Clo. Newc T —2H 55
Pelham Ct. Newc T —6H 39
Pelton. —2F 123
Peltondale Av. Bly —1G 15
Pelton Fell. —5G 123
Pelton Fell Rd. Ches S —5G 123
Pelton Ho. Farm Est. Pelt F —3G 123
Pelton La. Ches S —5C 122
Pelton La. Pelt —2G 123
Pelton Lane Ends. —3E 123
Pelton M. Pelt —3E 123
Pelton Rd. Sund —3E 115
Pemberton Bank. Eas L —4D 146
Pemberton Clo. Sund —4B 102
Pemberton Gdns. Sund —4B 116
Pemberton St. Hett H —1C 146
Pemberton Ter. N. S'ley —6F 121
Pemberton Ter. S. S'ley —6F 121
Pembridge. Wash —2G 111
Pembroke Av. Bir —6D 110 (in two parts)
Pembroke Av. Newc T —1E 69
Pembroke Av. Sund —3B 130
Pembroke Ct. Newc T —6H 39
Pembroke Ct. Sund —1C 100
Pembroke Dri. Pon —6A 24
Pembroke Gdns. W'snd —3E 59
Pembroke Pl. Pet —5B 160
Pembroke Ter. S Shi —2E 73
Pendeford. Wash —3E 113
Pendle Clo. Pet —2B 162
Pendle Clo. Wash —4H 111
Pendle Grn. Sund —2A 116
Pendleton Dri. Cra —6A 14
Pendower Way. Newc T —3G 65
Pendragon. Gt Lum —3H 133
Penfold Clo. Newc T —3C 56
Penhale Dri. Sund —2F 131
Penhill Clo. Ous —6G 109
Penistone Rd. Sund —3C 114
Penman Pl. N Shi —3C 60
Penman Sq. Sund —3D 114
Pennant Sq. Sund —1E 115
Pennine Av. Ches S —1B 132 (in two parts)
Pennine Ct. S'ley —6F 119
Pennine Ct. Sund —3H 129
Pennine Dri. Pet —2A 162
Pennine Gdns. Gate —4C 80
Pennine Gdns. S'ley —4E 121
Pennine Gro. W Bol —4D 86
Pennine Ho. Wash —3H 111
Pennine Way. Newc T —1A 56
Pennon Pl. Newc T —3C 4
Penn Sq. Sund —1E 115
Penn St. Newc T —6D 66
Pennycross Rd. Sund —3C 114
Pennycross Sq. Sund —2C 114
Pennyfine Clo. N Shi —5C 46
Pennyfine Rd. Sun —2G 93
Pennygate Sq. Sund —2C 114
Pennygreen Sq. Sund —2C 114
Pennymore Sq. Sund —3C 114
Pennywell. —3E 115
Pennywell Ind. Est. Sund —3C 114
Pennywell Rd. Sund —3E 115
Penrith Av. N Shi —3C 46
Penrith Gdns. Gate —1B 96
Penrith Gro. Gate —1B 96
Penrith Rd. Heb —5D 70
Penrith Rd. Sund —1C 102
Penrose Grn. Newc T —2B 54
Penrose Rd. Sund —3D 114
Penryn Av. Mur —2D 148
Penryn Way. Mead —5E 157
Pensford Ct. Newc T —1G 53
Penshaw. —1F 127
Penshaw Gdns. S'ley —2F 121 (in two parts)
Penshaw Grn. Newc T —4H 53
Penshaw La. Hou S —1F 127
Penshaw Vw. Bir —4E 111
Penshaw Vw. Heb —5C 70
Penshaw Vw. Jar —5F 71
Penshaw Vw. Wardl —3A 84
Penshaw Way. Bir —3E 111
Pensher St. Gate —2C 82
Pensher St. Sund —1B 116
Pensher St. E. Gate —2C 82
Pensher Vw. Wash —4D 98
Pentland Clo. Cra —6B 14
Pentland Clo. N Shi —4B 46
Pentland Clo. Pet —2A 162
Pentland Clo. Wash —4H 111
Pentland Ct. Ches S —1C 132
Pentland Gdns. Gate —4C 80
Pentland Gro. Newc T —4B 42
Pentlands Ter. S'ley —4E 121
Pentridge Clo. Cra —2C 20
Penwood Rd. Sund —2E 115
Penyghent Way. Wash —1G 111
Penzance Bungalows. Mur —1D 148
Penzance Pde. Heb —1E 85
Penzance Rd. Sund —3D 114
Peoples Museum of Memorabilia & Antiques Centre. —4F 67 (5D 4)
Peplow Sq. Sund —6E 101
Peppercorn Ct. Newc T —6F 5
Percival St. Sund —6H 101
Percy Av. N Shi —1E 47
Percy Av. S'ley —4E 119
Percy Av. Whit B —6B 34
Percy Building. Newc T —1C 4
Percy Cotts. Sea D —6C 22 (in two parts)
Percy Ct. N Shi —4H 59
Percy Cres. N Shi —4H 59
Percy Gdns. Gate —4C 80
Percy Gdns. Newc T —5D 42
Percy Gdns. N Shi —5F 47
Percy Gdns. Whit B —1C 46
Percy Gdns. Cotts. N Shi —5G 47 (off Percy Gdns.)
Percy La. Dur —6A 152
Percy Main. —4H 59
Percy Pk. N Shi —5F 47
Percy Pk. Rd. N Shi —5F 47
Percy Rd. Whit B —6D 34
Percy Scott St. S Shi —6E 73
Percy Sq. Dur —2A 158
Percy St. Bly —5D 10
Percy St. Cra —4C 20
Percy St. For H —4F 43
Percy St. Hett H —1D 146
Percy St. Jar —2G 71
Percy St. Lem —3A 64
Percy St. Newc T —3F 67 (4C 4)
Percy St. N Shi —6F 47
Percy St. S Shi —5F 61
Percy St. S'ley —4B 120
Percy St. W'snd —5A 58
Percy St. S. Bly —6D 10
Percy Ter. Dur —6A 152
Percy Ter. Gos —2G 55
Percy Ter. Hou S —1E 127
Percy Ter. Newb —2F 63
Percy Ter. S'ley —5H 119
Percy Ter. Sund —3E 117 (in two parts)
Percy Ter. Whit —2F 89
Percy Ter. Whit B —6A 34
Percy Ter. S. Sund —4E 117
Percy Way. Newc T —6G 51
Peregrine Ct. N Shi —1B 60
Peregrine Pl. Newc T —6A 42
Perivale Rd. Sund —3D 114
Perkins Memorial Cottage Homes. Bir —4C 110
Perkinsville. —1H 123
Perrycrofts. Sund —5A 130 (in two parts)
Perry St. Gate —3H 81
Perth Av. Jar & S Shie —6A 72
Perth Clo. N Shi —5G 45
Perth Clo. W'snd —3D 58
Perth Ct. Sund —6G 115
Perth Ct. Team T —3G 95
Perth Gdns. W'snd —3D 58
Perth Grn. Jar —6A 72
Perth Rd. Sund —6G 115
Perth Sq. Sund —5H 115
Peterborough Clo. Gate —1G 81
Peterborough Rd. Dur —6E 143
Peterborough Way. Jar —2F 85
Peterbrough St. Gate —1G 81
Peterlee. —1D 162
Peterlee Clo. Pet —6C 160
Peter's Bank. S'ley —2G 119
Petersfield Rd. Sund —3D 114
Petersham Rd. Sund —1E 115
Peter Stracey Ho. Sund —1D 102
Petherton Ct. Newc T —1G 53
Peth Grn. Eas L —4D 146
Peth La. Ryton —3D 62 (in two parts)
Peth, The. Dur —6B 152
Petrel Clo. S Shi —4E 61
Petrel Way. Bly —3D 16
Petteril. Wash —6G 111
Petwell Cres. Pet —1C 160
Petwell La. Eas —1B 160
Petworth Clo. S Shi —4F 61
Pevensey Clo. N Shi —4B 46
Pexton Way. Newc T —1E 65
Phalp St. S Het —6B 148
Pheasantmoor. Wash —1G 111
Philadelphia. —5H 127
Philadelphia Complex. Phil —4H 127
Philadelphia La. Nbtle —3F 127
Philip Bldgs. Sund —6E 103
Philip Ct. Gate —6B 82
Philiphaugh. W'snd —1H 69 (in three parts)
Philip Pl. Newc T —3C 66
Philipson St. Newc T —3F 69
Philip Sq. Sund —5G 115
Philip St. Newc T —3C 66
Phillips Av. Whi —3E 79
Phipp M. Newc T —1D 56
Phipp Pas. Cra —2C 20
Phoenix Chase. N Shi —5F 45
Phoenix Ct. N Shi —5G 45
Phoenix Rd. Sund —1E 115
Phoenix Rd. Wash —1F 111
Phoenix St. Bly —3H 15
Phoenix Way. Hou S —4G 135
Phoenix Work Shops. Pet —5G 161
Piccadilly. Sund —1G 129
Picherwell. Gate —4D 82
Pickard Clo. Pet —6E 161
Pickard St. Sund —6A 102
Pickering Ct. Jar —2E 71
Pickering Grn. Gate —3B 96
Pickering Nook. —3G 105
Pickering Rd. Sund —4C 114
Pickering Sq. Sund —3D 114
Pickhurst Rd. Sund —4C 114
Pickhurst Sq. Sund —4D 114
Picktree. —2E 125
Picktree Cotts. Ches S —5D 124
Picktree Cotts. E. Ches S —5D 124
Picktree Farm Cotts. Pick —3E 125
Picktree La. Ches S —3E 125 (nr. Chester Rd.)
Picktree La. Ches S —5D 124 (nr. North Burns)
Picktree La. Wash —1E 125
Picktree Lodge. Ches S —1D 124
Picktree Ter. Ches S —5D 124
Pickwick Clo. Dur —2B 158
Pier Pde. S Shi —3G 61
Pier Rd. N Shi —6G 47
Pier Vw. Sund —3F 103
Pikestone Clo. Wash —4G 111
Pikesyde. Dip —2B 118
Pilgram St. Newc T —5G 67
Pilgrim Clo. Sund —4C 102
Pilgrim St. Newc T —4F 67 (4D 4) (in two parts)
Pilgrims Way. Dur —4F 153
Pilgrimsway. Gate —4A 82
Pilgrimsway. Jar —3A 72
Pilton Rd. Newc T —4D 52
Pilton Wlk. Newc T —4D 52
Pimlico. Dur —1C 158
Pimlico Ct. Gate —1H 95
Pimlico Rd. Hett H —4D 146
Pimlico Rd. Sund —3D 114
Pinders Way. S Hill —6H 155
Pine Av. Burn —1F 105
Pine Av. Din —4G 27
Pine Av. Dur —6G 153
Pine Av. Hou S —3H 135
Pine Av. Newc T —6B 40
Pine Av. S Shi —4A 74
Pinedale Dri. S Het —6H 147
Pinegarth. Pon —3C 36
Pine La. B'don —5C 156
Pine Pk. Ush M —6D 150
Pine Rd. Bla T —1A 78
Pines, The. G'sde —2B 76
Pines, The. Newc T —6C 66
Pine St. Bir —2C 110
Pine St. Ches S —6C 124
Pine St. Gate —2E 81
Pine St. Gran V —4C 122
Pine St. G'sde —2B 76
Pine St. Jar —3E 71
Pine St. Pelt —2D 122
Pine St. Sea B —3E 29
Pine St. S'ley —5B 120
Pine St. Sund —6H 101
Pine St. Thro —4D 50
Pinesway. Sund —4B 116
Pine Ter. S'ley —4E 119
Pinetree Gdns. Whit B —2A 46
Pinetree Way. Gate —1F 79
Pine Vw. S'ley —5B 120
Pinewood. Heb —2A 70
Pinewood Av. Cra —6B 14
Pinewood Av. N Gos —6E 29
Pinewood Av. Wash —6A 112
Pinewood Clo. King P —1F 53
Pinewood Clo. Walkv —6F 57
Pinewood Gdns. Gate —6C 80
Pinewood Rd. Sund —3H 101
Pinewood Sq. Sund —3H 101
Pinewood St. Hou S —2C 134
Pinewood Vs. S Shi —3A 74
Pink La. Newc T —4E 67 (5B 4) (in three parts)
Pinner Pl. Newc T —5E 69
Pinner Rd. Sund —2E 115
Pioneer Ter. Bed —3C 8
Pipershaw. Wash —1F 111
Pipe Track La. Newc T —5H 65
Pipewellgate. Gate —6F 67
Pitcairn Rd. Sund —2D 114
Pit Ho. La. Leam —1C 144
Pit La. Dur —1B 152
Pit La. Esh W —4A 156
Pit La. Seg —2E 31
Pit Row. Sund —1H 129
Pittington. —6E 145
Pittington Crossing. L Pit —6F 145
Pittington Rd. Rain G —5D 144
Pitt St. Newc T —3D 66 (3A 4)
Pity Me. —6B 142
Pity Me By-Pass. Dur —2H 151
Plains Farm. —5H 115
Plains Rd. Sund —5H 115
Plaistow Sq. Sund —1E 115
Plaistow Way. Cra —6B 14
Planesway. Gate —6E 83
Planetarium, The. —1G 73
Planet Pl. Newc T —3C 42
Planetree Av. Newc T —1H 65
Plane Tree Ct. Sund —3G 129
Plantagenet Av. Ches S —1D 132
Plantation Av. L'ton —4H 155
Plantation Av. Swa —3E 79
Plantation Gro. Gate —1H 83
Plantation Rd. Sund —6G 101
Plantation Sq. Sund —6G 101
Plantation St. W'snd —1H 69
Plantation, The. Gate —6A 82
Plantation Vw. W Pel —3B 122
Plantation Wlk. S Het —6H 147
Plawsworth. —1A 142
Plawsworth Gdns. Gate —2C 96
Pleasant Pl. Bir —2C 110
Plenmeller Pl. Sun —2E 93
Plessey Av. Bly —1D 16
Plessey Ct. Bly —3H 15
Plessey Cres. Whit B —1D 46
Plessey Gdns. N Shi —2H 59
Plessey Rd. Bly —3H 15 (in three parts)
Plessey St. H'fd —4B 14
Plessey Ter. Newc T —5B 56
Plessey Woods Country Park. —3D 12
Plough Rd. Sund —4H 129
Plover Clo. Bly —3C 16
Plover Clo. Wash —4F 111
Plover Dri. Burn —2A 106
Plover Lodge. Bir —1C 110
Plummer Chare. Newc T —5G 67 (6F 5)
Plummer St. Newc T —6E 67
Plumtree Av. Sund —3E 101 (in two parts)
Plunkett Rd. Dip —6E 105
Plunkett Ter. Pelt F —5F 123
Plymouth Clo. Dal D —5F 139
Plymouth Rd. N Shi —1G 59
Plymouth Sq. Sund —5G 115
Point Pleasant. —6D 58
Point Pleasant Ind. Est. W'snd —5D 58
Point Pleasant Ter. W'snd —5C 58
Polden Clo. Pet —2A 162
Polden Cres. N Shi —4B 46
Polebrook Rd. Sund —1E 115
Polemarch St. S'hm —5B 140
Polinaize St. S'ley —2F 121
Pollard St. S Shi —4F 61
Polmaise St. Bla T —1A 78
Polmuir Rd. Sund —5G 115
Polmuir Sq. Sund —5G 115
Polpero Clo. Bir —4D 110
Polperro Clo. Ryh —2F 131
Polton Sq. Sund —1E 115
Polwarth Cres. Newc T —5E 41
Polwarth Dri. Newc T —4D 40
Polwarth Pl. Newc T —5E 41
Polwarth Rd. Newc T —4E 41
Polworth Sq. Sund —5H 115
Ponds Cotts. G'sde —2A 76
Pond St. H Shin —5H 159
Pontburn Wood Nature Reserve. —2B 104
Pontdyke. Gate —1F 97
Pontefract Rd. Sund —4D 114
Ponteland. —5E 25
Ponteland Clo. N Shi —6G 45
Ponteland Clo. Wash —3F 111
Ponteland Gro. Newc T —6A 54
Ponteland Rd. Newc T —6B 54
Ponteland Rd. Pres & Newc T —2B 38
Ponteland Rd. Thro —3D 50
Pont Haugh. Pon —4F 25
Ponthaugh. Row G —2F 91
Pontop. —3B 118
Pontop Ct. S'ley —5F 119
Pontop Pike La. Dip —4B 118
Pontop Sq. Sund —6E 101
Pontop St. E Rai —1G 145
Pontopsyde. Dip —2C 118
Pontop Ter. S'ley —6E 119
Pontop Vw. Dip —2B 118
Pontop Vw. Row G —3D 90
Pont Vw. Pon —4F 25
Pool Bri. Gate —4C 84
Poole Clo. Cra —2C 20
Poole Rd. Sund —1E 115
Pooley Clo. Newc T —6F 53
Pooley Rd. Newc T —1F 65
Poplar Av. Bly —4B 10
Poplar Av. Burn —1F 105
Poplar Av. Din —4G 27
Poplar Av. Hou S —3H 135
Poplar Av. Newc T —6F 57
Poplar Clo. Heb —6C 70
Poplar Ct. Ches S —6C 124
Poplar Cres. Ben —2G 81
Poplar Cres. Bir —2B 110
Poplar Cres. Dun —4B 80
Poplar Dri. Dur —4G 153
Poplar Dri. Sund —2F 89
Poplar Gro. Bed —4B 8
Poplar Gro. Dip —1E 119
Poplar Gro. S Shi —4H 73
Poplar Gro. Sund —1E 131
Poplar Lea. B'don —5C 156
Poplar Pl. Newc T —2E 55
Poplar Rd. Bla T —2A 78
Poplar Rd. Dur —3B 154
Poplars, The. Ches S —2D 132
Poplars, The. Eas L —4E 147
Poplars, The. Gos —4E 55
Poplars, The. Newc T —6C 66
Poplars, The. Pen —1F 127
Poplars, The. S Hyl —1C 114
Poplars, The. Sund —3H 101
Poplars, The. Wash —3B 112
Poplar St. Ches S —6C 124
Poplar St. Pelt —2D 122
Poplar St. S'ley —5B 120
Poplar St. Thro —5D 50
Poplar Ter. Ches S —5D 124
Popplewell Gdns. Gate —1A 96
Popplewell Ter. N Shi —5C 46
Poppyfields. Ches S —1A 132
Porchester Dri. Cra —1C 20
Porchester St. S Shi —2D 72
Porlock Ct. Cra —6A 14
Porlock Ho. Jar —4H 71
Porlock Rd. Jar —4H 71
Portadown Rd. Sund —4D 114
Portberry St. S Shi —1D 72
Portberry Way. S Shi —6D 60 (in two parts)
Portchester Gro. Bol C —3A 86
Portchester Rd. Sund —2E 115
Portchester Sq. Sund —3E 115
Porter Ter. Mur —2C 148
Porthcawl Dri. Wash —3A 98
Portland Av. S'hm —4G 139
Portland Clo. Ches S —2A 132
Portland Clo. W'snd —2E 59
Portland Gdns. Cra —2C 20
Portland Gdns. Gate —3H 95
Portland Gdns. N Shi —6C 46
Portland M. Newc T —2H 67 (1G 5)
Portland Rd. Shie —2H 67 (1G 5) (in two parts)
Portland Rd. Sund —5H 115
Portland Rd. Thro —5E 51
Portland Sq. Sund —4H 115
Portland St. Bly —4B 10
Portland St. Gate —2G 83
Portland St. Newc T —5B 66
Portland Ter. Newc T —2G 67 (1G 5)
Portman M. Newc T —2H 5
Portman Pl. Newc T —6E 69
Portman Sq. Sund —2E 115
Portmarnock. Wash —3H 97
Portmeads. —3D 110
Portmeads Ri. Bir —3D 110
Portmeads Rd. Bir —3D 110
Portobello. —4E 111
Portobello Ind. Est. Bir —3E 111
Portobello La. Sund —4D 102
Portobello Rd. Bir —2E 111
Portobello Ter. Bir —4E 111
Portobello Way. Bir —3D 110
Portree Clo. Bir —6D 110
Portree Sq. Sund —5G 115
Portrush Clo. Wash —3A 98
Portrush Rd. Sund —1E 115
Portrush Way. Newc T —2C 56
Portslade Rd. Sund —3D 114
Portsmouth Rd. N Shi —2G 59
Portsmouth Rd. Sund —2D 114
Portsmouth Sq. Sund —2D 114
Portugal Pl. W'snd —6H 57
Post Office La. N Shi —5C 46
Post Office St. Bly —5D 10
Potterhouse La. Pity Me —5A 142
Potterhouse Ter. Dur —5A 142
Potteries, The. S Shi —6G 61
Potter Pl. S'ley —4F 121
Potters Bank. Dur —2A 158
Potters Clo. Dur —2B 158
Potter Sq. Sund —5H 115
Potter St. Jar —2E 71
Potter St. W'snd —6E 59
Pottersway. Gate —4A 82
Pottery Bank. Newc T —6F 69
Pottery Bank. Sund —5F 103
Pottery La. Newc T —6E 67

Pottery La.—Rectory Ter.

Pottery La. *Sund* —6C **100**
Pottery Rd. *Sund* —4A **102**
Pottery Yd. *Hou S* —3A **136**
Potts St. *Newc T* —3C **68**
Poultry Farm. *Hou S* —3G **127**
Powburn Clo. *Ches S* —2A **132**
Powburn Gdns. *Newc T* —1A **66**
Powis Rd. *Sund* —5H **115**
Powis Sq. *Sund* —5H **115**
Powys Pl. *Newc T* —3C **66**
Poxon Dri. *Dur* —1D **152**
Poxon Pk. *W'snd* —2B **58**
Poynings Clo. *Newc T* —2G **53**
Praetorian Dri. *W'snd* —6H **57**
Prebend Row. *Pelt* —3F **123**
Prebends Fld. *Dur* —3F **153**
Precinct, The. *Sund* —5C **116**
Prefect Pl. *Gate* —4A **82**
Premier Rd. *Sund* —5G **115**
Prendwick Av. *Heb* —6B **70**
Prendwick Clo. *Ches S* —3A **132**
Prendwick Ct. *Heb* —6B **70**
Prengarth Av. *Sund* —2D **102**
Prensgarth Way. *S Shi* —6B **72**
Prescot Rd. *Sund* —1E **115**
Press La. *Sund* —6D **102**
Prestbury Av. *Cra* —6A **14**
Prestbury Rd. *Sund* —3C **114**
Prestdale Av. *Bly* —6G **9**
Presthope Rd. *Sund* —3C **114**
Prestmede. *Gate* —4E **83**
Preston. —5C 46
Preston Av. *N Shi* —6C **46**
*Preston Ct. N Shi —5C **46***
(off Rosebery Av.)
Preston Ga. *N Shi* —4B **46**
Preston Grange. —4B 46
Prestonhill. *Sund* —4G **129**
Preston N. Rd. *N Shi* —3B **46**
Preston Pk. *N Shi* —6C **46**
Preston Rd. *N Shi* —5C **46**
Preston Rd. *Sund* —3F **117**
Preston Ter. *N Shi* —5B **46**
Preston Ter. *W All* —4C **44**
Preston Wood. *N Shi* —4C **46**
Prestwick. —5A 26
Prestwick. *Gate* —6E **83**
Prestwick Av. *N Shi* —6G **45**
Prestwick Clo. *Wash* —3A **98**
Prestwick Dri. *Gate* —4A **84**
Prestwick Gdns. *Newc T* —3B **54**
Prestwick Pit Houses. *Pres* —1A **38**
Prestwick Rd. *Din* —4E **27**
Prestwick Rd. *Sund* —1E **115**
Prestwick Road End. —1A 38
Prestwick Ter. *Pres* —2A **38**
Pretoria Sq. *Sund* —5G **115**
Pretoria St. *Newc T* —5E **65**
Price St. *Heb* —2A **70**
Priestfield Gdns. *Burn* —1F **105**
Priestley Ct. *S Shi* —6C **72**
Priestley Gdns. *Gate* —3H **83**
Priestly Cres. *Sund* —5B **102**
Priestman Ct. *Sund* —1F **115**
Priestsfield Clo. *Sund* —4H **129**
Primary Gdns. *Sund* —2F **117**
Primate Rd. *Sund* —6G **115**
Primrose. —6F 71
Primrose Av. *Pet* —6F **161**
Primrose Av. *S Shi* —4D **72**
Primrose Clo. *Ann* —3A **30**
Primrose Cres. *Hou S* —6C **126**
Primrose Cres. *Sund* —2D **102**
Primrose Gdns. *Ous* —5H **109**
Primrose Gdns. *W'snd* —3G **57**
Primrose Hill. *Gate* —6A **82**
Primrose Hill. *Hou S* —1C **134**
Primrose Hill. *Jar* —6G **71**
Primrose Hill Ter. *Jar* —6G **71**
Primrose Pl. *Gate* —6H **81**
Primrose Precinct. *Sund* —2D **102**
Primrose St. *Sund* —1C **114**
Primrose Ter. *Bir* —3D **110**
Primrose Ter. *Jar* —5F **71**
Prince Albert Ter. *Newc T* —3H **67** (3G **5**)
Prince Consort Ind. Est. *Heb* —2A **70**
Prince Consort La. *Heb* —3B **70**
(in two parts)
Prince Consort Rd. *Gate* —1G **81**
Prince Consort Rd. *Heb* —3A **70**
Prince Consort Rd. *Jar* —3G **71**
Prince Consort Way. *N Shi* —4C **60**
Prince Edward Ct. *S Shi* —4A **74**
Prince Edward Gro. *S Shi* —3C **74**
Prince Edward Rd. *S Shi* —4H **73**
Prince George Av. *Sund* —1D **102**
Prince George Sq. *S Shi* —4F **61**
Prince of Wales Clo. *S Shi* —4G **73**
Prince Philip Clo. *Newc T* —4G **65**
Prince Rd. *W'snd* —4H **57**
Princes Av. *Newc T* —1D **54**
Prince's Av. *Sund* —6E **89**
Princes Clo. *Newc T* —5D **40**
Prince's Gdns. *Sund* —6E **89**
Princes Gdns. *Whit B* —6A **34**
Princes Mdw. *Newc T* —2C **54**
Princes Rd. *Newc T* —4D **40**
Princess Ct. *N Shi* —4B **60**
Princess Dri. *Gate* —2C **80**
Princes's Gdns. *Bly* —5A **10**
Princess Gdns. *Hett H* —6C **136**
Princess Louise Rd. *Bly* —6B **10**
Princess Mary Ct. *Jes* —6F **55**
Princess Rd. *S'hm* —4A **140**
Princess Sq. *Newc T* —3G **67** (3E **5**)
Princess St. *Pel* —2G **83**
Princess St. *Sund* —2C **116**
Princess St. *Sun* —3F **93**
Princes St. *Dur* —5B **152**
Princes St. *N Shi* —6D **46**
Princes St. *Shin R* —4E **127**
Prince's St. *S'ley* —4E **119**
Prince St. *Sund* —6D **102**
Princesway. *Team T* —1E **95**
Princesway Central. *Team T* —1E **95**
Princesway N. *Team T* —5E **81**
Princesway S. *Team T* —1E **95**
(in two parts)
Princetown Ter. *Sund* —5G **115**
Princeway. *N Shi* —5F **47**
Pringle Clo. *New B* —2A **156**
Pringle Gro. *New B* —2B **156**
Pringle Pl. *New B* —2B **156**
Prinn Pl. *Sun* —3F **93**
Priors Clo. *Dur* —5A **152**
Priors Grange. *H Pitt* —2F **155**
Priors Path. *Dur* —6B **152**
Prior's Ter. *N Shi* —6F **47**
Priors Way. *W'snd* —5C **58**
Priory Av. *Whit B* —1B **46**
Priory Cotts. *Whit B* —5C **34**
Priory Grange. *Bly* —6A **10**
Priory Grn. *Newc T* —3B **68**
Priory Gro. *Sund* —2H **115**
Priory M. *N Shi* —6F **47**
Priory Orchard. *Dur* —6B **152**
Priory Pl. *Newc T* —4C **68**
Priory Pl. *Wide* —6C **28**
Priory Rd. *Dur* —2B **152**
Priory Rd. *Jar* —1G **71**
Priory Way. *Newc T* —3D **52**
Proctor Ct. *Newc T* —4G **69**
Proctor Sq. *Sund* —5H **115**
Proctor St. *Newc T* —4G **69**
Promenade. *S Shi* —3G **61**
Promenade. *Sund* —4G **117**
Promenade. *Whit B* —5C **34**
Promenade Ter. *N Shi* —6G **47**
Promontory Ter. *N Shi & Whit B* —1E **47**
Promotion Clo. *Sund* —3E **103**
Prospect Av. *Sea D* —6A **22**
Prospect Av. *W'snd* —4H **57**
Prospect Av. N. *W'snd* —3H **57**
Prospect Cotts. *Gate* —4F **97**
Prospect Ct. *Newc T* —4C **66**
Prospect Cres. *Eas L* —5E **147**
Prospect Gdns. *W Bol* —4C **86**
Prospect Pl. *New B* —1A **156**
Prospect Pl. *Newc T* —4C **66**
Prospect Row. *Sund* —6F **103**
Prospect St. *Ches S* —5C **124**
Prospect St. *Gate* —1F **81**
Prospect Ter. *Ches S* —5C **124**
Prospect Ter. *Dur* —1A **158**
Prospect Ter. *E Bol* —4F **87**
Prospect Ter. *Eig B* —4D **96**
Prospect Ter. *Hob* —3G **105**
Prospect Ter. *Kib* —1E **109**
Prospect Ter. *New B* —1B **156**
Prospect Ter. *N Shi* —1E **61**
Prospect Ter. *Shin* —3G **159**
Prospect Ter. *Spri* —3F **97**
Prospect Ter. *S'ley* —5H **119**
Prospect Vw. *W Rai* —3D **144**
Providence Pl. *Dur* —4H **153**
(nr. Dragon La.)
Providence Pl. *Dur* —5D **152**
(nr. Providence Row)
Providence Pl. *Gate* —2D **82**
Providence Row. *Dur* —5D **152**
Provident St. *Pelt* —3E **123**
Provident Ter. *Crag* —6H **121**
Provident Ter. *W'snd* —5G **57**
Provost Gdns. *Newc T* —5H **65**
Prudhoe Chare. *Newc T* —3F **67** (3D **4**)
Prudhoe Ct. *Newc T* —6A **40**
Prudhoe Gro. *Jar* —6E **71**
Prudhoe Pl. *Newc T* —3F **67** (3C **4**)
Prudhoe St. *Newc T* —3F **67** (3C **4**)
Prudhoe St. *N Shi* —2C **60**
Prudhoe St. *Sund* —6H **101**
Prudhoe Ter. *Tyn* —5F **47**
Pudding Chare. *Newc T* —4F **67** (5D **4**)
Pudsey Ct. *Dur* —1C **152**
Puffin Clo. *Bly* —4D **16**
Pullman Ct. *Gate* —6G **81**
Purbeck Clo. *N Shi* —3B **46**
Purbeck Gdns. *Cra* —2C **20**
Purbeck Rd. *Newc T* —1B **56**
Purley. *Wash* —3E **113**
Purley Clo. *W'snd* —3D **58**
Purley Gdns. *Newc T* —3B **54**
Purley Rd. *Sund* —5G **115**
Purley Sq. *Sund* —5G **115**
Putney Sq. *Sund* —3D **114**
Pykerley M. *Whit B* —1A **46**
Pykerley Rd. *Whit B* —6A **34**

Quadrant, The. *N Shi* —2A **60**
Quadrant, The. *Sund* —6F **103**
Quaking Houses. —6B 120
Quality Row. *Newc T* —4A **68**
Quality Row Rd. *Swa* —2E **79**
Quality St. *H Shin* —4H **159**
Quantock Av. *Ches S* —1A **132**
(in two parts)
Quantock Clo. *Newc T* —1A **56**
Quantock Clo. *N Shi* —3B **46**
Quantock Pl. *Pet* —1A **162**
Quarry Bank Ct. *Newc T* —4D **66**
Quarry Cotts. *Burr* —5C **30**
Quarry Cotts. *Din* —4F **27**
Quarry Cres. *Bear* —4C **150**
Quarryfield Rd. *Gate* —5H **67**
(in two parts)
Quarryheads La. *Dur* —1B **158**
Quarry Ho. Gdns. *E Rai* —1G **145**
(in two parts)
Quarry Ho. La. *Dur* —6H **151**
Quarry Ho. La. *E Rai* —1H **145**
Quarry La. *S Shi* —4A **74**
(in two parts)
Quarry Rd. *Heb* —4C **70**
Quarry Rd. *Newc T* —3A **64**
Quarry Rd. *S'ley* —2D **120**
Quarry Rd. *Sund* —2B **130**
(in two parts)
Quarry Row. *Gate* —2D **82**
Quarry St. *Sund* —2A **130**
Quay Rd. *Bly* —5D **10**
Quayside. —5G 67
Quayside. *Bly* —5D **10**
Quayside. *Newc T* —5G **67** (6F **5**)
(in three parts)
Quayside Ct. *Bly* —5D **10**
Quayside Ct. *N Shi* —2D **60**
Quayside Ho. *Newc T* —5G **5**
Quay, The. *Hett H* —2C **146**
Quay Vw. *W'snd* —5E **59**
Queen Alexandra Bri. *Sund* —5A **102**
Queen Alexandra Rd. *N Shi* —6B **46**
Queen Alexandra Rd. *S'hm* —5B **140**
Queen Alexandra Rd. *Sund* —3A **116**
Queen Alexandra Rd. W. *N Shi* —6A **46**
Queen Anne Ct. *Newc T* —2C **68**
*Queen Anne St. Newc T —2C **68***
(off Shields Rd.)
Queen Elizabeth Av. *Gate* —6B **82**
Queen Elizabeth Ct. *S Shi* —6B **72**
Queen Elizabeth Dri. *Eas L* —5F **147**
Queen's Av. *Dal D* —5F **139**
Queen's Av. *Sund* —6E **89**
Queensberry St. *Sund* —6B **102**
Queensbridge. *Newc T* —6H **41**
Queensbury Dri. *Newc T* —4G **51**
Queensbury Rd. *S'hm* —4G **139**
Queens Ct. *Gate* —2E **81**
Queens Ct. *Gos* —3E **41**
Queen's Ct. *Newc T* —3D **66** (3A **4**)
Queens Ct. *Walb* —6G **51**
Queen's Cres. *Heb* —5B **70**
Queen's Cres. *Sund* —2A **116**
Queen's Cres. *W'snd* —4G **57**
Queens Dri. *Sun* —3F **93**
Queens Dri. *Whi* —6G **79**
Queen's Dri. *Whit B* —6C **34**
Queens Gdns. *Ann* —2B **30**
Queen's Gdns. *Bly* —5A **10**
Queen's Gdns. *Newc T* —1D **56**
Queens Gro. *Dur* —2A **158**
*Queens Hall Bldgs. Sea D —6B **22***
(off Hayward Av.)
Queensland Av. *S Shi* —5B **72**
Queens La. *Newc T* —5G **67** (6D **4**)
Queensmere. *Ches S* —2C **124**
Queens Pde. *S'ley* —5F **119**
Queens Pde. *Sund* —6F **89**
Queens Pk. *Ches S* —1D **132**
Queens Rd. *Ann* —2B **30**
Queen's Rd. *Bed* —3D **8**
Queen's Rd. *Jes* —6G **55**
(in two parts)
Queens Rd. *Newc T* —4E **53**
Queens Rd. *Sea S* —3H **23**
Queen's Rd. *Sund* —4A **102**
Queens Rd. *Walb* —6G **51**
Queen's Rd. *Whit B* —5B **34**
Queens Sq. *Newc T* —3F **67** (3D **4**)
Queen's Ter. *Newc T* —6H **55**
Queens Ter. *W'snd* —4H **57**
Queen St. *Bir* —3B **110**
Queen St. *Gate* —3E **81**
Queen St. *Gran V* —4C **122**
Queen St. *Hett H* —6C **136**
Queen St. *Newc T* —5G **67** (6F **5**)
Queen St. *N Shi* —1D **60**
Queen St. *Ryh* —1F **131**
Queen St. *S'hm* —4A **140**
Queen St. *S Shi* —4E **61**
Queen St. E. *Sund* —6E **103**
Queensway. *Fenh* —1H **65**
Queensway. *Gos* —4D **40**
Queensway. *Hou S* —4B **136**
Queensway. *N Shi* —5F **47**
Queensway. *Pon* —2D **36**
Queensway. *Wash* —3C **112**
Queensway N. *Team T* —4E **81**
Queensway S. *Team T* —1F **95**
Queen Victoria Rd. *Newc T* —3F **67** (2C **4**)
Queen Victoria St. *Gate* —2F **83**
Quentin Av. *Newc T* —2H **53**
Que Sera. *Hett H* —2C **146**
Quigley Ter. *Bir* —1B **110**
Quinn Clo. *Pet* —2D **162**
Quinn's Ter. *Dur* —1A **158**
Quin Sq. *S Het* —6A **148**

Rabbit Banks Rd. *Gate* —6F **67**
Raby Clo. *Bed* —4F **7**
Raby Clo. *Hou S* —2E **135**
Raby Cres. *Newc T* —3C **68**
Raby Dri. *Sund* —2E **129**
Raby Gdns. *Burn* —1E **105**
Raby Gdns. *Jar* —5F **71**
Raby Ga. *Newc T* —3C **68**
Raby Rd. *Dur* —6C **142**
Raby Rd. *Wash* —2F **111**
Raby St. *Gate* —3H **81**
Raby St. *Newc T* —3B **68**
(in two parts)
Raby St. *Sund* —1B **116**
Raby Wlk. *Newc T* —3C **68**
Raby Way. *Newc T* —3C **68**
Rachel Clo. *Sund* —2C **130**
Rackley Way. *Sund* —3F **89**
(in two parts)
Radcliffe Pl. *Newc T* —5H **53**
Radcliffe Rd. *Sund* —3G **101**
Radcliffe St. *Bir* —4C **110**
Radlett Rd. *Sund* —3F **101**
Radnor Gdns. *W'snd* —4E **59**
Radnor St. *Newc T* —3G **67** (2F **5**)
Radstock Pl. *Newc T* —6C **42**
Rae Av. *W'snd* —3H **57**
Raeburn Av. *Wash* —3C **112**
Raeburn Gdns. *Gate* —4B **82**
Raeburn Rd. *S Shi* —1F **87**
Raeburn Rd. *Sund* —2E **101**
Raey Ct. *Ches S* —1C **132**
Raglan. *Wash* —2G **111**
Raglan Av. *Sund* —4E **117**
Raglan Pl. *Burn* —6H **91**
Raglan Row. *Hou S* —4G **127**
Raglan St. *Jar* —2G **71**
Railton Gdns. *Gate* —5B **82**
Railway Clo. *Sher* —6C **154**
Railway Cotts. *Beb* —5E **9**
Railway Cotts. *Bir* —3B **110**
Railway Cotts. *Ches S* —4A **124**
Railway Cotts. *C Moor* —6H **151**
Railway Cotts. *Dub* —3D **134**
Railway Cotts. *Pen* —1E **127**
Railway Cotts. *Shir* —2B **44**
Railway Cotts. *Sund* —1C **114**
Railway Gdns. *S'ley* —5F **119**
Railway Row. *Sund* —1B **116**
Railway St. *Ann P* —6G **119**
Railway St. *Gate* —1B **80**
Railway St. *Gras* —1H **135**
Railway St. *Heb* —2D **70**
Railway St. *Hett H* —1C **146**
Railway St. *Jar* —2F **71**
Railway St. *Newc T* —6D **66** (6B **4**)
Railway St. *N Shi* —2C **60**
Railway St. *Sund* —1F **117**
(SR1)
Railway St. *Sund* —6H **101**
(SR4)
Railway Ter. *Bly* —6B **10**
Railway Ter. *Hett H* —6C **136**
Railway Ter. *Newc T* —6D **66**
Railway Ter. *N Her* —3H **127**
Railway Ter. *N Shi* —2C **60**
Railway Ter. *Pen* —1E **127**
Railway Ter. *S New* —5A **16**
Railway Ter. *W'snd* —6B **58**
Railway Ter. *Wash* —3D **112**
Railway Ter. N. *N Her* —2H **127**
Raine Gro. *Sund* —1E **117**
Rainford Av. *Sund* —4E **117**
Rainhill Clo. *Ste I* —4D **98**
Rainhill Rd. *Wash* —4C **98**
Rainton Bank. *Hou S* —5B **136**
Rainton Bri. N. Ind. Est. *Hou S* —4F **135**
Rainton Bri. S. Ind. Est. *Hou S* —5F **135**
Rainton Clo. *Gate* —5A **84**
Rainton Gate. —4D 144
Rainton Gro. *Hou S* —5A **136**
Rainton St. *Hou S* —1F **127**
Rainton St. *S'hm* —5B **140**
Rainton St. *Sund* —1A **116**
Rainton Vw. *W Rai* —3D **144**
Rake La. *N Shi* —4G **45**
Raleigh Clo. *S Shi* —1D **72**
Raleigh Rd. *Sund* —3F **101**
Raleigh Sq. *Sund* —3F **101**
Ralph Av. *Sund* —1E **131**
Ralph St. *Heb* —2D **70**
Ramilies. *Sund* —3D **130**
Ramillies Rd. *Sund* —2E **101**
Ramillies Sq. *Sund* —2E **101**
Ramparts, The. *Newc T* —1C **64**
Ramsay Sq. *Sund* —2G **101**
Ramsay St. *Bla T* —2H **77**
Ramsay St. *H Spen* —6A **76**
Ramsey Clo. *Dur* —5G **153**
Ramsey Clo. *Pet* —5D **160**
Ramsey St. *Ches S* —1C **132**
Ramsgate Rd. *Sund* —2G **101**
Ramside Vw. *Dur* —2B **154**
Randolph St. *Jar* —2G **71**
Range Vs. *Sund* —2F **89**
Rangoon Rd. *Sund* —2E **101**
Ranksborough St. *S'hm* —3H **139**
Ranmere Rd. *Newc T* —4F **65**
Ranmore Clo. *Cra* —2B **20**
Rannoch Av. *Ches S* —2B **132**
Rannoch Clo. *Wardl* —3H **83**
Rannoch Rd. *Sund* —2E **101**
Ransom Pl. *N Shi* —5G **45**
Ranson Cres. *S Shi* —4B **72**
Ranson St. *Sund* —3B **116**
Raphael Av. *S Shi* —6E **73**
Rathmore Gdns. *N Shi* —6C **46**
Ratho Ct. *Gate* —5E **83**
Ravel Ct. *Jar* —3G **71**
Ravenburn Gdns. *Newc T* —3D **64**
Ravenna Rd. *Sund* —2D **100**
Ravensbourne Av. *E Bol* —3F **87**
Ravensburn Wlk. *Newc T* —5C **50**
Ravenscar Clo. *Whi* —6C **78**
*Ravenscleugh Ct. Newc T —5C **68***
(off Harbottle Ct.)
*Ravenscourt Pl. Gate —2F **81***
(off Airey Ter.)
Ravenscourt Rd. *Sund* —2E **101**
Ravensdale Cres. *Gate* —5A **82**
Ravensdale Gro. *Bly* —6G **9**
Ravenshill Rd. *Newc T* —6B **52**
Ravenside Rd. *Newc T* —1A **66**
Ravenstone. *Wash* —6H **97**
Ravenswood Clo. *Newc T* —5E **43**
Ravenswood Gdns. *Gate* —2H **95**
Ravenswood Rd. *Newc T* —6C **56**
Ravenswood Rd. *Sund* —2D **100**
Ravenswood Sq. *Sund* —2D **100**
Ravensworth. *Sund* —3C **130**
Ravensworth Av. *Gate* —3C **96**
Ravensworth Av. *Hou S* —2E **135**
Ravensworth Clo. *W'snd* —5D **58**
Ravensworth Ct. *Bed* —2D **8**
Ravensworth Ct. *Gate* —2C **80**
Ravensworth Ct. *Newc T* —6H **39**
Ravensworth Ct. *S Het* —5H **147**
Ravensworth Cres. *Burn* —5B **92**
Ravensworth Gdns. *Bir* —2B **110**
Ravensworth Pk. Est. *Gate* —1B **94**
Ravensworth Rd. *Bir* —2B **110**
Ravensworth Rd. *Gate* —3C **80**
Ravensworth St. *Bed* —2D **8**
Ravensworth St. *Sund* —6B **102**
Ravensworth St. *W'snd* —5D **58**
Ravensworth Ter. *Bed* —2D **8**
Ravensworth Ter. *Bir* —3C **110**
Ravensworth Ter. *Dun* —3C **80**
Ravensworth Ter. *Dur* —5D **152**
Ravensworth Ter. *Jar* —6F **71**
Ravensworth Ter. *Newc T* —4D **66** (5A **4**)
Ravensworth Ter. *S Shi* —1E **73**
Ravensworth Ter. *Sun* —3F **93**
Ravensworth Vw. *Gate* —1C **80**
Ravensworth Vs. *Gate* —3C **96**
Raven Ter. *Bir* —2C **110**
Ravine Ter. *Sund* —2F **103**
(in two parts)
Rawdon Ct. *W'snd* —6H **57**
Rawdon Rd. *Sund* —2G **101**
Rawling Rd. *Gate* —3F **81**
Rawlston Way. *Newc T* —4G **53**
Rawmarsh Rd. *Sund* —2E **101**
Raydale. *Sund* —2G **101**
Raydale Av. *Wash* —5H **97**
Raylees Gdns. *Gate* —4C **80**
Rayleigh Dri. *Wide* —4D **28**
Rayleigh Gro. *Gate* —3F **81**
Raynham Clo. *Cra* —6H **19**
Raynham Ct. *S Shi* —6E **61**
Readhead Av. *S Shi* —6G **61**
Readhead Dri. *Newc T* —5F **69**
Readhead Rd. *S Shi* —1G **73**
Reading Rd. *S Shi* —2F **73**
Reading Rd. *Sund* —2F **101**
Reading Sq. *Sund* —2E **101**
Reasby Gdns. *Ryton* —4B **62**
Reasby Vs. *Ryton* —4B **62**
Reavley Av. *Bed* —2E **9**
Reay Cres. *Bol C* —3D **86**
Reay Gdns. *Newc T* —4E **53**
Reay Pl. *Newc T* —2C **54**
Reay Pl. *S Shi* —4D **72**
Reay St. *Gate* —1H **83**
Rectory Av. *Newc T* —3F **55**
Rectory Bank. *W Bol* —4C **86**
Rectory Cotts. *Ryton* —3C **62**
Rectory Ct. *Whi* —4F **79**
Rectory Dri. *Newc T* —3G **55**
Rectory Grn. *W Bol* —4B **86**
Rectory Gro. *Newc T* —2F **55**
Rectory La. *Bla T* —2H **77**
Rectory La. *Whi* —5F **79**
Rectory Pl. *Gate* —2F **81**
Rectory Rd. *Fel* —4C **82**
Rectory Rd. *Gate* —2F **81**
Rectory Rd. *Hett H* —2C **146**
Rectory Rd. *Newc T* —4F **55**
Rectory Rd. E. *Gate* —4D **82**
(in two parts)
Rectory Ter. *Newc T* —3G **55**
Rectory Ter. *W Bol* —5B **86**

St John's W.—Seventh Av.

St John's W. Bed —2D 8
St Josephs Clo. Dur —5G 153
St Josephs Ct. Bir —2C 110
St Josephs Ct. Heb —6B 70
St Joseph's Way. Jar —2G 85
St Jude's Ter. S Shi —1E 73
St Julien Gdns. Newc T —4D 56
St Julien Gdns. W'snd —4F 59
St Just Pl. Newc T —3G 53
St Keverne Sq. Newc T —3G 53
St Kitt's Clo. Whit B —3B 34
St Lawrence. —4B 68
St Lawrence Clo. H Pitt —2G 155
St Lawrence Rd. H Pitt —2F 155
St Lawrence Rd. Newc T —4B 68
St Lawrence Sq. Newc T —4B 68
St Leonards. Dur —4B 152
St Leonards Clo. Pet —2B 162
St Leonard St. Sund —3E 117
St Lucia Clo. Sund —2E 117
St Lucia Clo. Whit B —3A 34
St Luke's Rd. N Shi —4H 59
St Luke's Rd. Sund —2D 114
St Luke's Ter. Sund —6H 101
St Margarets Av. Newc T —1D 56
St Margarets Av. Sund —4C 100
St Margarets Ct. Dur —6B 152
St Margaret's Ct. Sund —4C 100
St Margaret's Ct. Whit B —1E 47
(off Margaret Rd.)
St Margaret's Dri. Tan —4B 106
St Margarets Gth. Dur —6B 152
St Margaret's Rd. Newc T —5E 65
St Mark's Clo. Newc T —2C 68
St Mark's Ct. N Shi —5H 59
St Mark's Ct. Shir —2C 44
St Marks Cres. Sund —1B 116
St Mark's Rd. Sund —1A 116
St Mark's St. Newc T —2C 68
St Mark's St. Sund —1B 116
St Mark's Ter. Sund —1B 116
St Mark's Way. S Shi —6E 61
St Martin's Clo. Whit B —4A 34
St Martin's Ct. Whit B —4A 34
St Martin's Way. Whit B —4A 34
St Mary Magdalene Hospital. Newc T —1D 66
St Mary's Av. S Shi —3H 73
St Mary's Av. Whit B —4B 34
(in two parts)
St Marys Clo. Ches S —2B 132
St Mary's Clo. Pet —2A 160
(in two parts)
St Mary's Clo. Shin —3F 159
St Mary's Ct. Gate —1H 81
St Mary's Dri. Bly —2H 15
St Mary's Dri. Sher —6D 154
St Mary's Dri. W Rai —3E 145
St Mary's Pl. Newc T —3F 67 (2D 4)
St Mary's Pl. Thro —5E 51
St Mary's Pl. E. Newc T —2D 4
St Mary's Rd. Dur —3A 154
St Mary's Ter. E Bol —4G 87
St Mary's Ter. Gate —3F 83
St Mary's Ter. Ryton —4B 62
St Mary's Ter. S Shi —2D 72
(nr. Dean Rd.)
St Mary's Ter. S Shi —2E 73
(off Wharfedale Dri.)
St Mary's Vw. Whit B —5D 34
(off Brook St.)
St Mary's Way. Sund —6C 102
St Matthew's Ter. Hou S —5H 127
St Matthew's Vw. Sund —2A 130
St Michael's. Hou S —3F 135
St Michael's Av. N Har —3B 22
St Michaels Av. S Shi —6F 61
St Michaels Av. N. S Shi —6F 61
St Michael's Mt. Newc T —3A 68
St Michael's Rd. Newc T —4B 68
St Michael's Way. Gate —1F 79
St Michael's Way. Sund —6C 102
St Monica Gro. Dur —6A 152
St Nicholas Av. Gos —3E 55
(in two parts)
St Nicholas Av. Sund —4B 116
St Nicholas Bldgs. Newc T —5F 67 (6D 4)
St Nicholas Churchyard. Newc T —4F 67 (5D 4)
St Nicholas Dri. Dur —3H 151
St Nicholas Nature Reserve. —2C 54
St Nicholas Precinct. Newc T —5D 4
St Nicholas Rd. W Bol —4C 86
St Nicholas Sq. Newc T —4F 67 (5D 4)
St Nicholas St. Newc T —5F 67 (6D 4)
St Nicholas Ter. Pet —1D 160
St Nicholas Vw. W Bol —4C 86
St Omers Rd. Dun —1B 80
St Oswald's Av. Newc T —2E 69
St Oswald's Ct. Gate —3D 82
St Oswald's Dri. Dur —4A 158
St Oswald's Grn. Newc T —2E 69
St Oswald Sq. Dur —5A 142
St Oswald's Rd. Heb —2D 70
St Oswald's Rd. W'snd —3B 58
St Oswald's Ter. Hou S —3F 127
St Oswin's Av. N Shi —2E 47
St Oswin's Pl. N Shi —5F 47
St Oswin's St. S Shi —2F 73
St Patricks Clo. Gate —3E 83
St Patricks Gth. Sund —6E 103
St Patrick's Ter. Sund —3F 131
St Patrick's Wlk. Gate —3D 82
St Paul's Ct. Gate —2E 81
St Pauls Dri. Hou S —1C 126
St Paul's Gdns. Whit B —1C 46
St Paul's Monastery. —2H 71
St Pauls Pl. Newc T —4C 66
St Paul's Rd. Jar —2G 71
St Paul's Ter. Sund —3F 131
St Paul's Ter. W Pel —3C 122
St Peter's. —5C 68
St Peters Av. S Shi —3G 73
St Peters Basin Marina. Newc T —5C 68
St Peters' Church & Visitor Centre. —5E 103
St Peters Ct. W'snd —5C 58
St Peter's Rd. Newc T —5C 68
St Peter's Rd. W'snd —4B 58
St Peter's Stairs. N Shi —3D 60
St Peter's Vw. Sund —5D 102
St Peters Way. Sund —5E 103
St Peters Wharf. Newc T —5C 68
St Philips Clo. Newc T —4D 66
St Philips Way. Newc T —4D 66
St Rollox St. Heb —4B 70
St Ronan's Dri. Sea S —2F 23
St Ronan's Rd. Whit B —1B 46
St Ronans Vw. Gate —3A 96
St Simon St. S Shi —5C 72
St Stephen's Clo. Sea D —6H 21
St Stephens Way. N Shi —5H 59
St Stevens Clo. Hou S —1C 126
St Thomas Clo. Pet —2A 160
St Thomas Cres. Newc T —3F 67 (2C 4)
St Thomas Sq. Newc T —3F 67 (2C 4)
St Thomas St. Gate —6A 82
St Thomas' St. Newc T —3F 67 (2C 4)
St Thomas St. Sund —6D 102
St Thomas' Ter. Newc T —2C 4
St Vincent Ct. Gate —2A 82
St Vincent Ho. N Shi —6F 47
St Vincent's Clo. Newc T —1C 64
St Vincents Pl. Whit B —3B 34
St Vincent St. Gate —2A 82
St Vincent St. S Shi —6G 61
St Vincent St. Sund —2E 117
St Vincent's Way. Whit B —3B 34
Saker Pl. W'snd —6H 57
(off Elton St.)
Salcombe Av. Jar —4H 71
Salcombe Clo. Dal D —5G 139
Salcombe Gdns. Gate —3H 95
Salem Hill. Sund —2E 117
Salem Rd. Sund —2E 117
Salem St. Jar —2G 71
Salem St. S Shi —4E 61
Salem St. Sund —2E 117
Salem St. S. Sund —2E 117
Salem Ter. Sund —2E 117
Salisbury Av. Ches S —1C 132
Salisbury Av. N Shi —6B 46
Salisbury Clo. Cra —3G 19
Salisbury Clo. Gt Lum —5G 133
Salisbury Gdns. Newc T —1A 68
Salisbury Pl. S Shi —4G 61
Salisbury Rd. Dur —5E 143
Salisbury St. Bly —5B 10
Salisbury St. Gate —2G 83
Salisbury St. S Hyl —6C 100
Salisbury St. S Shi —5F 61
Salisbury St. S'ley —4B 120
Salisbury St. Sund —1E 117
Salisbury Way. Jar —2F 85
Salkeld Gdns. Gate —3A 82
Salkeld Rd. Gate —5A 82
Sallyport Cres. Newc T —4G 67 (5F 5)
Salmon St. S Shi —3F 61
Saltburn Clo. Hou S —2G 135
Saltburn Gdns. W'snd —4F 59
Saltburn Rd. Sund —4G 115
Saltburn Sq. Sund —4G 115
Salterfen La. Sund —1G 131
Salterfen Rd. Sund —1G 131
Salter La. Sund —1D 128
(SR3)
Salter La. Sund —5E 115
(SR4)
Salters Clo. Newc T —1G 55
Salters Ct. Newc T —1G 55
Salter's La. Hou S & Sea —2G 137
(in two parts)
Salters' La. Newc T —1H 55
(in two parts)
Salter's La. S Het —6G 147
(in two parts)
Salters La. Ind. Est. Newc T —4A 42
Salters Rd. Newc T —3C 54
Saltford. Gate —3A 96
Saltmeadows. —5A 68
Saltmeadows Rd. Gate —5A 68
Saltwell Park. —4G 81
Saltwell Pl. Gate —3F 81
Saltwell Rd. Gate —3F 81
Saltwell Rd. S. Gate —6G 81
Saltwell St. Gate —3F 81
Saltwell Vw. Gate —4G 81
Sams Ct. Dud —3H 29
Samson Clo. Newc T —3C 42
Sancroft Dri. Hou S —4A 136
Sandalwood. S Shi —6F 73
Sandalwood Sq. Sund —5C 114
Sandalwood Wlk. S'ley —2E 121
Sandbach. Gt Lum —3G 133
Sanderling Clo. Ryton —5E 63
Sanderlings, The. Sund —3G 131
Sanders Gdns. Bir —2C 110
Sanders Memorial Homes. Ches S —6C 124
Sanderson Rd. Newc T —5G 55
Sanderson Rd. Whit B —6B 34
Sanderson St. Els —6B 66
Sanderson Ter. Cra —6C 20
Sanderson Yd. Newc T —3C 68
Sandfield Rd. E Sle —1H 9
Sandfield Rd. N Shi —2D 46
Sandford Av. Cra —6B 14
Sandford M. Wide —6C 28
Sandgate. Newc T —4H 67 (5G 5)
Sandgate. New K —5H 119
Sandgate Ho. Newc T —4H 67 (5G 5)
Sandgrove. Sund —2A 88
Sandhill. Newc T —5G 67 (6E 5)
Sandhoe Gdns. Newc T —4F 65
Sandhoe Ter. Newc T —5C 68
Sandholm Clo. W'snd —2D 58
Sandhurst Av. N Shi —3D 46
Sandiacres. Jar —2G 85
Sandison Ct. Bru V —5B 28
Sandmere Pl. Newc T —3E 65
Sandmere Rd. Lee I —6D 116
Sandon Clo. Back —6A 32
Sandown. Whit B —6H 33
Sandown Clo. Sea D —1B 32
Sandown Ct. W'snd —3E 59
Sandown Gdns. Gate —3E 81
Sandown Gdns. Sund —1H 129
Sandown Gdns. W'snd —3D 58
Sandpiper Clo. Bly —3D 16
Sandpiper Clo. Ryton —5D 62
Sandpiper Clo. Wash —5F 111
Sandpiper Ct. N Shi —5F 47
Sandpiper Pl. Newc T —6A 42
Sand Point Rd. Sund —4E 103
Sandray Clo. Bir —6D 110
Sandrigg Sq. S Shi —4G 73
Sandringham Av. Newc T —1C 56
Sandringham Clo. Whit B —1F 45
Sandringham Ct. Fel —3C 82
Sandringham Ct. Newc T —1A 56
Sandringham Cres. Pet —1H 163
Sandringham Cres. Sund —3E 129
Sandringham Dri. Bly —4A 16
Sandringham Dri. S'ley —4F 119
Sandringham Dri. Whi —4E 79
Sandringham Dri. Whit B —1F 45
Sandringham Gdns. N Shi —6C 46
Sandringham M. W'snd —3D 58
Sandringham Rd. E Den —1C 64
Sandringham Rd. Gos —3G 55
Sandringham Rd. Sund —3D 102
Sandringham Ter. Sund —3E 103
Sandringham Way. Pon —1C 36
Sandsay Clo. Ryh —1D 130
Sands Flats, The. Dur —5D 152
Sands Ind. Est., The. Swa —2E 79
Sands Rd. Swa —2E 79
Sandstone Clo. S Shi —6B 72
Sand St. S'ley —2E 121
Sandwell Dri. Hou S —1D 126
Sandwich Rd. N Shi —4B 46
Sandwich St. Newc T —6F 69
Sandy Chare. Sund —3E 89
Sandy Cres. Newc T —5E 69
Sandyford. Pelt —2F 123
Sandyford Ho. Newc T —1F 5
Sandyford Pk. Newc T —1H 67
Sandyford Pl. Pelt —2G 123
Sandyford Rd. Newc T —3G 67 (2E 5)
Sandygate M. Mar H —4F 93
Sandy La. Din —5G 27
Sandy La. Gate —4D 96
Sandy La. Newc T —1G 41
Sandy La. N Gos —1E 41
Sandypath La. Burn —6G 91
(in two parts)
Sans St. Sund —6E 103
Sans St. S. Sund —1E 117
Sargent Av. S Shi —1F 87
Satley Gdns. Gate —3C 96
Satley Gdns. Sund —5B 116
Saturn Clo. Eas —1C 160
Saturn St. S'hm —4G 139
Saunton Ct. Hou S —6G 127
Saville Ct. S Shi —4F 61
(off Saville St.)
Saville Pl. Newc T —3E 5
Saville Pl. Sund —1E 117
Saville Row. Newc T —3F 67 (3D 4)
Saville St. N Shi —2D 60
Saville St. S Shi —4F 61
Saville St. W. N Shi —2C 60
Savory Rd. W'snd —4D 58
Saw Mill Cotts. Dip —5E 105
Sawmills La. B'don —5C 156
Saxilby Dri. Newc T —5F 41
Saxon Clo. Cle —2G 87
Saxon Cres. Sund —4H 115
Saxondale Rd. Newc T —2A 54
Saxon Dri. N Shi —4E 47
Saxon Way. Jar —1G 71
Saxton Gro. Newc T —3A 56
Sayer Wlk. Pet —2E 163
Scafell. Bir —6D 110
Scafell Clo. Pet —1E 163
Scafell Ct. S'ley —6E 119
Scafell Ct. Sund —3H 129
Scafell Dri. Newc T —4H 53
Scafell Gdns. Gate —5C 80
Scalby Clo. Newc T —5F 41
Scarborough Ct. Cra —4B 20
Scarborough Ct. Newc T —3D 68
Scarborough Pde. Heb —1E 85
Scarborough Rd. Newc T —3D 68
(in two parts)
Scarborough Rd. Sund —1H 129
Scarborough Ter. Ches S —1D 132
Scardale Way. Dur —3C 154
Sceptre Ct. Newc T —5C 66
Sceptre Pl. Newc T —4C 66
(in two parts)
Sceptre St. Newc T —4C 66
Schalksmuhle Rd. Bed —4H 7
Schimel St. Sund —3B 102
School App. S Shi —3A 74
School Av. Gate —3B 80
School Av. W Rai —4D 144
School Clo. Gate —5D 82
School Ct. Sher —6D 154
(off Hallgarth St.)
Schoolhouse La. Mar H —5C 92
School La. Dur —1D 158
School La. H Spen —2A 90
School La. S'ley —4B 120
School La. Whi —4G 79
School Rd. Bed —2D 8
School Rd. E Rai —1G 145
School St. Bir —3C 110
School St. Gate —1F 81
School St. Heb —2C 70
School St. Pet —1E 161
School St. S'hm —6B 140
School St. Whi —4E 79
School Ter. Hou S —2C 134
School Ter. S'ley —4B 120
School Vw. Eas L —5F 147
School Vw. W Rai —4D 144
Scorer's La. Gt Lum —2H 133
Scorer St. N Shi —2B 60
Scotby Gdns. Gate —2B 96
Scotland Ct. Bla T —2G 77
Scotland Gate. —1H 7
Scotland Head. Bla T —4G 77
Scotland St. Sund —3G 131
Scotswood. —4E 65
Scotswood Rd. Newc T —3B 64 (6B 4)
(in two parts)
Scotswood Sta. App. Newc T —5E 65
Scotswood Vw. Gate —6F 65
Scott Av. Nel V —1H 19
Scott Ct. Gt Lum —4G 133
Scott Ct. S Shi —6C 72
Scotts Bank. Sund —4A 102
Scotts Cotts. Dur —5H 151
Scotts Ct. Gate —5H 83
Scott's Ter. Hett H —1C 146
Scott St. H'fd —4B 14
Scott St. Hou S —3H 135
Scott St. S'ley —3C 120
Scripton Gill. B'don —5C 156
Scripton Gill Rd. B'don —6B 156
Scrogg Rd. Newc T —2E 69
Scruton Av. Sund —5G 115
Sea Banks. N Shi —5G 47
Sea Beach Rd. Sund —4G 117
Seaburn. —1E 103
Seaburn Av. N Har —3B 22
Seaburn Clo. Sund —1E 103
Seaburn Ct. Sund —1E 103
Seaburn Dri. Hou S —3G 135
Seaburn Gdns. Gate —2D 96
Seaburn Gdns. Sund —1E 103
Seaburn Gro. Sea S —3G 23
Seaburn Hill. Sund —1E 103
Seaburn Ter. Sund —1F 103
Seaburn Vw. N Har —3B 22
Seacombe Av. N Shi —2E 47
Seacrest Av. N Shi —2D 46
Seafield Rd. Bly —2C 16
Seafields. Sund —6E 89
Seafield Ter. S Shi —4F 61
Seafield Vw. N Shi —5F 47
Seaforth Rd. Sund —4A 116
Seaforth St. Bly —5C 10
Seaham. —4B 140
Seaham Clo. S Shi —3B 74
Seaham Gdns. Gate —3C 96
Seaham Grange Ind. Est. S'hm —1F 139
Seaham Rd. Hou S —3B 136
Seaham Rd. Sund —3G 131
Seaham St. S'hm —6C 140
Seaham St. Sund —2A 130
Sea La. Sund —1E 103
(nr. Chichester Rd.)
Sea La. Sund —4F 89
(nr. Whitburn Bents Rd.)
Sea Life Centre. —2F 47
Sea Rd. S Shi —3G 61
Sea Rd. Sund —1D 102
Seascale Pl. Gate —1B 96
Seaside La. Eas —1B 160
Seaside La. S. Pet —1E 161
Seatoller Ct. Sund —3H 129
Seaton. —4D 22
(nr. Seaton Delaval)
Seaton. —3D 138
(nr. Westlea)
Seaton Av. Ann —2B 30
Seaton Av. Bed —4B 8
Seaton Av. Bly —3A 16
Seaton Av. Hou S —3B 136
Seaton Burn. —3D 28
Seaton Clo. Gate —5H 83
Seaton Cres. H'wll —1D 32
Seaton Cres. Monk —6A 34
Seaton Cres. S'hm —2E 139
Seaton Cft. Ann —3C 30
Seaton Delaval. —6A 22
Seaton Delaval Hall. —3E 23
Seaton Gdns. Gate —2C 96
Seaton Gro. S'hm —3D 138
Seaton Holme. —1A 160
Seaton La. Sea —2D 138
Seaton Pk. S'hm —3F 139
Seaton Pl. Newc T —6E 69
Seaton Pl. Wide —6C 28
Seaton Rd. Shir —1E 45
Seaton Rd. Sund —4F 115
Seaton Sluice. —3H 23
Seaton Terrace. —6B 22
Seatonville Cres. Whit B —2A 46
Seatonville Gro. Whit B —2A 46
Seatonville Rd. Whit B —1H 45
Sea Vw. Eas —2B 160
Sea Vw. Ryh —3G 131
Sea Vw. E. Sund —5F 117
Sea Vw. Gdns. H'dn —5G 161
Sea Vw. Gdns. Sund —2E 103
Sea Vw. Ind. Est. Pet —4G 161
Sea Vw. Pk. Cra —3D 20
Sea Vw. Pk. Sund —3D 88
Sea Vw. Rd. Sund —5E 117
Sea Vw. Rd. W. Sund —5D 116
Sea Vw. St. Sund —5F 117
Seaview Ter. S Shi —4G 61
Seaview Vs. Cra —3D 20
Sea Vw. Wlk. Mur —1E 149
Sea Way. S Shi —4G 61
Second Av. Bly —1B 16
Second Av. Ches S —1B 124
(nr. Drum Rd.)
Second Av. Ches S —1B 132
(nr. Waldridge Rd.)
Second Av. Newc T —1C 68
Second Av. Team T —5D 80
Second Av. Tyn T —3F 59
Second St. Gate —2F 81
Secretan Way. S Shi —5E 61
Sedbergh Rd. N Shi —3C 46
Sedgefield Ct. Kil —2D 42
Sedgeletch. —1F 135
Sedgeletch Ind. Est. Fenc —1E 135
Sedgeletch Rd. Fenc —2E 135
Sedgemoor. Newc T —1D 42
Sedgemoor Av. Newc T —5E 65
Sedgewick Pl. Gate —2G 81
Sedley Rd. W'snd —6H 57
Sedling Rd. Wash —5H 111
Sefton Av. Newc T —6C 56
Sefton Ct. Cra —6C 14
Sefton Sq. Sund —4G 115
Segedunum Roman Fort. (site of) —1A 70
Segedunum Way. W'snd —6H 57
Seghill. —2G 31
Seghill Ind. Est. Seg —1F 31
Seine Ct. Jar —3G 71
Selborne Av. Gate —1G 95
Selborne Gdns. Newc T —1A 68
Selbourne Clo. Cra —3G 19
Selbourne St. S Shi —5F 61
Selbourne St. Sund —4E 103
(in two parts)
Selbourne Ter. Camb —2B 10
Selby Clo. Cra —6B 14
Selby Ct. Jar —2F 71
Selby Ct. Newc T —5F 69
Selby Gdns. Newc T —1F 69
Selby Gdns. W'snd —4H 57
Selby Sq. Sund —4G 115
Selina Pl. Sund —4E 103
Selkirk Cres. Bir —1C 110
Selkirk Gro. Cra —6C 14
Selkirk Sq. Sund —4F 115
Selkirk St. Jar —6A 72
Selkirk Way. N Shi —5G 45
Selsdon Av. Sund —5C 114
Selsey Ct. Gate —5E 83
Selwood Ct. S Shi —4H 73
Selwyn Av. Whit B —2H 45
Selwyn Clo. Newc T —4H 53
Serlby Clo. Wash —4A 98
Seton Av. S Shi —5B 72
Seton Wlk. S Shi —5B 72
Setting Stones. Wash —1G 125
Settlingstone Clo. Newc T —4D 56
Sevenacres. Gt Lum —3H 133
Sevenoaks Dri. Sund —4C 114
Seventh Av. Bly —1B 16
(in two parts)
Seventh Av. Ches S —6B 124
Seventh Av. Newc T —2C 68
Seventh Av. Team T —1F 95

Southlands—Stockton Ter.

Southlands. Jar —2H 85
Southlands. Newc T —5A 56
Southlands. N Shi —5D 46
Southlands. Sund —3F 131
South La. E Bol —4E 87
South Lea. Bla T —2A 78
S. Leam Farm. Gate —1G 97
South Leigh. Tan L —6B 106
Southleigh. Whit B —6D 34
S. Lodge Wood. Hep —1A 6
S. Market St. Hett H —1D 146
Southmayne Rd. Sund —3F 115
Southmead Av. Newc T —6F 53
S. Meadows. Dip —1D 118
South Moor. —5B 120
Southmoor Rd. Newc T —2F 69
South Moor Rd. S'ley —5C 120
S. Nelson Ind. Est. Cra —1G 19
S. Nelson Rd. Cra —1G 19
South Newsham. —4B 16
South Newsham Nature Reserve. —4A 16
S. Newsham Rd. Bly —4A 16
South Pde. Gate —1H 83
South Pde. N Shi —5A 60
South Pde. Whit B —6D 34
South Pelaw. —4B 124
Southport Pde. Heb —6E 71
S. Preston Gro. N Shi —2C 60
S. Preston Ter. N Shi —2C 60
(off Albion Rd. W.)
S. Promenade. S Shi —4H 61
S. Railway St. S'hm —4B 140
South Ridge. Newc T —5D 40
South Riggs. Bed —5H 7
South Rd. Dur —5B 158
South Row. Gate —5A 68
S. Sherburn. Row G —4D 90
South Shields. —4E 61
South Shields Museum & Art Gallery. —4F 61
S. Shore Rd. Gate —5H 67 (6G 5)
(in three parts)
South Side. Pet —2B 160
South Stanley. —5C 120
South St. Ches S —5B 124
South St. Dur —6C 152
South St. E Rai —1G 145
South St. Fenc —3E 135
South St. Gate —2H 81
(in two parts)
South St. Gos —2C 54
South St. Heb —2D 70
South St. H Spen —1A 90
South St. Nbtle —6H 127
South St. Newc T —5F 67 (6C 4)
South St. Sher —6E 155
South St. Shir —1D 44
South St. Sund —6C 102
(in two parts)
South St. W Rai —3E 145
Southstreet Banks. Dur —1C 158
South Ter. Dur —2A 152
South Ter. Hep —1B 6
South Ter. Mur —3D 148
(off E. Coronation St.)
South Ter. Pet —6F 161
South Ter. S'hm —4C 140
South Ter. Sund —4B 102
South Ter. W'snd —5C 58
South Thorn. S'ley —2D 120
South Vw. Ann P —6G 119
South Vw. Ann —2B 30
South Vw. Bear —4D 150
South Vw. Bir —3D 110
South Vw. Cas E —6B 162
South Vw. Ches S —2A 142
South Vw. Crag —6F 121
South Vw. Dur —5F 153
South Vw. Eas L —5F 147
South Vw. E Den —1C 64
South Vw. E Sle —2F 9
South Vw. Haz —1C 40
South Vw. H Spen —2A 90
South Vw. Jar —3E 71
South Vw. Mead —6E 157
South Vw. Mur —2D 148
South Vw. Newf —4E 123
South Vw. News —3A 16
South Vw. Pelt —2C 122
(nr. High Handenhold)
South Vw. Pelt —2G 123
(nr. Pelton)
South Vw. Ryton —5A 62
South Vw. S'hm —6F 139
South Vw. S Hill —6H 155
South Vw. Shin R —3F 127
South Vw. S Hyl —2C 114
South Vw. Sund —2D 102
South Vw. Tant —5H 105
South Vw. Ush M —5B 150
South Vw. Wash —6C 112
South Vw. Whit —6F 75
S. View E. Row G —3C 90
S. View Gdns. S'ley —6G 119
S. View Pl. Cra —3B 20
S. View Rd. Sund —2C 114
S. View Ter. Bear —4D 150
S. View Ter. Gate —3D 82
S. View Ter. Hou S —3F 135
S. View Ter. Swa —3F 79
S. View Ter. Whi —5F 79
S. View W. Newc T —3A 68
S. View W. Row G —3B 90
Southward. Sea S —4H 23
Southward Clo. Sea S —4H 23
Southward Way. H'wll —2C 32
Southway. Gate —5B 82
Southway. Newc T —2C 64
Southway. Pet —2C 162
South Wellfield. —1F 45
S. West Ind. Est. S West —1A 162
Southwick. —3B 102
Southwick Ind. Est. Sund —3G 101
Southwick Rd. Sund —3B 102
(in two parts)
Southwold Gdns. Sund —1H 129
(in two parts)
Southwold Pl. Cra —3G 19
S. Woodbine St. S Shi —5F 61
Southwood Cres. Row G —3F 91
Southwood Gdns. Newc T —3A 54
Sovereign Ct. Newc T —5C 66
Sovereign Ho. N Shi —6F 47
Sovereign Pl. Newc T —5C 66
Spanish City Bldgs. Whit B —5C 34
Spalding Clo. Newc T —3C 56
Sparkwell Clo. Hou S —5H 127
Spartylea. Wash —6D 112
Spa Well Clo. Bla T —3H 77
Spa Well Dri. Sund —3E 101
Spa Well Rd. Winl M —5B 78
Speculation Pl. Wash —5B 98
Speedway Stadium. —3D 68
Speedwell. Gate —6C 82
Spelter Works Rd. Sund —5F 117
Spen Burn. H Spen —2A 90
Spencer Clo. S'ley —3F 121
Spencer Ct. Bly —4H 9
Spencer Gro. Whi —3F 79
Spencer Rd. Bly —4H 9
Spencers Bank. Swa —2E 79
(off Market La.)
Spencers Entry. Newc T —5G 5
Spencer St. Heb —2D 70
Spencer St. Jar —1F 71
Spencer St. Newc T —1C 68
Spencer St. N Shi —2C 60
Spencer Ter. Newc T —6H 51
Spence Ter. N Shi —2B 60
Spenfield Rd. Newc T —4H 53
Spen La. G'sde —5A 76
Spen La. H Spen —1A 90
Spen Rd. H Spen —6A 76
Spenser Wlk. S Shi —6C 72
Spen St. S'ley —4C 120
Spinneyside Gdns. Gate —4B 80
Spinney Ter. Newc T —3F 69
Spinney, The. Ann —3C 30
Spinney, The. Kil V —3E 43
Spinney, The. Newc T —5B 56
Spinney, The. Pet —1A 160
Spinney, The. Wash —5B 112
Spire Hollin. Pet —1C 162
Spire Rd. Wash —1D 112
Spires La. Newc T —3C 68
Spital Ter. Newc T —2E 55
Spital Tongues. —2C 66
Split Crow Rd. Gate & Fel —3A 82
Spohr Ter. S Shi —6F 61
Spoors Cotts. Whi —5E 79
Spoor St. Gate —2B 80
Spout La. Wash —5B 98
(in three parts)
Springbank Rd. Newc T —2A 68
Springbank Rd. Sund —4F 115
Springbank Sq. Sund —4F 115
Spring Clo. Ann P —6G 119
Springfeld. Gate —1F 97
Springfell. Bir —4D 110
(in two parts)
Springfield. N Shi —1C 60
Springfield Av. Gate —4C 96
Springfield Cres. S'hm —5A 140
Springfield Gdns. Ches S —4C 124
Springfield Gdns. W'snd —3F 57
Springfield Gro. Whit B —2A 46
Springfield Pk. Dur —4A 152
Springfield Pk. For H —5D 42
Springfield Pl. Gate —5A 82
Springfield Rd. Bla T —1A 78
Springfield Rd. Hou S —6H 127
Springfield Rd. Newc T —6G 53
Springfield Ter. Fel —4C 82
Springfield Ter. Pelt F —4G 123
Springfield Ter. Pet —2F 161
Springfield Ter. Spri —4F 97
Spring Garden Clo. Sund —6E 103
Spring Garden La. Newc T —3D 66 (3A 4)
Spring Gdns. N Shi —2B 60
Springhill Gdns. Newc T —3H 65
Spring Pk. Bed —5A 8
Springs, The. Bir —4D 110
(in two parts)
Spring St. Newc T —3D 66 (3A 4)
Springsyde Clo. Whi —6C 78
Spring Ter. N Shi —1C 60
Spring Ville. E Sle —1F 9
Springwell. —4F 115
(nr. Pennywell)
Springwell. —4F 97
(nr. Usworth)
Springwell Av. Dur —4A 152
Springwell Av. Gate —2C 96
Springwell Av. Jar —3G 71
Springwell Av. Newc T —5E 69
Springwell Bldgs. Pet —6G 161
Springwell Clo. Bla T —2B 78
Springwell Estate. —1E 97
Springwell La. Gate —2E 97
Springwell Rd. Dur —4A 152
Springwell Rd. Gate —2C 96
Springwell Rd. Jar —4F 71
Springwell Rd. Spri —3F 97
Springwell Rd. Sund —3F 115
Springwell Ter. Gate —2E 97
Springwell Ter. Hett H —2C 146
Springwood. Heb —2A 70
Square Houses. Gate —4B 82
Square, The. Pres —6A 26
Square, The. Whi —4F 79
Squires Building. Newc T —1E 5
Squires Gdns. Gate —4D 82
Stack Gth. B'don —4E 157
Stadium Ind. Pk. Gate —6B 68
Stadium of Light. —5C 102
Stadium Rd. Gate —6B 68
Stadium Vs. W'snd —5A 58
Stadium Way. Sund —4C 102
Stadon Way. Hou S —5G 127
Stafford Gro. Ryh —3E 131
Stafford Gro. S'wck —3B 102
Stafford La. Whi —3F 89
Stafford Pl. Pet —6B 160
Staffordshire Dri. Dur —4B 154
Stafford St. Hett H —1B 146
Stafford St. Sund —5F 103
Stafford Vs. Gate —4F 97
Stagshaw. Kil —6C 30
Staindrop. Gate —6G 83
Staindrop Rd. Dur —1D 152
Staindrop Ter. S'ley —5F 119
Staines Rd. Newc T —5D 68
Stainmore Dri. Gt Lum —4H 133
Stainton Dri. Gate —3D 82
Stainton Gdns. Gate —3C 96
Stainton Gro. Sund —6C 88
Stainton Way. Pet —1C 162
Staithe Ho. Wash —4E 113
Staithes Av. Newc T —1C 56
Staithes Rd. Dun —1C 80
Staithes Rd. Pat I —4E 113
Staithes St. Newc T —3H 69
Staith La. Bla T —5G 63
Stakeford Rd. Bed —2C 8
Stalks Rd. Wide —5D 28
Stamford. Newc T —1D 42
Stamford Av. Sea D —1C 32
Stamford Av. Sund —4H 115
Stamfordham Av. N Shi —2H 59
Stamfordham Clo. W'snd —5G 57
Stamfordham M. Newc T —6H 53
Stamfordham Rd. Newc T —5A 36
Stampley Clo. Bla T —3G 77
Stamps La. Sund —6F 103
Standerton Ter. S'ley —6F 121
Standish St. S'ley —4B 120
Stanelaw Way. Tan L —6D 106
Staneway. Gate —6E 83
Stanfield Ct. Newc T —4E 57
Stanfield Gdns. Gate —3A 84
Stang Wlk. Newc T —6C 42
Stanhope. Wash —2F 111
Stanhope Chase. Pet —4D 162
Stanhope Clo. Dur —6D 142
Stanhope Clo. Hou S —4H 135
Stanhope Clo. Mead —5E 157
Stanhope Gdns. S'ley —5F 119
Stanhope Pde. S Shi —1F 73
Stanhope Rd. Jar —4H 71
Stanhope Rd. S Shi —3D 72
Stanhope Rd. Sund —1E 103
Stanhope St. Newc T —3C 66 (3A 4)
Stanhope St. S Shi —4E 61
Stanhope Way. Newc T —3D 66
Stanley. —2D 120
Stanley By-Pass. S'ley —4B 120
Stanley Clo. Sher —6D 154
Stanley Ct. S'ley —3E 121
Stanley Cres. Whit B —1D 46
(off Alma Pl.)
Stanley Gdns. Gate —3C 96
Stanley Gdns. Seg —2F 31
Stanley Gro. Bed —4B 8
Stanley Gro. Newc T —4A 56
Stanley St. Bly —5D 10
Stanley St. Hou S —2A 136
Stanley St. Jar —2G 71
Stanley St. Newc T —5B 66
Stanley St. N Shi —2C 60
Stanley St. S'hm —3H 139
Stanley St. S Shi —4D 72
Stanley St. Sund —4D 100
Stanley St. W'snd —4D 58
Stanley St. W. N Shi —2C 60
Stanley Ter. Ches S —1D 132
Stanley Ter. Hou S —3F 127
Stanmore Rd. Newc T —6C 56
Stannington Av. Newc T —2B 68
Stannington Gdns. Sund —5C 116
Stannington Gro. Newc T —2B 68
Stannington Gro. Sund —4C 116
Stannington Pl. Newc T —2C 68
Stannington Pl. Pon —3E 25
Stannington Rd. N Shi —2G 59
Stannington Sta. Rd. Stan —5A 6
Stannington St. Bly —6D 10
Stansfield St. Sund —4E 103
Stanstead Clo. Sund —5C 100
Stanton Av. Bly —2H 15
Stanton Av. S Shi —2G 73
Stanton Clo. Gate —4B 84
Stanton Gro. N Shi —4C 46
Stanton Rd. N Shi —4B 46
Stanton Rd. Shir —2C 44
Stanton St. Newc T —3C 66
Stanway Dri. Newc T —4A 56
Stanwick St. N Shi —5F 47
Stapeley Ct. Newc T —2H 53
Stapeley Vw. Newc T —2H 53
Staple Rd. Jar —2G 71
Stapylton Dri. Sund —3B 116
Starbeck Av. Newc T —2H 67 (1H 5)
Starbeck M. Newc T —2H 67 (1G 5)
Stardale Av. Bly —1G 15
Stargate. —5D 62
Stargate Gdns. Gate —3C 96
Stargate Ind. Est. Ryton —6D 62
Stargate La. Ryton —4E 63
Starlight Cres. Sea D —6A 22
Startforth Clo. Gt Lum —4H 133
Station App. Bent —1D 56
Station App. Dur —5B 152
Station App. E Bol —3G 87
Station App. S Shi —4E 61
Station App. Team T —1F 95
Station Av. B'don —5E 157
Station Av. Hett H —2C 146
Station Av. N. Fenc —2D 134
Station Av. S. Fenc —2D 134
Station Bank. Dur —5C 152
Station Bank. Ryton —3C 62
Station Cotts. Beam —1A 122
Station Cotts. Faw —1B 54
Station Cotts. L Grn —1C 104
Station Cotts. Newc T —1D 56
Station Cotts. Pet —1H 163
Station Cotts. Pon —5E 25
Station Cotts. Seg —2G 31
Station Cotts. S Shi —3D 72
Station Cres. S'hm —3H 139
Station Est. E. Mur —2A 148
Station Est. N. Mur —2A 148
(in two parts)
Station Est. S. Mur —2A 148
Station Fld. Rd. Tan L —6D 106
Station Houses. Pelt F —4G 123
Station La. Bir —3B 110
Station La. Dur —5E 153
Station La. Pelt —2F 123
Station La. Ind. Est. Bir —3B 110
Station Rd. Ann P —6F 119
Station Rd. Back —1A 44
Station Rd. Beam —1A 122
Station Rd. Bed —3C 8
Station Rd. Bill Q —1H 83
Station Rd. Bly —3A 16
Station Rd. Bol C —1A 86
Station Rd. Camp —6B 30
Station Rd. Ches S —6C 124
Station Rd. Cra —2H 19
Station Rd. Cul —2E 47
Station Rd. Dud —3H 29
Station Rd. E Bol —4F 87
Station Rd. For H —5D 42
Station Rd. Gos —2G 55
Station Rd. Heb —3B 70
Station Rd. Hed W —5G 49
(in two parts)
Station Rd. Hes —6G 163
Station Rd. Hett H —2C 146
Station Rd. Hou S —2H 135
(nr. Brinkburn Cres.)
Station Rd. Hou S —1D 126
(nr. Station Rd. E.)
Station Rd. Ken F —1F 53
Station Rd. Low F —6G 81
Station Rd. L Pit —1E 155
Station Rd. Mead —6E 157
Station Rd. Mur —2A 148
Station Rd. Newb —2F 63
Station Rd. Newc T —5G 69
Station Rd. Pat I —2C 112
Station Rd. Pen —6C 112
Station Rd. Per M —3H 59
Station Rd. Pet —1F 161
Station Rd. Row G —4E 91
Station Rd. Ryh —3G 131
Station Rd. S'hm —3F 139
Station Rd. Sea D —5G 21
Station Rd. Seg —2F 31
Station Rd. Shin R —3E 127
Station Rd. S Shi —5E 61
Station Rd. S'ley —2D 120
Station Rd. Sund —1C 102
Station Rd. Ush M —6B 150
Station Rd. W'snd —4G 57
Station Rd. W Rai —3C 144
Station Rd. Whit B —1D 46
Station Rd. Will Q —6E 59
Station Rd. E. Hou S —1C 126
Station Rd. N. Hett H —2C 146
Station Rd. N. Mur —2A 148
Station Rd. N. Newc T —5D 42
Station Rd. N. W'snd —1F 57
Station Rd. S. Mur —2A 148
Station Sq. Whit B —1D 46
Station St. Bed —2D 8
Station St. Bly —5C 10
Station St. Jar —2F 71
Station St. Sund —6D 102
Station Ter. E Bol —4G 87
Station Ter. Hou S —2D 134
Station Ter. N Shi —6F 47
Station Ter. Wash —5C 98
Station Vw. Ches S —6C 124
Station Vw. Hett H —2C 146
Staveley Rd. Pet —1E 163
Staveley Rd. Sund —6C 88
Stavordale St. S'hm —5B 140
(in three parts)
Stavordale St. W. S'hm —6B 140
Stavordale Ter. Gate —4A 82
Staward Av. Sea D —1B 32
Staward Ter. Newc T —5F 69
Staynebrigg. Gate —5G 83
Steadings, The. G'sde —2A 76
Steadlands Sq. Bed —4C 8
Stead La. Bed —4B 8
Stead St. W'snd —4E 59
Stedham Clo. Wash —3C 98
Steep Hill. Sund —2E 129
Stella. —5G 63
Stella Bank. Bla T —4F 63
Stella Cotts. Bla T —5G 63
Stella Gill Ind. Est. Pelt F —4H 123
Stella Hall Dri. Bla T —5G 63
Stella La. Bla T —5F 63
Stella Rd. Bla T —4G 63
Stephen Ct. Jar —3G 71
Stephenson Building. Newc T —1C 4
Stephenson Cen., The. Newc T —2D 42
Stephenson Clo. Hett H —1C 146
Stephenson Ct. N Shi —2D 60
Stephenson Ho. Newc T —3C 42
Stephenson Ind. Est. Newc T —3C 42
Stephenson Ind. Est. Wash —3C 98
Stephenson Railway Museum. —6E 45
Stephenson Rd. H Hea —6B 56
Stephenson Rd. N East —4C 160
Stephenson Rd. Wash —3B 98
Stephenson's La. Newc T —6D 4
Stephenson Sq. Pet —2C 160
Stephensons's La. Newc T —5F 67
Stephenson St. Gate —3F 81
Stephenson St. Mur —2C 148
Stephenson St. N Shi —1D 60
Stephenson St. Tyn —6F 47
Stephenson St. W'snd —6E 59
Stephenson Ter. Blu —6H 51
Stephenson Ter. Gate —4D 82
Stephenson Ter. Thro —5C 50
Stephenson Trail, The. Newc T —4F 43
Stephenson Way. Bed —1A 8
Stephenson Way. Bla T —3H 77
Stephens Rd. Mur —2B 148
Stephen St. Bly —5C 10
Stephen St. H'fd —4B 14
Stephen St. Newc T —3A 68
Stepney Bank. Newc T —3H 67 (3H 5)
Stepney La. Newc T —4H 67 (4G 5)
Stepney Rd. Newc T —3H 67 (3H 5)
Sterling St. Sund —1A 116
Stevens Grn. Sund —2A 130
Stevenson Rd. S'ley —3E 121
Stevenson St. Hou S —3H 135
Stevenson St. S Shi —6F 61
Steward Cres. S Shi —2B 74
Stewart Av. Sund —3E 131
Stewart Dri. W Bol —4D 86
Stewartsfield. Row G —3D 90
Stewart St. New S —2A 130
Stewart St. Pet —1D 160
Stewart St. S'hm —5C 140
Stewart St. Sund —2B 116
Stewart St. E. S'hm —5C 140
Stileford. Gate —4G 83
Stillington Clo. Ryh —4F 131
Stirling Av. Jar —5A 72
Stirling Av. Row G —4E 91
Stirling Clo. Wash —3E 113
Stirling Cotts. Gate —4C 82
Stirling Ct. Team T —3G 95
Stirling Dri. Bed —3C 8
Stirling Dri. N Shi —5G 45
Stirling La. Row G —4E 91
Stobart St. Sund —5C 102
Stobb Ho. Vw. B'don —4C 156
Stock Bri. Newc T —4G 67 (5F 5)
Stockdale Gdns. Newc T —5G 69
(off Rochester St.)
Stockfold. Wash —5C 112
Stockholm Clo. Tyn T —2F 59
Stockley Av. Sund —3E 101
Stockley Ct. Ush M —6E 151
Stockley Rd. Wash —1D 112
Stocksfield Av. Newc T —2G 65
Stocksfield Gdns. Gate —3A 96
Stockton Av. Pet —5F 161
Stockton Rd. Cas E —6B 162
Stockton Rd. Dur & Shin —1D 158
Stockton Rd. Eas —3A 160
Stockton Rd. Haw —5H 149
Stockton Rd. N Shi —4B 60
Stockton Rd. Ryh —5F 131
Stockton Rd. Sund —2D 116
(in two parts)
Stockton St. S'hm —3H 139
Stockton Ter. Sund —5F 117

Tyldesley Sq.—Warkdale Av.

Tyldesley Sq. Sund —6E 115
Tyndal Gdns. Gate —2B 80
Tyne App. Jar —1E 71
Tynebank. Bla T —1H 77
Tyne Bri. Newc T —5G 67 (6E 5)
Tynedale Av. W'snd —3H 57
Tynedale Av. Whit B —5B 34
Tynedale Cres. Hou S —2F 127
Tynedale Dri. Bly —5F 9
Tynedale Rd. S Shi —1G 73
Tynedale Rd. Sund —6E 115
Tynedale St. Hett H —4A 146
Tynedale Ter. Newc T —1D 56
Tynedale Ter. S'ley —6G 119
Tyne Dock. —1D 72
Tyne Gdns. Ryton —5E 63
Tyne Gdns. Wash —4B 98
Tynegate Precinct. Gate —1H 81
Tyne Ho. Sund —3H 129
Tynell Wlk. Newc T —2F 53
Tyne Main Rd. Gate —6C 68
Tynemouth. —6F 47
Tynemouth Castle & Priory. —6G 47
Tynemouth Clo. Newc T —3B 68
Tynemouth Ct. N Shi —1B 60
Tynemouth Pl. N Shi —6F 47
Tynemouth Rd. Jar —1F 85
Tynemouth Rd. Newc T —2B 68
(in two parts)
Tynemouth Rd. N Shi —1D 60
Tynemouth Rd. W'snd —5D 58
Tynemouth Sq. Sund —6F 115
Tynemouth Ter. N Shi —6F 47
Tynemouth Volunteer Life Brigade Museum. —6G 47
Tynemouth Way. Newc T —2C 68
Tynepoint Ind. Est. Jar —4A 72
Tyne Rd. S'ley —4C 120
Tyne Rd. E. Gate —1E 81
Tyne Rd. E. S'ley —4D 120
Tyneside Rd. Newc T —6D 66
Tyneside Works. Jar —1F 71
Tyne St. Bla T —6A 64
Tyne St. Eas L —5E 147
Tyne St. Gate —1E 83
Tyne St. Heb —2B 70
Tyne St. Jar —1F 71
Tyne St. Newc T —4A 68
Tyne St. N Shi —2D 60
(in two parts)
Tyne St. S'hm —4B 140
Tyne St. Winl —2H 77
Tyne Ter. Pet —1D 160
Tyne Ter. S Shi —4E 73
Tyne Tunnel Trad. Est. N Shi —3F 59
Tynevale Av. Bla T —2A 78
Tynevale Ter. Gate —2E 81
Tynevale Ter. Lem —3A 64
(in two parts)
Tyne Vw. Bla T —2A 78
Tyne Vw. Heb —3A 70
Tyne Vw. Newc T —3A 64
Tyne Vw. Whi —3G 79
Tyne Vw. Gdns. Gate —2F 83
Tyneview Pk. Newc T —2D 56
Tyne Vw. Pl. Gate —2E 81
Tyne Vw. Ter. W'snd —6G 59
Tyne Wlk. Newc T —6D 50
Tynside Retail Pk. W'snd —1E 59
Tyzack Cres. Sund —3D 102

Uldale Ct. Newc T —6H 39
Ullerdale Clo. Dur —3C 154
Ullswater Av. Eas L —5E 147
Ullswater Av. Jar —6H 71
Ullswater Clo. Bly —5E 9
Ullswater Cres. Bla T —3H 77
Ullswater Dri. Kil —2F 43
Ullswater Gdns. S Shi —2F 73
Ullswater Gro. Sund —1C 102
Ullswater Rd. Ches S —2B 132
Ullswater Ter. S Het —5G 147
Ullswater Way. Newc T —6F 53
Ulverstone Ter. Newc T —2E 69
Ulverston Gdns. Gate —1B 96
Underhill. Gate —5A 82
Underhill Rd. Sund —3H 87
Underhill Ter. Gate —4G 97
Underwood. Gate —5G 83
Underwood Gro. Cra —1A 20
Unicorn Ho. N Shi —1D 60
Union Alley. S Shi —4E 61
Union Ct. Ches S —1C 132
Union Hall Rd. Newc T —3A 64
Union La. Ches S —4B 132
Union La. Sund —6E 103
Union Pl. Dur —1D 158
(off Stockton Rd.)
Union Quay. N Shi —2E 61
Union Rd. Newc T —3C 68
(in two parts)
Union Rd. N Shi —1E 61
Union Stairs. N Shi —2D 60
Union St. Bly —5C 10
Union St. Hett H —1C 146
Union St. Jar —1F 71
Union St. Newc T —3H 67
(in two parts)
Union St. N Shi —2D 60
Union St. S'hm —5B 140
Union St. S Hyl —1C 114
Union St. S Shi —3D 72
Union St. Sund —6D 102
Union St. W'snd —1H 69
Unity Ter. Camb —1B 10
Unity Ter. Dip —2E 119
Unity Ter. S'ley —5H 119
Unity Ter. Tant —5H 105
University Gallery. —3G 67 (2E 5)
University Precinct. Sund —1B 116
Uplands. Whit B —6H 33
Uplands, The. Bir —2D 110
Uplands, The. Newc T —3B 54
Uplands Way. Gate —3F 97
Up. Camden St. N Shi —1C 60
Up. Chare. Pet —1D 162
Up. Crone St. Shir —1D 44
Up. Elsdon St. N Shi —3C 60
Up. Nile St. Sund —1E 117
Up. Norfolk St. N Shi —1D 60
Up. Pearson St. N Shi —1D 60
Up. Penman St. N Shi —3C 60
Up. Queen St. N Shi —1D 60
Up. Sans St. Sund —6E 103
Up. Yoden Way. Pet —1D 162
Upton St. Gate —2D 80
Urban Gdns. Wash —6B 98
Urfa Ter. S Shi —3F 61
Urpeth. —5G 109
Urpeth Ter. Newc T —5C 68
(off St Peter's Rd.)
Urpeth Ter. Pelt —2C 122
Urpeth Vs. Beam —2B 122
Urswick Ct. Newc T —2F 53
Urwin St. Hett H —2D 146
Ushaw Moor. —5C 150
Ushaw Rd. Heb —3D 70
Ushaw Ter. Ush M —5B 150
Ushaw Vs. Ush M —5B 150
Usher Av. Sher —5D 154
Usher St. Sund —4B 102
Usk Av. Jar —6G 71
Uswater Sta. Wash —5C 98
Usworth. —4A 98
Usworth Rd. Wash —3H 97
Usworth Sta. Rd. Wash —5D 98
Uxbridge Ter. Gate —2D 82

Valebrooke. Sund —2C 116
(off Tunstall Rd.)
Valebrooke Av. Sund —2C 116
Valebrooke Gdns. Sund —2C 116
Valehead. Whit B —6H 33
Vale Ho. Newc T —1A 68
Valentia Av. Newc T —2E 69
Valeria Clo. W'snd —1B 58
Valerian Av. Hed W —5H 49
Valeshead Ho. W'snd —5H 57
Valeside. Dur —5B 152
Valeside. Newc T —5C 50
(in two parts)
Vale St. Eas L —5D 146
Vale St. Sund —2B 116
Vale St. E. Sund —2B 116
Vale Wlk. Newc T —2A 68
Valley Ct. Sund —2E 117
Valley Cres. Bla T —1G 77
Valley Dri. Dun —4B 80
Valley Dri. Gate —4H 81
Valley Dri. Swa —3E 79
Valley Forge. Wash —1B 112
Valley Gdns. Gate —4A 82
Valley Gdns. W'snd —4B 58
(in two parts)
Valley Gdns. Whit B —6H 33
Valley La. S Shi —3C 74
Valley Rd. H'wll —1D 32
Valley Rd. Pelt F —5G 123
Valley Vw. Bir —1B 110
Valley Vw. Burn —6F 91
Valley Vw. Hett H —4H 145
Valley Vw. Jar —5F 71
Valley Vw. Jes —6H 55
Valley Vw. Lem —2H 63
Valley Vw. Row G —3C 90
Valley Vw. S'ley —5C 120
(nr. Charles St.)
Valley Vw. S'ley —4F 119
(nr. Kyo Rd.)
Valley Vw. Ush M —6D 150
Valley Vw. Wash —6C 112
Vallum Ct. Newc T —4D 66
Vallum Pl. Gate —5B 82
Vallum Rd. Thro —5D 50
Vallum Rd. Walk —3E 69
Vallum Way. Newc T —4D 66
Vanburgh Ct. Sea D —1B 32
Vance Bus. Pk. Gate —3D 80
Vance Ct. Bla T —5C 64
Vancouver Dri. Newc T —5D 56
Vane St. Pet —1E 161
Vane St. Sund —2A 130
(in two parts)
Vane Ter. S'hm —3B 140
Vane Ter. Sund —2F 117
Vane Vs. Dur —6H 153
Vanguard Ct. Sund —3H 129
(in two parts)
Vanmildert Clo. Pet —3B 162
Vardy Ter. Hou S —3A 128
Vauxhall Rd. Newc T —1G 69
Vedra St. Sund —4B 102
Veitch All. NE28 —6H 57
Velville Ct. Newc T —1F 53
Ventnor Av. Newc T —4B 66
Ventnor Cres. Gate —6G 81
Ventnor Gdns. Gate —5G 81
Ventnor Gdns. Whit B —5C 34
Verdun Av. Heb —3C 70
Vermont. Wash —5B 98
Verne Rd. N Shi —2G 59
Vernon Clo. S Shi —1D 72
Vernon Dri. Whit B —1A 46
Vernon St. Wash —5B 98
Veryan Gdns. Sund —4B 116
Vespasian Av. S Shi —3F 61
Vespasian St. S Shi —3F 61
Viador. Ches S —5C 124
Vicarage Av. S Shi —3G 73
Vicarage Clo. Pelt —2G 123
Vicarage Clo. Sund —2H 129
Vicarage Ct. Bed —5A 8
Vicarage Ct. Gate —3F 83
Vicarage Flats. B'don —5D 156
Vicarage La. Sund —1C 114
Vicarage Rd. Sund —2A 130
Vicarage St. N Shi —2C 60
Vicarage Ter. Bed —5A 8
Vicarage Ter. Mur —3C 148
Vicarsholme Clo. Sund —4G 129
Vicars La. Newc T —2A 56
Vicars Way. Newc T —1H 55
Viceroy St. S'hm —4B 140
Victor Ct. Sund —4E 103
Victoria Av. B'don —5E 157
Victoria Av. Gate —3C 82
Victoria Av. Newc T —6D 42
Victoria Av. S Hyl —1D 114
Victoria Av. Sund —5E 117
Victoria Av. W'snd —5H 57
Victoria Av. Whit B —6D 34
Victoria Av. W. Sund —5E 117
Victoria Cotts. Dur —1A 152
Victoria Ct. Gate —2E 81
Victoria Ct. Heb —4B 70
Victoria Ct. Newc T —4C 42
Victoria Ct. N Shi —2E 47
Victoria Ct. Ush M —5C 150
Victoria Cres. Cul —2E 47
Victoria Cres. N Shi —2B 60
Victoria Ho. Gate —2E 81
Victoria Ind. Est. Heb —6A 70
Victoria M. Bly —6B 10
Victoria M. Newc T —1A 68
Victoria M. Whit B —6D 34
Victoria Parkway. Newc T —4E 57
Victoria Pl. Sund —1E 117
(SR1)
Victoria Pl. Sund —1B 116
(SR4)
Victoria Pl. Wash —5B 98
Victoria Pl. Whit B —1A 46
Victoria Rd. Gate —3E 81
Victoria Rd. S Shi —6E 61
Victoria Rd. Wash —5B 98
Victoria Rd. E. Heb —4C 70
Victoria Rd. W. Heb —1A 84
Victoria Sq. Gate —3D 82
Victoria Sq. Newc T —2G 67 (1E 5)
Victoria St. Gate —2C 80
Victoria St. Heb —3A 70
Victoria St. Hett H —1C 146
Victoria St. Newc T —5D 66
Victoria St. N Shi —3C 60
Victoria St. S'hm —4A 140
Victoria Ter. Bed —4B 8
(in two parts)
Victoria Ter. Dur —5B 152
Victoria Ter. E Bol —4E 87
Victoria Ter. Fel —3D 82
Victoria Ter. Gate —2C 96
Victoria Ter. Hou S —2G 127
Victoria Ter. Jar —3E 71
Victoria Ter. Mur —3D 148
Victoria Ter. Newc T —5D 50
Victoria Ter. Pelt —2C 122
(nr. High Handenhold)
Victoria Ter. Pelt —3E 123
(nr. Pelton)
Victoria Ter. Pelt F —4G 123
Victoria Ter. Row G —4C 90
Victoria Ter. Spri —4F 97
Victoria Ter. S'ley —5F 119
Victoria Ter. Whit B —6D 34
Victoria Ter. Bk. Newc T —5D 50
Victoria Ter. S. Sund —4D 102
Victoria Vs. Bed —4B 8
Victor St. Ches S —6C 124
Victor St. Sund —4E 103
Victor Ter. Bear —4D 150
Victory Cotts. Dud —2A 30
Victory Ho. N Shi —6F 47
Victory St. Sund —5G 101
Victory St. E. Hett H —1D 146
Victory St. W. Hett H —1D 146
Victory Way. Dox I —4E 129
Viewforth Dri. Sund —2C 102
Viewforth Grn. Newc T —6G 53
Viewforth Rd. Sund —4F 131
Viewforth Ter. Sund —2B 102
(in two parts)
Viewforth Vs. Dur —5H 151
View La. S'ley —2D 120
View Tops. Beam —1B 122
Vigar Ri. N Shi —6F 47
Vigo. —5E 111
Vigodale. Bir —6E 111
Vigo La. Ches S —1C 124
Vigo La. Harr —1F 125
Viking Ind. Est. Jar —1D 70
Viking Precinct. Jar —2F 71
Villa Clo. Sund —1H 115
Village Ct. Whit B —6B 34
Village E. Ryton —3C 62
Village La. Wash —1A 112
Village Pl. Newc T —4C 68
Village Rd. Cra —3C 20
Village, The. —6D 162
Village, The. Ryh —3G 131
Village W. Ryton —3C 62
Villa Pl. Gate —2G 81
Villas, The. G'cft —6E 119
Villas, The. H'fd —3H 29
Villas, The. N Gos —6E 29
Villas, The. Ryh —4F 131
Villas, The. Sund —4E 101
Villa Vw. Gate —5A 82
Villette Brooke St. Sund —3E 117
Villette Path. Sund —3E 117
Villette Rd. Sund —3E 117
Villettes, The. Hou S —6H 127
Villiers Pl. Ches S —5C 124
Villiers St. Sund —6E 103
Villiers St. S. Sund —1E 117
Vimy Av. Heb —3C 70
Vincent St. Pet —1E 161
Vincent St. S'hm —5B 140
Vincent Ter. S'ley —6G 119
Vine Clo. Gate —1E 81
Vine La. Newc T —3F 67 (2D 4)
Vine La. E. Newc T —3G 67 (2E 5)
Vine Pl. Hou S —3A 136
Vine Pl. Sund —1C 116
Vine St. S Shi —3D 72
Vine St. W'snd —6A 58
Viola Cres. Ous —5H 109
Viola St. Wash —5B 98
Viola Ter. Whi —4F 79
Violet Clo. Newc T —5H 65
Violet St. Hou S —3H 135
Violet St. S Hyl —1C 114
Violet St. Sund —6B 102
Violet Ter. Hou S —6B 126
Violet Wlk. Newc T —5H 65
Viscount Rd. Sund —2A 130
Vivian Cres. Ches S —1C 132
Vivian Sq. Sund —2D 102
Voltage Ter. Hou S —5H 127
Vulcan Pl. Bed —5A 8
Vulcan Pl. Sund —4D 102
Vulcan Ter. Newc T —4E 43

Waddington St. Dur —5B 152
Wadham Clo. Pet —2B 162
Wadham Ct. Ryh —2E 131
Wadham Ter. S Shi —4D 72
Wadsley Sq. Sund —4E 117
Wagon Way. W'snd —5B 58
Wagonway Ind. Est. Heb —1C 70
Wagonway Rd. Heb —2B 70
Wagtail La. S'ley —6G 121
Wakefield Av. S Shi —4B 74
Wakenshaw Rd. Dur —4F 153
Walbottle. —6F 51
Walbottle Hall Gdns. Newc T —6G 51
Walbottle Rd. Newc T —6F 51
Walden Clo. Ous —5F 109
Waldo St. N Shi —2D 60
Waldridge Clo. Wash —1G 111
Waldridge Gdns. Spri —1D 96
Waldridge La. Ches S —6H 123
(in three parts)
Waldridge Rd. Ches S —1A 132
Waldron Sq. Sund —4E 117
Walker. —4G 69
Walkerburn. Cra —6B 20
Walkerdene Ho. Newc T —1H 69
Walkergate. —1E 69
Walkergate. Dur —5C 152
Walker Pk. Clo. Newc T —5G 69
Walker Pk. Gdns. Newc T —5G 69
Walker Pl. N Shi —1E 61
Walker Riverside. —5H 69
Walker Riverside Ind. Est. Newc T —4H 69
Walker Rd. Newc T —4B 68
Walker Ter. Gate —1G 81
Walker Vw. Gate —3D 82
Walkerville. —6G 57
Wallace Av. Whi —3G 79
Wallace Gdns. Gate —1E 97
Wallace St. Gate —2C 80
Wallace St. Hou S —3H 135
Wallace St. Newc T —2D 66
Wallace St. Sund —4C 102
Wallace Ter. Ryton —4C 62
Wallace Ter. Sea D —6C 22
(off Astley Rd.)
Wall Clo. Newc T —2C 54
Waller Gro. Newc T —6G 39
Waller Ter. Hou S —4A 136
Waller Vs. Sun —3F 93
Wallflower Av. Pet —6F 161
Wallinfen. Gate —6F 83
Wallingford Av. Sund —5E 117
Wallington Av. Bru V —5C 28
Wallington Av. N Shi —4C 46
Wallington Clo. Bed —3C 8
Wallington Ct. Kil —2C 42
Wallington Ct. King P —6H 39
Wallington Ct. N Shi —4D 46
Wallington Ct. Sea D —6B 22
Wallington Dri. Newc T —1C 64
Wallington Gro. S Shi —4F 61
Wallis St. Gate —4D 82
Wallis St. Pen —1F 127
Wallis St. S Shi —4E 61
Wallridge Dri. H'wll —1C 32
Wallsend. —6A 58
Wallsend Heritage Centre. —6A 58
(off Buddle St.)
Wallsend Rd. N Shi —4G 59
(in two parts)
Wall St. Newc T —2C 54
Wall Ter. Newc T —2E 69
Walmer Ter. Gate —4D 96
Walnut Gdns. Gate —3E 81
Walnut Pl. Newc T —4B 54
Walpole Clo. S'hm —5F 139
Walpole Ct. Sund —1A 116
Walpole St. Newc T —1E 69
Walpole St. S Shi —6D 60
Walsham Clo. Bly —2H 15
Walsh Av. Heb —2C 70
Walsingham. Wash —4A 112
Walter St. Bru V —5C 28
Walter St. Jar —2F 71
Walter Ter. Eas L —4D 146
Walter Ter. Newc T —3C 66
Walter Thomas St. Sund —3H 101
Waltham. Wash —3B 112
Waltham Clo. W'snd —4F 57
Waltham Pl. Newc T —5F 53
Walton Av. Bly —5A 10
Walton Av. N Shi —6B 46
Walton Av. S'hm —5F 139
Walton Clo. S'ley —4E 121
Walton Gth. Sund —6E 103
Walton La. Sund —6E 103
Walton Pk. N Shi —5B 46
Walton Rd. Newc T —6E 53
Walton Rd. Wash —1E 113
Walton's Bldgs. Ush M —5B 150
Walton's Ter. New B —1B 156
Walwick Av. N Shi —1H 59
Walwick Rd. S Well —6F 33
Walworth Av. S Shi —3C 74
Walworth Gro. Jar —6F 71
Walworth Way. Sund —6C 102
Wandsworth Rd. Newc T —2B 68
Wanless Ter. Dur —5D 152
Wanley St. Bly —5C 10
Wanlock Clo. Cra —6C 20
Wanny Rd. Bed —4B 8
Wansbeck. Wash —6G 111
Wansbeck Av. Bly —1C 16
Wansbeck Av. N Shi —2E 47
Wansbeck Av. S'ley —4D 120
Wansbeck Clo. Pelt —2H 123
Wansbeck Clo. Sun —2E 93
Wansbeck Ct. Pet —3C 162
Wansbeck Ct. Sund —3H 129
Wansbeck Gro. N Har —3B 22
Wansbeck Rd. Dud —3H 29
Wansbeck Rd. Jar —4E 71
Wansbeck Rd. N. Newc T —1C 54
Wansbeck Rd. S. Newc T —1C 54
Wansbeck Ter. Dud —3H 29
Wansfell Av. Newc T —4H 53
Wansford Av. Newc T —6F 53
Wansford Way. Whi —1D 92
(in four parts)
Wantage Av. N Shi —3H 59
Wantage Rd. Dur —2B 154
Wantage St. S Shi —2F 73
Wapping Rd. Bly —5D 10
Wapping St. S Shi —3D 60
Warbeck Clo. Newc T —1F 53
Warburton Cres. Gate —3A 82
Warcop Ct. Newc T —6A 40
Ward Ct. Sund —2E 117
Warden Gro. Hou S —4B 136
Warden Law. —2F 137
Wardenlaw. Gate —6F 83
Warden Law La. Sund —3G 129
Wardill Gdns. Gate —4B 82
Wardle Av. S Shi —6G 61
Wardle Dri. Ann —3B 30
Wardle Gdns. Gate —4E 83
Wardles Ter. Dur —6B 152
(off Allergate)
Wardle St. S'ley —6C 120
Wardley. —3A 84
Wardley Ct. Gate —3B 84
Wardley Dri. Gate —3B 84
Wardley Grn. Gate —1A 84
Wardley La. Gate —3B 84
Wardroper Ho. Newc T —5G 69
Ward St. Sund —2E 117
Warenford Clo. Cra —5C 20
Warenford Pl. Newc T —2G 65
Warenmill Clo. Newc T —2H 63
Warennes St. Sund —6G 101
Warenton Pl. N Shi —4F 45
Waring Av. Sea S —2F 23
Waring Ter. Dal D —5F 139
Wark Av. N Shi —1G 59
Wark Av. Shir —1D 44
Wark Ct. Newc T —3G 55
Wark Cres. Jar —1F 85
Warkdale Av. Bly —6G 9

Wark St.—W. Moreland Retail Pk.

Wark St. Ches S —2C 132
Warkworth Av. Bly —2C 16
Warkworth Av. Pet —5F 161
(in two parts)
Warkworth Av. S Shi —2B 74
Warkworth Av. W'snd —3A 58
Warkworth Av. Whit B —6C 34
Warkworth Clo. Wash —3H 111
Warkworth Cres. Gos —1D 54
Warkworth Cres. Newb —2F 63
(off Newburn Rd.)
Warkworth Cres. S'hm —4E 139
Warkworth Dri. Ches S —2A 132
Warkworth Dri. Wide —4E 29
Warkworth Gdns. Gate —3C 82
Warkworth Rd. Dur —6C 142
Warkworth St. Byker —3C 68
Warkworth St. Lem —3A 64
Warkworth Ter. Jar —6F 71
Warkworth Ter. N Shi —5F 47
(in two parts)
Warnbrook Av. S'hm —3D 148
(off E. Coronation St.)
Warnham Av. Sund —5E 117
Warnhead Rd. Bed —4B 8
Warren Av. Newc T —1G 69
Warren Clo. Hou S —5G 127
Warrenmor. Gate —4G 83
Warren Sq. Pet —1G 163
Warren Sq. Sund —5F 103
Warren St. Pet —6G 161
Warren St. Sund —5F 103
Warrens Wlk. Bla T —2G 77
Warrington Rd. Faw —1A 54
Warrington Rd. Newc T —5C 66
Warton Ter. Newc T —1C 68
Warwick Av. Whi —6E 79
Warwick Clo. Bed —4F 7
Warwick Clo. Seg —2E 31
Warwick Clo. Whi —6E 79
Warwick Ct. Dur —2A 158
Warwick Ct. Gate —1H 81
Warwick Ct. Newc T —6H 39
Warwick Dri. Hou S —5A 136
Warwick Dri. Sund —2E 129
Warwick Dri. Wash —3B 98
Warwick Dri. Whi —6F 79
Warwick Hall Wlk. Newc T —4D 56
Warwick Pl. Pet —6B 160
Warwick Rd. Heb —6D 70
Warwick Rd. Newc T —1C 64
Warwick Rd. S Shi —1F 73
Warwick Rd. W'snd —6H 57
Warwickshire Dri. Dur —5A 154
Warwick St. Bly —3A 16
Warwick St. Gate —1H 81
Warwick St. Newc T —3H 67 (1H 5)
Warwick St. Sund —4D 102
Warwick Ter. Sund —1A 130
Warwick Ter. N. Sund —1A 130
(off Warwick Ter.)
Warwick Ter. W. Sund —1A 130
Wasdale Clo. Cra —6C 20
Wasdale Clo. Pet —1E 163
Wasdale Ct. Sund —6C 88
Wasdale Cres. Bla T —3H 77
Wasdale Rd. Newc T —1F 65
Washington. —2C 112
Washington 'F' Pit Museum. —6A 98
Washington Gdns. Gate —2C 96
Washington Highway. Wash —5G 97
Washington Old Hall. —1C 112
Washington Rd. Sund —1A 100
Washington Rd. Wash —5E 99
Washington Sq. Pet —2B 160
Washington Staithes. —4E 113
Washington St. Sund —1H 115
Washington Ter. N Shi —6E 47
Washington Village. —1B 112
Washington Wildfowl & Wetlands Centre. —2G 113
Washingwell La. Whi —4H 79
Waskerley Clo. Sun —2E 93
(in two parts)
Waskerley Gdns. Gate —2D 96
Waskerley Rd. Wash —2D 112
Watch Ho. Clo. N Shi —4C 60
Watcombe Clo. Wash —2D 98
Waterbeach Pl. Newc T —5F 53
Waterbeck Clo. Cra —6C 20
Waterbury Clo. Sund —2H 101
Waterbury Rd. Newc T —4D 40
Waterfield Rd. E Sle —1H 9
Waterford Clo. E Rai —1H 145
Waterford Clo. Sea S —3H 23
Waterford Cres. Whit B —1D 46
Waterford Pk. Bru V —5B 28
Watergate. Newc T —5G 67 (6E 5)
Watergate Estate. —5G 79
Waterloo Ct. Wash —5C 98
Waterloo Pl. N Shi —1C 60
Waterloo Pl. Sund —1D 116
Waterloo Rd. Bly —6B 10
Waterloo Rd. Wash —4C 98
(in three parts)
Waterloo Rd. Well —6E 33
Waterloo Sq. S Shi —4E 61
Waterloo St. Bla T —2G 77
Waterloo St. Newc T —5E 67 (6B 4)
Waterloo Va. S Shi —4E 61
Waterloo Wlk. Wash —5C 98
(off Waterloo Ct.)
Waterlow Clo. Sund —1H 101
Watermill. Ryton —4C 62
Watermill La. Gate —3E 83
Water Row. Newc T —2E 63
Waterside Dri. Gate —1A 80
Water St. Newc T —6D 66
Waterville Pl. N Shi —2C 60
Waterville Rd. N Shi —3H 59
Waterville Ter. N Shi —2C 60
Waterworks Rd. Ryh —4E 131
Waterworks Rd. Sund —1B 116
Waterworks, The. Sund —4E 131
Watford Clo. Sund —1H 101
Watkin Cres. Mur —2C 148
Watling Av. S'hm —5E 139
Watling Pl. Gate —5B 82
Watson Av. Dud —3A 30
Watson Av. S Shi —4B 74
Watson Clo. Dal D —5F 139
Watson Gdns. W'snd —4E 59
Watson Pl. S Shi —4B 74
Watson St. Burn —1H 105
Watson St. Gate —2E 81
Watson St. H Spen —6A 76
Watson St. Jar —1G 71
Watson St. S'ley —1D 120
Watson Ter. Bol C —4B 86
Watt's Slope. Whit B —5C 34
Watts St. Mur —2C 148
Watt St. Gate —4F 81
Wavendon Cres. Sund —3F 115
Waveney Gdns. S'ley —5C 120
Waveney Rd. Pet —3B 162
Waverdale Av. Newc T —2G 69
Waverdale Way. S Shi —3D 72
Waverley Av. Bed —3C 8
(in two parts)
Waverley Av. Whit B —1B 46
Waverley Clo. Bla T —3F 77
Waverley Ct. Bed —3C 8
Waverley Cres. Newc T —2B 64
Waverley Dri. Bed —3C 8
(in two parts)
Waverley Rd. Gate —3A 96
Waverley Rd. Newc T —5D 66
Waverley Ter. Dip —6E 105
Waverley Ter. Sund —6G 101
Waverton Clo. Cra —6B 20
Wawn St. S Shi —1F 73
Wayfarer Rd. Sund —4A 102
Wayland Sq. Sund —6E 117
Wayman St. Sund —4C 102
Wayside. Newc T —4F 65
Wayside. S Shi —3B 74
Wayside. Sund —3B 116
Wayside Ct. Bear —4D 150
Wealcroft. Gate —1F 97
Wealcroft Ct. Gate —6F 83
Wear. —5H 111
Wear Ct. S Shi —4E 73
Wear Cres. Gt Lum —4H 133
Weardale Av. Bly —5F 9
Weardale Av. For H —5C 42
Weardale Av. Sund —5E 89
Weardale Av. Walk —2G 69
Weardale Av. W'snd —3H 57
Weardale Av. Wash —5A 98
Weardale Cres. Hou S —2F 127
Weardale Ho. Wash —3H 111
Weardale St. Hett H —4A 146
Weardale Ter. Ches S —1D 132
Weardale Ter. S'ley —5G 119
Weardale Way. Gt Lum —5G 133
Wear Fld. Sund E —4G 101
Wear Ind. Est. Wash —5H 111
Wear Lodge. Ches S —2C 124
Wearmouth Av. Sund —3D 102
Wearmouth Bri. Sund —6D 102
Wearmouth Dri. Sund —3C 102
Wearmouth St. Sund —4D 102
Wear Rd. Heb —5C 70
Wear Rd. S'ley —3D 120
Wearside Dri. Dur —5D 152
Wear St. Ches S —1D 132
Wear St. Chil M —4E 135
Wear St. Hett H —2C 146
Wear St. Jar —2F 71
Wear St. S'hm —4B 140
Wear St. S Hyl —6C 100
Wear St. Sund —1F 117
(SR1)
Wear St. Sund —4A 102
(SR5)
Wear Ter. Pet —1D 160
Wear Ter. Wash —3D 112
Wear Vw. Dur —5D 152
Wear Vw. Sund —6D 100
Weathercock La. Gate —6H 81
Weatherside. Bla T —2H 77
Webb Av. Mur —1C 148
Webb Av. S'hm —4E 139
Webb Gdns. Gate —3G 83
Webb Sq. Pet —4E 161
Wedder Law. Cra —6B 20
Wedgewood Cotts. Newc T —3B 64
Wedgewood Rd. S'hm —5F 139
Wedmore Rd. Newc T —5B 52
Weetman St. S Shi —6D 60
Weetslade Cres. Dud —4A 30
Weetslade Rd. Dud —3H 29
Weetslade Ter. Burr —6B 30
Weetwood Rd. Cra —5C 20
Weidner Rd. Newc T —3H 65
Welbeck Grn. Newc T —4E 69
Welbeck Rd. Newc T —4C 68
Welbury Way. Cra —6B 20
Weldon Av. Sund —5E 117
Weldon Cres. Newc T —5B 56
Weldon Pl. N Shi —5H 45
Weldon Rd. Cra —4D 20
Weldon Rd. Newc T —1B 56
Weldon Ter. Ches S —1D 132
Weldon Way. Newc T —1D 54
Welfare Clo. Pet —1E 161
Welfare Cres. S Het —6B 148
Welfare Rd. Hett H —1B 146
(in two parts)
Welford Av. Newc T —2C 54
Welland Clo. Pet —3C 162
Wellands Clo. Sund —2E 89
Wellands Ct. Sund —2E 89
Wellands Dri. Sund —2E 89
Wellands La. Sund —2E 89
Well Bank Rd. Wash —4H 97
Wellburn Pk. Newc T —6A 56
Wellburn Rd. Wash —4H 97
Well Clo. Wlk. Whi —5E 79
Wellesley Ct. S Shi —3E 61
Wellesley St. Jar —4F 71
Wellesley Ter. Newc T —4C 66
Wellfield. —6F 33
Wellfield Clo. Newc T —6C 50
Wellfield La. Newc T —5E 53
Wellfield M. Ryh —4E 131
Wellfield Rd. Mur —2B 148
Wellfield Rd. Newc T —4H 65
Wellfield Rd. Row G —4C 90
Wellfield Ter. Bill Q —4C 82
Wellfield Ter. Ryh —4E 131
Wellgarth Rd. Wash —4H 97
Wellhope. Wash —1F 125
Wellington Av. Well —6E 33
Wellington Ct. Gate —3C 82
Wellington Ct. Wash —5C 98
Wellington Dri. S Shi —3E 61
Wellington La. Sund —5B 102
Wellington Rd. Dun —2H 79
(in two parts)
Wellington Row. Hou S —4G 127
Wellington St. Bly —6D 10
(in two parts)
Wellington St. Cen —5G 67
Wellington St. Fel —3C 82
Wellington St. Heb —4B 70
Wellington St. H Pitt —2F 155
Wellington St. Lem —3B 64
Wellington St. Newc T —3E 67 (3A 4)
Wellington St. E. Bly —5D 10
Wellington St. W. N Shi —2C 60
Wellington Wlk. Wash —5C 98
(off Wellington Ct.)
Well La. Mur V —3F 45
(in two parts)
Wellmere Rd. Lee I —6F 117
Well Ridge Clo. Whit B —5G 33
Well Ridge Pk. Whit B —5G 33
Wells Clo. Newc T —3D 56
Wells Cres. S'hm —4F 139
Wells Gdns. Gate —3H 95
Wells Gro. S Shi —2A 74
Wellshede. Gate —4H 83
Wells St. Bol C —2A 86
Well St. Sund —6H 101
Wellway. Jar —1F 85
Welsh Ter. S'ley —6G 119
Welwyn Av. Bed —2D 8
Welwyn Clo. C'twn —5C 100
Welwyn Clo. W'snd —3F 57
Wembley Av. Whit B —1A 46
Wembley Clo. Sund —2H 101
Wembley Rd. Sund —2H 101
Wendover Clo. Sund —1G 101
Wendover Way. Sund —1G 101
Wenham Sq. Sund —3B 116
Wenlock. Wash —3A 112
Wenlock Dri. N Shi —5A 46
Wenlock Lodge. S Shi —5C 72
Wenlock Pl. S Shi —5C 72
Wenlock Rd. S Shi —4B 72
Wensley Clo. Newc T —3G 53
Wensley Clo. Ous —6G 109
Wensleydale. W'snd —2F 57
Wensleydale Av. Hou S —2E 127
Wensleydale Av. Wash —5A 98
Wensleydale Dri. Newc T —5D 42
Wensleydale Ter. Bly —1D 16
Wensleydale Wlk. Newc T —2A 54
Wensley Ho. Sund —4H 129
Wentworth. S Shi —6G 61
Wentworth Clo. Gate —4D 82
Wentworth Ct. Newc T —5D 66
Wentworth Ct. Pon —1C 36
Wentworth Dri. Wash —3A 98
Wentworth Gdns. Whit B —1G 45
Wentworth Grange. Gos —3F 55
Wentworth Pl. Newc T —5D 66
Wentworth Ter. Sund —6B 102
Werhale Grn. Gate —4D 82
Wesley Ct. Ann P —5F 119
Wesley Ct. Bla T —6B 64
Wesley Ct. Gate —3C 82
Wesley Ct. S'ley —2E 121
Wesley Dri. Newc T —4H 43
Wesley St. Gate —6H 81
Wesley St. S Shi —4E 61
Wesley Ter. Ches S —6C 124
Wesley Ter. Dip —6D 104
Wesley Ter. Pelt F —4G 123
Wesley Ter. S Hill —6G 155
Wesley Ter. S'ley —5F 119
Wesley Way. Newc T —4H 43
Wesley Way. S'hm —4F 139
Wesley Way. Thro —5D 50
Wessex Clo. Sund —1H 101
Wessington Ind. Est. Sund —4E 101
Wessington Ter. Wash —6B 98
Wessington Way. Sund —6B 100
Westacre Gdns. Newc T —2G 65
West Acres. Bla T —1B 78
West Acres. Din —4F 27
West Acres Av. Whi —6F 79
Westacres Cres. Newc T —3G 65
West Allotment. —4C 44
West Av. Bent —1D 56
West Av. Ches M —4A 132
West Av. For H —4F 43
West Av. Gos —3E 55
West Av. Mur —2C 148
(off Williams Rd.)
West Av. N Shi —2H 59
West Av. S Shi —3G 73
West Av. Sund —2E 89
West Av. Wash —6H 111
West Av. W'hpe —5D 52
West Av. Whit B —6A 34
West Bailey. Newc T —2B 42
West Boldon. —4B 86
Westbourne Av. Gate —3G 81
Westbourne Av. Gos —6E 41
Westbourne Av. Walkg —1F 69
Westbourne Cotts. Hou S —3E 127
Westbourne Dri. Hou S —3E 127
Westbourne Gdns. Newc T —3G 69
Westbourne Rd. Sund —1B 116
Westbourne Ter. Hou S —4E 127
Westbourne Ter. Sea D —6C 22
W. Bridge St. Camb —2B 10
W. Bridge St. Hou S —1C 126
Westburn Gdns. W'snd —3F 57
Westburn Ter. Sund —3E 103
Westbury Av. Newc T —1G 69
Westbury Rd. N Shi —5B 46
Westbury St. Sund —6B 102
West Chirton. —2G 59
W. Chirton Ind. Est. N Shi —1G 59
W. Chirton N. Ind. Est. N Shi —6E 45
W. Chirton Trad. Est. N Shi —1F 59
Westcliff Clo. Pet —2A 160
Westcliffe Rd. Sund —1F 103
Westcliffe Way. S Shi —6B 72
West Clifton. Kil —1C 42
West Copperas. Newc T —2C 64
(in two parts)
W. Coronation St. Mur —2D 148
Westcott Av. S Shi —6G 61
Westcott Dri. Dur —2A 152
Westcott Rd. Pet —6D 160
Westcott Rd. S Shi —4E 73
Westcott Ter. Hou S —1G 127
West Ct. Bly —1A 16
West Ct. Newc T —2C 54
W. Courtyard. N Shi —2D 60
West Cres. Gate —3A 84
West Cres. Pet —1C 160
Westcroft Rd. Newc T —6E 43
W. Dene Dri. N Shi —5C 46
West Denton. —5B 52
W. Denton Clo. Newc T —1B 64
W. Denton Rd. Newc T —1B 64
W. Denton Way. Newc T —5B 52
West Dri. Bly —3A 16
West Dri. Ches S —1A 132
West Dri. Sund —2G 87
W. Ellen St. Mur —3D 148
West End. Sea S —5H 23
Wester Ct. Sund —4H 129
Westerdale. Hou S —1C 126
Westerdale. W'snd —3F 57
Westerdale Pl. Newc T —3H 69
Westerham Clo. Sund —1H 101
Westerhope. —5D 52
Westerhope Gdns. Newc T —6H 53
Westerhope Rd. Wash —2D 112
Westerkirk. Cra —6C 20
Western App. S Shi —2D 72
Western App. Ind. Est. S Shi —6E 61
(off Western App.)
Western Av. Grai P —4A 66
Western Av. Sea D —6H 21
Western Av. Team T —1E 95
Western Av. W Den —6B 52
Western Ct. Whit B —3B 34
(off Western Way)
Western Dri. Newc T —4B 66
Western Highway. Bir —5E 111
Western Hill. —4B 152
Western Hill. Dur —5B 152
Western Hill. Ryh —2E 131
Western Hill. Sund —1B 116
Westernmoor. Wash —1F 111
Western Rd. Jar —2E 71
Western Rd. W'snd —5D 58
Western Ter. Ches S —1C 132
Western Ter. Dud —3H 29
Western Ter. E Bol —4C 86
Western Ter. Wash —6B 98
Western Ter. N. Mur —2D 148
Western Ter. S. Mur —2D 148
(off Wood's Ter.)
Western Vw. Gate —4C 96
Western Way. Bla T —1C 78
Western Way. Pon —1A 36
Western Way. Ryton —5C 62
Western Way. Whit B —3B 34
W. Farm Av. Newc T —1H 55
W. Farm Ct. B'pk —1E 157
W. Farm Ct. Cra —2B 20
W. Farm Ct. Newc T —3E 43
W. Farm Rd. Newc T —2E 69
W. Farm Rd. Sund —3B 88
W. Farm Rd. W'snd —4C 58
W. Farm Wynd. Newc T —1H 55
Westfield. Gate —5E 83
Westfield. Jar —2G 85
Westfield. Newc T —5D 54
Westfield Av. Bru V —5C 28
Westfield Av. Newc T —4E 55
Westfield Av. Whit B —1H 45
Westfield Ct. Sund —3G 115
Westfield Ct. W'snd —1H 69
Westfield Cres. Gate —4F 97
Westfield Dri. Newc T —4E 55
Westfield Gro. Newc T —4D 54
Westfield Gro. Sund —3G 115
Westfield La. Ryton —3C 62
Westfield Pk. Newc T —4E 55
Westfield Pk. W'snd —5G 57
Westfield Rd. Gate —3G 81
Westfield Rd. Newc T —4G 65
Westfields. S'ley —4B 120
Westfield Ter. Gate —3G 81
Westfield Ter. Spri —4F 97
(off Windsor Rd.)
Westfield Vw. Dud —3H 29
Westgarth. Newc T —3C 52
(in two parts)
Westgarth Ter. Wash —5C 98
Westgate Av. Sund —1A 130
Westgate Clo. Whit B —5G 33
Westgate Gro. Sund —1A 130
Westgate Hill Ter. Newc T —4E 67 (5A 4)
Westgate Rd. Newc T —3B 66 (5A 4)
W. George Potts St. S Shi —6E 61
West Grange. Sund —2C 102
West Gro. S'hm —4F 139
West Gro. Sund —2D 114
West Harton. —4E 73
Westheath Av. Sund —6D 116
W. Hendon Ho. Sund —3D 116
West Herrington. —2B 128
W. High Horse Clo. Row G —1G 91
West Hill. Sund —3G 115
Westhills. Tant —5G 105
W. Holburn. S Shi —6D 60
Westholme Gdns. Newc T —3H 65
Westholme Ter. Sund —5F 117
(off Ryhope Rd.)
West Holywell. —5B 32
Westhope Clo. S Shi —2A 74
Westhope Rd. S Shi —2A 74
West Jesmond. —5F 55
W. Jesmond Av. Newc T —5G 55
West Kyo. —4F 119
Westlands. H Hea —5A 56
Westlands. Jar —2H 85
Westlands. N Shi —4D 46
Westlands. Sea S —3F 23
Westlands. W Den —6A 52
Westlands, The. Sund —2H 115
West La. Bla T —3G 77
West La. Burn —4A 92
West La. Ches S —1C 132
West La. Newc T —4D 42
West La. S Het —6B 148
West Lawn. Sund —3D 116
W. Lawrence St. Sund —1E 117
Westlea. —4F 139
Westlea. Bed —5F 7
West Lea. Bla T —3A 78
West Lea. N Her —3H 127
Westlea Rd. Hou S —6G 127
Westlea Rd. S'hm —4F 139
West Leigh. Tan L —1B 120
Westley Av. Whit B —2A 34
Westley Clo. Whit B —2B 34
Westline Ind. Est. Bir —5B 110
Westlings. Hett H —2C 146
Westloch Rd. Cra —6B 20
Westmacott St. Newc T —1E 63
W. Meadows. Newc T —3B 52
W. Meadows Dri. Sund —4A 88
W. Meadows Rd. Sund —3B 88
Westminster Av. N Shi —5F 45
(in two parts)
Westminster Clo. Whit B —1E 47
Westminster Cres. Heb —1C 84
Westminster Dri. Gate —5B 80
Westminster St. Gate —3F 81
Westminster St. Sund —5F 117
Westminster Way. Newc T —3D 56
W. Moffett St. S Shi —6F 61
West Monkseaton. —1H 45
West Moor. —4B 42
W. Moor Ct. Newc T —4B 42
Westmoor Dri. Newc T —4B 42
W. Moor Dri. Sund —4A 88
Westmoor Rd. Sund —6F 101
W. Moreland Retail Pk. Cra —3H 19

Winchester Dri. *S West* —2A **162**
Winchester Rd. *Dur* —6E **143**
Winchester St. *S Shi* —4F **61**
Winchester Ter. *Newc T* —4D **66**
Winchester Wlk. *Wide* —6D **28**
Winchester Way. *Bed* —3H **7**
Wincomblee. *Newc T* —4G **69**
Wincomblee Rd. *Newc T* —6G **69**
Wincomblee Workshops. *Newc T*
 (off White St.) —4H **69**
Windburgh Dri. *Cra* —6B **20**
Windermere. *Bir* —5D **110**
Windermere. *Sund* —2A **88**
Windermere Av. *Ches S* —2C **132**
Windermere Av. *Eas L* —5E **147**
Windermere Av. *Gate* —3F **83**
Windermere Clo. *Cra* —6B **20**
Windermere Cres. *Bla T* —3H **77**
Windermere Cres. *Heb* —4D **70**
Windermere Cres. *Hou S* —3F **127**
Windermere Cres. *Jar* —6H **71**
Windermere Cres. *S Shi* —3G **73**
Windermere Dri. *Kil* —2C **42**
Windermere Gdns. *Whi* —4G **79**
Windermere Rd. *Newc T* —1F **65**
Windermere Rd. *S'hm* —4E **139**
Windermere Rd. *S Het* —5B **148**
Windermere St. *Gate* —2G **81**
Windermere St. *Sund* —5F **117**
Windermere St. W. *Gate* —2G **81**
Windermere Ter. *N Shi* —1B **60**
Windermere Ter. *S'ley* —5B **120**
Windhill Rd. *Newc T* —6F **69**
Winding, The. *Din* —4F **27**
Windlass Ct. *S Shi* —4E **73**
Windlass La. *Wash* —6A **98**
Windmill Ct. *Newc T* —1E **67**
Windmill Gro. *Bly* —5G **9**
Windmill Hill. *Dur* —2B **158**
Windmill Hill. *S Shi* —6D **60**
Windmill Ind. Est. *Cra* —5E **13**
Windmill Sq. *Sund* —1C **102**
Windmill Way. *Heb* —2D **70**
Winds La. *Mur* —3A **148**
 (in two parts)
Winds Lonnen Est. *Mur* —2A **148**
Windsor Av. *Gate* —3G **81**
Windsor Av. *Newc T* —3G **55**
Windsor Av. *Whit B* —1E **47**
Windsor Clo. *W'snd* —3E **59**
Windsor Clo. *Whi* —1E **93**
Windsor Corner. *Pet* —1H **163**
Windsor Cotts. *W'snd* —3E **59**
Windsor Ct. *Bed* —5H **7**
Windsor Ct. *Cra* —6A **14**
Windsor Ct. *Fel* —4C **82**
Windsor Ct. *S Gos* —6A **40**
Windsor Cres. *Heb* —3D **70**
Windsor Cres. *Hou S* —3B **136**
Windsor Cres. *Newc T* —4E **53**
Windsor Cres. *Whit B* —1E **47**
Windsor Dri. *Cle* —2H **87**
Windsor Dri. *Hou S* —5A **136**
Windsor Dri. *New S* —2A **130**
Windsor Dri. *S Het* —5H **147**
Windsor Dri. *S'ley* —4F **119**
Windsor Dri. *W'snd* —4D **58**
Windsor Gdns. *Bed* —5H **7**
Windsor Gdns. *Gate* —3B **82**
Windsor Gdns. *N Shi* —6C **46**
Windsor Gdns. *S Shi* —2G **73**
Windsor Gdns. *Whit B* —5B **34**
Windsor Gdns. W. *Whit B* —5B **34**
Windsor Pk. *W'snd* —4F **57**
Windsor Pl. *Hol* —4A **44**
Windsor Pl. *Newc T* —2G **67** (1E **5**)
Windsor Pl. *Pon* —1B **36**
Windsor Rd. *Bir* —1B **110**
Windsor Rd. *Gate* —4E **97**
Windsor Rd. *S'hm* —4F **139**
Windsor Rd. *Whit B* —6A **34**
Windsor St. *Newc T* —3B **68**
Windsor St. *W'snd* —5H **57**
Windsor Ter. *Dip* —2B **118**
Windsor Ter. *E Her* —3E **129**
Windsor Ter. *Gt Lum* —4H **133**
Windsor Ter. *Jes & Newc T*
 —2F **67** (1E **5**)
Windsor Ter. *Mur* —2D **148**
Windsor Ter. *New K* —5H **119**
Windsor Ter. *Pet* —1H **163**
Windsor Ter. *Ryton* —5A **62**
Windsor Ter. *Sco G* —1H **7**
Windsor Ter. *S Gos* —3G **55**
Windsor Ter. *Spri* —4F **97**
Windsor Ter. *Sund* —5F **117**
Windsor Ter. *Whit B* —1E **47**
Windsor Wlk. *Newc T* —6H **39**
Windsor Way. *Newc T* —6G **39**
Windt St. *Haz* —1C **40**
Windyhill Carr. *Whi* —6D **78**
Windy Nook. —5D 82
Windy Nook Nature Park. —5C **82**
Windy Nook Rd. *Gate* —5B **82**
Windy Ridge. *Gate* —4C **82**
Windy Ridge Vs. *Gate* —4C **82**
Wingate Clo. *Hou S* —3H **135**
Wingate Clo. *W Den* —3C **64**
Wingate Gdns. *Gate* —2D **96**
Wingrove. *Row G* —4D **90**
Wingrove Av. *Newc T* —3B **66**
Wingrove Av. *Sund* —2E **103**

Wingrove Gdns. *Newc T* —3B **66**
Wingrove Ho. *Newc T* —6A **54**
Wingrove Ho. *S Shi* —3E **73**
Wingrove Rd. *Newc T* —6A **54**
 (in two parts)
Wingrove Rd. N. *Newc T* —6A **54**
Wingrove Ter. *Bill Q* —2H **83**
Wingrove Ter. *Spri* —4F **97**
Winifred Gdns. *Newc T* —6A **58**
Winifred St. *Sund* —1E **103**
Winifred Ter. *Sund* —1E **117**
Winlaton. —2H 77
Winlaton Care Village. *Bla T*
 —5F **77**
Winlaton Mill. —5A 78
Winsford Av. *N Shi* —4B **46**
Winshields. *Cra* —5C **20**
Winshields Wlk. *Newc T* —6C **50**
Winship Clo. *S Shi* —6E **73**
Winship Gdns. *Newc T* —3D **68**
 (off Grace St.)
Winship Ter. *Newc T* —3C **68**
Winskell Rd. *S Shi* —5B **72**
Winslade Clo. *Sund* —1B **130**
Winslow Clo. *Bol C* —1B **86**
Winslow Clo. *Newc T* —3G **69**
Winslow Clo. *Sund* —1H **101**
Winslow Cres. *S'hm* —4E **139**
Winslow Gdns. *Gate* —6G **81**
Winslow Pl. *Newc T* —3G **69**
Winson Grn. *Hou S* —1D **126**
Winster. *Wash* —6G **111**
Winster Pl. *Cra* —6B **20**
Winston Ct. *Gate* —4F **97**
Winston Cres. *Sund* —3G **115**
Winters Bank. *Hou S* —3A **88**
Winton Clo. *Seg* —1G **31**
Winton Way. *Newc T* —2B **54**
Wirralshir. *Gate* —5G **83**
Wiseton Ct. *Newc T* —2H **55**
Wishart Ho. *Newc T* —5A **66**
Wishart Ter. *H Spen* —1A **90**
Witham Grn. *Jar* —1G **85**
Witham Rd. *Heb* —6D **70**
Witherington Clo. *Newc T* —4E **57**
Withernsea Gro. *Sund* —2D **130**
Witherwack. —1G 101
Witney Clo. *Sund* —1G **101**
Witney Way. *E Bol* —4A **86**
Witton Av. *S Shi* —3A **74**
Witton Ct. *Newc T* —1A **54**
Witton Ct. *Sund* —5B **116**
Witton Ct. *Wash* —3H **111**
Witton Gdns. *Gate* —3D **96**
Witton Gdns. *Jar* —6F **71**
Witton Gth. *Pet* —4C **162**
Witton Gro. *Dur* —2H **151**
Witton Gro. *Hou S* —4G **135**
Witton Rd. *Heb* —1D **70**
Witton Rd. *Shir* —2D **44**
Witty Av. *Heb* —4D **70**
Woburn. *Wash* —3B **112**
Woburn Clo. *Cra* —6A **14**
Woburn Clo. *W'snd* —4F **57**
Woburn Dri. *Bed* —3C **8**
Woburn Dri. *Sund* —3A **130**
Woburn Way. *Newc T* —5E **53**
Wolmer Rd. *Bly* —2D **16**
Wolseley Clo. *Gate* —2E **81**
Wolseley Gdns. *Newc T* —1A **68**
Wolseley Ter. *Sund* —2A **116**
Wolsey Ct. *S Shi* —3E **73**
Wolsey Rd. *S'hm* —5E **139**
Wolsingham Ct. *Cra* —2H **19**
Wolsingham Dri. *Dur* —1D **152**
Wolsingham Gdns. *Gate* —2D **96**
Wolsingham Rd. *Newc T* —3D **54**
Wolsingham Ter. *S'ley* —5H **119**
Wolsington St. *Newc T* —6C **66**
Wolsington Wlk. *Newc T* —6B **66**
Wolsley Rd. *Bly* —6C **10**
Wolvenleigh Ter. *Newc T* —2F **55**
Wolviston Gdns. *Gate* —2D **96**
Woodbine Av. *Newc T* —3E **55**
Woodbine Av. *Pet* —5F **161**
Woodbine Av. *W'snd* —5H **57**
Woodbine Clo. *Newc T* —5B **66**
Woodbine Cotts. *Ches S* —5A **124**
Woodbine Cotts. *Spri* —3B **82**
Woodbine Pl. *Gate* —2G **81**
Woodbine Rd. *Dur* —6A **142**
Woodbine Rd. *Newc T* —3E **55**
Woodbine St. *Gate* —2G **81**
Woodbine St. *S Shi* —4F **61**
Woodbine St. *Sund* —1F **117**
Woodbine Ter. *Ben* —2G **81**
Woodbine Ter. *Bir* —3D **110**
Woodbine Ter. *Bly* —6D **10**
Woodbine Ter. *Gate* —3B **82**
Woodbine Ter. *New B* —1A **156**
Woodbine Ter. *Pel* —2G **83**
Woodbine Ter. *S'ley* —5H **119**
Woodbine Ter. *Sund* —5H **101**
Woodbrook Av. *Newc T* —1E **65**
Woodburn. *Gate* —6D **82**
Woodburn. *Tan L* —1A **120**
Woodburn Av. *Newc T* —6A **54**
Woodburn Av. *Bla T* —3G **77**
Woodburn Dri. *Hou S* —1C **134**

Woodburn Dri. *Hou S* —2G **135**
Woodburn Dri. *Whit B* —4A **34**
Woodburn Gdns. *Gate* —4C **80**
Woodburn Sq. *Whit B* —4H **33**
Woodburn St. *Newc T* —2A **64**
Woodburn Way. *Whit B* —4A **34**
Woodchurch Clo. *Newc T* —3D **56**
Woodcock Rd. *Sund* —4A **130**
Woodcroft Clo. *Ann* —2B **30**
Woodend. *Pon* —3D **36**
Woodend Way. *Bru B & Newc T*
 —6G **39**
Wood Fld. *Pet* —1C **162**
Woodfields. *Pon* —5F **25**
Woodford. *Gate* —3H **95**
Woodford Clo. *Sund* —1H **101**
Woodgate Gdns. *Gate* —2H **83**
Woodgate La. *Gate* —1H **83**
Wood Grn. *Gate* —2A **84**
Wood Gro. *Newc T* —2D **64**
Woodhall Clo. *Ous* —1G **89**
Woodhall Ct. *Sea D* —6A **22**
Woodhall Spa. *Shin R* —5E **127**
Woodhams Pl. *S Shi* —2B **74**
Woodhead Rd. *Newc T* —1E **69**
Woodhill Rd. *Cra* —5C **20**
Woodhorn Gdns. *Wide* —5D **28**
Woodhouse Ct. *S Shi* —2C **74**
Woodhouses La. *Whi* —6C **78**
Woodhurst Gro. *Sund* —5C **114**
Woodkirk Clo. *Seg* —1G **31**
Woodland Av. *Pet* —1G **163**
Woodland Clo. *Bear* —4C **150**
Woodland Clo. *Ear* —6E **33**
Woodland Cres. *Newc T* —5G **65**
Woodland Dri. *Sund* —3G **115**
Woodland Grange. *Hou S* —2D **134**
Woodland M. *Newc T* —5H **55**
Woodland Ri. *Sund* —3G **129**
Woodland Rd. *Bear* —4C **150**
Woodlands. *Ches S* —5C **124**
Woodlands. *Gos* —4E **55**
Woodlands. *H Ric* —1E **125**
Woodlands. *N Shi* —6C **46**
Woodlands. *Pon* —2G **36**
Woodlands. *S'hm* —2D **139**
Woodlands. *Thro* —5C **50**
Woodlands Av. *Newc T* —4E **55**
Woodlands Clo. *H Spen* —2A **90**
Woodlands Ct. *Gate* —1F **109**
Woodlands Ct. *Newc T* —5C **50**
Woodlands Dri. *Cle* —3A **88**
Woodlands Grange. *For H* —4E **43**
Woodlands Pk. *Nos* —6E **29**
Woodlands Pk. Dri. *Bla T* —1B **78**
Woodlands Pk. Vs. *N Gos* —1E **41**
Woodlands Rd. *Newc T* —2B **64**
Woodlands Rd. *Row G* —3D **90**
Woodlands Rd. *Sund* —3H **87**
Woodlands Ter. *Dip* —2C **118**
Woodlands Ter. *Gate* —3C **82**
Woodlands Ter. *Newc T* —4E **43**
Woodlands Ter. *S Shi* —3F **61**
Woodlands, The. *Gate* —1F **109**
Woodlands Vw. *Cle* —3A **88**
Woodland Ter. *Bear* —4C **150**
Woodland Ter. *Hou S* —1E **127**
Woodland Ter. *Wash* —5D **100**
Woodland Vw. *W Rai* —4D **144**
Wood La. *Bed* —4B **8**
Woodlea. *For H* —4D **42**
Wood Lea. *Hou S* —4C **136**
Woodlea Clo. *Hett H* —1C **146**
Woodlea Ct. *N Shi* —4A **60**
Woodlea Gdns. *Newc T* —1G **55**
Woodlea Rd. *Row G* —3B **90**
Woodlea Sq. *N Shi* —4A **60**
Woodleigh Rd. *Whit B* —6H **33**
Woodleigh Vw. *Newc T* —4A **54**
Woodmansey Clo. *Pet* —6B **160**
Woodman St. *W'snd* —4F **59**
Woodmans Way. *Whi* —1C **92**
Woodpack Av. *Whi* —5D **78**
Wood Side. —4C 144
Woodside. *Bear* —1B **122**
Woodside. *Bed* —4C **8**
Woodside. *Bly* —1D **16**
Woodside. *E Her* —3E **129**
Woodside. *Pon* —2C **36**
Woodside. *S'ley* —2D **120**
 (off Quarry Rd.)
Woodside. *Sund* —2C **116**
Woodside Av. *Bear* —4C **150**
Woodside Av. *Sea D* —1B **32**
Woodside Av. *Thro* —6E **51**
Woodside Av. *Walk* —2H **69**
Woodside Clo. *Ryton* —4B **62**
Woodside Cres. *Newc T* —5E **43**
Woodside Gdns. *Gate* —4B **80**
Woodside Gdns. *S'ley* —5G **121**
Woodside Gro. *Sund* —3E **129**
Woodside Gro. *Tant* —5A **106**
Woodside La. *Ryton* —2A **76**
 (in two parts)
Woodside La. *W Rai* —4C **144**
Woodside Rd. *Ryton* —4B **62**
Woodside Ter. *Sund* —3E **129**
Woodside Way. *Row G* —4C **90**
Woodside Way. *Ryton* —4C **62**
Woodside Way. *S Shi* —2D **72**
Woods Ter. *Gate* —2H **81**
Wood's Ter. *Mur* —2D **148**

Woods Ter. E. *Mur* —2D **148**
 (off Wood's Ter.)
Woods Ter. N. *Mur* —2D **148**
 (off Wood's Ter.)
Woodstock Av. *Sund* —5E **117**
Woodstock Rd. *Gate* —3A **96**
Woodstock Rd. *Newc T* —4D **64**
Woodstone Ter. *Hou S* —2B **134**
Woodstone Village. —2B 134
Wood St. *Burn* —1G **105**
Wood St. *Gate* —3B **80**
Wood St. *Pelt* —2G **123**
Wood St. *Sund* —6A **102**
Wood Ter. *Gate* —1H **83**
Wood Ter. *Jar* —5E **71**
Wood Ter. *Row G* —3A **90**
Wood Ter. *S Shi* —1F **73**
Wood Ter. *Wash* —5B **98**
Woodthorne Rd. *Newc T* —4G **55**
Woodvale. *Pon* —3C **36**
Woodvale Dri. *Heb* —5A **70**
Woodvale Gdns. *Gate* —5C **82**
Woodvale Gdns. *Newc T* —2C **64**
Woodvale Rd. *Bla T* —1B **78**
Wood Vw. *Shin* —3F **159**
Woodville Ct. *Sund* —3G **115**
Woodville Cres. *Sund* —3G **115**
Woodville Rd. *Newc T* —1B **64**
Woodwynd. *Gate* —5F **83**
 (in two parts)
Wooler Av. *N Shi* —3H **59**
Wooler Cres. *Gate* —3D **80**
Wooler Grn. *Newc T* —2H **63**
Wooler Sq. *Sund* —4E **117**
Wooler Sq. *Wide* —5E **29**
Woolerton Ct. *Gate* —5C **82**
Woolerton Dri. *Newc T* —2C **64**
Wooler Wlk. *Newc T* —5H **71**
Wooley Dri. *Ush M* —6E **151**
Wooley St. *W'snd* —6H **57**
 (in two parts)
Woolmer Ct. *Newc T* —4E **57**
Woolsington By-Pass. *Pres, Wool &*
 Newc T —2A **38**
Woolsington Ct. *Bed* —4H **7**
Woolsington Gdns. *Wool* —5D **38**
Woolsington Pk. S. *Wool* —5D **38**
Woolsington Rd. *N Shi* —6G **45**
Woolwich Clo. *Sund* —1H **101**
Woolwich Rd. *Sund* —1H **101**
Wooperton Gdns. *Newc T* —2G **65**
Worcester Clo. *Gt Lum* —5G **133**
Worcester Grn. *Gate* —1G **81**
Worcester Rd. *Dur* —6D **142**
Worcester St. *Sund* —2C **116**
Worcester Ter. *Sund* —2C **116**
Worcester Way. *Wide* —6D **28**
Wordsworth Av. *B Col* —2H **163**
Wordsworth Av. *Bly* —2A **16**
Wordsworth Av. *Eas L* —5F **147**
Wordsworth Av. *Heb* —3C **70**
Wordsworth Av. *Pelt F* —6G **123**
Wordsworth Av. *S'hm* —4E **139**
Wordsworth Av. *Whi* —3F **79**
Wordsworth Av. E. *Hou S* —4A **136**
Wordsworth Av. W. *Hou S* —4A **136**
Wordsworth Cres. *Gate* —4E **97**
Wordsworth Gdns. *Dip* —1D **118**
Wordsworth Rd. *Pet* —1C **160**
Wordsworth St. *Gate* —1A **82**
Worley Av. *Gate* —1H **95**
Worley Clo. *Newc T* —4C **66**
Worley M. *Gate* —1H **95**
Worley St. *Newc T* —4D **66**
Worley Ter. *Gate* —6H **81**
Worley Ter. *Tant* —6G **105**
Worm Hill Ter. *Wash* —6C **112**
Worsdell St. *Camb* —4C **10**
Worsley Clo. *W'snd* —4F **57**
Worswick St. *Newc T*
 —4G **67** (4E **5**)
Worthing Clo. *W'snd* —4F **57**
Worthington Ct. *Newc T* —2H **67**
Wouldhave Ct. *S Shi* —4F **61**
Wraith Ter. *Pet* —5H **161**
Wraith Ter. *Sund* —3E **131**
Wranghams Entry. *Newc T* —5G **5**
Wraysbury Ct. *Newc T* —6H **39**
Wreay Wlk. *Cra* —6C **20**
Wreigh St. *Heb* —3B **70**
Wreken Gdns. *Gate* —3A **84**
Wrekenton. —3C 96
Wren Clo. *Wash* —4G **111**
Wren Gro. *Sund* —4E **101**
Wretham Pl. *Newc T*
 —3H **67** (2G **5**)
Wright Dri. *Dud* —4A **30**
Wrightson St. *H'fd* —4B **14**
Wright St. *Bly* —5B **10**
Wright Ter. *Hou S* —4E **127**
Wroxham Ct. *Newc T* —3F **53**
Wroxham Ct. *Sund* —5E **117**
Wroxton. *Wash* —4A **112**
Wuppertal St. *Jar* —3F **71**
Wychcroft Way. *Newc T* —5G **53**
Wych Elm Cres. *Newc T* —4C **56**
Wycliffe Av. *Newc T* —4B **54**
Wycliffe Rd. *S'hm* —5H **139**
Wycliffe Rd. *Sund* —3H **115**
Wye Av. *Jar* —6G **71**
Wye Rd. *Heb* —6C **70**

Wylam Av. *H'wll* —1D **32**
Wylam Clo. *S Shi* —4G **73**
Wylam Clo. *Wash* —4C **98**
Wylam Gdns. *W'snd* —3D **58**
Wylam Gro. *Sund* —1E **117**
Wylam Rd. *N Shi* —4B **60**
Wylam Rd. *S'ley* —2D **120**
Wylam St. *Jar* —2F **71**
Wylam Ter. *S'ley* —1D **120**
Wylam Vw. *Bla T* —1H **77**
Wynbury Rd. *Gate* —6A **82**
Wyncote Ct. *Newc T* —5B **56**
Wynde, The. *Pon* —1D **36**
Wynde, The. *S Shi* —4E **73**
Wyndfall Way. *Newc T* —4C **54**
Wyndham Av. *Newc T* —4C **54**
Wyndham Way. *N Shi* —5F **45**
Wynding, The. *Bed* —4G **7**
Wynding, The. *Dud* —3A **30**
Wyndley Clo. *Whi* —6D **78**
Wyndley Pl. *Newc T* —4B **54**
Wyndrow Pl. *Newc T* —4C **54**
 (in two parts)
Wyndsail Pl. *Newc T* —4C **54**
Wynd, The. *Ken* —3C **54**
Wynd, The. *N Shi* —5C **46**
Wynd, The. *Pelt* —2G **123**
Wynd, The. *Thro* —6D **50**
Wyndtop Pl. *Newc T* —4C **54**
Wyndward Pl. *Newc T* —4C **54**
Wyndways Dri. *Dip* —6E **105**
Wynn Gdns. *Gate* —2F **83**
Wynyard. *Ches S* —6A **124**
Wynyard Gdns. *Dur* —2C **8**
Wynyard Gro. *Dur* —5F **153**
Wynyard Sq. *Sund* —5E **117**
Wynyard St. *Gate* —3B **80**
Wynyard St. *Hou S* —3E **135**
Wynyard St. *S'hm* —6B **140**
Wynyard St. *Sund* —2A **130**
Wythburn Pl. *Gate* —1B **96**
Wyvern Sq. *Sund* —5E **117**

Yardley Clo. *Sund* —4A **130**
Yardley Gro. *Cra* —1A **20**
Yarmouth Clo. *S'hm* —5G **139**
Yarmouth Dri. *Cra* —1A **20**
Yatesbury Av. *Newc T* —5F **53**
Yeadon Ct. *Newc T* —6G **39**
Yeavering Clo. *Newc T* —3D **54**
Yelverton Ct. *Cra* —1A **20**
Yelverton Cres. *Newc T* —6F **69**
Yeoman St. *N Shi* —2D **60**
Yeovil Clo. *Cra* —1A **20**
Yetholm Av. *Ches S* —1B **132**
Yetholm Pl. *Newc T* —3E **53**
Yetholm Rd. *Gate* —2D **80**
Yetlington Dri. *Newc T* —3C **54**
Yewbank Av. *Dur* —4H **153**
Yewburn Way. *Newc T* —1C **56**
Yewcroft Av. *Newc T* —3D **64**
Yewdale Gdns. *Gate* —1A **96**
Yewtree Av. *Sund* —3H **101**
Yewtree Dri. *Bed* —3H **7**
Yewtree Gdns. *Newc T* —6G **57**
Yewtrees. *Gate* —6E **83**
Yewvale Rd. *Newc T* —6H **53**
Yoden Av. *Pet* —5F **161**
Yoden Cres. *Pet* —5F **161**
Yoden Rd. *Pet* —6D **160**
Yoden Way. *Pet* —1D **162**
 (in two parts)
York Av. *Jar* —5F **71**
York Av. *Pet* —6F **161**
York Clo. *Cra* —1A **20**
York Cres. *Dur* —5D **142**
York Cres. *Hett H* —1B **146**
Yorkdale Pl. *Newc T* —3G **69**
York Dri. *W'snd* —6H **57**
York Rd. *Bir* —6C **110**
York Rd. *Pet* —5C **160**
York Rd. *Whit B* —6D **34**
Yorkshire Dri. *Dur* —4B **154**
York St. *Bly* —5C **10**
York St. *Hett H* —4A **146**
York St. *Jar* —3E **71**
York St. *Newc T* —4D **66**
York St. *New S* —1A **130**
York St. *Pel* —2G **83**
York St. *S'ley* —4H **119**
York St. *Ches S* —1D **132**
York Ter. *Gate* —3D **82**
York Ter. *N Shi* —2C **60**
York Way. *S Shi* —4A **74**
Yorkwood. *Heb* —2A **70**
Youll's Pas. *Sund* —5F **103**
Young Rd. *Newc T* —4F **43**
Young St. *Dur* —5F **153**

Zetland Clo. *Whit B* —3B **46**
Zetland Dri. *Whit B* —3B **46**
Zetland Sq. *Sund* —4E **103**
Zetland St. *Sund* —4E **103**
Zion St. *Sund* —6E **103**
Zion Ter. *Bla T* —2D **77**
Zion Ter. *Sund* —2C **102**